国会便覧

令和6年8月新版 第158版

シュハリ・イニシアティブ

目次

第100代 第2次岸田第2次改造内閣一覧表

令和5年9月13日発足
令和6年8月7日現在

大臣

役職	氏名	院	党	
内閣総理大臣	岸田文雄	衆	自	(132)
総務大臣	松本剛明	衆	自	(129)
法務大臣	小泉龍司	衆	自	(110)
外務大臣	上川陽子	衆	自	(121)
財務大臣 内閣府特命担当大臣(金融) デフレ脱却担当	鈴木俊一	衆	自	(105)
文部科学大臣	盛山正仁	衆	自	(154)
厚生労働大臣	武見敬三	参	自	(168)
農林水産大臣	坂本哲志	衆	自	(137)
経済産業大臣 原子力経済被害担当 GX実行推進担当 産業競争力担当 ロシア経済分野協力担当 内閣府特命担当大臣(原子力損害賠償・廃炉等支援機構)	齋藤健	衆	自	(112)
国土交通大臣 水循環政策担当 国際園芸博覧会担当	斉藤鉄夫	衆	公	(132)
環境大臣 内閣府特命担当大臣(原子力防災)	伊藤信太郎	衆	自	(105)
防衛大臣	木原稔	衆	自	(136)
内閣官房長官 沖縄基地負担軽減担当 拉致問題担当	林芳正	衆	自	(133)

副大臣・大臣政務官・事務次官

	内閣府	デジタル庁	復興庁	総務省	法務省	外務省
副大臣	石川昭政 衆自(142) 井林辰憲 衆自(121) 工藤彰三 衆自(123) 古賀篤 衆自(135) 岩田和親 衆自(159) 上月良祐 参自(165) 堂故茂 参自(170) 滝沢求 参自(163) 鬼木誠 衆自(134)	石川昭政 衆自(142)	高木宏壽 衆自(103) 平木大作 参公(185) 堂故茂 参自(170)	渡辺孝一 衆自(139) 馬場成志 参自(180)	門山宏哲 衆自(145)	辻清人 衆自(113) 柘植芳文 参自(181)
大臣政務官	土田慎 衆自(114) 神田潤一 衆自(104) 古賀友一郎 参自(180) 平沼正二郎 衆自(131) 石井拓 衆自(150) 吉田宣弘 衆公(160) 尾﨑正直 衆自(134) 国定勇人 衆自(149) 三宅伸吾 参自(178)	土田慎 衆自(114)	平沼正二郎 衆自(131) 本田顕子 参自(183) 吉田宣弘 衆公(160) 尾﨑正直 衆自(134)	西田昭二 衆自(119) 長谷川淳二 衆自(134) 船橋利実 参自(163)	中野英幸 衆自(110)	高村正大 衆自(132) 深澤陽一 衆自(122) 穂坂泰 衆自(109)
事務次官	井上裕之	浅沼尚(デジタル監)	宇野善昌	竹内芳明	川原隆司	岡野正敬
電話番号	(5253)2111	(4477)6775	(6328)1111	(5253)5111	(3580)4111	(3580)3311

デジタル大臣 デジタル行財政改革担当 デジタル田園都市国家構想担当 行政改革担当 国家公務員制度担当 内閣府特命担当大臣 （規制改革）	河野太郎 衆 自 (117)
復興大臣 福島原発事故再生総括担当	土屋品子 衆 自 (111)
国家公安委員会委員長 国土強靱化担当 領土問題担当 内閣府特命担当大臣 （防災、海洋政策）	松村祥史 参 自 (180)
内閣府特命担当大臣 （こども政策、少子化対策、若者活躍、男女共同参画、孤独・孤立対策） 女性活躍担当 共生社会担当	加藤鮎子 衆 自 (106)
経済再生担当 新しい資本主義担当 スタートアップ担当 感染症危機管理担当 全世代型社会保障改革担当 内閣府特命担当大臣 （経済財政政策）	新藤義孝 衆 自 (109)
経済安全保障担当 内閣府特命担当大臣 （クールジャパン戦略、知的財産戦略、科学技術政策、宇宙政策、経済安全保障）	高市早苗 衆 自 (130)
内閣府特命担当大臣 （沖縄及び北方対策、消費者及び食品安全、地方創生、アイヌ施策） 国際博覧会担当	自見はなこ 参 自 (189)

省庁	副大臣	大臣政務官	事務次官	電話
財務省	赤澤亮正 衆 自 (131) 矢倉克夫 参 公 (166)	瀬戸隆一 衆 自 (158) 進藤金日子 参 自 (189)	新川浩嗣	(3581)4111
文部科学省	あべ俊子 衆 自 (157) 今枝宗一郎 衆 自 (124)	安江伸夫 参 公 (173) 本田顕子 参 自 (183)	藤原章夫	(5253)4111
厚生労働省	濵地雅一 衆 公 (160) 宮﨑政久 衆 自 (159)	塩崎彰久 衆 自 (134) 三浦靖 参 自 (181)	伊原和人	(5253)1111
農林水産省	鈴木憲和 衆 自 (106) 武村展英 衆 自 (125)	高橋光男 参 公 (175) 舞立昇治 参 自 (177)	渡邊毅	(3502)8111
経済産業省	岩田和親 衆 自 (159) 上月良祐 参 自 (165)	石井拓 衆 自 (150) 吉田宣弘 衆 公 (160)	飯田祐二	(3501)1511
国土交通省	國場幸之助 衆 自 (159) 堂故茂 参 自 (170)	石橋林太郎 衆 自 (156) こやり隆史 参 自 (174) 尾﨑正直 衆 自 (134)	吉岡幹夫	(5253)8111
環境省	八木哲也 衆 自 (123) 滝沢求 参 自 (163)	朝日健太郎 参 自 (168) 国定勇人 衆 自 (149)	鑓水洋	(3581)3351
防衛省	鬼木誠 衆 自 (134)	松本尚 衆 自 (112) 三宅伸吾 参 自 (178)	増田和夫	(3268)3111
内閣官房	副長官 村井英樹 衆 自 (109) 森屋宏 参 自 (171) 栗生俊一			

（ ）内は、写真付き略歴掲載頁

衆参各議院役員等一覧表 第213回国会（令和6年1月26日〜6月23日）（8月8日現在）

【衆議院】

役職	氏名	会派（期）
議長	額賀福志郎	無（107）
副議長	海江田万里	無（148）
常任委員長　内閣	星野剛士	自民（144）
総務	古屋範子	公明（146）
法務	武部新	自民（104）
外務	勝俣孝明	自民（122）
財務金融	津島淳	自民（140）
文部科学	田野瀬太道	自民（130）
厚生労働	新谷正義	自民（132）
農林水産	野中厚	自民（142）
経済産業	岡本三成	公明（114）
国土交通	長坂康正	自民（123）
環境	務台俊介	自民（149）
安全保障	小泉進次郎	自民（117）
国家基本政策	根本匠	自民（106）
予算	小野寺五典	自民（105）
決算行政監視	小川淳也	立憲（133）
議院運営	山口俊一	自民（133）
懲罰	中川正春	立憲（151）

【参議院】

役職	氏名	会派（期）
議長	尾辻秀久	無（181）
副議長	長浜博行	無（167）
常任委員長　内閣	阿達雅志	自民（190）
総務	新妻秀規	公明（185）
法務	佐々木さやか	公明（169）
外交防衛	小野田紀美	自民（177）
財政金融	足立敏之	自民（188）
文教科学	高橋克法	自民（165）
厚生労働	比嘉奈津美	自民（183）
農林水産	滝波宏文	自民（171）
経済産業	森本真治	立憲（177）
国土交通	青木愛	立憲（192）
環境	三原じゅん子	自民（170）
国家基本政策	浅田均	維教（175）
予算	櫻井充	自民（164）
決算	佐藤信秋	自民（182）
行政監視	川田龍平	立憲（184）
議院運営	浅尾慶一郎	自民（170）
懲罰	松沢成文	維教（170）

特別委員長	災害対策	後藤茂之	自民	(120)
	政治改革	石田真敏	自民	(130)
	沖縄北方	佐藤公治	立憲	(132)
	拉致問題	小熊慎司	立憲	(107)
	—	—		
	消費者問題	秋葉賢也	自民	(140)
	—	—		
	震災復興	髙階恵美子	自民	(157)
	原子力	平将明	自民	(113)
	地・こ・デジ	谷公一	自民	(129)
憲法審査会会長		森英介	自民	(112)
情報監視審査会会長		岩屋毅	自民	(137)
政治倫理審査会会長		田中和徳	自民	(117)
事務総長		築山信彦		

特別委員長	災害対策	竹内真二	公明	(192)
	ODA・沖縄・北方	藤川政人	自民	(173)
	政治改革	豊田俊郎	自民	(167)
	拉致問題	松下新平	自民	(180)
	地方・デジタル	古川俊治	自民	(166)
	消費者問題	石井章	維教	(190)
	—	—		
	震災復興	野田国義	立憲	(179)
	—	—		
	—	—		
調査会長	外交・安全保障	猪口邦子	自民	(167)
	国民生活・経済・地方	福山哲郎	立憲	(174)
	資源エネ・持続可能	宮沢洋一	自民	(177)
憲法審査会会長		中曽根弘文	自民	(166)
情報監視審査会会長		有村治子	自民	(182)
政治倫理審査会会長		野村哲郎	自民	(181)
事務総長		小林史武		

※委員会等の正式名称については、衆議院195頁～、参議院208頁～の委員名簿をご覧ください。氏名の下欄は所属会派、（ ）内は、写真付き略歴掲載頁です。

官庁長官・次長一覧表

（8月7日現在）

官庁	長官	次長	電話番号
宮内庁	西村泰彦	黒田武一郎	(3213)1111
警察庁	露木康浩	楠芳伸	(3581)0141
金融庁	井藤英樹	—	(3506)6000
消費者庁	新井ゆたか	吉岡秀弥	(3507)8800
こども家庭庁	渡辺由美子	—	(6771)8030
消防庁	池田達雄	田辺康彦	(5253)5111
出入国在留管理庁	丸山秀治	杉山徳明	(3580)4111
公安調査庁	浦田啓一	平光信隆	(3592)5711
最高検察庁	検事総長 畝本直美	次長検事 山元裕史	(3592)5611
国税庁	奥達雄	小宮敦史	(3581)4161
スポーツ庁	室伏広治	寺門成真	(5253)4111
文化庁	都倉俊一	森田正信 合田哲雄	(5253)4111
林野庁	青山豊久	小坂善太郎	(3502)8111
水産庁	森健	藤田仁司	(3502)8111
資源エネルギー庁	村瀬佳史	畠山陽二郎	(3501)1511
特許庁	小野洋太	特許技監 安田太	(3581)1101
中小企業庁	山下隆一	飯田健太	(3501)1511
観光庁	秋川直也	平嶋隆司	(5253)8111
気象庁	森隆志	吉永隆博	(6758)3900
海上保安庁	瀬口良夫	宮澤康一	(3591)6361
原子力規制庁	片山啓	金子修一	(3581)3352
防衛装備庁	石川武	防衛技監 堀江和宏	(3268)3111

議員宿所・秘書名・略歴頁一覧表【衆議院】

掲載順は次の通りです。
1. 姓の第一文字 ……………【1】読みの五十音順 【2】画数が少ない順 【3】部首の画数が少ない順
2. 姓の第二文字以降、前記の例による

	欄
①	常任委員
②	選出選挙区
③	会派
	氏名(しめい)
④	〒
④	住所
④	電話番号
⑤	議員会館 館別号室
⑤	議員会館 内線
⑤	議員会館 直通
⑤	議員会館 FAX
	㊖政策秘書
	①第一秘書
	②第二秘書
⑥	略歴頁

① 衆議院常任委員会 (8月7日現在)

内 = 内　閣　環 = 環　境
総 = 総　務　安 = 安全保障
法 = 法　務　基 = 国家基本政策
外 = 外　務　予 = 予　算
財 = 財務金融　決 = 決算行政監視
文 = 文部科学　議 = 議院運営
厚 = 厚生労働　懲 = 懲　罰
農 = 農林水産
経 = 経済産業　長 = 委員長
国 = 国土交通

② 選出選挙区

令和3年10月31日施行第49回総選挙にて選出
補: 小選挙区の補欠選挙にて選出
繰: 比例代表の繰上補充にて選出

③ 院内会派 (8月7日現在)

自民	自由民主党・無所属の会	257(22)
立憲	立憲民主党・無所属	99(15)
維教	日本維新の会・教育無償化を実現する会	45(5)
公明	公明党	32(4)
共産	日本共産党	10(2)
国民	国民民主党・無所属クラブ	7(1)
有志	有志の会	4(0)
れ新	れいわ新選組	3(2)
無	無所属	8(0)
欠員		0
総計		465(51)

※(　)内は女性数

④ 連絡先

会館 : 議員会館
宿舎 : 議員宿舎

⑤ 議員会館

館別号室 ([例] 2-812 → 衆議院第二議員会館 812号室)
内線番号、直通電話番号、FAX 番号
会館住所は 444 頁関係所在地一覧参照

⑥ 略歴掲載頁

議員のカラー写真と略歴等を掲載している頁

議長

委員	選挙区	会派	氏名	〒	住所	電話番号	号室	内線	直通	FAX	秘書名	頁
	茨城2区	無	額賀（ぬかが）福志郎（ふくしろう）	100-8982 311-3832	千代田区永田町二ノ一ノ二 会館 行方市麻生三一八七ノ三一	03(3508)7447 0299(72)1218	2-824	70824	(3508)7447	(3592)0468	議長秘書 平川大輔	107

副議長

委員	選挙区	会派	氏名	〒	住所	電話番号	号室	内線	直通	FAX	秘書名	頁
	比例東京	無	海江田（かいえだ）万里（ばんり）	160-0004	新宿区四谷三ノ一一 山一ビル6F	03(5363)6015	1-609	50609	(3508)7316	(3508)3316	副議長秘書 落合友子 清家弘司	148

委員	選挙区	会派	氏名	〒	住所	電話番号	号室	内線	直通	FAX	秘書名	頁
国	神奈川14区	自民	あかま二郎（じろう）	100-8981 252-0239	千代田区永田町二ノ二ノ一 会館 相模原市中央区中央二ノ一一ノ一〇	03(3508)7317 042(756)1500	1-421	50421	(3508)7317	(3508)3317	㉟鈴木久恵 ①飯田則恭 ②神崎慶子	117
	比例中国	自民	あべ俊子（としこ）	100-8981 708-0841	千代田区永田町二ノ二ノ一 会館 津山市川崎一六二ノ五	03(3508)7136 0868(26)6711	1-514	50514	(3508)7136	(3508)3436	㉟野瀬健悟 ①末澤文智 ②小賀智子	157
懲	宮城5区	立憲	安住（あずみ）淳（じゅん）	100-8981 986-0814	千代田区永田町二ノ二ノ一 会館 石巻市南中里四ノ一ノ一八	03(3508)7293 0225(23)2881	1-1003	51003	(3508)7293	(3508)3503	㉟泉貴仁 ①遠藤裕美 ②髙木万莉子	105
厚	大阪9区	維教	足立（あだち）康史（やすし）	100-8981 567-0883	千代田区永田町二ノ二ノ一 会館 茨木市大手町九ノ二六 吉川ビル3F	03(3508)7100 072(623)5834	1-1016	51016	(3508)7100	(3508)6410	㉟斉藤巧 ①櫻井謙太 ②[illegible]	127

委員	選挙区	会派	氏名	〒	住所	電話番号	号室	内線	直通	FAX	秘書名	頁
財	大阪19区	維教	伊東信久（いとうのぶひさ）	100-8981 598-0055	千代田区永田町二ノ二ノ一　会館 泉佐野市若宮町七ノ一三　田端ビル4F	03(3508)7243 072(463)8777	1-916	50916	(3508)7243	(3508)3513	政 永田千寿 ① 武田昌也 ② 船冨則夫	128
農予	北海道7区	自民	伊東良孝（いとうよしたか）	100-8981 085-0021	千代田区永田町二ノ二ノ一　会館 釧路市浪花町一三ノ二ノ一	03(3508)7170 0154(25)5500	1-623	50623	(3508)7170	(3508)7177	政 魚住純也 ① 児玉雅裕 ② 大志保夕里奈	103
議	比例東京	立憲	伊藤俊輔（いとうしゅんすけ）	100-8982 194-0021	千代田区永田町二ノ一ノ二　会館 町田市中町二ノ六ノ一一　サワダビル3F	03(3508)7150 042(723)0117	2-1122	71122	(3508)7150	(3508)3640	政 東恭弘 ② 月原大輔	147
	宮城4区	自民	伊藤信太郎（いとうしんたろう）	100-8982 985-0021	千代田区永田町二ノ一ノ二　会館 塩竈市尾島町二四ノ二〇	03(3508)7091 022(367)8687	2-205	70205	(3508)7091	(3508)3871	政 大谷津篤 ① 永沼隼 ② 田中貴美子	105
環	愛知8区	自民	伊藤忠彦（いとうただひこ）	100-8982 478-0021	千代田区永田町二ノ一ノ二　会館 知多市岡田字向田六一	03(3508)7003 0562(55)5508	2-222	70222	(3508)7003	(3508)3803	政 上田恵利 ① 宮島隆志	123
予	東京22区	自民	伊藤達也（いとうたつや）	100-8982 182-0024	千代田区永田町二ノ一ノ二　会館 調布市布田一ノ三ノ一　ダイヤビル2F	03(3508)7623 042(499)0501	2-524	70524	(3508)7623	(3508)3253	政 山中真喜子 ① 内川直樹 ② 福井裕康	115
国	比例東海	公明	伊藤渉（いとうわたる）	100-8981 485-0031	千代田区永田町二ノ二ノ一　会館 小牧市若草町一七三　カーサフェリーチェ若草一〇一	03(3508)7187 0568(54)2231	1-921	50921	(3508)7187	(3508)3617	政 中島勉 ① 村本豊 ② 北澤匡貴	152
法	大阪10区	維教	池下卓（いけしたたく）	100-8981 569-0804	千代田区永田町二ノ二ノ一　会館 高槻市紺屋町三ノ一ノ二一九　グリーンプラザたかつき三号館2F	03(3508)7454 072(668)2013	1-907	50907	(3508)7454	(3508)3284	政 上野壽朗 ① 森田弘之 ② 栄田孝弘	127

委員	選挙区	会派	氏名	〒	住所	電話番号	号室	内線	直通	FAX	秘書名	頁
決	比例東海	無	池田（いけだ）佳隆（よしたか）	100-8982 468-0037	千代田区永田町二ノ一ノ二　会館 名古屋市天白区天白町野並上大塚一二四ノ一	03(3508)7616 052(838)6381	2-511	70511	(3508)7616	(3508)3996	㊞柿沼和宏 ①中村美千代 ②	150
農	比例近畿	維教	池畑（いけはた）浩太朗（こうたろう）	100-8982 679-4167	千代田区永田町二ノ一ノ二　会館 たつの市龍野町富永七三〇ノ二〇 玉田ビル1F	03(3508)7520 0791(63)2814	2-509	70509	(3508)7520	(3508)3950	㊞野﨑敏雄 ①及川智義 ②北島万乗	156
基	比例北関東	公明	石井（いしい）啓一（けいいち）	100-8981 340-0005	千代田区永田町二ノ二ノ一　会館 草加市中根三ノ三四ノ三三	03(3508)7110 048(951)7110	1-411	50411	(3508)7110	(3508)3229	㊞杉戸研介 ①藤田勝利 ②高橋成典	143
経	比例東海	自民	石井（いしい）拓（たく）	107-0052 446-0039	港区赤坂二ノ一七ノ一〇　宿舎 安城市花ノ木町四九ノ九六 Actis HANANOKI D号	0566(87)7407	2-209	70209	(3508)7031	(3508)3813	㊞藤原陽子 ①小林哲三 ②嶋田光紗	150
	比例北関東	自民	石川（いしかわ）昭政（あきまさ）	100-8982 317-0076	千代田区永田町二ノ一ノ二　会館 日立市会瀬町四ノ五ノ一七	03(3508)7159 0294(51)5887	2-1014	71014	(3508)7159	(3508)3709	㊞大塚敬史 ①石川浩久 ②益子侑也	142
国予	北海道11区	立憲	石川（いしかわ）香織（かおり）	100-8982 080-0028	千代田区永田町二ノ一ノ二　会館 帯広市西十八条南五ノ四七ノ五	03(3508)7512 0155(67)7730	2-512	70512	(3508)7512	(3508)3942	㊞亀井政貴 ①高桑浩 ②岡本鎌	104
総	和歌山2区	自民	石田（いしだ）真敏（まさとし）	100-8982 649-6226	千代田区永田町二ノ一ノ二　会館 岩出市宮八三　ホテルいとう1F	03(3508)7072 0736(69)0123	2-313	70313	(3508)7072	(3581)6992	㊞山崎勝紀 ①今西康仁 ②上泰治	130
予	鳥取1区	自民	石破（いしば）茂（しげる）	100-8982 680-0055	千代田区永田町二ノ一ノ二　会館 鳥取市戎町五一五ノ三	03(3508)7525 0857(27)4898	2-515	70515	(3508)7525	(3502)5174	㊞吉村麻央 ①瀬淵資水 ②谷長正彦	130

委員	国		財環 議	基	内国	厚農	経	法環
選挙区	比例 中国	比例 東京	比例 東海	京都 3区	比例 北陸信越	比例 近畿	兵庫 6区	福井 1区
会派	自民	自民	自民	立憲	自民	維教	維教	自民
氏名	石橋（いしばし）林太郎（りんたろう）	石原（いしはら）宏高（ひろたか）	石原（いしはら）正敬（まさたか）	泉（いずみ）健太（けんた）	泉田（いずみだ）裕彦（ひろひこ）	一谷（いちたに）勇一郎（ゆういちろう）	市村（いちむら）浩一郎（こういちろう）	稲田（いなだ）朋美（ともみ）
〒	100-8981 731-0124	100-8981 140-0014	100-8981 510-1226	100-8981 612-8434	100-8982 940-0082	100-8982	100-8982 665-0035	100-8982 910-0858
住所	千代田区永田町二ノ二ノ一 会館 広島市安佐南区大町東二ノ一五ノ七	千代田区永田町二ノ二ノ一 会館 品川区大井一ノ二三ノ五 八木ビル7F	千代田区永田町二ノ二ノ一 会館 三重郡菰野町吉澤四四一ノ一	千代田区永田町二ノ二ノ一 会館 京都市伏見区深草加賀屋敷町三ノ六 ネクスト21-Ⅱ1F	千代田区永田町二ノ一ノ二 会館 長岡市千歳三ノ二ノ三三	千代田区永田町二ノ一ノ二 会館	千代田区永田町二ノ一ノ二 会館 宝塚市逆瀬川二ノ六ノ二	千代田区永田町二ノ一ノ二 会館 福井市手寄一ノ九ノ二〇
電話番号	03(3508)7901 082(836)3444	03(3508)7319 03(3777)2275	03(3508)7706 059(394)4333	03(3508)7005 075(646)5566	03(3508)7640 0258(89)8506	03(3508)7300	03(3508)7165 0797(71)1111	03(3508)7035 0776(22)0510
号室	1-1221	1-813	1-910	1-817	2-914	2-507	2-1203	2-1115
内線	51221	50813	50910	50817	70914	70507	71203	71115
直通	(3508)7901	(3508)7319	(3508)7706	(3508)7005	(3508)7640	(3508)7300	(3508)7165	(3508)7035
FAX	(3508)3409	(3508)3319	(3508)3321	(3508)3805	(3508)3270	(3508)3373	(3508)3715	(3508)3835
秘書名	㊇ 田丸志野 ① 植村恭明 ② 吉岡広小路	㊇ 佐藤紀人 ① 夏目勧嗣 ② 星野顕仁	㊇ 市川淀内幸 ① 髙島篤史 ② 加藤駿	㊇ 田中栄一 ① 野本菜生 ② 西村文希	㊇ 横山絵理 ① 松本政行 ② 高坂朋孝	㊇ 甲斐隆志 ① 黒島友梨 ②	㊇ 康本昭赫 ① 渡智恵子 ②	㊇ 小野隼人 ① 坪田三和 ② 池端美紗
頁	156	147	151	125	149	156	129	119

氏名	委員	選挙区	会派	〒	住所	電話番号	号室	内線	直通	FAX	秘書名	頁
稲津（いなつ） 久（ひさし）	財 農	北海道10区	公明	100-8982 068-0853	千代田区永田町二ノ一ノ二　会館 岩見沢市大和三条四ノ一四ノ七	03(3508)7089 0126(22)8511	2-413	70413	(3508)7089	(3508)3869	政 布川和義 ① 一戸康男 ②	104
稲富（いなとみ） 修二（しゅうじ）	財	比例九州	立憲	100-8982 815-0041	千代田区永田町二ノ一ノ二　会館 福岡市南区野間四ノ一ノ三五ノ一〇七	03(3508)7515 092(557)8501	2-1004	71004	(3508)7515	(3508)3945	政 神山洋介 ① 古屋伴朗 ②	160
今枝（いまえだ） 宗一郎（そういちろう）		愛知14区	自民	100-8981 442-0031	千代田区永田町二ノ二ノ一　会館 豊川市豊川西町六四	03(3508)7080 0533(89)9010	1-422	50422	(3508)7080	(3508)3860	政 田淵雄三 ① 金井敦司 ②	124
今村（いまむら） 雅弘（まさひろ）	予	比例九州	自民	100-8982 840-0032	千代田区永田町二ノ一ノ二　会館 佐賀市末広二ノ一三ノ三六	03(3508)7610 0952(27)8015	2-1210	71210	(3508)7610	(3597)2723	政 無津呂智臣 ① 木下明仁 ②	158
岩田（いわた） 和親（かずちか）		比例九州	自民	100-8982 840-0045	千代田区永田町二ノ一ノ二　会館 佐賀市西田代二ノ三ノ一四ノ一	03(3508)7707 0952(23)7880	2-206	70206	(3508)7707	(3508)3203	政 峯崎恭輔 ① 吉泉寛 ②	159
岩谷（いわたに） 良平（りょうへい）	安	大阪13区	維教	100-8981 577-0809	千代田区永田町二ノ二ノ一　会館 東大阪市永和一ノ二五ノ一四ノ2F	03(3508)7314 06(6732)4204	1-906	非公開	(3508)7314		政 三好新治 ① 森本愛 ② 森田一也	127
岩屋（いわや） 毅（たけし）	予	大分3区	自民	100-8982 874-0933	千代田区永田町二ノ一ノ二　会館 別府市野口元町一ノ三　富士吉ビル2F	03(3508)7510 0977(21)1781	2-1209	71209	(3508)7510	(3509)7610	政 山口明浩 ① 岩屋恒久 ② 青木隆幸	137
上杉（うえすぎ） 謙太郎（けんたろう）	外 文	比例東北	自民	100-8982 961-0075	千代田区永田町二ノ一ノ二　会館 白河市会津町九三　県南会津町ビル	03(3508)7074 0248(21)9477	2-1111	71111	(3508)7074	(3508)3764	政 高橋洋樹 ① 大見祐子 ②	141

氏名	委員	選挙区	会派	〒	住所	電話番号	号室	内線	直通	FAX	秘書名	頁
上田英俊（うえだ えいしゅん）	厚農	富山2区	自民	100-8982 937-0051	千代田区永田町二ノ一ノ二 会館 魚津市駅前新町五ノ三〇	03(3508)7061 0765(22)6648	2-811	70811	(3508)7061	(3508)3381	㊦大瀧幸雄 ①濱瀬浩晃 ②藤井開	119
上野賢一郎（うえの けんいちろう）	内予	滋賀2区	自民	100-8981 526-0021	千代田区永田町二ノ二ノ一 会館 長浜市八幡中山町八八ノ一一	03(3508)7004 0749(63)9977	1-621	50621	(3508)7004	(3508)3804	㊦原島潤 ①浅山禎信 ②野中みゆき	125
浮島智子（うきしま ともこ）	文	近畿比例	公明	100-8982 540-0025	千代田区永田町二ノ一ノ二 会館 大阪市中央区徳井町二ノ四ノ一五 タニイビル6F	03(3508)7290 06(6942)1150	2-820	70820	(3508)7290	(3508)3740	㊦ ①柏木淳 ②竹本佳恵	154
梅谷守（うめたに まもる）	農	新潟6区	立憲	100-8982 943-0805	千代田区永田町二ノ一ノ二 会館 上越市木田一ノ八ノ一四	03(3581)5111 025(526)4211	2-403	70403	(3508)7403	(3508)3883	㊦瀧澤直樹 ①岡村祐子 ②杉山直人	119
浦野靖人（うらの やすと）	決	大阪15区	維教	100-8981 580-0016	千代田区永田町二ノ二ノ一 会館 松原市上田三ノ四ノ六	03(3581)5111 072(330)6700	1-405	50405	(3508)7641	(3508)3271	㊦藤鷹英雄 ①大河内国光 ②池側純司	128
漆間譲司（うるま じょうじ）	国予	大阪8区	維教	100-8981 561-0884	千代田区永田町二ノ二ノ一 会館 豊中市岡町北一ノ一ノ四 3F(E)	03(3508)7298 06(6857)7770	1-912	50912	(3508)7298	(3508)3508	㊦長嶋雅代 ①川面篤史 ②高田祐也	127
江﨑鐵磨（えさき てつま）	決	愛知10区	自民	100-8982 491-0002	千代田区永田町二ノ一ノ二 会館 一宮市時之島字下奈良西二	03(3508)7418 0586(77)8555	2-1002	71002	(3508)7418	(3508)3898	㊦若山慎司 ①栗本実樹男 ②江﨑琢磨	123
江田憲司（えだ けんじ）	財	神奈川8区	立憲	100-8982 227-0062	千代田区永田町二ノ一ノ二 会館 横浜市青葉区青葉台二ノ九ノ三〇	03(3508)7462 045(989)3911	2-610	70610	(3508)7462	(3508)3292	㊦大塚亜紀子 ①町田融哉 ②望月高徳	117

委員	選挙区	会派	氏名	〒	住所	電話番号	号室	内線	直通	FAX	秘書名	頁
安	青森1区	自民	江渡（えと）聡徳（あきのり）	107-0052 030-0812	港区赤坂二ノ一七ノ一〇　宿舎 青森市堤町一ノ三ノ一二	017(718)8820	2-1021	71021	(3508)7096	(3508)3961	㊇鈴木貴司 ①髙渕正賢 ②齊藤晃一	104
農	宮崎2区	自民	江藤（えとう）拓（たく）	100-8982 883-0021	千代田区永田町二ノ一ノ二　会館 日向市大字財光寺一三三三ノ一	0982(53)1367	2-1207	71207	(3508)7468	(3591)3063	㊇三野晃 ①川合賢二 ②山地将生	137
法財	千葉5区補	自民	英利（えり）アルフィヤ	100-8981 272-0021	千代田区永田町二ノ二ノ一　会館 市川市八幡三ノ一四ノ三 シロワビル二〇二	047(702)8520	1-1122	51122	(3508)7436	(3508)3916	㊇ ① ②	111
予	大分2区	自民	衛藤（えとう）征士郎（せいしろう）	107-0052 876-0833	港区赤坂二ノ一七ノ一〇　宿舎 佐伯市池船町二一ノ一	0972(24)0003	1-1101	51101	(3508)7618	(3595)0003	㊇衛藤孝 ①増村幸成 ②金高桃子	137
国	埼玉5区	立憲	枝野（えだの）幸男（ゆきお）	100-8981 330-0846	千代田区永田町二ノ二ノ一　会館 さいたま市大宮区大門町二ノ一〇八ノ五　2F	048(648)9124	1-804	50804	(3508)7448	(3591)2249	㊇枝野佐智子 ①三吉弘人 ②沼田陽司	110
議	大阪18区	維教	遠藤（えんどう）敬（たかし）	100-8981 592-0014	千代田区永田町二ノ二ノ一　会館 高石市綾園二ノ七ノ一八 千代田ビル二〇一	072(266)8228	1-415	50415	(3508)7325	(3508)3325	㊇山中栄一 ①下条潤彌 ②淵上翔香	128
決	山形1区	自民	遠藤（えんどう）利明（としあき）	100-8981 990-2481	千代田区永田町二ノ二ノ一　会館 山形市あかねケ丘二ノ一ノ六	023(646)6888	1-703	50703	(3508)7158	(3592)7660	㊇須藤孝治 ①帯刀亮 ②矢野圭一	106
厚決	比例近畿	維教	遠藤（えんどう）良太（りょうた）	100-8981 669-1529	千代田区永田町二ノ二ノ一　会館 三田市中央町三ノ一二	079(564)6156	1-516	50516	(3508)7114	(3508)3225	㊇松尾和弥 ①石橋彩夏 ②大髙明範	155

氏名	委員	選挙区	会派	〒	住所	電話番号	号室	内線	直通	FAX	秘書名	頁
おおつき紅葉（おおつき くれは）	総法	北海道比例	立憲	100-8981 047-0024	千代田区永田町二ノ二ノ一 会館 小樽市花園二ノ六ノ七 プラムビル5F	03(3508)7493 0134(61)7366	1-820	50820	(3508)7493	(3508)3320	政 竹岡正博 ① 下山大輔 ② 瀬尾幸太郎	139
小川淳也（おがわ じゅんや）	決長	香川1区	立憲	100-8982 761-8083	千代田区永田町二ノ一ノ二 会館 高松市三名町五六九ノ三	03(3508)7621 087(814)5600	2-1005	71005	(3508)7621	(3508)3251	政 坂本広明 ① 青木武史 ② 原田佳枝	133
小熊慎司（おぐま しんじ）	外	福島4区	立憲	100-8981 965-0835	千代田区永田町二ノ二ノ一 会館 会津若松市館馬町二ノ一四	03(3508)7138 0242(38)3565	1-808	50808	(3508)7138	(3508)3438	政 荻野妙子 ① 廣岡久 ② 代田秀一	107
小倉將信（おぐら まさのぶ）	環決	東京23区	自民	100-8981 194-0013	千代田区永田町二ノ二ノ一 会館 町田市原町田五ノ四ノ七 からかあさ一〇一	03(3508)7140 042(710)1192	1-814	50814	(3508)7140	(3508)3440	政 齋藤佳伸 ① 横田哲弥 ② 遠藤敦人	115
小里泰弘（おざと やすひろ）		九州比例	自民	100-8981 895-0012	千代田区永田町二ノ二ノ一 会館 薩摩川内市平佐一ノ一〇	03(3508)7247 0996(23)5888	1-811	50811	(3508)7247	(3502)5017	政 金子達也 ① 合春文徳 ② 上赤修道	159
小沢一郎（おざわ いちろう）	懲	東北比例	立憲	100-8981 023-0814	千代田区永田町二ノ二ノ一 会館 奥州市水沢袋町二ノ三八	03(3508)7175 0197(24)3851	1-605	50605	(3508)7175		政 宇田川勲 ① 川邊嗣治 ② 小湊敬太	141
小田原潔（おだわら きよし）	外財	東京21区	自民	100-8982 190-0011	千代田区永田町二ノ一ノ二 会館 立川市高松町三ノ一四ノ一一 マスターズオフィス立川	03(3508)7909 042(548)0065	2-1007	71007	(3508)7909	(3508)3273	政 潮田麻衣子 ① 吉田直哉 ② 伊集院聡	115
小野泰輔（おの たいすけ）	経	東京比例	維教	100-8981 150-0012	千代田区永田町二ノ二ノ一 会館 渋谷区広尾五ノ一六ノ一ノ三〇二	03(3508)7340 03(6824)6087	1-513	50513	(3508)7340	(3508)3340	政 岩本優美子 ① 大竹等 ② 門馬一樹	149

委員	選挙区	会派	氏名	〒	住所	電話番号	号室	内線	直通	FAX	秘書名	頁
予長	宮城6区	自民	小野寺(おのでら) 五典(いつのり)	100-8982 987-0511	千代田区永田町二ノ一ノ二 会館 登米市迫町佐沼字中江一ノ一〇ノ四 中江第一ビル2F-1	03(3508)7432 0220(22)6354	2-715	70715	(3508)7432	(3508)3912	政 鈴木　敦 ① 加美山不可史 ② 佐藤　丈寛	105
基	群馬5区	自民	小渕(おぶち) 優子(ゆうこ)	100-8982 377-0423	千代田区永田町二ノ一ノ二 会館 吾妻郡中之条町大字伊勢町一〇〇三ノ七	03(3508)7424 0279(75)2234	2-823	70823	(3508)7424	(3592)1754	政 石川　幸子 ① 輕部　順子 ② 渡部　慎也	109
国	高知2区	自民	尾﨑(おざき) 正直(まさなお)	100-8982 781-8010	千代田区永田町二ノ一ノ二 会館 高知市桟橋通三ノ二五ノ三一	03(3508)7619 088(855)9140	2-901	70901	(3508)7619	(3508)3999	政 栗原　雄一郎 ① 池田　誠二 ② 澤海　和也	134
総文	比例北関東	自民	尾身(おみ) 朝子(あさこ)	100-8982 371-0852	千代田区永田町二ノ一ノ二 会館 前橋市総社町総社三一三七ノ一 三和ビル1F	03(3508)7484 027(280)5250	2-1201	71201	(3508)7484	(3508)3364	政 滝　誠一郎 ① ② 塩澤　正男	142
財予	比例東京	自民	越智(おち) 隆雄(たかお)	100-8981 156-0052	千代田区永田町二ノ二ノ一 会館 世田谷区経堂二ノ二ノ一 2F	03(3508)7479 03(5799)4260	1-1105	51105	(3508)7479	(3508)3359	政 渡辺　晴彦 ① 米山　淳子 ② 大野　圭介	147
内予	福岡9区	有志	緒方(おがた) 林太郎(りんたろう)	100-8982 806-0045	千代田区永田町二ノ一ノ二 会館 北九州市八幡西区竹末二ノ二ノ二	03(3508)7119 093(644)7077	2-617	70617	(3508)7119	(3508)3426	政 大歳　はるか ① 高橋　伊織 ② 森　晶俊	135
内	比例近畿	れ新	大石(おおいし) あきこ	100-8982 532-0011	千代田区永田町二ノ一ノ二 会館 大阪市淀川区西中島七ノ一ノ一 興北ビル2F	03(3508)7404	2-417	70417	(3508)7404		政 ① ②	156
厚経	滋賀1区	自民	大岡(おおおか) 敏孝(としたか)	100-8981 520-0026	千代田区永田町二ノ二ノ一 会館 大津市桜野町一ノ一ノ六 -SⅡ二〇三	03(3508)7208 077(572)7770	1-619	50619	(3508)7208	(3508)3208	政 岸田　郁子 ① 石橋　広行 ② 冨迫　佳代	125

委員	選挙区	会派	氏名	〒	住所	電話番号	号室	内線	直通	FAX	秘書名	頁
環決	東京比例	立憲	大河原まさこ(おおかわらまさこ)	100-8981 190-0022	千代田区永田町二ノ二ノ一 会館 立川市錦町一ノ一〇ノ二五 YS錦町ビル1F	03(3508)7261 042(529)5155	1-517	50517	(3508)7261	(3508)3531	㊕鈴木智 ①権藤良嗣 ②久野茂	148
懲	佐賀2区	立憲	大串博志(おおぐしひろし)	107-0052 849-0302	港区赤坂二ノ一七ノ一〇 宿舎 小城市牛津町柿樋瀬一〇六二ノ一 ショッピングプラザセリオ2F	03(5549)4671 0952(66)5776	1-308	50308	(3508)7335	(3508)3335	㊕及川昭広 ①北島一夫 ②北島智孝	136
厚	近畿比例	自民	大串正樹(おおぐしまさき)	100-8981 664-0851	千代田区永田町二ノ二ノ一 会館 伊丹市中央一ノ二ノ六 グランドハイツコーワ二ノ一二	03(3508)7191 072(773)7601	1-616	50616	(3508)7191	(3508)3621	①森本猛史 ②大澤一功	153
法	東海比例	公明	大口善徳(おおぐちよしのり)	100-8982 420-0067	千代田区永田町二ノ一ノ二 会館 静岡市葵区幸町一一ノ一	03(3508)7017 054(273)8739	2-308	70308	(3508)7017	(3508)8552	㊕山中基司 ①山内克則 ②久保田由美	152
経	埼玉6区	立憲	大島敦(おおしまあつし)	100-8981 363-0021	千代田区永田町二ノ二ノ一 会館 桶川市泉二ノ一一ノ三三 天沼ビル	03(3508)7093 048(789)2110	1-420	50420	(3508)7093	(3508)3380	㊕稲垣雅由 ①永井紀明 ②加藤幸一	110
財安	埼玉9区	自民	大塚拓(おおつかたく)	100-8981 358-0003	千代田区永田町二ノ二ノ一 会館 入間市豊岡一ノ二ノ二三 清水ビル2F	03(3508)7608 04(2901)1112	1-710	50710	(3508)7608	(3508)3988	㊕松井晴子 ①佐藤由美 ②大場隆三郎	110
厚予	愛知13区	立憲	大西健介(おおにしけんすけ)	100-8981 446-0058	千代田区永田町二ノ二ノ一 会館 安城市井杭山町高見八ノ七 2F	03(3508)7108 0566(70)7122	1-923	50923	(3508)7108	(3508)3408	㊕乾ひとみ ①倉嶋弘夫 ②伊関延元	124
内国	東京16区	自民	大西英男(おおにしひでお)	100-8982 132-0011	千代田区永田町二ノ一ノ二 会館 江戸川区瑞江二ノ六ノ一九 6F	03(3508)7033 03(5666)7770	2-510	70510	(3508)7033	(3508)3833	㊕亀本正城 ①山下誠治 ②吉田晃樹	114

氏名	大野敬太郎(おおの けいたろう)	逢坂誠二(おおさか せいじ)	岡田克也(おかだ かつや)	岡本あき子(おかもと あきこ)	岡本三成(おかもと みつなり)	奥下剛光(おくした たけみつ)	奥野信亮(おくの しんすけ)	奥野総一郎(おくの そういちろう)
委員	内財	内	基	総	経長	環予	法予懲	総予
選挙区	香川3区	北海道8区	三重3区	東北比例	東京12区	大阪7区	近畿比例	千葉9区
会派	自民	立憲	立憲	立憲	公明	維教	自民	立憲
〒	100-8981 763-0082	100-8982 040-0073	100-8981 510-8121	100-8981 982-0011	100-8981 116-0013	100-8981 564-0032	100-8982 639-2212	100-8981 285-0843
住所	千代田区永田町二ノ二ノ一 会館 丸亀市土器町東一ノ一二九ノ二	千代田区永田町二ノ一ノ二 会館 函館市宮前町八ノ四	千代田区永田町二ノ二ノ一 会館 三重郡川越町高松三〇ノ一	千代田区永田町二ノ二ノ一 会館 仙台市太白区長町四ノ四ノ二九 1F	千代田区永田町二ノ二ノ一 会館 荒川区西日暮里五ノ三三ノ五 ウシオビル2F	千代田区永田町二ノ二ノ一 会館 吹田市内本町二ノ六ノ一三 アイワステーションビルⅡ号館	千代田区永田町二ノ一ノ二 会館 御所市中央通り二ノ一一三ノ一	千代田区永田町二ノ二ノ一 会館 佐倉市中志津四ノ一ノ三五
電話番号	03(3508)7132 0877(21)7711	03(3508)7517 0138(41)7773	03(3508)7109 059(361)6633	03(3508)7064 022(395)4781	03(3508)7147 03(5604)5923	03(3508)7225 06(6381)7711	03(3508)7421 0745(62)4379	03(3508)7256 043(461)8609
号室	1-1211	2-517	1-506	1-711	1-1005	1-721	2-1001	1-1119
内線	51211	70517	50506	50711	51005	50721	71001	51119
直通	(3508)7132	(3508)7517	(3508)7109	(3508)7064	(3508)7147	(3508)7225	(3508)7421	(3508)7256
FAX	(3502)5870	(3508)3947	(3502)5047	(3508)3844	(3508)3637	(3508)3414	(3508)3901	(3508)3526
秘書名	㊚奴賀裕行 ①横田飛真 ②大谷まゆみ	㊚谷口眞弓 ①野村宗平 ②浜谷優香	㊚金指良樹 ①安野啓子 ②村上幸司	㊚村田実 ①家藤義人 ②鈴木清美	㊚中山政弘 ①佐藤希美子 ②宮木正雄	㊚平松大輔 ①馬場慶次郎 ②池内沙織	㊚水野元晴 ①木口善行 ②平岡史行	㊚小野隆朗 ①中野あかね ②泉武人
頁	133	103	124	141	114	127	153	112

委員	選挙区	会派	氏名	〒	住所	電話番号	号室	内線	直通	FAX	秘書名	頁
経	東京6区	立憲	落合(おちあい) 貴之(たかゆき)	100-8982 156-0055	千代田区永田町二ノ一ノ二 会館 世田谷区船橋二ノ一ノ一 千歳第一マンション一〇三	03(3508)7134 03(5938)1800	2-606	70606	(3508)7134	(3508)3434	政 星野菜穂子 ① 加藤功一 ② 下野克治	113
	福岡2区	自民	鬼木(おにき) 誠(まこと)	100-8981 810-0014	千代田区永田町二ノ二ノ一 会館 福岡市中央区平尾二ノ三ノ一五	03(3508)7182 092(707)1972	1-715	50715	(3508)7182	(3508)3612	政 大森一毅 ① 平山康樹 ② 濵崎耕太郎	134
	山形3区	自民	加藤(かとう) 鮎子(あゆこ)	100-8981 997-0026	千代田区永田町二ノ二ノ一 会館 鶴岡市大東町一七ノ二三	03(3508)7216 0235(22)0376	1-705	50705	(3508)7216	(3508)3216	政 宮川岳	106
予	岡山5区	自民	加藤(かとう) 勝信(かつのぶ)	100-8982 714-0088	千代田区永田町二ノ一ノ二 会館 笠岡市中央町三一ノ一	03(3508)7459 0865(63)6800	2-1104	71104	(3508)7459	(3508)3289	政 杉原洋平 ① 加藤則和 ② 桒原雄尚	131
農経	長崎2区	自民	加藤(かとう) 竜祥(りゅうしょう)	100-8982 854-0026	千代田区永田町二ノ一ノ二 会館 諫早市東本町二ノ四 三央ビル2F	03(3508)7230 0957(35)1000	2-1106	71106	(3508)7230	(3508)3230	政 山岸直嗣 ① 大田幸忠 ② 羽根里奈	136
内	比例東京	公明	河西(かさい) 宏一(こういち)	100-8982	千代田区永田町二ノ一ノ二 会館	03(3508)7630	2-503	70503	(3508)7630	(3508)3260	政 田邉清二 ① 石井敏之 ② 海野奈保子	148
	比例東京	無	海江田(かいえだ) 万里(ばんり)	160-0004	新宿区四谷三ノ一一 山一ビル6F	03(5363)6015	1-609	50609	(3508)7316	(3508)3316	政 落合友子 ① 三雲崇正 ② 上村大	148
経	比例東京	共産	笠井(かさい) 亮(あきら)	100-8982 151-0053	千代田区永田町二ノ一ノ二 会館 渋谷区代々木一ノ四四ノ一一	03(3508)7439 03(5304)5639	2-621	70621	(3508)7439	(3508)3919	政 向直也 ① 中平智之 ② 河田洋之	148

委員	選挙区	会派	氏名	〒	住所	電話番号	号室	内線	直通	FAX	秘書名	頁
基	茨城4区	自民	梶山弘志（かじやま ひろし）	100-8982 313-0013	千代田区永田町二ノ一ノ二 会館 常陸太田市山下町一一八九	03(3508)7529 0294(72)2772	2-903	70903	(3508)7529	(3508)7714	政 木村義人 ① 宇留野洋治 ② 石黒理恵子	107
外長	静岡6区	自民	勝俣孝明（かつまた たかあき）	100-8981 410-0062	千代田区永田町二ノ二ノ一 会館 沼津市宮前町一三ノ三	03(3508)7202 055(922)5526	1-920	50920	(3508)7202	(3508)3202	政 新井裕志 ① 土倉隆太 ② 栗林康彦	122
文厚	京都1区	自民	勝目康（かつめ やすし）	100-8982 600-8008	千代田区永田町二ノ一ノ二 会館 京都市下京区四条通東洞院角フコク生命ビル3F	03(3508)7615 075(211)1889	2-615	70615	(3508)7615	(3508)3995	政 柴田真次 ① 柳幸博史 ② 綾部繁	125
	比例南関東	自民	門山宏哲（かどやま ひろあき）	100-8982 260-0013	千代田区永田町二ノ一ノ二 会館 千葉市中央区中央四ノ一三ノ三 高嶋ビル一〇二 自由民主党千葉県第一選挙区支部	03(3508)7382 043(223)0050	2-1121	71121	(3508)7382	(3508)3512	政 中村寿城 ① 石原裕久 ② 竹脇亮太	145
農	福島1区	立憲	金子恵美（かねこ えみ）	100-8982 960-8253	千代田区永田町二ノ一ノ二 会館 福島市泉字泉川三四ノ一	03(3508)7476 024(573)0520	2-710	70710	(3508)7476	(3508)3356	政 中川誠一郎 ① 来山佳子 ②	106
財国	岐阜4区	自民	金子俊平（かねこ しゅんぺい）	100-8982 506-0008	千代田区永田町二ノ一ノ二 会館 高山市初田町一ノ五八ノ一五	03(3508)7060 0577(32)0395	2-913	70913	(3508)7060	(3502)5853	政 塚本信二 ① 藤掛友裕 ② 滝村尚人	121
総基	熊本4区	自民	金子恭之（かねこ やすし）	100-8982 866-0814	千代田区永田町二ノ一ノ二 会館 八代市東片町四六三ノ一	03(3508)7410 0965(39)8366	2-410	70410	(3508)7410	(3504)8776	政 白石剛嗣 ① 中村浩実 ② 大串穂尭	137
厚環	長崎4区補	自民	金子容三（かねこ ようぞう）	100-8982 857-0028	千代田区永田町二ノ一ノ二 会館 佐世保市八幡町四ノ三 八幡ビル一〇七	03(3508)7627	2-714	70714	(3508)7627	(3508)3257	政 井上貴義 ① 小寺紀彰 ② 新井輝	136

氏名	委員	選挙区	会派	〒	住所	電話番号	号室	内線	直通	FAX	秘書名	頁
金田勝年（かねだかつとし）	基 予	比例東北	自民	107-0052 016-0843	港区赤坂二ノ一七ノ一〇 宿舎 能代市中和一ノ一六ノ二	03(5549)4671 0185(54)3000	2-1009	71009	(3508)7053	(3508)8815	政 工藤衛 ① 小田嶋希実 ② 大高洋志	140
金村龍那（かねむらりゅうな）	内 文	比例南関東	維教	100-8982 210-0836	千代田区永田町二ノ一ノ二 会館 川崎市川崎区大島上町一八ノ一ノ二〇一	03(3508)7411 044(366)8680	2-421	70421	(3508)7411	(3508)3891	政 岩松健 ① 上垣敬祐 ② 廣畑昌邦	146
鎌田さゆり（かまたさゆり）	法	宮城2区	立憲	100-8981 981-3133	千代田区永田町二ノ二ノ一 会館 仙台市泉区泉中央一ノ三四ノ六 2F	03(3508)7204 022(771)5022	1-313	50313	(3508)7204	(3508)3204	政 横田ひろ子 ① 渡邊敬信 ② 友常えり	105
上川陽子（かみかわようこ）		静岡1区	自民	100-8982 420-0035	千代田区永田町二ノ一ノ二 会館 静岡市葵区七間町一八ノ一〇	03(3508)7460 054(251)8424	2-305	70305	(3508)7460	(3508)3290	政 西谷康祐 ① 村松潮見 ② 藤田知士	121
神谷裕（かみやひろし）	農	比例北海道	立憲	100-8982 068-0024	千代田区永田町二ノ一ノ二 会館 岩見沢市四条西四ノ一二	03(3508)7050 0126(22)1100	2-801	70801	(3508)7050	(3508)3960	政 長内勇人 ① 倉本さやか ② 松家哲宏	140
亀井亜紀子（かめいあきこ）	懲	島根1区補	立憲	100-8982 690-0055	千代田区永田町二ノ一ノ二 会館 松江市津田町三〇一 リバーサイドビルディング1F	03(3508)7701 0852(67)6600	2-911	70911	(3508)7701	(3508)3451	政 田畑静吾 ②桑本耕平	131
亀岡偉民（かめおかよしたみ）	予	比例東北	自民	100-8981 960-8055	千代田区永田町二ノ二ノ一 会館 福島市野田町五ノ六ノ二五	03(3508)7148 024(533)3131	1-1006	51006	(3508)7148	(3508)3638	政 亀岡まなみ ② 岡崎雄旭	140
川内博史（かわうちひろし）	農	比例九州繰	立憲	100-8981 890-0056	千代田区永田町二ノ二ノ一 会館 鹿児島市下荒田一ノ六ノ二三ノ2F	03(3508)7176 099(206)2422	1-606	50606	(3508)7176	(3508)3606	① 小森芳郎 ② 永井丈子	160

氏名	委員	選挙区	会派	〒	住所	電話番号	号室	内線	直通	FAX	秘書名	頁
川崎（かわさき）ひでと	総厚	三重2区	自民	100-8981 518-0832	千代田区永田町二ノ二ノ一 会館 伊賀市上野車坂町八二一	03(3508)7152 0595(21)3249	1-702	50702	(3508)7152	(3502)5173	政 長嶺友之 ① 笹井貴与彦 ② 永田真巳	124
神田（かんだ）憲次（けんじ）	農経	愛知5区	自民	100-8981 453-0021	千代田区永田町二ノ二ノ一 会館 名古屋市中村区松原町五ノ六四	03(3508)7253 052(462)9872	1-1124	51124	(3508)7253	(3508)3523	政 菅野照友旭 ① ②	123
神田（かんだ）潤一（じゅんいち）	内	青森2区	自民	100-8982 031-0081	千代田区永田町二ノ一ノ二 会館 八戸市柏崎一ノ一ノ一	03(3508)7502 0178(51)8866	2-812	70812	(3508)7502	(3508)3932	政 黒保浩介 ① 貝吹敦志 ② 藍澤奈緒子	104
菅（かん）直人（なおと）	懲	東京18区	立憲	100-8981 180-0006	千代田区永田町二ノ二ノ一 会館 武蔵野市中町一ノ二ノ九ノ三〇二	03(3508)7323 0422(55)7010	1-512	50512	(3508)7323	(3595)0090	政 岡戸正典 ① ② 金子裕弥	115
菅家（かんけ）一郎（いちろう）	国環	比例東北	自民	100-8981 965-0872	千代田区永田町二ノ二ノ一 会館 会津若松市東栄町五ノ一九	03(3508)7107 0242(27)9439	1-503	50503	(3508)7107	(3508)3407	政 佐原正純 ① 大高孝一 ② 大西勇太	140
木原（きはら）誠二（せいじ）	財	東京20区	自民	100-8981 189-0013	千代田区永田町二ノ二ノ一 会館 東村山市栄町二ノ二三ノ三	03(3508)7169 042(392)4105	1-915	50915	(3508)7169	(3508)3719	政 川上昌克 ① 西倉賢二 ② 島崎正也	115
木原（きはら）稔（みのる）		熊本1区	自民	100-8982 862-0976	千代田区永田町二ノ一ノ二 会館 熊本市中央区九品寺二ノ八ノ一七 九品寺サンシャイン1F	03(3508)7450 096(273)6833	2-1116	71116	(3508)7450	(3508)3970	政 北岡浩二 ① 佐藤尚之 ② 勝久卓治	136
木村（きむら）次郎（じろう）	文議	青森3区	自民	100-8982 036-8191	千代田区永田町二ノ一ノ二 会館 弘前市親方町四三 3F	03(3508)7407 0172(36)8332	2-809	70809	(3508)7407	(3508)3887	政 村田尚也 ① 山本幸之助 ② 今岡陽子	104

氏名	委員	選挙区	会派	〒	住所	電話番号	号室	内線	直通	FAX	秘書名	頁
吉良(きら) 州司(しゅうじ)	外	大分1区	有志	100-8982 870-0820	千代田区永田町二ノ一ノ二 会館 大分市西大道二ノ四ノ二 1F	03(3508)7412 097(545)7777	2-707	70707	(3508)7412	(3508)3892	政 尾崎美加 ① ②	137
城井(きい) 崇(たかし)	国	福岡10区	立憲	100-8981 802-0072	千代田区永田町二ノ二ノ一 会館 北九州市小倉北区東篠崎一ノ四ノ一 TAKAビル片野2F	03(3508)7389 093(941)7767	1-807	50807	(3508)7389	(3508)3509	政 襲田憲右 ① 早見はるみ ② 緒方文則	135
城内(きうち) 実(みのる)	外	静岡7区	自民	100-8982 433-8112	千代田区永田町二ノ一ノ二 会館 浜松市中央区初生町一二八八ノ一	03(3508)7441 053(430)5789	2-623	70623	(3508)7441	(3508)3921	政 安田年一 ① 古田潤 ② 鈴木翔士	122
黄川田(きかわだ) 仁志(ひとし)	外 安	埼玉3区	自民	100-8981 343-0813	千代田区永田町二ノ二ノ一 会館 越谷市越ヶ谷一ノ四ノ三 イハシ第一ビル	03(3508)7123 048(962)8005	1-816	50816	(3508)7123	(3508)3423	政 石井あゆ子 ① 川内昂哉 ② 久永智徳	109
菊田(きくた) 真紀子(まきこ)	文	新潟4区	立憲	100-8982 955-0071	千代田区永田町二ノ一ノ二 会館 三条市本町六ノ一三ノ三	03(3508)7524 0256(35)6066	2-802	70802	(3508)7524	(3508)3954	政 鈴木明久 ① 中村紀之 ② 金子直起	118
岸(きし) 信千世(のぶちよ)	財 文	山口2区補	自民	100-8981 742-1511	千代田区永田町二ノ二ノ一 会館 熊毛郡田布施町下田布施三三九一	03(3508)1203 0820(52)2003	1-1203	51203	(3508)1203	(3508)3237	政 小林憲史 ① 吉永隆史 ② 中村友彦	133
岸田(きしだ) 文雄(ふみお)		広島1区	自民	100-8981 730-0013	千代田区永田町二ノ二ノ一 会館 広島市中区八丁堀六ノ三 和光八丁堀ビル	03(3508)7279 082(228)2411	1-1222	51222	(3508)7279	(3591)3118	政 浮田義晴 ① 下岸征史 ② 杉浦岳志	132
北神(きたがみ) 圭朗(けいろう)	農	京都4区	有志	100-8982 615-0055	千代田区永田町二ノ一ノ二 会館 京都市右京区西院西田町二三 日新ビル2F	03(3508)7069 075(315)3487	2-519	70519	(3508)7069	(3508)3849	政 ① 三ツ谷菜採 ② 千葉一真	125

氏名	北側一雄（きたがわ かずお）	金城泰邦（きんじょう やすくに）	工藤彰三（くどう しょうぞう）	日下正喜（くさか まさき）	櫛渕万里（くしぶち まり）	國重徹（くにしげ とおる）	国定勇人（くにさだ いさと）	国光あやの（くにみつ あやの）
委員	安	外 予		法 国	決	国	環	総 経
選挙区	大阪16区	比例九州	愛知4区	比例中国	比例東京	大阪5区	比例北陸信越	茨城6区
会派	公明	公明	自民	公明	れ新	公明	自民	自民
〒	100-8981 590-0957	100-8981 901-2114	100-8982 456-0052	107-0052 730-0854	100-8982 132-0035	100-8982 532-0023	100-8981 955-0071	100-8982 305-0045
住所	千代田区永田町二ノ二ノ一 会館 堺市堺区中之町西一ノ一ノ一〇 堀ビル2F	千代田区永田町二ノ二ノ一 会館 浦添市安波茶一ノ六ノ五 3F	千代田区永田町二ノ一ノ二 会館 名古屋市熱田区二番二ノ二ノ二四	港区赤坂二ノ一七ノ一〇 宿舎 広島市中区土橋町二ノ四三ノ四〇六	千代田区永田町二ノ一ノ二 会館 江戸川区平井四ノ一四ノ八	千代田区永田町二ノ一ノ二 会館 大阪市淀川区十三東一ノ一七ノ一九 ファルコンビル5F	千代田区永田町二ノ二ノ一 会館 三条市本町四ノ九ノ二七	千代田区永田町二ノ一ノ二 会館 つくば市梅園二ノ七ノ一
電話番号	03(3508)7263 072(221)2706	03(3508)7153 098(870)7120	03(3508)7018 052(651)9591	03(3508)7021 082(942)0275	03(3508)7063 03(5875)5128	03(3508)7405 06(6885)6000	03(3508)7131 0256(47)1555	03(3508)7036 029(886)3686
号室	1-508	1-801	2-218	2-920	2-416	2-716	1-1220	2-304
内線	50508	50801	70218	70920	70416	70716	51220	70304
直通	(3508)7263	(3508)7153	(3508)7018	(3508)7021	(3508)7063	(3508)7405	(3508)7131	(3508)7036
FAX	(3508)3533	(3508)3703	(3508)3818	(3508)3821	(3508)3383	(3508)3885	(3508)3431	(3508)3836
秘書名	㊮橋本勝之 ①岡本章 ②矢野博之	㊮大西章英 ①上地貴大 ②饒平名広武	㊮原澤直樹 ①酒井雄司 ②後藤英樹	㊮山田一成 ①木口勇二 ②濱岡貴史	㊮森島貴浩 ①赤木善美 ②林一鵬	㊮山西博之 ①松元晋輔 ②福本彰律	㊮久国ちぐさ ①赤堀大 ②松川徹也	㊮越智章 ①川又智佐子 ②森周平
頁	128	160	123	157	149	126	149	108

委員	選挙区	会派	氏名	〒	住所	電話番号	号室	内線	直通	FAX	秘書名	頁
法環	愛知1区	自民	熊田(くまだ) 裕通(ひろみち)	100-8982 451-0061	千代田区永田町二ノ一ノ二 会館 名古屋市西区浄心一ノ一ノ四一 浄心ステーションビル北館一〇二	03(3508)7513 052(521)1144	2-508	70508	(3508)7513		㊐山口伸夫 ①伊藤歩 ②田辺理絵	122
安	福島3区	立憲	玄葉(げんば) 光一郎(こういちろう)	100-8981 962-0832	千代田区永田町二ノ二ノ一 会館 須賀川市本町三ノ二	03(3508)7252 0248(72)7990	1-819	50819	(3508)7252	(3591)2635	㊐浜田秀夫 ①佐藤周幸 ②佐藤彰洋	107
外議	静岡8区	立憲	源馬(げんま) 謙太郎(けんたろう)	100-8981 430-0852	千代田区永田町二ノ二ノ一 会館 浜松市中央区領家一ノ一ノ一六	03(3508)7160 053(464)0755	1-624	50624	(3508)7160	(3508)3710	㊐福田玄 ①森口俊尚 ②高田容子	122
安長	神奈川11区	自民	小泉(こいずみ) 進次郎(しんじろう)	100-8981 238-0004	千代田区永田町二ノ二ノ一 会館 横須賀市小川町一三 宇野ビル3F	03(3508)7327 046(822)6600	1-314	50314	(3508)7327		㊐干場香名女 ①沼口祐季 ②渡邊周平	117
	埼玉11区	自民	小泉(こいずみ) 龍司(りゅうじ)	100-8982 366-0051	千代田区永田町二ノ一ノ二 会館 深谷市上柴町東三ノ一七ノ一九	03(3508)7121 048(575)3030	2-1107	71107	(3508)7121	(3508)3351	㊐原田祐一郎 ①松村重章 ②菊地綾子	110
農国	比例中国	自民	小島(こじま) 敏文(としふみ)	100-8981 722-1114	千代田区永田町二ノ二ノ一 会館 世羅郡世羅町東神崎三六八ノ二	03(3508)7192 0847(22)4055	1-1206	51206	(3508)7192	(3508)3622	㊐山本秀一 ①鎌倉正樹 ②久松一枝	156
文農	滋賀4区	自民	小寺(こてら) 裕雄(ひろお)	100-8981 527-0032	千代田区永田町二ノ二ノ一 会館 東近江市春日町三ノ一	03(3508)7126 0748(22)5001	1-601	50601	(3508)7126	(3508)3419	㊐新井勝美 ①吉田幸司 ②望月隼也	125
文国	比例近畿	自民	小林(こばやし) 茂樹(しげき)	100-8982 631-0827	千代田区永田町二ノ一ノ二 会館 奈良市西大寺小坊町一ノ六 西大寺ビル1F東	03(3508)7090 0742(52)6700	2-501	70501	(3508)7090	(3508)3870	㊐吉川英里 ①大田誠 ②堀川力	153

氏名	委員	選挙区	会派	〒	住所	電話番号	号室	内線	直通	FAX	秘書名	頁
小林鷹之(こばやしたかゆき)	経国	千葉2区	自民	100-8981 276-0033	千代田区永田町二ノ二ノ一 会館 八千代市八千代台南一ノ三ノ三 山萬八千代台ビル1F	03(3508)7617 047(409)5842	1-417	50417	(3508)7617	(3508)3997	㊙竹内仁美 ①藤原隆太 ②田中正憲	111
小林史明(こばやしふみあき)	国決	広島7区	自民	100-8981 721-0958	千代田区永田町二ノ二ノ一 会館 福山市西新涯町二ノ二三ノ三四	03(3508)7455 084(959)5884	1-1205	51205	(3508)7455	(3508)3630	㊙小川麻理亜 ①平盛豊 ②宮越真帆	132
小宮山泰子(こみやまやすこ)	国	比例北関東	立憲	100-8981 350-0043	千代田区永田町二ノ二ノ一 会館 川越市新富町一ノ一八ノ六 2F	03(3508)7184 049(222)2900	1-607	50607	(3508)7184	(3508)3614	㊙有本和雄 ①八木昭次 ②川上偉策	143
小森卓郎(こもりたくお)	内国	石川1区	自民	100-8981 920-8203	千代田区永田町二ノ二ノ一 会館 金沢市鞍月五ノ一八一	03(3508)7179 076(239)0102	1-812	50812	(3508)7179	(3508)3609	①髙谷均 ②寺西秀樹	119
小山展弘(こやまのぶひろ)	財経 予	静岡3区	立憲	100-8981 438-0078	千代田区永田町二ノ二ノ一 会館 磐田市中泉御殿六五六ノ一	03(3508)7270 0538(39)1234	1-1113	51113	(3508)7270	(3508)3540	㊙安田幸祐 ①伊藤健 ②羽田えみ	121
古賀篤(こがあつし)		福岡3区	自民	100-8982 814-0015	千代田区永田町二ノ一ノ二 会館 福岡市早良区室見二ノ一ノ二三 2F	03(3508)7081 092(822)5051	2-216	70216	(3508)7081	(3508)3861	㊙井上貴文 ①宮﨑勇士 ②村井章子	135
後藤茂之(ごとうしげゆき)	予	長野4区	自民	100-8981 392-0021	千代田区永田町二ノ二ノ一 会館 諏訪市上川三ノ二二二二ノ一	03(3508)7702 0266(57)3370	1-704	50704	(3508)7702	(3508)3452	㊙小林勇郎 ①波多野泰史 ②三沢泰敏	120
後藤祐一(ごとうゆういち)	基議	神奈川16区	立憲	100-8982 243-0017	千代田区永田町二ノ一ノ二 会館 厚木市栄町二ノ四ノ二八ノ二一二	03(3508)7092 046(296)2411	2-814	70814	(3508)7092	(3508)3962	㊙藤巻浩 ①細野康輔 ②日沼勇	118

委員		国	外		外	議	農	環
選挙区	神奈川15区	比例北陸信越	山口1区	比例九州	比例近畿	比例北関東	比例北陸信越	愛知3区
会派	自民	立憲	自民	自民	共産	公明	立憲	立憲
氏名	河野（こうの） 太郎（たろう）	神津（こうづ） たけし	高村（こうむら） 正大（まさひろ）	國場（こくば） 幸之助（こうのすけ）	穀田（こくた） 恵二（けいじ）	輿水（こしみず） 恵一（けいいち）	近藤（こんどう） 和也（かずや）	近藤（こんどう） 昭一（しょういち）
〒	100-8982 / 254-0811	100-8982 / 386-0023	100-8981 / 745-0004	100-8982 / 900-0033	100-8982 / 604-0092	100-8982 / 336-0967	100-8982 / 926-0054	100-8982 / 468-0058
住所	千代田区永田町二ノ一ノ二 会館 / 平塚市八重咲町二六ノ八	千代田区永田町二ノ一ノ二 会館 / 上田市中央西一ノ七ノ七 北大手ビル二〇一	千代田区永田町二ノ二ノ一 会館 / 周南市毛利町一ノ三	千代田区永田町二ノ一ノ二 会館 / 那覇市久米二ノ三ノ一 マリーナヴィスタ久米2F	千代田区永田町二ノ一ノ二 会館 / 京都市中京区丸太町新町角大炊町一八六 日本共産党京都府委員会内	千代田区永田町二ノ一ノ二 会館 / さいたま市緑区美園四ノ一三ノ五 ドルフィーノ浦和美園二〇二	千代田区永田町二ノ一ノ二 会館 / 七尾市川原町六〇ノ二	千代田区永田町二ノ一ノ二 会館 / 名古屋市天白区植田西三ノ一二〇七
電話番号	03(3508)7006 / 0463(20)2001	03(3508)7015 / 0268(71)5250	03(3508)7113 / 0834(31)4715	03(3508)7741 / 098(861)6813	03(3508)7438 / 075(231)5198	03(3508)7076	03(3508)7605 / 0767(57)5717	03(3508)7402 / 052(808)1181
号室	2-1103	2-204	1-701	2-1016	2-620	2-307	2-819	2-402
内線	71103	70204	50701	71016	70620	70307	70819	70402
直通	(3508)7006	(3508)7015	(3508)7113	(3508)7741	(3508)7438	(3508)7076	(3508)7605	(3508)7402
FAX		(3508)3815	(3502)5044	(3508)3061	(3508)3918	(3508)3766	(3508)3985	(3508)3882
秘書名	政 矢野裕一 / ① 嶋津眞悟 / ② 加藤睦美	政 新海泳大 / ① 上條研一 / ② 濵貴紀	政 上田将祐 / ① 江村和剛 / ② 荒木亨尊	政 渡邊純一 / ① 市川宏明 / ② 篠宮智明	政 山内聡 / ① 窪田則子 / ② 元山小百合	政 藤村達彦 / ① / ② 葛西正矩	政 宮崎直広 / ① 川田樹希 / ② 辻森敏純	政 笠米地真理 / ① 成川正之 / ② 坂野達也
頁	117	150	132	159	155	143	150	122

委員	選挙区	会派	氏名	〒	住所	電話番号	号室	内線	直通	FAX	秘書名	頁
国	石川2区	自民	佐々木（ささき）紀（はじめ）	100-8982 923-0941	千代田区永田町二ノ一ノ二 会館 小松市城南町三五	03(3508)7059 0761(21)1181	2-301	70301	(3508)7059	(6273)3012	政 田辺暢 ① 道券正明 ② 横山大助	119
外	広島6区	立憲	佐藤（さとう）公治（こうじ）	100-8981 722-0045	千代田区永田町二ノ二ノ一 会館 尾道市久保二ノ二六ノ二	03(3508)7145 0848(37)2100	1-1022	51022	(3508)7145	(3508)3635	政 神戸淳司 ① 松前良司 ② 門永健次	132
決	大阪3区	公明	佐藤（さとう）茂樹（しげき）	100-8981 557-0041	千代田区永田町二ノ二ノ一 会館 大阪市西成区岸里三ノ一ノ二九	03(3508)7200 06(6653)3630	1-908	50908	(3508)7200	(3508)3510	政 浮田広宣 ① 清水信明 ② 斎藤良憲	126
基	栃木4区	自民	佐藤（さとう）勉（つとむ）	100-8982 321-0225	千代田区永田町二ノ一ノ二 会館 下都賀郡壬生町本丸二ノ一五ノ二〇	03(3508)7408 0282(83)3001	2-902	70902	(3508)7408	(3597)2740	政 佐藤圭 ① 武正和 ② 須崎司	108
予	比例北海道	公明	佐藤（さとう）英道（ひでみち）	100-8982 060-0001	千代田区永田町二ノ一ノ二 会館 札幌市中央区北一条西一九丁目 緒方ビル4F	03(3508)7457 011(688)5450	2-717	70717	(3508)7457	(3508)3287	政 服部正利 ① 川島公謙 ② 向田貴	140
法 安	比例近畿	維教	斎藤（さいとう）アレックス	100-8982 520-0044	千代田区永田町二ノ一ノ二 会館 大津市京町三ノ二ノ一	03(3508)7637 077(526)0800	2-405	70405	(3508)7637	(3508)3267	政 伊藤直子 ① 安持英太郎 ② 大崎俊英	156
	広島3区	公明	斉藤（さいとう）鉄夫（てつお）	107-0052 731-0103	港区赤坂二ノ一七ノ一〇 宿舎 広島市安佐南区緑井二ノ一八ノ一五	03(5549)3145 082(870)0088	1-412	50412	(3508)7308	(3501)5524	政 稲田隆則 ① 小堀信明 ② 小片明博	132
	千葉7区	自民	齋藤（さいとう）健（けん）	100-8981 270-0119	千代田区永田町二ノ二ノ一 会館 流山市おおたかの森北一ノ五ノ二 セレーナおおたかの森2F	03(3508)7221 04(7190)5271	1-822	50822	(3508)7221	(3508)3221	① 安藤辰生 ② 安藤晴彦	112

氏名	委員	選挙区	会派	〒	住所	電話番号	号室	内線	直通	FAX	秘書名	頁
斎藤(さいとう) 洋明(ひろあき)	総 法	新潟 3区	自民	100-8981 957-0056	千代田区永田町二ノ二ノ一 会館 新発田市大栄町三ノ六ノ三	03(3508)7155 0254(21)0003	1-407	50407	(3508) 7155	(3508) 3705	㊐ 田中 悟 ① 長谷川 智希 ② 若狭 健太	118
酒井(さかい) なつみ	安	東京 15区補	立憲	100-8981	千代田区永田町二ノ二ノ一 会館	03(3508)7066	1-1121	51121	(3508) 7066	(3508) 3846	㊐ 甚野 謙 ① ② 千葉 早希恵	114
坂井(さかい) 学(まなぶ)	総	神奈川 5区	自民	100-8982 244-0003	千代田区永田町二ノ一ノ二 会館 横浜市戸塚区戸塚町一四二 鈴木ビル3F	03(3508)7489 045(863)0900	2-1119	71119	(3508) 7489	(3508) 3369	㊐ 李 燁明 ① 勝間田 将 ② 山藤 卓人	116
坂本(さかもと) 哲志(てつし)		熊本 3区	自民	100-8982 869-1235	千代田区永田町二ノ一ノ二 会館 菊池郡大津町室一二三ノ四	03(3508)7034 096(293)7990	2-702	70702	(3508) 7034	(3508) 3834	㊐ ① 山本 心太 ② 北里 久則	137
坂本(さかもと) 祐之輔(ゆうのすけ)	文	比例 北関東	立憲	100-8982 355-0016	千代田区永田町二ノ一ノ二 会館 東松山市材木町二〇ノ九	03(3508)7449 0493(22)3682	2-1221	71221	(3508) 7449	(3508) 3969	㊐ 今井 省吾 ① 黒澤 幸司 ② 長野 拓馬	143
櫻井(さくらい) 周(しゅう)	財 決	比例 近畿	立憲	100-8982 664-0858	千代田区永田町二ノ一ノ二 会館 伊丹市西台五ノ一ノ一	03(3508)7465	2-409	70409	(3508) 7465	(3508) 3295	㊐ 藤井 千幸 ① 桐山 直也 ② 齋藤 尚光	154
櫻田(さくらだ) 義孝(よしたか)	国	比例 南関東	自民	100-8982 277-0814	千代田区永田町二ノ一ノ二 会館 柏市正連寺三七三ノ三	03(3508)7381 04(7132)0881	2-1117	71117	(3508) 7381	(3508) 3501	㊐ 上野 剛 ① 小田原 暁史 ② 井田 翔	145
笹川(ささがわ) 博義(ひろよし)	法 環	群馬 3区	自民	100-8982 373-0818	千代田区永田町二ノ一ノ二 会館 太田市小舞木町二七〇ノ一	03(3581)5111 0276(46)7424	2-316	70316	(3508) 7338	(3508) 3338	㊐ 茂木 和幸 ① 小礒 守正 ② 二宮 正導	109

氏名	委員	選挙区	会派	〒	住所	電話番号	号室	内線	直通	FAX	秘書名	頁
沢田（さわだ） 良（りょう）	財	比例北関東	維教	100-8982 336-0024	千代田区永田町二ノ一ノ二 会館 さいたま市南区根岸二ノ二三ノ一六	03(3508)7526 048(767)8045	2-323	70323	(3508)7526	(3508)3956	㊉ ①宮川文吾 ②千葉理恵子	144
志位（しい） 和夫（かずお）	基	比例南関東	共産	100-8981 221-0822	千代田区永田町二ノ二ノ一 会館 横浜市神奈川区西神奈川一ノ一〇ノ一六 斉藤ビル2F	03(3508)7285 045(324)6516	1-1017	51017	(3508)7285	(3508)3735	㊉浜田文 ①松井朋子 ②井岡弘	146
塩川（しおかわ） 鉄也（てつや）	内議	比例北関東	共産	100-8982 330-0835	千代田区永田町二ノ一ノ二 会館 さいたま市大宮区北袋町一ノ一七一ノ一 日本共産党北関東ブロック事務所	03(3508)7507 048(649)0409	2-905	70905	(3508)7507	(3508)3937	㊉山本陽子 ①岡田里志 ②吉井穂高	143
塩崎（しおざき） 彰久（あきひさ）	厚	愛媛1区	自民	100-8981 790-0003	千代田区永田町二ノ二ノ一 会館 松山市三番町四ノ七ノ二 1F	03(3508)7189 089(941)4843	1-1102	51102	(3508)7189	(3508)3619	㊉清水洋之 ①川崎晶子 ②溝江義一	134
塩谷（しおのや） 立（りゅう）	外	比例東海	無	100-8982 430-0928	千代田区永田町二ノ一ノ二 会館 浜松市中区板屋町六〇五	03(3508)7632 053(455)3711	2-1211	71211	(3508)7632	(3508)3262	㊉渡辺桃子 ①山田泰志 ②岡本直哉	151
重徳（しげとく） 和彦（かずひこ）	経安	愛知12区	立憲	100-8982 444-0858	千代田区永田町二ノ一ノ二 会館 岡崎市上六名三ノ一三ノ一三 浅井ビル3F西	03(3508)7910 0564(51)1192	2-909	70909	(3508)7910	(3508)3285	㊉畔柳智章 ①柴川裕太 ②磯谷陽子	124
階（しな） 猛（たけし）	財予	岩手1区	立憲	100-8982 020-0021	千代田区永田町二ノ一ノ二 会館 盛岡市中央通三ノ三ノ二 菱和ビル6F	03(3508)7024 019(654)7111	2-203	70203	(3508)7024	(3508)3824	㊉河村匡庸 ①前田哲朗 ②平子圭	104
篠原（しのはら） 豪（ごう）	安	神奈川1区	立憲	100-8982 235-0016	千代田区永田町二ノ一ノ二 会館 横浜市磯子区磯子三ノ六ノ二三	03(3508)7130 045(349)9180	2-608	70608	(3508)7130	(3508)3430	㊉中山真吾 ①毛呂武史 ②大城知恵	116

委員	選挙区	会派	氏名	〒	住所	電話番号	号室	内線	直通	FAX	秘書名	頁
環	比例 北陸信越	立憲	篠原(しのはら) 孝(たかし)	100-8981 380-0928	千代田区永田町二ノ二ノ一 会館 長野市若里四ノ一二ノ二六 宮沢ビル2F	03(3508)7268 026(229)5777	1-719	50719	(3508)7268	(3508)3538	政 岡本匡広 ① 原田峻佑 ② 沓掛洋介	150
文	埼玉8区	自民	柴山(しばやま) 昌彦(まさひこ)	100-8982 359-1141	千代田区永田町二ノ一ノ二 会館 所沢市小手指町二ノ一二ノ四 ユーケー小手指一〇一	03(3508)7624 04(2924)5100	2-822	70822	(3508)7624	(3508)7715	政 増井一朗 ① 大塚隆浩 ② 渡邊洋平	110
外 予	沖縄3区	自民	島尻(しまじり) 安伊子(あいこ)	100-8981 904-2172	千代田区永田町二ノ二ノ一 会館 沖縄市泡瀬四ノ二四ノ一六	03(3508)7265 098(921)3144	1-1111	51111	(3508)7265	(3508)3535	政 宮城一郎 ① 下地太一 ② 伊波広貴	138
文	長野2区	立憲	下条(しもじょう) みつ	100-8981 390-0877	千代田区永田町二ノ二ノ一 会館 松本市沢村二ノ一三ノ九	03(3508)7271 0263(87)3280	1-806	50806	(3508)7271	(3508)3541	政 小川昌昭 ① 百瀬秀則 ② 白澤孝之	120
決	東京11区	自民	下村(しもむら) 博文(はくぶん)	100-8982 173-0024	千代田区永田町二ノ一ノ二 会館 板橋区大山金井町三八ノ一二 新大山ビル二〇五	03(3508)7084 03(5995)4491	2-622	70622	(3508)7084	(3597)2772	政 榮友里子 ① 中村恭平 ② 大塚洋平	114
内 決	比例 東北	公明	庄子(しょうじ) 賢一(けんいち)	100-8982 983-0852	千代田区永田町二ノ一ノ二 会館 仙台市宮城野区榴岡四ノ五ノ二四ノ五〇二	03(3508)7474 022(290)3770	2-1224	71224	(3508)7474	(3508)3354	政 早坂光 ① 松野博志 ② 九鬼秀俊	141
国	比例 四国	立憲	白石(しらいし) 洋一(よういち)	100-8982 793-0028	千代田区永田町二ノ一ノ二 会館 西条市新田一九七ノ四	03(3508)7244 0897(47)1000	2-720	70720	(3508)7244	(3508)3514	政 沼田忠典 ① ②	158
厚 長	広島4区	自民	新谷(しんたに) 正義(まさよし)	100-8982 739-0015	千代田区永田町二ノ一ノ二 会館 東広島市西条栄町九ノ二一	03(3508)7604 082(431)5177	2-805	70805	(3508)7604	(3508)3984	政 麻生満理子 ① ② 香川淳	132

	新藤義孝	末松義規	菅義偉	杉田水脈	杉本和巳	鈴木敦	鈴木英敬	鈴木馨祐
委員		財	懲	内 安	環 決	外	内 厚	財
選挙区	埼玉 2区	東京 19区	神奈川 2区	比例 中国	比例 東海	比例 南関東	三重 4区	神奈川 7区
会派	自民	立憲	自民	自民	維教	維教	自民	自民
氏名	新藤(しんどう)義孝(よしたか)	末松(すえまつ)義規(よしのり)	菅(すが)義偉(よしひで)	杉田(すぎた)水脈(みお)	杉本(すぎもと)和巳(かずみ)	鈴木(すずき)敦(あつし)	鈴木(すずき)英敬(えいけい)	鈴木(すずき)馨祐(けいすけ)
〒	100-8981 332-0034	100-8982 187-0002	100-8982 232-0017	100-8982 753-0067	100-8981 491-0873	100-8982 211-0025	100-8981 516-0007	100-8981 222-0033
住所	千代田区永田町二ノ二ノ一会館 川口市並木一ノ一〇ノ二三	千代田区永田町二ノ一ノ二会館 小平市花小金井二ノ一ノ三九	千代田区永田町二ノ一ノ二会館 横浜市南区宿町二ノ四九	千代田区永田町二ノ一ノ二会館 山口市赤妻町三ノ一ノ一〇二	千代田区永田町二ノ二ノ一会館 一宮市せんい四ノ五ノ一	千代田区永田町二ノ一ノ二会館 川崎市中原区木月二ノ四ノ三TFTビル2F	千代田区永田町二ノ二ノ一会館 伊勢市小木町六七七ノ一	千代田区永田町二ノ二ノ一会館 横浜市港北区新横浜三ノ一八ノ九新横浜ICビル一〇二
電話番号	03(3508)7313 048(254)6000	03(3508)7488 042(460)9050	03(3508)7446 045(743)5550	03(3508)7029 083(924)0588	03(3508)7266	03(3508)7286 044(872)7182	03(3508)7269 0596(31)0001	03(3508)7304 045(620)0223
号室	1-810	2-1008	2-1113	2-907	1-414	2-1123	1-614	1-423
内線	50810	71008	71113	70907	50414	71123	50614	50423
直通	(3508) 7313	(3508) 7488	(3508) 7446	(3508) 7029	(3508) 7266	(3508) 7286	(3508) 7269	(3508) 7304
FAX	(3508) 3313	(3508) 3368	(3597) 2707	(3508) 3829	(3508) 3536	(3508) 3736	(3508) 3539	(3508) 3304
秘書名	②①政	②①政 政 奥村真弓 ① 込山洋 ② 小西美海	②①政 政 黄瀬周作 ① 新田章文 ② 長田拓也	②①政 ① 松本博明 ② 長本好政	②①政 政 杉田亜貴子 ① 早川茂 ② 津下鉄平	②①政	②①政 政 寺西弘行 ① 岡田充晴 ② 中川尚昭	②①政 ① 黒田幸輝 ② 藤田芳紀
頁	109	115	116	157	152	146	124	116

委員	選挙区	会派	氏名	〒	住所	電話番号	号室	内線	直通	FAX	秘書名	頁
	岩手2区	自民	鈴木俊一(すずきしゅんいち)	100-8981 020-0668	千代田区永田町二ノ二ノ一 会館 滝沢市鵜飼狐洞一ノ四三一	03(3508)7267 019(687)5525	1-1001	51001	(3508)7267	(3508)3543	政 清川健二 ① 島田秀治 ② 堀間悟	105
経	愛知7区	自民	鈴木淳司(すずきじゅんじ)	100-8981 470-0104	千代田区永田町二ノ二ノ一 会館 日進市岩藤町三番割三〇三ノ二	03(3581)5111 0561(72)8111	1-1110	51110	(3508)7264	(3508)3534	政 安藝仁 ① 三治敦司 ② 神崎里美	123
外文	比例北海道	自民	鈴木貴子(すずきたかこ)	100-8981 085-0018	千代田区永田町二ノ二ノ一 会館 釧路市黒金町七ノ一ノ一 クロガネビル3F	03(3508)7233 0154(24)2522	1-1202	51202	(3508)7233	(3508)3233	政 鈴木行二 ① 片岡葉子 ② 石井裕太	139
	山形2区	自民	鈴木憲和(すずきのりかず)	100-8981 992-0012	千代田区永田町二ノ二ノ一 会館 米沢市金池二ノ一ノ一一	03(3508)7318 0238(26)4260	1-416	50416	(3508)7318	(3508)3318	政 田中辰明 ① 佐藤愛美 ② 後藤理徳	106
財経	東京10区	自民	鈴木隼人(すずきはやと)	100-8982 171-0022	千代田区永田町二ノ一ノ二 会館 豊島区南池袋二ノ三五ノ七 岩田光建ビル六〇二	03(3508)7463 03(6908)1071	2-1215	71215	(3508)7463	(3508)3293	政 丸山響 ① 唐橋新哉 ② 菊池秀明	114
法外	比例東京	立憲	鈴木庸介(すずきようすけ)	100-8981	千代田区永田町二ノ二ノ一 会館	03(3508)7028	1-1216	51216	(3508)7028	(3508)3828	政 加藤義直 ① 岡崎隆浩 ② 吉田法央	148
経	比例北関東	国民	鈴木義弘(すずきよしひろ)	100-8981 341-0044	千代田区永田町二ノ二ノ一 会館 三郷市戸ヶ崎三ノ三四七	03(3508)7282 048(948)2070	1-713	50713	(3508)7282	(3508)3732	政 山川英郎 ① 木内慎一 ② 柘野洋子	144
内安	比例近畿	維教	住吉寛紀(すみよしひろき)	100-8982 670-0043	千代田区永田町二ノ一ノ二 会館 姫路市小姓町三五ノ一 船場西ビル1F 四号室	03(3508)7415 079(293)7105	2-303	70303	(3508)7415	(3508)3895	政 岡田誠 ① 橋本淳 ② 穐田佳久	155

委員	財	経	環	国決	経	総厚	予	厚予
選挙区	比例四国繰	兵庫3区	比例中国	比例南関東	千葉1区	比例北関東	神奈川10区	比例東海
会派	自民	自民	維教	れ新	立憲	自民	自民	国民
氏名	瀬戸（せと）隆一（たかかず）	関（せき）芳弘（よしひろ）	空本（そらもと）誠喜（せいき）	たがや亮（りょう）	田嶋（たじま）要（かなめ）	田所（たどころ）嘉徳（よしのり）	田中（たなか）和徳（かずのり）	田中（たなか）健（けん）
〒	100-8981 762-0007	100-8981 654-0026	100-8982 739-0044	100-8982 297-0037	100-8981 260-0015	100-8981 310-0804	100-8981 210-0846	100-8981 424-0872
住所	千代田区永田町二ノ二ノ一 会館 坂出市室町二ノ五ノ二〇 室町ビル	千代田区永田町二ノ二ノ一 会館 神戸市須磨区大池町二ノ三ノ七 オルタンシア大池1F-5	千代田区永田町二ノ一ノ二 会館 東広島市西条町下見四六二三ノ一五	千代田区永田町二ノ一ノ二 会館 茂原市早野一三四二ノ一	千代田区永田町二ノ二ノ一 会館 千葉市中央区富士見二ノ九ノ二八 第一山崎ビル6F	千代田区永田町二ノ二ノ一 会館 水戸市白梅二ノ四ノ一二	千代田区永田町二ノ二ノ一 会館 川崎市川崎区小田六ノ一一ノ二四	千代田区永田町二ノ二ノ一 会館 静岡市清水区平川地六ノ五〇
電話番号	03(3508)7712 0877(44)1755	03(3508)7173 078(739)0904	03(3508)7451 082(421)8146	03(3508)7008 0475(44)6750	03(3508)7229 043(202)1511	03(3508)7068 029(353)6822	03(3508)7294 044(366)1400	03(3508)7190 054(340)5256
号室	1-1112	1-603	2-1202	2-415	1-1215	1-716	1-1010	1-712
内線	51112	50603	71202	70415	51215	50716	51010	50712
直通	(3508)7712	(3508)7173	(3508)7451	(3508)7008	(3508)7229	(3508)7068	(3508)7294	(3508)7190
FAX	(3508)3241	(3508)3603	(3508)3281	(3508)3808	(3508)3411	(3508)3848	(3508)3504	(3508)3620
秘書名	㊥中村みゆき ①久米昭弘 ②秋山和輝	㊥髙谷理恵 ①守内一誠 ②山形浩昭	㊥髙山智秀 ①伊藤眞二	㊥前田正志 ①後藤一輝 ②太田統之	㊥田中伸一 ①宮崎活二 ②菊池亮孔	㊥中山嘉隆 ①永井昌儀 ②中川太一	㊥細田将史 ①矢作真樹子 ②菅谷英彦	㊥矢島光弘 ①小原洋樹 ②鈴木輝明
頁	158	128	158	147	111	142	117	153

氏名	委員	選挙区	会派	〒	住所	電話番号	号室	内線	直通	FAX	秘書名	頁
田中（たなか）英之（ひでゆき）	国 決	比例近畿	自民	100-8982 615-0852	千代田区永田町二ノ一ノ二 会館 京都市右京区西京極西川町一ノ五	03(3508)7007 075(315)7500	2-604	70604	(3508)7007	(3508)3807	㊢葛城直樹 ①湯浅剛 ②秋本貴法	153
田中（たなか）良生（りょうせい）	総	埼玉15区	自民	100-8982 336-0018	千代田区永田町二ノ一ノ二 会館 さいたま市南区南本町一ノ一四ノ五ノ一〇四	03(3508)7058 048(844)3131	2-521	70521	(3508)7058	(3508)3858	㊢森幹郎 ①福山真樹 ②森本一吉	111
田野瀬（たのせ）太道（たいどう）	文 長	奈良3区	自民	100-8982 634-0813	千代田区永田町二ノ一ノ二 会館 橿原市四条町六二七ノ五 2F	03(3508)7071 0744(29)6000	2-314	70314	(3508)7071	(3591)6569	㊢沖浦功一 ①杉岡宏基 ②小畑善孝	130
田畑（たばた）裕明（ひろあき）	総 厚	富山1区	自民	100-8982 930-0017	千代田区永田町二ノ一ノ二 会館 富山市東田地方町二ノ二ノ五	03(3508)7704 076(471)6036	2-214	70214	(3508)7704	(3508)3454	㊢西村寛一郎 ①高原理 ②岩佐秀典	119
田村（たむら）貴昭（たかあき）	財 農	比例九州	共産	100-8982 810-0022	千代田区永田町二ノ一ノ二 会館 福岡市中央区薬院三ノ一三ノ一二 大場ビル3F	03(3508)7475 092(526)1933	2-712	70712	(3508)7475	(3508)3355	㊢村高芳樹 ①山口佳織 ②川邉隆史	160
田村（たむら）憲久（のりひさ）	厚 基	三重1区	自民	107-0052 514-0053	港区赤坂二ノ一七ノ一〇 宿舎 津市博多町五ノ六三	059(253)2883	1-902	50902	(3508)7163	(3502)5066	㊢中村敏幸 ①世古丈人	124
平（たいら）将明（まさあき）	予	東京4区	自民	100-8981 144-0052	千代田区永田町二ノ二ノ一 会館 大田区蒲田五ノ三〇ノ一五 第20下川ビル7F	03(3508)7297 03(5714)7071	1-914	50914	(3508)7297	(3508)3507	㊢若林継啓 ①山森寛之 ②津野仁美	113
高市（たかいち）早苗（さなえ）		奈良2区	自民	100-8981 639-1123	千代田区永田町二ノ二ノ一 会館 大和郡山市筒井町九四〇ノ一	03(3508)7198	1-903	50903	(3508)7198	(3508)7199	㊢蓮実守 ①木下剛志 ②木下守	130

委員	厚	内国	決		懲	農	国	国
選挙区	比例中国	比例東京	福井2区	北海道3区	比例東京	比例北陸信越	比例東北	比例北関東
会派	自民	自民	自民	自民	公明	自民	共産	維教
氏名	髙階恵美子（たかがいえみこ）	高木啓（たかぎけい）	高木毅（たかぎつよし）	高木宏壽（たかぎひろひさ）	高木陽介（たかぎようすけ）	髙鳥修一（たかとりしゅういち）	高橋千鶴子（たかはしちづこ）	髙橋英明（たかはしひであき）
〒	100-8982 690-0873	100-8982 114-0022	100-8981 914-0805	100-8982 062-0020	100-8982 190-0022	100-8981 943-0804	100-8982 980-0021	100-8982 333-0847
住所	千代田区永田町二ノ一ノ二 会館 松江市内中原町一四〇ノ二 島根県政会館3F	千代田区永田町二ノ一ノ二 会館 北区王子本町一ノ一四ノ九ノ二〇二	千代田区永田町二ノ二ノ一 会館 敦賀市鋳物師町四ノ八 森口ビル2F	千代田区永田町二ノ一ノ二 会館 札幌市豊平区月寒中央通五ノ一ノ一二	千代田区永田町二ノ一ノ二 会館 立川市錦町一ノ四ノ四 立川サニーハイツ三〇一	千代田区永田町二ノ二ノ一 会館 上越市新光町二ノ一ノ一	千代田区永田町二ノ一ノ二 会館 仙台市青葉区中央四ノ三ノ二八 朝市ビル4F 日本共産党衆議院比例東北ブロック事務所	千代田区永田町二ノ一ノ二 会館 川口市芝中田二ノ九ノ六
電話番号	03(3508)7518	03(3508)7601 03(5948)6790	03(3508)7296 0770(21)2244	03(3508)7636 011(852)4764	03(3508)7481 042(540)1155	03(3508)7607 025(521)0760	03(3508)7506 022(223)7572	03(3508)7260 048(262)5808
号室	2-1208	2-310	1-1008	2-217	2-1023	1-1214	2-904	2-808
内線	71208	70310	51008	70217	71023	51214	70904	70808
直通	(3508)7518	(3508)7601	(3508)7296	(3508)7636	(3508)7481	(3508)7607	(3508)7506	(3508)7260
FAX	(3508)3948	(3508)3981	(3508)3506	(3508)3024	(5251)3685	(3508)3987	(3508)3936	(3508)3530
秘書名	㊙ 佐々木由美 ① 池田和正 ②	㊙ 杉浦貴和子 ① ② 石渡勇吾	㊙ 小泉あずさ ① ② 望月ますみ	㊙ 川村康博 ① 近藤千晴 ②	㊙ 亀岡茂一 ① 高野正史 ② 天野明美	㊙ 勝野淳一 ① 丸山秀一 ② 山下和明	㊙ 桙浩一 ① 水野希美子 ② 小谷祥司	㊙ 安達正悟 ① 板倉勝教 ② 津田賢伯
頁	157	147	120	103	148	149	141	144

氏名	委員	選挙区	会派	〒	住所	電話番号	号室	内線	直通	FAX	秘書名	頁
高見（たかみ） 康裕（やすひろ）	法安	島根2区	自民	100-8982 693-0058	千代田区永田町二ノ一ノ二 会館 出雲市矢野町九四一ノ四	03(3508)7166 0853(23)8118	2-520	70520	(3508)7166	(3508)3716	政 小牧 雅一 ① 曽田 昇 ② 吉本 賢一郎	131
竹内（たけうち） 譲（ゆずる）	外財	比例近畿	公明	100-8982 602-8442	千代田区永田町二ノ一ノ二 会館 京都市上京区今出川通大宮南西角	03(3508)7473 075(417)4440	2-1223	71223	(3508)7473	(3508)3353	政 包國 嘉介 ① 山本 大樹 ② 田原 功一	154
武井（たけい） 俊輔（しゅんすけ）	外国	比例九州	自民	100-8982 880-0805	千代田区永田町二ノ一ノ二 会館 宮崎市橘通東二ノ一ノ四 テツカビル1F	03(3508)7388 0985(28)7608	2-1017	71017	(3508)7388	(3508)3718	政 小松 隆仁 ① 小浦 拓也 ② 清水 寛幸	159
武田（たけだ） 良太（りょうた）	安	福岡11区	自民	100-8981 826-0041	千代田区永田町二ノ二ノ一 会館 田川市大字弓削田三五一三ノ一	03(3508)7180 0947(46)0224	1-610	50610	(3508)7180	(3508)3610	政 平嶺 孔貴 ① 矢野 崇志 ② 天野 統郎	136
武部（たけべ） 新（あらた）	法長	北海道12区	自民	100-8982 090-0833	千代田区永田町二ノ一ノ二 会館 北見市とん田東町六〇三ノ一	03(3508)7425 0157(61)7711	2-1010	71010	(3508)7425	(3502)5190	政 後藤 秀一 ① 小澤 陽平 ② 寒澤 晶一	104
武村（たけむら） 展英（のぶひで）		滋賀3区	自民	100-8981 525-0025	千代田区永田町二ノ二ノ一 会館 草津市西渋川一ノ四ノ六 MAEDA第二ビル1F	03(3508)7118 077(566)5345	1-602	50602	(3508)7118	(3508)3418	政 留川 浩一 ① 饗場 貴子	125
橘（たちばな） 慶一郎（けいいちろう）	農議	富山3区	自民	100-8981 933-0912	千代田区永田町二ノ二ノ一 会館 高岡市丸の内一ノ四〇 高岡商工ビル	03(3508)7227 0766(25)5780	1-622	50622	(3508)7227	(3508)3227	政 吉田 貢 ① 檜物 豊成 ② 中 里枝	119
棚橋（たなはし） 泰文（やすふみ）	決	岐阜2区	自民	100-8982 503-0904	千代田区永田町二ノ一ノ二 会館 大垣市桐ケ崎町九三	03(3508)7429 0584(73)3000	2-713	70713	(3508)7429	(3508)3909	政 古田 恭弘 ① 和波 佐江子 ② 長島 卓己	121

氏名	委員	選挙区	会派	〒	住所	電話番号	号室	内線	直通	FAX	秘書名	頁
谷(たに) 公一(こういち)	国	兵庫5区	自民	107-0052 667-0024	港区赤坂二ノ一七ノ一〇 宿舎 養父市八鹿町朝倉四九ノ一	03(5549)4671 079(665)7070	2-810	70810	(3508)7010	(3502)5048	② 渡辺浩司 ① 津野田雄輔 政 磯田篤志	129
谷川(たにがわ) とむ	法国	近畿比例	自民	100-8981 598-0007	千代田区永田町二ノ二ノ一 会館 泉佐野市上町一ノ一ノ三五 1.3ビルディング2F	03(3581)5111 072(464)1416	1-1104	51104	(3508)7514	(3508)3944	② 岩元貴治 ① 家門保 政 早川加寿裕	154
玉木(たまき) 雄一郎(ゆういちろう)	基	香川2区	国民	100-8981 769-2321	千代田区永田町二ノ二ノ一 会館 さぬき市寒川町石田東甲八一四ノ一	03(3508)7213 0879(43)0280	1-706	50706	(3508)7213	(3508)3213	② 廣瀬雅洋 ① 門脇永子 政 井山哲	133
津島(つしま) 淳(じゅん)	財長	東北比例	自民	100-8982 038-0031	千代田区永田町二ノ一ノ二 会館 青森市大字三内字丸山三八一	03(3508)7073 017(718)3726	2-1204	71204	(3508)7073	(3508)3033	② 石田純 ① 清水眞 政 浅田裕之	140
塚田(つかだ) 一郎(いちろう)	財予	北陸信越比例	自民	100-8981 950-0945	千代田区永田町二ノ二ノ一 会館 新潟市中央区女池上山二ノ二三ノ七	03(3508)7705 025(280)1016	1-302	50302	(3508)7705	(3508)3455	② 斉藤恭子 ① 石川祐也 政 石山肇	149
辻(つじ) 清人(きよと)		東京2区	自民	100-8981 111-0021	千代田区永田町二ノ二ノ一 会館 台東区日本堤二ノ三三ノ一三 深谷ビル	03(3508)7288 03(6802)4701	1-522	50522	(3508)7288	(3508)3738	②①政	113
土田(つちだ) 慎(しん)	内	東京13区	自民	100-8981 121-0816	千代田区永田町二ノ二ノ一 会館 足立区梅島二ノ二ノ一〇 楠ビル二〇一	03(3508)7341 03(5856)1610	1-1020	51020	(3508)7341	(3508)3341	② 島村純子 ① 平野友紀子 政	114
土屋(つちや) 品子(しなこ)		埼玉13区	自民	100-8981 344-0062	千代田区永田町二ノ二ノ一 会館 春日部市粕壁東二ノ三ノ四〇 グレースヒル橋本一〇一	03(3508)7188 048(761)0475	1-402	50402	(3508)7188	(3508)3618	② 高橋昌志 ① 豊田典子 政	111

委員	選挙区	会派	氏名	〒	住所	電話番号	号室	内線	直通	FAX	秘書名	頁
厚	福岡5区	立憲	堤（つつみ）かなめ	100-8982 818-0072	千代田区永田町二ノ一ノ二　会館 筑紫野市二日市中央二ノ七ノ一七　2F	03(3508)7062 092(409)0077	2-312	70312	(3508)7062	(3508)3039	政 黛典子 ① 石田泰志 ② 宮原晴美	135
農予	比例南関東	公明	角田秀穂（つのだひでお）	100-8982 273-0011	千代田区永田町二ノ一ノ二　会館 船橋市湊町一ノ七ノ四	03(3508)7052 047(404)8013	2-309	70309	(3508)7052	(3508)3852	政 江端功一 ① 鈴木隆 ② 大倉沙織	146
決	東京5区	立憲	手塚仁雄（てづかよしお）	154-0002	世田谷区下馬二ノ二〇ノ二　2F	03(3412)0440	1-802	50802	(3508)7234	(3508)3234	政 土橋雄宇 ① 柿澤雄太 ② 上田秀麿	113
法	比例東北	立憲	寺田学（てらたまなぶ）	100-8981 010-1424	千代田区永田町二ノ二ノ一　会館 秋田市御野場一ノ一ノ九	03(3508)7464 018(827)7515	1-1014	51014	(3508)7464	(3508)3294	政 井川知雄 ① 島田真 ② 堀江淳	141
総	広島5区	自民	寺田稔（てらだみのる）	100-8981 737-0045	千代田区永田町二ノ二ノ一　会館 呉市本通四ノ三ノ一八　佐藤ビル	03(3508)7606 0823(24)2358	1-1213	51213	(3508)7606	(3508)3986	政 迫田誠 ① 山本譲 ② 中坂智明	132
内経	秋田1区	自民	冨樫博之（とがしひろゆき）	100-8982 010-1427	千代田区永田町二ノ一ノ二　会館 秋田市仁井田新田三ノ一三ノ二〇	03(3508)7275 018(839)5601	2-1019	71019	(3508)7275	(3508)3725	政 山田修市 ① 田中基樹 ② 大澤薫	106
基	兵庫10区	自民	渡海紀三朗（とかいきさぶろう）	100-8981 676-0082	千代田区永田町二ノ二ノ一　会館 高砂市曽根町二二四八	03(3508)7643 079(447)0017	1-1109	51109	(3508)7643	(3508)3613	政 中嶋規人 ① 加茂朋章 ② 石橋友子	129
国	宮城1区	自民	土井亨（どいとおる）	100-8981 980-0011	千代田区永田町二ノ二ノ一　会館 仙台市青葉区上杉一ノ一ノ三〇 アロエ仙台一〇二	03(3508)7470 022(262)7223	1-1120	51120	(3508)7470	(3508)3350	政 山田朋広 ① 佐藤聖	105

氏名	委員	選挙区	会派	〒	住所	電話番号	号室	内線	直通	FAX	秘書名	頁
徳永（とくなが）久志（ひさし）	外基	比例近畿	維教	100-8982 523-0892	千代田区永田町二ノ一ノ二 会館 近江八幡市出町四一四ノ六 サツキビル2F	03(3508)7250 0748(31)3047	2-609	70609	(3508)7250	(3508)3520	政 中原靖子 ① 塚本茂樹 ② 岡屋京佑	154
中川（なかがわ）貴元（たかもと）	総経	比例東海	自民	100-8982 464-0848	千代田区永田町二ノ一ノ二 会館 名古屋市千種区春岡一ノ四ノ八 ESSE池下八〇五号	03(3508)7461	2-701	70701	(3508)7461	(3508)3291	政 四反田淳子 ① 中川穂南 ② 真置林現	151
中川（なかがわ）宏昌（ひろまさ）	財安	比例北陸信越	公明	100-8981 399-0006	千代田区永田町二ノ二ノ一 会館 松本市野溝西一ノ三ノ四 2F	03(3508)3639 0263(88)5550	1-922	50922	(3508)3639	(3508)7149	政 大久保智広 ① 藤田正純 ② 増田美香	150
中川（なかがわ）正春（まさはる）	懲長	比例東海	立憲	100-8981 513-0801	千代田区永田町二ノ二ノ一 会館 鈴鹿市神戸七ノ一ノ五	03(3508)7128 059(381)3513	1-519	50519	(3508)7128	(3508)3428	政 ① ② 福原勝	151
中川（なかがわ）康洋（やすひろ）	総環	比例東海	公明	100-8982 510-0822	千代田区永田町二ノ一ノ二 会館 四日市市芝田一ノ一〇ノ二九	03(3508)7038 059(340)5341	2-919	70919	(3508)7038	(3508)3838	政 加賀友啓 ① 石井隆 ② 畑和憲	152
中川（なかがわ）郁子（ゆうこ）	外農	比例北海道	自民	100-8981	千代田区永田町二ノ二ノ一 会館	03(3508)7103	1-309	50309	(3508)7103	(3508)3403	政 宮永龍典 ① 岩田尚久 ② 成瀬亮	139
中島（なかじま）克仁（かつひと）	厚	比例南関東	立憲	100-8982 400-0858	千代田区永田町二ノ一ノ二 会館 甲府市相生一ノ一ノ二一	03(3508)7423 055(242)9208	2-723	70723	(3508)7423	(3508)3903	政 山本健 ① ② 依田卓也	145
中嶋（なかじま）秀樹（ひでき）	総	比例近畿	維教	100-8981 611-0021	千代田区永田町二ノ二ノ一 会館 宇治市宇治宇文字一五ノ六 睦美堂ビル2F	03(3508)7305 0774(34)4188	1-321	50321	(3508)7305	(3508)3305	政 内ヶ崎雅俊 ① 竹内絵理 ② 福永俊介	156

氏名	中曽根康隆（なかそね やすたか）	中谷一馬（なかたに かずま）	中谷元（なかたに げん）	中谷真一（なかたに しんいち）	中司宏（なかつか ひろし）	中西健治（なかにし けんじ）	中根一幸（なかね かずゆき）	中野英幸（なかの ひでゆき）
委員	法安	内決	安	厚決議	総議	決	国	法
選挙区	群馬1区	比例南関東	高知1区	山梨1区	大阪11区	神奈川3区	比例北関東	埼玉7区
会派	自民	立憲	自民	自民	維教	自民	自民	自民
〒	100-8982 371-0841	100-8981 223-0061	107-0052 781-5106	100-8982 400-0064	107-0052 573-0022	100-8981 221-0822	100-8982 365-0038	100-8982 350-0055
住所	千代田区永田町二ノ一ノ二 会館 前橋市石倉町三ノ一〇ノ五	千代田区永田町二ノ二ノ一 会館 横浜市港北区日吉二ノ六ノ三ノ二〇一	港区赤坂二ノ一七ノ一〇 宿舎 高知市介良乙二七八ノ一 タイシンビル2F	千代田区永田町二ノ一ノ二 会館 甲府市下飯田三ノ八ノ二九	港区赤坂二ノ一七ノ一〇 宿舎 枚方市宮之阪一ノ二三ノ一〇ノ一〇一	千代田区永田町二ノ二ノ一 会館 横浜市神奈川区西神奈川一ノ二ノ一 日光堂ビル2F	千代田区永田町二ノ一ノ二 会館 鴻巣市本町三ノ九ノ二八	千代田区永田町二ノ一ノ二 会館 川越市久保町五ノ二
電話番号	03(3508)7272 027(289)6650	03(3508)7310	088(855)6678	03(3508)7336 055(288)8220	03(3508)7146 072(898)4567	03(3508)7311 045(565)5520	03(3508)7458 048(543)8880	03(3508)7220 049(226)8888
号室	2-923	1-509	2-1222	2-215	1-905	1-303	2-1206	2-220
内線	70923	50509	71222	70215	50905	50303	71206	70220
直通	(3508)7272	(3508)7310	(3508)7486	(3508)7336	(3508)7146	(3508)7311	(3508)7458	(3508)7220
FAX	(3508)3722	(3508)3310	(3592)9032	(3508)3336	(3508)3636	(3508)3377	(3508)3288	(3508)3220
秘書名	政 加藤佑介 ① 大山充 ② 井上里穂	政 風間良 ① 藤居芳明 ② 梶尾明	政 豊田圭三 ① 北原仁 ② 山田亮	政 神園健 ① 古郡拓也 ② 矢島優妃	政 鈴木裕子 ① 守田順一 ② 木本研二朗	政 平林悟 ① 阿部裕子 ② 矢口真希子	政 ① 勝沼幸 ② 井上春菜	政 菅野文盛 ① 菊池豪 ②
頁	108	145	134	120	127	116	142	110

氏名	委員	選挙区	会派	〒	住所	電話番号	号室	内線	直通	FAX	秘書名	頁
中野（なかの）洋昌（ひろまさ）	経	兵庫8区	公明	100-8981 660-0052	千代田区永田町二ノ二ノ一 会館 尼崎市七松町三ノ一七ノ二〇ノ二〇一	03(3508)7224 06(6415)0220	1-722	50722	(3508)7224	(3508)3415	㉈小谷伸彦 ①能村清人 ②山田友崇	129
中村（なかむら）喜四郎（きしろう）	基	比例北関東	立憲	100-0014 306-0400	千代田区永田町二ノ一三ノ一四 猿島郡境町一七二八	0280(87)0154	2-411	70411	(3508)7501	(3508)3931	㉈谷中勝一 ①岡野功 ②神谷良輝	143
中村（なかむら）裕之（ひろゆき）	文国	北海道4区	自民	100-8982 047-0024	千代田区永田町二ノ一ノ二 会館 小樽市花園一ノ四ノ一九	03(3508)7406 0134(21)5770	2-406	70406	(3508)7406	(3508)3886	㉈髙橋知久 ①栗原巧 ②川仁伸一	103
中山（なかやま）展宏（のりひろ）	内財	比例南関東	自民	100-8982 214-0014	千代田区永田町二ノ一ノ二 会館 川崎市多摩区登戸二六六三 東洋ビル5F	03(3508)7435 044(322)8600	2-311	70311	(3508)7435	(3508)3915	㉈松本達也 ①白谷武士 ②上田千鶴	145
永岡（ながおか）桂子（けいこ）	文	茨城7区	自民	100-8981 306-0023	千代田区永田町二ノ二ノ一 会館 古河市本町二ノ一ノ二七 金和ビル1F	03(3508)7274 0280(31)5033	1-714	50714	(3508)7274	(3508)3724	㉈大越貴陽 ①矢部憲司 ②小池寿伴太郎	108
長坂（ながさか）康正（やすまさ）	国長	愛知9区	自民	100-8981 496-0044	千代田区永田町二ノ二ノ一 会館 津島市立込町三ノ二六ノ二	03(3508)7043 0567(26)3339	1-1007	51007	(3508)7043	(3508)3863	㉈茶谷滋 ①長坂隆廣 ②今川徳治	123
長島（ながしま）昭久（あきひさ）	安	比例東京	自民	100-8981 183-0022	千代田区永田町二ノ二ノ一 会館 府中市宮西町四ノ一二ノ一一 2F	03(3508)7309 042(319)2118	1-510	50510	(3508)7309	(3508)3309	㉈及川哲央 ①花咲宏基 ②野木大史	147
長妻（ながつま）昭（あきら）	基	東京7区	立憲	100-8982 164-0011	千代田区永田町二ノ一ノ二 会館 中野区中央四ノ一一ノ一三ノ一〇一	03(3508)7456 03(5342)6551	2-706	70706	(3508)7456	(3508)3286	㉈梶護 ①花見和美 ②中原翔太	113

委員	選挙区	会派	氏名	〒	住所	電話番号	号室	内線	直通	FAX	秘書名	頁
農	比例九州	国民	長友慎治（ながともしんじ）	100-8982 882-0823	千代田区永田町二ノ一ノ二 会館 延岡市中町二ノ二ノ二〇	03(3508)7212 0982(20)2011	2-912	70912	(3508)7212	(3508)3212	政 川添由香子 ① 渕上将弘 ② 本部仁俊	161
懲	和歌山3区	自民	二階俊博（にかいとしひろ）	100-8982 644-0003	千代田区永田町二ノ一ノ二 会館 御坊市島四四〇ノ一	03(3508)7023 0738(23)0123	2-223	70223	(3508)7023	(3502)5037	政 二階俊樹 ① 矢本和久 ② 小川珠美	130
基議 懲	愛知6区	自民	丹羽秀樹（にわひでき）	100-8982 486-0844	千代田区永田町二ノ一ノ二 会館 春日井市鳥居松町四ノ六八 シティ春日井ビル1F	03(3508)7025 0568(87)6226	2-916	70916	(3508)7025	(3508)3825	政 杉山健太郎 ① 池真一 ② 舟橋千尋	123
法厚	徳島1区	自民	仁木博文（にきひろふみ）	107-0052 770-0865	港区赤坂二ノ一七ノ一〇 宿舎 徳島市南末広町四ノ八八ノ一	03(5549)4671 088(624)9350	2-213	70213	(3508)7011	(3508)3811	政 小笠原博信 ① 岩田元宏 ② 前川千恵子	133
総文	長崎1区	国民	西岡秀子（にしおかひでこ）	100-8982 850-0842	千代田区永田町二ノ一ノ二 会館 長崎市新地町五ノ六	03(3508)7343 095(821)2077	2-1124	71124	(3508)7343	(3508)3733	① 高瀬千義	136
総	石川3区	自民	西田昭二（にしだしょうじ）	100-8981 926-0041	千代田区永田町二ノ二ノ一 会館 七尾市府中町員外二六	03(3508)7139 0767(58)6140	1-523	50523	(3508)7139	(3508)3439	政 奥村淳 ① 竹重吉晃 ② 土倉豊	119
総農	熊本2区	自民	西野太亮（にしのだいすけ）	100-8981 861-4101	千代田区永田町二ノ二ノ一 会館 熊本市南区近見七ノ五ノ四〇	03(3508)7144 096(355)5008	1-913	50913	(3508)7144	(3508)3634	政 鹿島圭子 ① 中村直哉 ② 生山敬之	137
基	宮城3区	自民	西村明宏（にしむらあきひろ）	100-8982 981-1231	千代田区永田町二ノ一ノ二 会館 名取市手倉田字諏訪六〇九ノ一	03(3508)7906 022(384)4757	2-324	70324	(3508)7906	(3508)3873	政 谷弘三 ① 髙木哲哉 ② 小平美芙衣	105

氏名	委員	選挙区	会派	〒	住所	電話番号	号室	内線	直通	FAX	秘書名	頁
西村智奈美（にしむら ちなみ）	厚	新潟1区	立憲	100-8982 950-0916	千代田区永田町二ノ一ノ二 会館 新潟市中央区米山二ノ五ノ八 米山プラザビル二〇二	03(3508)7614 025(244)1173	2-404	70404	(3508)7614	(3508)3994	政 髙田一喜 ① 佐藤真一 ② 山田朋洋	118
西村康稔（にしむら やすとし）	決	兵庫9区	自民	100-8981 673-0882	千代田区永田町二ノ二ノ一 会館 明石市相生町二ノ八ノ二 ドール明石二〇一	03(3508)7101 078(919)2320	1-611	50611	(3508)7101	(3508)3401	政 佐藤汀 ① 田中実 ② 橋山慎太郎	129
西銘恒三郎（にしめ こうざぶろう）	外	沖縄4区	自民	100-8982 901-1115	千代田区永田町二ノ一ノ二 会館 島尻郡南風原町字山川二八六ノ一 2F	03(3508)7218 098(888)5360	2-317	70317	(3508)7218	(3508)3218	政 大城和人 ① 西銘浩平 ② 末吉達俊	139
額賀福志郎（ぬかが ふくしろう）		茨城2区	無	100-8982 311-3832	千代田区永田町二ノ一ノ二 会館 行方市麻生三二八七ノ三二	03(3508)7447 0299(72)1218	2-824	70824	(3508)7447	(3592)0468	政 藤井剛 ① ② 秋山太三	107
根本匠（ねもと たくみ）	基長	福島2区	自民	100-8982 963-8012	千代田区永田町二ノ一ノ二 会館 郡山市咲田一ノ二ノ一ノ一〇三	03(3508)7312 024(932)6662	2-1213	71213	(3508)7312	(3508)3312	政 六角陽佳 ① 林美奈子 ② 小松慎太郎	106
根本幸典（ねもと ゆきのり）	総文	愛知15区	自民	100-8982 441-8032	千代田区永田町二ノ一ノ二 会館 豊橋市花中町六三	03(3508)7711 0532(35)0261	2-906	70906	(3508)7711	(3508)3300	政 若林由利 ① 川越憂貴 ② 近藤淳彦	124
野田聖子（のだ せいこ）	決	岐阜1区	自民	100-8981 500-8367	千代田区永田町二ノ二ノ一 会館 岐阜市宇佐南四ノ一四ノ二〇 2F	03(3508)7161 058(276)2601	1-504	50504	(3508)7161	(3591)2143	政 半田亘 ① 東海林和子 ② 中森美恵子	121
野田佳彦（のだ よしひこ）	財	千葉4区	立憲	100-8981 274-0077	千代田区永田町二ノ二ノ一 会館 船橋市薬円台六ノ六ノ八ノ二〇二	03(3508)7141 047(496)1110	1-821	50821	(3508)7141	(3508)3441	政 河井淳一 ① 田窪照美 ② 山本勇介	111

氏名	委員	選挙区	会派	〒	住所	電話番号	号室	内線	直通	FAX	秘書名	頁
野中 厚(のなか あつし)	農長	比例北関東	自民	100-8981 347-0001	千代田区永田町二ノ二ノ一 会館 加須市大越二一九四	03(3508)7041 0480(53)5563	1-419	50419	(3508)7041	(3508)3841	政 柴田昭彦 ① 山崎洋平 ② 中林真里	142
野間 健(のま たけし)	農	鹿児島3区	立憲	100-8982 895-0061	千代田区永田町二ノ一ノ二 会館 薩摩川内市御陵下町二七ノ二三	03(3508)7027 0996(22)1505	2-601	70601	(3508)7027	(3508)3827	政 久本芳孝 ① 潟野修一 ② 上薗雅登	138
葉梨 康弘(はなし やすひろ)	総基 懲	茨城3区	自民	100-8981 302-0017	千代田区永田町二ノ二ノ一 会館 取手市桑原一一〇八	03(3508)7248 0297(74)1859	1-1117	51117	(3508)7248	(3508)3518	政 池田芳宏 ① 鎌田総太郎 ② 葉梨徹	107
馬場 伸幸(ばば のぶゆき)	基	大阪17区	維教	100-8981 593-8325	千代田区永田町二ノ二ノ一 会館 堺市西区鳳南町五ノ七一一ノ五	03(3508)7322 072(274)0771	1-511	50511	(3508)7322	(3508)3322	政 ① 小寺一輝 ② 山口剛士	128
馬場 雄基(ばば ゆうき)	財環 議	比例東北	立憲	100-8982 963-8014	千代田区永田町二ノ一ノ二 会館 郡山市虎丸町六ノ一八 虎丸ビル二〇一	03(3508)7631 024(953)8109	2-821	70821	(3508)7631	(3508)3261	政 高井章博 ① 成田寅記 ②	141
萩生田 光一(はぎうだ こういち)	決	東京24区	自民	100-8982 192-0046	千代田区永田町二ノ一ノ二 会館 八王子市明神町四ノ一ノ二 ストーク八王子二〇五	03(3508)7154 042(646)3008	2-1205	71205	(3508)7154	(3508)3704	政 牛久保敏文 ① 秋山里佳 ② 鈴木脩介	115
長谷川 淳二(はせがわ じゅんじ)	総	愛媛4区	自民	100-8982 798-0040	千代田区永田町二ノ一ノ二 会館 宇和島市中央町二ノ三ノ三〇	03(3508)7453 0895(65)9410	2-703	70703	(3508)7453	(3508)3283	政 安藤明 ① 山下芳公 ② 松岡隆太朗	134
橋本 岳(はしもと がく)	厚予	岡山4区	自民	100-8982 710-0842	千代田区永田町二ノ一ノ二 会館 倉敷市吉岡五五二	03(3508)7016 086(422)8410	2-306	70306	(3508)7016	(3508)3816	政 矢吹彰康 ① 藤村健 ② 高坂隆行	131

氏名	委員	選挙区	会派	〒	住所	電話番号	号室	内線	直通	FAX	秘書名	頁
鳩山(はとやま)二郎(じろう)	内総	福岡6区	自民	100-8982 830-0018	千代田区永田町二ノ一ノ二 会館 久留米市通町一ノ一 2F	03(3508)7905 0942(39)2111	2-221	70221	(3508)7905	(3580)8001	㊥立井尚友 ①江刺家孝臣 ②上田峻也	135
浜田(はまだ)靖一(やすかず)	基	千葉12区	自民	100-8982 292-0066	千代田区永田町二ノ一ノ二 会館 木更津市新宿一ノ三 2F	03(3508)7020 0438(23)5432	2-315	70315	(3508)7020	(3508)7644	㊥大堀将和 ①小暮眞也 ②永田実和子	112
濵地(はまち)雅一(まさかず)		比例九州	公明	100-8981 812-0023	千代田区永田町二ノ二ノ一 会館 福岡市博多区奈良屋町一一ノ六 NS奈良屋ビル2F	03(3508)7235 092(262)6616	1-803	50803	(3508)7235	(3508)3235	㊥吉田直樹 ①水町康博 ②濱田幸光	160
早坂(はやさか)敦(あつし)	文	比例東北	維教	100-8982 984-0063	千代田区永田町二ノ一ノ二 会館 仙台市若林区石名坂七 加藤ビル二〇六	03(3508)7414 022(344)6115	2-704	70704	(3508)7414	(3508)3894	㊥橋本浩二 ①沼田義重 ②石井隆太郎	141
林(はやし)幹雄(もとお)	懲	千葉10区	自民	100-8981 288-0817	千代田区永田町二ノ二ノ一 会館 銚子市清川町四ノ一〇四三	03(3508)7151 0479(24)9434	1-612	50612	(3508)7151		㊥渡辺淳一 ①津田康平 ②山野巧磨	112
林(はやし)佑美(ゆみ)	環 予	和歌山1区補	維教	100-8981 640-8158	千代田区永田町二ノ二ノ一 会館 和歌山市十二番丁三二 雑賀ビル1F	03(3508)7315 073(488)9331	1-315	50315	(3508)7315	(3508)3315	㊥鍵山仁 ②豊岡嶺侃	130
林(はやし)芳正(よしまさ)		山口3区	自民	100-8981 751-0823	千代田区永田町二ノ二ノ一 会館 下関市貴船町四ノ八ノ一八ノ一〇一	03(3508)7115 083(224)1111	1-1201	51201	(3508)7115	(3508)3050	㊥河野恭子 ①小平均 ②田辺憲治	133
原口(はらぐち)一博(かずひろ)	財	佐賀1区	立憲	100-8981 849-0922	千代田区永田町二ノ二ノ一 会館 佐賀市高木瀬東二ノ五ノ四一	03(3508)7238 0952(32)2321	1-307	50307	(3508)7238	(3508)3238	㊥池田勝 ①坂本裕二朗 ②山﨑康弘	136

氏名	委員	選挙区	会派	〒	住所	電話番号	号室	内線	直通	FAX	秘書名	頁
伴野(ばんの) 豊(ゆたか)	国	比例東海	立憲	100-8982 475-0836	千代田区永田町二ノ一ノ二 会館 半田市青山二ノ一九ノ八	03(3508)7019 0569(25)1888	2-910	70910	(3508)7019	(3508)3819	政 大坪俊一 ① 三島且成 ② 古俣泰浩	151
平井(ひらい) 卓也(たくや)	内 基	比例四国	自民	100-8981 760-0025	千代田区永田町二ノ二ノ一 会館 高松市古新町四ノ三	03(3508)7307 087(826)2811	1-1024	51024	(3508)7307	(3508)3307	政 寺井慶 ① 荒井淳 ② 須永映里子	158
平口(ひらぐち) 洋(ひろし)	法	広島2区	自民	100-8982 733-0812	千代田区永田町二ノ一ノ二 会館 広島市西区己斐本町二ノ六ノ二〇	03(3508)7622 082(527)2100	2-804	70804	(3508)7622	(3508)3252	政 庄司輝光 ① 湯浅路子 ② 廣瀬典子	132
平沢(ひらさわ) 勝栄(かつえい)	外 予	東京17区	自民	100-8981 124-0012	千代田区永田町二ノ二ノ一 会館 葛飾区立石八ノ六ノ一ノ一〇二	03(3508)7257 03(5670)1111	1-1115	51115	(3508)7257	(3508)3527	政 植原和紀 ① 釜台薫 ② 藤澤翔一	115
平沼(ひらぬま) 正二郎(しょうじろう)	内	岡山3区	自民	100-8982 708-0806	千代田区永田町二ノ一ノ二 会館 津山市大田八一ノ一	03(3508)7251 0868(24)0107	2-614	70614	(3508)7251	(3508)3521	政 福井慎二 ① 高原秀明 ② 平沼廣子	131
平林(ひらばやし) 晃(あきら)	総 法 文	比例中国	公明	100-8981 732-0057	千代田区永田町二ノ二ノ一 会館 広島市東区二葉の里一ノ一ノ七二ノ九〇一	03(3508)7339 082(569)8604	1-507	50507	(3508)7339	(3508)3339	政 西岡稔 ① 堀池克己 ② 児玉秀幸	157
深澤(ふかざわ) 陽一(よういち)	外	静岡4区	自民	100-8981 424-0817	千代田区永田町二ノ二ノ一 会館 静岡市清水区銀座一四ノ一七	03(3508)7709 054(361)0615	1-1223	51223	(3508)7709	(3508)3243	政 村上泰史 ① 遠藤敏郎 ② 重坂雅之	122
福重(ふくしげ) 隆浩(たかひろ)	厚 決	比例北関東	公明	100-8981	千代田区永田町二ノ二ノ一 会館	03(3508)7249	1-909	50909	(3508)7249	(3508)3519	政 掛川一 ① 上原信雄 ② 西口政香	143

委員	選挙区	会派	氏名	〒 (東京)	〒 (地元)	住所 (東京)	住所 (地元)	電話番号 (東京)	電話番号 (地元)	号室	内線	直通	FAX	秘書名 政	秘書名 ①	秘書名 ②	頁
厚国	茨城1区	有志	福島伸享（ふくしまのぶゆき）	100-8982	310-0804	千代田区永田町二ノ一ノ二 会館	水戸市白梅一ノ七ノ二一	03(3508)7262	029(302)8895	2-419	70419	(3508)7262	(3508)3532	山田克登	沼田誠	稲葉勇二	107
総	栃木2区	立憲	福田昭夫（ふくだあきお）	100-8981	321-2335	千代田区永田町二ノ二ノ一 会館	日光市森友七八一ノ三	03(3508)7289	0288(21)4182	1-708	50708	(3508)7289	(3508)3739	齋藤孝明	羽瀬広大	髙橋歩夢	108
経決	群馬4区	自民	福田達夫（ふくだたつお）	100-8981	370-0073	千代田区永田町二ノ二ノ一 会館	高崎市緑町三ノ六ノ三	03(3508)7181	027(365)1192	1-1103	51103	(3508)7181	(3508)3611		堤岳志	石井琢郎	109
外	兵庫4区	自民	藤井比早之（ふじいひさゆき）	100-8981	673-0404	千代田区永田町二ノ二ノ一 会館	三木市大村五三〇ノ一	03(3508)7185	0794(81)1118	1-615	50615	(3508)7185	(3508)3615		堀支津子	原田祐成	129
総予	比例北関東	立憲	藤岡隆雄（ふじおかたかお）	100-8981	323-0022	千代田区永田町二ノ二ノ一 会館	小山市駅東通り二ノ一四ノ二三	03(3508)7178	0285(37)8214	1-608	50608	(3508)7178	(3508)3608	財満慎太郎	土澤康敏	浅津敦史	142
基	大阪12区	維教	藤田文武（ふじたふみたけ）	100-8981	572-0838	千代田区永田町二ノ二ノ一 会館	大阪府寝屋川市八坂町二四ノ六 ロイヤルライフ八坂一〇一	03(3508)7040	072(830)2620	1-312	50312	(3508)7040	(3508)3840	吉田直樹	中川慎也	松田泰志	127
財	比例南関東	維教	藤巻健太（ふじまきけんた）	100-8982	271-0092	千代田区永田町二ノ一ノ二 会館	松戸市松戸一八三六 メグロビル1F	03(3508)7503	047(710)0523	2-320	70320	(3508)7503	(3508)3933	吉田新	岡田卓也	嶌根香織	146
財安	福岡7区	自民	藤丸敏（ふじまるさとし）	100-8982	836-0842	千代田区永田町二ノ一ノ二 会館	大牟田市有明町二ノ一ノ一六 ウドノビル4F	03(3508)7431	0944(57)6106	2-211	70211	(3508)7431	(3597)0483	原野隆博	松尾昭宏	廣松金悟	135

氏名	委員	選挙区	会派	〒	住所	電話番号	号室	内線	直通	FAX	秘書名	頁
藤原崇（ふじわら たかし）	法財	岩手3区	自民	100-8982 024-0091	千代田区永田町二ノ一ノ二 会館 北上市大曲町二ノ二四	03(3508)7207 0197(72)6056	2-1015	71015	(3508)7207	(3508)3721	㊖ ① ②	105
太栄志（ふとり ひでし）	内	神奈川13区	立憲	100-8981 242-0017	千代田区永田町二ノ二ノ一 会館 大和市大和東三ノ七ノ一一 大和東共同ビル一〇一	03(3508)7330 046(244)3203	1-409	50409	(3508)7330	(3508)3330	㊖梶原博之 ①末吉弘孝 ②伊藤達磨	117
船田元（ふなだ はじめ）	文	栃木1区	自民	100-8982 320-0047	千代田区永田町二ノ一ノ二 会館 宇都宮市一の沢一ノ二ノ六	03(3508)7156 028(666)8735	2-605	70605	(3508)7156	(3508)3706	㊖盛未来 ①山本光雄 ②露木正高	108
古川直季（ふるかわ なおき）	総文	神奈川6区	自民	100-8982 241-0825	千代田区永田町二ノ一ノ二 会館 横浜市旭区中希望が丘一九九ノ一	03(3508)7523 045(391)4000	2-1114	71114	(3508)7523	(3508)3953	㊖荒井大樹 ① ②小林大蔵	116
古川元久（ふるかわ もとひさ）	国	愛知2区	国民	100-8982 464-0075	千代田区永田町二ノ一ノ二 会館 名古屋市千種区内山三ノ八ノ一六 トキワビル2F	03(3508)7078 052(733)8401	2-1006	71006	(3508)7078	(3597)2758	㊖阪口祥代 ①加藤麻紀子 ②横田大	122
古川康（ふるかわ やすし）	農国	比例九州	自民	100-8982 847-0052	千代田区永田町二ノ一ノ二 会館 唐津市呉服町一七九〇	03(6205)7711 0955(74)7888	2-813	70813	(6205)7711	(3508)3897	㊖澁田聡士 ①小松康剛 ②小林丈幸	159
古川禎久（ふるかわ よしひさ）	財	宮崎3区	自民	100-8982 885-0006	千代田区永田町二ノ一ノ二 会館 都城市吉尾町八一一ノ七	03(3508)7612 0986(47)1881	2-612	70612	(3508)7612	(3506)2503	㊖西田育生 ①田中千代 ②杉尾亮太郎	138
古屋圭司（ふるや けいじ）	予	岐阜5区	自民	100-8982 509-7203	千代田区永田町二ノ一ノ二 会館 恵那市長島町正家一ノ一ノ二五	03(3508)7440 0573(25)7750	2-423	70423	(3508)7440	(3592)9040	㊖渡辺一博 ①友江惇 ②梶田誉穣	121

氏名	委員	選挙区	会派	〒	住所	電話番号	号室	内線	直通	FAX	秘書名	頁
古屋(ふるや)範子(のりこ)	総長	比例南関東	公明	100-8982 238-0011	千代田区永田町二ノ一ノ二 会館 横須賀市米が浜通一ノ七ノ二 サクマ横須賀ビル五〇三	03(3508)7629 046(828)4230	2-502	70502	(3508)7629	(3508)3259	㊮深澤貴美子 ①中島順一 ②高野清志	146
穂坂(ほさか)泰(やすし)	外	埼玉4区	自民	100-8982 351-0011	千代田区永田町二ノ一ノ二 会館 朝霞市本町一ノ一〇ノ四〇ノ一〇一	03(3508)7030 048(458)3344	2-908	70908	(3508)7030	(3508)3830	㊮酒井慶太 ①小池夕妃 ②神谷健太	109
星野(ほしの)剛士(つよし)	内長	比例南関東	自民	100-8982 251-0052	千代田区永田町二ノ一ノ二 会館 藤沢市藤沢九七三 相模プラザ第三ビル1F	03(3508)7413 0466(23)6338	2-708	70708	(3508)7413	(3508)3893	㊮宇野沢典子 ①齋藤猛昭 ②佐藤輝一	144
細田(ほそだ)健一(けんいち)	農経	新潟2区	自民	100-8982 959-1232	千代田区永田町二ノ一ノ二 会館 燕市井土巻四ノ二二	03(3508)7278 0256(47)1809	2-1220	71220	(3508)7278	(3508)3728	㊮楠原浩祐 ①山田孝枝 ②和田慎太郎	118
細野(ほその)豪志(ごうし)	安	静岡5区	自民	100-8981 411-0847	千代田区永田町二ノ二ノ一 会館 三島市西本町四ノ六 コーア三島ビル2F	03(3508)7116 055(991)1269	1-620	50620	(3508)7116	(3508)3416	㊮佐藤公彦 ①髙木いづみ ②眞野卓	122
堀井(ほりい)学(まなぶ)	経	比例北海道	無	100-8982 059-0012	千代田区永田町二ノ一ノ二 会館 登別市中央町五ノ一四ノ一	03(3508)7125 0143(88)2811	2-408	70408	(3508)7125	(3508)3425	㊮岩坂香 ①石川裕丈 ②	139
堀内(ほりうち)詔子(のりこ)	厚環	山梨2区	自民	100-8982 403-0007	千代田区永田町二ノ一ノ二 会館 富士吉田市中曽根一ノ五ノ二五	03(3508)7487 0555(23)7688	2-407	70407	(3508)7487	(3508)3367	㊮渡辺明秀 ①鈴木紀子 ②志村さおり	120
堀場(ほりば)幸子(さちこ)	内文	比例近畿	維教	100-8982 601-8025	千代田区永田町二ノ一ノ二 会館 京都市南区東九条柳下町六ノ四	03(3508)7422 075(888)6045	2-422	70422	(3508)7422	(3508)3902	㊮師岡孝明 ①野田静香 ②	155

氏名	委員	選挙区	会派	〒	住所	電話番号	号室	内線	直通	FAX	秘書名	頁
掘井（ほりい）健智（けんじ）	財農	比例近畿	維教	100-8982 675-0063	千代田区永田町二ノ一ノ二 会館 加古川市加古川町平野三八六 船原ビル1F	03(3508)7088 079(423)7458	2-806	70806	(3508)7088	(3508)3868	政 三品耕作 ① 原沙矢香 ② 笹本航生	155
本庄（ほんじょう）知史（さとし）	内	千葉8区	立憲	100-8982 277-0863	千代田区永田町二ノ一ノ二 会館 柏市豊四季九四九ノ九ノ一〇一	03(3508)7519 04(7170)2680	2-1219	71219	(3508)7519	(3508)3949	政 細見一雄 ① 芳野泰崇 ② 矢口すみれ	112
本田（ほんだ）太郎（たろう）	総厚議	京都5区	自民	100-8982 629-2251	千代田区永田町二ノ一ノ二 会館 宮津市須津四一三ノ四一	03(3508)7012 0772(46)5033	2-210	70210	(3508)7012	(3508)3812	政 髙森眞由美 ① 小谷典仁 ② 西地康宏	126
馬淵（まぶち）澄夫（すみお）	国	奈良1区	立憲	100-8981 631-0036	千代田区永田町二ノ二ノ一 会館 奈良市学園北一ノ一一ノ一〇 森田ビル6F	03(3508)7122 0742(40)5531	1-1217	51217	(3508)7122	(3508)3051	政 片岡新 ① 馬淵錦之介 ② 岩井禅	130
前原（まえはら）誠司（せいじ）	文	京都2区	維教	100-8981 606-8007	千代田区永田町二ノ二ノ一 会館 京都市左京区山端壱町田町八ノ四六	03(3508)7171 075(723)2751	1-809	50809	(3508)7171	(3592)6696	政 村田昭一郎 ① 木元俊大 ② 齋藤博史	125
牧（まき）義夫（よしお）	文	比例東海	立憲	100-8981 456-0031	千代田区永田町二ノ二ノ一 会館 名古屋市熱田区神宮二ノ九ノ一二	03(3508)7628 052(681)0440	1-305	50305	(3508)7628	(3508)3258	政 北村礼文 ① 成瀬厚子 ② 宮本正隆	152
牧島（まきしま）かれん	内予	神奈川17区	自民	100-8981 250-0862	千代田区永田町二ノ二ノ一 会館 小田原市成田一七八ノ一	03(3508)7026 0465(38)3388	1-322	50322	(3508)7026	(3508)3826	政 ① ②	118
牧原（まきはら）秀樹（ひでき）	法予	比例北関東	自民	100-8981 338-0001	千代田区永田町二ノ二ノ一 会館 さいたま市中央区上落合二ノ一ノ二四 三殖ビル5F	03(3508)7254 048(854)0808	1-1116	51116	(3508)7254	(3508)3524	政 ① 末廣慎二 ② 細田孝子	142

委員	選挙区	会派	氏名	〒	住所	電話番号	号室	内線	直通	FAX	秘書名	頁
環	北海道2区	立憲	松木（まつき）けんこう	100-8981 001-0045	千代田区永田町二ノ二ノ一　会館 札幌市北区麻生町二ノ二ノ八	03(3508)7324 011(790)7825	1-324	50324	(3508)7324	(3508)3324	政 岡本征弘 ① 梶浦宜明 ② 櫻井知英	103
安	東京14区	自民	松島（まつしま）みどり	100-8981 131-0045	千代田区永田町二ノ二ノ一　会館 墨田区押上一ノ二四ノ二　川新ビル2F	03(3508)7065 03(5610)5566	1-709	50709	(3508)7065	(3508)3845	政 福田健 ① 高山就造 ② 染谷優佳	114
決	千葉3区	自民	松野博一（まつの ひろかず）	100-8981 290-0072	千代田区永田町二ノ二ノ一　会館 市原市西国分寺台一ノ一六ノ一六	03(3508)7329 0436(23)9060	1-502	50502	(3508)7329	(3508)3329	政 山崎岳久 ① 小澤貴仁 ② 伊藤孝行	111
外	東京3区	立憲	松原仁（まつばら じん）	100-8982 152-0004	千代田区永田町二ノ一ノ二　会館 目黒区鷹番三ノ一九ノ二　第8エスペランス3F	03(3508)7452 03(6412)7655	2-709	70709	(3508)7452	(3580)7336	政 関根勉 ① 高池太 ② 伊藤慶賢	113
	兵庫11区	自民	松本剛明（まつもと たけあき）	100-8981 670-0972	千代田区永田町二ノ二ノ一　会館 姫路市手柄一ノ一二四	03(3508)7214 079(282)5516	1-707	50707	(3508)7214	(3508)3214	政 ① 清瀬博文 ② 大路渡	129
安	千葉13区	自民	松本尚（まつもと ひさし）	100-8981 270-1345	千代田区永田町二ノ二ノ一　会館 印西市船尾一三八〇ノ二	03(3508)7295 0476(29)5099	1-1009	51009	(3508)7295	(3508)3505	政 高野雅樹 ① 椎名麗 ② 廣田美代	112
経	東京比例	自民	松本洋平（まつもと ようへい）	100-8981 187-0003	千代田区永田町二ノ二ノ一　会館 小平市花小金井南町二ノ一七ノ四	03(3508)7133 042(461)6644	1-1011	51011	(3508)7133	(3508)3433	政 柏原隆宏 ① 小林利明 ② 太田晃禎	147
国	近畿比例	維教	三木圭恵（みき けえ）	100-8982 662-0837	千代田区永田町二ノ一ノ二　会館 西宮市広田町一ノ二七	03(3508)7638 0798(73)1825	2-1105	71105	(3508)7638	(3508)3268	政 森山秀樹 ① 渡壁勇樹 ②	155

委員	決	文厚	法厚議	法	基	厚	総法	農
選挙区	鹿児島2区	比例南関東	埼玉14区	大阪4区	秋田3区	比例東海	北海道1区	秋田2区
会派	自民	自民	自民	維教	自民	維教	立憲	立憲
氏名	三反園 訓(みたぞの さとし)	三谷 英弘(みたに ひでひろ)	三ッ林 裕巳(みつばやし ひろみ)	美延 映夫(みのべ てるお)	御法川 信英(みのりかわ のぶひで)	岬 麻紀(みさき まき)	道下 大樹(みちした だいき)	緑川 貴士(みどりかわ たかし)
〒	100-8982 891-0141	100-8982 227-0055	100-8982 340-0161	100-8981 530-0043	100-8981 014-0046	100-8982 453-0043	100-8982 060-0042	100-8982 017-0897
住所	千代田区永田町二ノ一ノ二 会館 鹿児島市谷山中央三ノ四七〇一ノ四	千代田区永田町二ノ一ノ二 会館 横浜市青葉区つつじが丘一〇ノ二〇 2F	千代田区永田町二ノ一ノ二 会館 幸手市千塚四九〇ノ一	千代田区永田町二ノ二ノ一 会館 大阪市北区天満一ノ六ノ六 井上ビル3F	千代田区永田町二ノ二ノ一 会館 大仙市大曲田町二〇ノ三三	千代田区永田町二ノ一ノ二 会館 名古屋市中村区上ノ宮町一ノ二ノ二 藤井ビル1F	千代田区永田町二ノ一ノ二 会館 札幌市中央区大通西五丁目 昭和ビル5F	千代田区永田町二ノ一ノ二 会館 大館市三ノ丸九二
電話番号	03(3508)7511 099(266)3333	03(3508)7522 045(532)4600	03(3508)7416 0480(42)3535	03(3508)7194 06(6351)1258	03(3508)7167 0187(63)5835	03(3508)7409 052(433)5778	03(3508)7516 011(233)2331	03(3508)7002 0186(57)8614
号室	2-924	2-1120	2-522	1-1019	1-901	2-705	2-516	2-202
内線	70924	71120	70522	51019	50901	70705	70516	70202
直通	(3508)7511	(3508)7522	(3508)7416	(3508)7194	(3508)7167	(3508)7409	(3508)7516	(3508)7002
FAX	(3508)3941	(3508)3952	(3508)3896	(3508)3624	(3508)3717	(3508)3889	(3508)3946	(3508)3802
秘書名	政 松本 克彦 ① 杉田 伸治 ②	政 伊地知 理美 ① 楠本 喜満 ② 嘉藤 敦	政 志村 賢一 ① 清水 貴博 ② 佐藤 亮平	政 ① ②	政 石毛 真理子 ① 佐藤 春男 ② 鈴木 由希	政 菅野 浩考 ① 飯塚 将史 ② 宇佐見 紀子	政 佐藤 陽子 ① 市橋 修太 ② 村上 大星	政 小池 恵里子 ① 長崎 朋典 ② 阿部 義人
頁	138	144	111	126	106	153	103	106

氏名	宮内秀樹(みやうち ひでき)	宮崎政久(みやざき まさひさ)	宮路拓馬(みやじ たくま)	宮下一郎(みやした いちろう)	宮本岳志(みやもと たけし)	宮本徹(みやもと とおる)	武藤容治(むとう ようじ)	務台俊介(むたい しゅんすけ)
委員	文経		外予 議	財農	総文	厚予	国議 懲	環長
選挙区	福岡4区	九州比例	鹿児島1区	長野5区	近畿比例	東京比例	岐阜3区	北陸信越比例
会派	自民	自民	自民	自民	共産	共産	自民	自民
〒	100-8981 811-3101	100-8982 901-2211	100-8981 892-0838	100-8981 396-0010	100-8981 537-0025	100-8981 151-0053	100-8982 504-0909	100-8981 390-0863
住所	千代田区永田町二ノ二ノ一 会館 古賀市天神四ノ八ノ一	千代田区永田町二ノ一ノ二 会館 宜野湾市宜野湾一ノ一ノ一	千代田区永田町二ノ二ノ一 会館 鹿児島市新屋敷町一六ノ四二三 公社ビル	千代田区永田町二ノ二ノ一 会館 伊那市境一五五〇ノ三	千代田区永田町二ノ二ノ一 会館 大阪市東成区中道一ノ一〇ノ一〇 ホクシンピース森ノ宮一〇二	千代田区永田町二ノ二ノ一 会館 渋谷区代々木一ノ四四ノ一一 1F	千代田区永田町二ノ一ノ二 会館 各務原市那加信長町一ノ九一	千代田区永田町二ノ二ノ一 会館 松本市白板二ノ三ノ三〇 大永第三ビル一〇一
電話番号	03(3508)7174 092(942)2510	03(3508)7360 098(893)2955	03(3508)7206 099(295)4860	03(3508)7903 0265(78)2828	03(3508)7255 06(6975)9111	03(3508)7508 03(5304)5639	03(3508)7482 058(389)2711	03(3508)7334 0263(33)0518
号室	1-604	2-722	1-311	1-1207	1-1108	1-1219	2-1212	1-403
内線	50604	70722	50311	51207	51108	51219	71212	50403
直通	(3508)7174	(3508)7360	(3508)7206	(3508)7903	(3508)7255	(3508)7508	(3508)7482	(3508)7334
FAX	(3508)3604	(3508)3071	(3508)3206	(3508)3643	(3508)3525	(3508)3938	(3508)3362	(3508)3334
秘書名	㊋上原雅人 ①赤司圭介 ②櫻井康晴	㊋今井時右衛門 ①大澤真弓 ②	㊋田中彰吾 ①木村颯 ②粕谷訓史	㊋天野健太郎 ①高橋達之 ②尾関正行	㊋田村幸恵 ①隅田清美 ②古山潔	㊋坂間和史 ①松尾勝哉 ②川野純平	㊋野村真一 ①小檜山千代久 ②伊藤康男	㊋赤羽俊太郎 ①村瀬元良 ②五十嵐佐江子
頁	135	159	138	120	155	148	121	149

	宗清皇一	村井英樹	村上誠一郎	茂木敏充	本村伸子	守島正	盛山正仁	森英介
委員	財経		決	基	法	経予		決
選挙区	近畿比例	埼玉1区	愛媛2区	栃木5区	東海比例	大阪2区	近畿比例	千葉11区
会派	自民	自民	自民	自民	共産	維教	自民	自民
氏名	宗清(むねきよ) 皇一(こういち)	村井(むらい) 英樹(ひでき)	村上(むらかみ) 誠一郎(せいいちろう)	茂木(もてぎ) 敏充(としみつ)	本村(もとむら) 伸子(のぶこ)	守島(もりしま) 正(ただし)	盛山(もりやま) 正仁(まさひと)	森(もり) 英介(えいすけ)
〒	100-8981 577-0843	100-8981 330-0061	107-0052 794-0028	100-8982 326-0053	107-0052 460-0007	100-8981 545-0011	100-8981 650-0001	100-8981 297-0016
住所	千代田区永田町二ノ二ノ一 会館 東大阪市荒川一ノ一三ノ二三	千代田区永田町二ノ二ノ一 会館 さいたま市浦和区常盤九ノ二七ノ九	港区赤坂二ノ一七ノ一〇 宿舎 今治市北宝来町一ノ五ノ一	千代田区永田町二ノ一ノ二 会館 足利市伊勢町四ノ一四ノ六	港区赤坂二ノ一七ノ一〇 宿舎 名古屋市中区新栄三ノ一二ノ二五	千代田区永田町二ノ二ノ一 会館 大阪市阿倍野区昭和町二ノ一ノ二六	千代田区永田町二ノ二ノ一 会館 神戸市中央区加納町二ノ四ノ一〇 水木ビル六〇一	千代田区永田町二ノ二ノ一 会館 茂原市木崎二八四ノ一〇
電話番号	03(3508)7205 06(6726)0090	03(3508)7467 048(711)3241	03(5549)4671 0898(31)2600	03(3508)1011 0284(43)3050	052(264)0833	03(3508)7112 06(6195)4774	03(3508)7380 078(231)5888	03(3508)7162 0475(26)0200
号室	1-310	1-911	1-1224	2-1011	1-1106	1-720	1-904	1-1210
内線	50310	50911	51224	71011	51106	50720	50904	51210
直通	(3508)7205	(3508)7467	(3508)7291	(3508)1011	(3508)7280	(3508)7112	(3508)7380	(3508)7162
FAX	(3508)3205	(3508)3297	(3502)5172	(3508)3269	(3508)3730	(3508)3412	(3508)3629	(3592)9036
秘書名	㊥佐藤博之 ①川中建司 ②蓮岡牧生	㊥二宮尚徳 ①尾崎裕太 ②相馬大作	㊥佐藤洋一 ①田丸勇野人 ②小野礼二	㊥駒林裕康 ①近藤真幸 ②田代美和	㊥綿貫隆 ①奥村千尋 ②田畑知代	㊥小林倫明 ①安本五郎 ②奥田豊一	㊥伊藤雅子 ①中谷昌子 ②戸井田真太郎	㊥坂本克実 ①西谷昭彦 ②伊橋裕樹
頁	153	109	134	108	152	126	154	112

委員	選挙区	会派	氏名	〒	住所	電話番号	号室	内線	直通	FAX	秘書名	頁
内 環	比例 東海	自民	森 由起子（もり ゆきこ）	100-8982 510-0072	千代田区永田町二ノ一ノ二 会館 四日市市九の城町五ノ一二 うの森ビル1F西室	03(3508)7443 059(327)6875	2-513	70513	(3508)7443	(3508)3963	㊎中溝 篤司 ①文田 仁志 ②	151
環	埼玉 12区	立憲	森田 俊和（もりた としかず）	100-8982 360-0831	千代田区永田町二ノ一ノ二 会館 熊谷市久保島一〇〇三ノ二	03(3508)7419 048(530)6001	2-1003	71003	(3508)7419	(3508)3899	㊎木沢 良一 ①渡邉 裕樹 ②椙本 光弘	110
内	比例 近畿	立憲	森山 浩行（もりやま ひろゆき）	100-8982 590-0078	千代田区永田町二ノ一ノ二 会館 堺市堺区南瓦町一ノ二一 宏昌センタービル2F	03(3508)7426 072(233)8188	2-613	70613	(3508)7426	(3508)3906	㊎牧井 有子 ①頼 由起子 ②石﨑 博枝	154
基	鹿児島 4区	自民	森山 裕（もりやま ひろし）	100-8981 893-0015	千代田区永田町二ノ二ノ一 会館 鹿屋市新川町六七一ノ二	03(3508)7164 0994(31)1035	1-515	50515	(3508)7164	(3508)3714	㊎森山 友久美 ①池田 和弘 ②船迫 作章	138
	愛知 11区	自民	八木 哲也（やぎ てつや）	100-8982 471-0868	千代田区永田町二ノ一ノ二 会館 豊田市神田町一ノ五ノ九	03(3508)7236 0565(32)0048	2-319	70319	(3508)7236	(3508)3236	㊎蜷川 徹 ①大﨑 さきえ ②伊藤 由紀	123
国 決	比例 南関東	立憲	谷田川 元（やたがわ はじめ）	100-8981 287-0001	千代田区永田町二ノ二ノ一 会館 千葉県香取市佐原ロ二一六四ノ二	03(3508)7292 0478(54)5678	1-1208	51208	(3508)7292	(3508)3502	㊎濱松 真 ①上垣 亜希 ②高栖 久美	145
環 安	比例 九州	立憲	屋良 朝博（やら ともひろ）	100-8981 904-2155	千代田区永田町二ノ二ノ一 会館 沖縄市美原四ノ三ノ一二 B二〇三号		1-824	50824	(3508)7904	(3508)3743	㊎増田 仁 ①山内 慎之介 ②屋嘉比 真奈美	160
総 農	比例 九州	自民	保岡 宏武（やすおか ひろたけ）	100-8981 891-0114	千代田区永田町二ノ二ノ一 会館 鹿児島市小松原二ノ一四ノ一五 新西ビル2F	03(3508)7633 099(296)8948	1-815	50815	(3508)7633	(3508)3263	㊎水村 元彦 ①篠原 昌幸 ②齋藤 顕	159

氏名	委員	選挙区	会派	〒	住所	電話番号	号室	内線	直通	FAX	秘書名 政	秘書名 ①	秘書名 ②	頁
簗（やな） 和生（かずお）	内農	栃木3区	自民	100-8981 324-0042	千代田区永田町二ノ二ノ一 会館 大田原市末広二ノ三ノ一七	03(3508)7186 0287(22)8706	1-717	50717	(3508)7186	(3508)3616		根本 陽子	矢作 裕美子	108
柳本（やなぎもと） 顕（あきら）	厚環	比例近畿	自民	100-8981 557-0034	千代田区永田町二ノ二ノ一 会館 大阪市西成区松一ノ一ノ六	03(3508)7902 06(4398)6090	1-320	50320	(3508)7902	(3508)3537	熊谷 志保	阪本 聖二	細川 佑紀	153
山岡（やまおか） 達丸（たつまる）	経	北海道9区	立憲	100-8981 053-0021	千代田区永田町二ノ二ノ一 会館 苫小牧市若草町一ノ一ノ二四	03(3508)7306 0144(37)5800	1-306	50306	(3508)7306	(3508)3306	根岸 庸夫	森本 秀規	菊地 悟	104
山岸（やまぎし） 一生（いっせい）	内予	東京9区	立憲	100-8981 177-0041	千代田区永田町二ノ二ノ一 会館 練馬区石神井町八ノ一七ノ八 城東コーポ一〇五	03(3508)7124 03(6676)7318	1-1013	51013	(3508)7124	(3508)3424	平野 隆志	土屋 奈々	草深 レオ	114
山際（やまぎわ） 大志郎（だいしろう）	経	神奈川18区	自民	100-8981 213-0001	千代田区永田町二ノ二ノ一 会館 川崎市高津区溝口二ノ一四ノ一二	03(3508)7477 044(850)8884	1-613	50613	(3508)7477	(3508)3357	倉持 佳代	吉野 哲平	小原 孝行	118
山口（やまぐち） 俊一（しゅんいち）	議長	徳島2区	自民	100-8982 771-0219	千代田区永田町二ノ一ノ二 会館 板野郡松茂町笹木野字八北開拓二四七ノ一	03(3508)7054 088(624)8451	2-412	70412	(3508)7054	(3503)2138	横田 泰隆	小杉 誠	塩田 保正	133
山口（やまぐち） 晋（すすむ）	文農	埼玉10区	自民	100-8982 350-0227	千代田区永田町二ノ一ノ二 会館 坂戸市仲町一二ノ一〇	03(3508)7430 049(282)3773	2-1108	71108	(3508)7430	(3508)3910	鈴木 邦彦	鈴木 勝	山口 弘三	110
山口（やまぐち） 壮（つよし）	農	兵庫12区	自民	100-8982 678-0005	千代田区永田町二ノ一ノ二 会館 相生市大石町一九ノ一〇 西本ビル2F	03(3508)7521 0791(23)6122	2-603	70603	(3508)7521	(3508)3951	山口 文生	三木 祥平	杉山 麻美子	130

委員	選挙区	会派	氏名	〒	住所	電話番号	号室	内線	直通	FAX	秘書名	頁
内経	比例南関東	立憲	山崎(やまざき) 誠(まこと)	100-8981 244-0003	千代田区永田町二ノ二ノ一 会館 横浜市戸塚区戸塚町一二 大川原ビル2F	03(3508)7137 045(438)9696	1-401	50401	(3508)7137	(3508)3437	㊐ 黒須裕章 ① 松島尚彦 ② 鈴木友美	146
農	比例四国	公明	山崎(やまさき) 正恭(まさやす)	100-8982 781-8010	千代田区永田町二ノ一ノ二 会館 高知市桟橋通四ノ一二ノ三六 ウィンビル1F	03(3508)7472 088(805)0607	2-1024	71024	(3508)7472	(3508)3352	㊐ 室岡利雄 ① 山内大志 ② 吉良修一	158
経決	岡山2区	自民	山下(やました) 貴司(たかし)	100-8982 703-8282	千代田区永田町二ノ一ノ二 会館 岡山市中区平井六ノ三ノ一三	03(3508)7057 086(230)1570	2-719	70719	(3508)7057	(3508)3857	㊐ 福島拓 ① 荻野大介 ② 横山和生	131
法農	長崎3区補	立憲	山田(やまだ) 勝彦(かつひこ)	100-8982 856-0805	千代田区永田町二ノ一ノ二 会館 大村市竹松本町八五九ノ一	03(3508)7420 0957(46)3788	2-401	70401	(3508)7420	(3508)3550	㊐ 高柳政也 ① 大窪浩章 ②	136
文議	兵庫7区	自民	山田(やまだ) 賢司(けんじ)	100-8981 662-0978	千代田区永田町二ノ二ノ一 会館 西宮市産所町四ノ八 村井ビル二〇五	03(3508)7908 0798(22)0340	1-617	50617	(3508)7908	(3508)3957	㊐ 荻野浩次郎 ① 佐々木達二 ②	129
法財	東京1区	自民	山田(やまだ) 美樹(みき)	100-8982	千代田区永田町二ノ一ノ二 会館	03(3508)7037	2-917	70917	(3508)7037	(3508)3837	㊐ 中島貴彦 ① 鈴木あきらこ ② 野川達弥	113
厚予	京都6区	立憲	山井(やまのい) 和則(かずのり)	100-8981 610-0101	千代田区永田町二ノ二ノ一 会館 城陽市平川茶屋裏五八ノ一	03(3508)7240 0774(54)0703	1-805	50805	(3508)7240	(3508)8882	㊐ 吉澤直樹 ① 宮地俊之 ② 山下恵理子	126
経	比例九州	維教	山本(やまもと) 剛正(ごうせい)	100-8982 812-0001	千代田区永田町二ノ一ノ二 会館 福岡市博多区大井二ノ一三ノ二三	03(3508)7009 092(621)0120	2-302	70302	(3508)7009	(3508)3809	㊐ 大塚伸一 ① 尊田京子 ② 三上康太	161

委員	文厚	内決	予	厚	総	総	総文	内厚
選挙区	比例東海	比例南関東	比例四国	比例中国	比例中国	比例東海	比例九州	比例九州
会派	自民	自民	自民	立憲	立憲	無	立憲	公明
氏名	山本左近（やまもと さこん）	山本ともひろ（やまもと）	山本有二（やまもと ゆうじ）	柚木道義（ゆのき みちよし）	湯原俊二（ゆはら しゅんじ）	吉川赳（よしかわ たける）	吉川元（よしかわ はじめ）	吉田久美子（よしだ くみこ）
〒	100-8981 440-0806	100-8982 247-0056	100-8981 781-8010	100-8982 710-0052	100-8981 683-0804	107-0052 416-0923	100-8982 875-0041	100-8982 818-0072
住所	千代田区永田町二ノ二ノ一 会館 豊橋市八町通一ノ一四ノ一	千代田区永田町二ノ一ノ二 会館 鎌倉市大船一ノ二三ノ二 つるやビル三〇一	千代田区永田町二ノ二ノ一 会館 高知市桟橋通三ノ三一ノ一	千代田区永田町二ノ一ノ二 会館 倉敷市美和二ノ一六ノ二〇	千代田区永田町二ノ二ノ一 会館 米子市米原五ノ三ノ二〇	港区赤坂二ノ一七ノ一〇 宿舎 富士市横割本町一六ノ一	千代田区永田町二ノ一ノ二 会館 臼杵市大字臼杵一九五	千代田区永田町二ノ一ノ二 会館 筑紫野市二日市中央六ノ三ノ一ノ二〇二
電話番号	03(3508)7302 0532(21)7008	03(3508)7193 0467(39)6933	03(3508)7232 088(803)7788	03(3508)7301 086(430)2355	03(3508)7129 0859(21)2888	0545(62)3020	03(3508)7056 0972(64)0370	03(3508)7055 092(929)2801
号室	1-304	2-1110	1-316	2-1217	1-1023	2-816	2-505	2-504
内線	50304	71110	50316	71217	51023	70816	70505	70504
直通	(3508)7302	(3508)7193	(3508)7232	(3508)7301	(3508)7129	(3508)7228	(3508)7056	(3508)7055
FAX	(3508)3302	(3508)3623	(3592)9069	(3508)3301	(3508)3429	(3508)3551	(3508)3856	(3508)3855
秘書名 政		瀬戸芳明	前田真二郎			古賀真理	伊藤剛	岩野武彦
秘書名 ①		本間義一	松村雄太			大塚謙一	高野眞也	大澤ミチル
秘書名 ②			石本和寛			木下航	市丸敬子	立津伸城
頁	151	145	158	157	157	151	159	160

委員	選挙区	会派	氏名	〒	住所	電話番号	号室	内線	直通	FAX	秘書名	頁
厚経	山口4区補	自民	吉田真次（よしだしんじ）	100-8981 750-0066	千代田区永田町二ノ二ノ一 会館 下関市東大和町一ノ八ノ一六	03(3508)7172 083(250)7311	1-1212	51212	(3508)7172	(3508)3602	㊈中平大開 ①徳本美佐 ②島村朋子	133
厚	比例東海	立憲	吉田統彦（よしだつねひこ）	100-8982 462-0810	千代田区永田町二ノ一ノ二 会館 名古屋市北区山田一ノ一〇ノ八	03(3508)7104 052(508)8412	2-322	70322	(3508)7104	(3508)3404	㊈兒玉篤志 ①深井稔公 ②村中隆之	152
総	比例四国	維教	吉田とも代（よしだともよ）	100-8982 770-0861	千代田区永田町二ノ一ノ二 会館 徳島市住吉二ノ一ノ一〇 グランコート住吉	03(3508)7001 088(635)1718	2-424	70424	(3508)7001	(3508)3801	①森本博道	158
財	比例北陸信越	無	吉田豊史（よしだとよふみ）	100-8982 930-0975	千代田区永田町二ノ一ノ二 会館 富山市西長江三ノ一ノ一四	03(3508)7434 076(495)8823	2-1112	71112	(3508)7434	(3508)3914	㊈木村隆志 ①吉田幹広	150
経	比例九州	公明	吉田宣弘（よしだのぶひろ）	100-8981 862-0910	千代田区永田町二ノ二ノ一 会館 熊本市東区健軍本町二六ノ一〇 村上ビル2F-A	03(3508)7276 096(285)3685	1-1114	51114	(3508)7276	(3508)3726	㊈新沼裕司 ①柴田康一 ②森正雄	160
文議懲	東京8区	立憲	吉田はるみ（よしだはるみ）	100-8982 166-0001	千代田区永田町二ノ一ノ二 会館 杉並区阿佐谷北一ノ三ノ四 小堺ビル三〇一	03(3508)7620 03(5364)9620	2-607	70607	(3508)7620	(3508)3250	㊈堀内ゆか里	113
決	福島5区	自民	吉野正芳（よしのまさよし）	107-0052 970-8026	港区赤坂二ノ一七ノ一〇 宿舎 いわき市平尼子町二ノ二六 NKビル	0246(21)4747	2-624	70624	(3508)7143	(3595)4546	㊈野地誠 ①石川貴文 ②熊井利江	107
文	比例南関東	自民	義家弘介（よしいえひろゆき）	100-8981 243-0014	千代田区永田町二ノ二ノ一 会館 厚木市旭町一ノ一五ノ一七	03(3508)7241 046(226)8585	1-1204	51204	(3508)7241	(3508)3511	㊈佐々木由 ①高橋慎一 ②田中翔	144

委員	選挙区	会派	氏名	〒	住所	電話番号	号室	内線	直通	FAX	秘書名	頁
法予	新潟5区	立憲	米山隆一（よねやま りゅういち）	100-8982 940-2108	千代田区永田町二ノ一ノ二 会館 長岡市千秋一ノ二五三ノ五	03(3508)7485 0258(89)8800	2-724	70724	(3508)7485	(3508)3365	㊎川西宏知 ①山崎悦朗 ②小浦友資	118
文基	神奈川9区	立憲	笠浩史（りゅう ひろふみ）	100-8981 214-0014	千代田区永田町二ノ二ノ一 会館 川崎市多摩区登戸一六四四ノ一 新川ガーデンビル1F	03(3508)3420 044(900)1800	1-408	50408	(3508)3420	(3508)7120	㊎今林正 ①花輪智史 ②津田武彦	117
厚予	神奈川4区	立憲	早稲田ゆき（わせだ ゆき）	100-8982 248-0012	千代田区永田町二ノ一ノ二 会館 鎌倉市御成町五ノ四一 2F	03(3508)7106 0467(24)0573	2-1012	71012	(3508)7106	(3508)3406	㊎稲見圭 ①永瀬康俊 ②江川晋一郎	116
外	近畿比例	維教	和田有一朗（わだ ゆういちろう）	100-8982 655-0894	千代田区永田町二ノ一ノ二 会館 神戸市垂水区川原四ノ一ノ一	03(3508)7527 078(753)3533	2-807	70807	(3508)7527	(3508)3973	㊎ ①藤島雄平 ②	155
経安	北海道5区	自民	和田義明（わだ よしあき）	100-8981 004-0053	千代田区永田町二ノ二ノ一 会館 札幌市厚別区厚別中央三条五ノ八ノ二〇	03(3508)7117 011(896)5505	1-410	50410	(3508)7117	(3508)3417	㊎菅谷康子 ①西嶋哲也 ②田口知佳	103
農経予	長野1区	自民	若林健太（わかばやし けんた）	100-8981 380-0921	千代田区永田町二ノ二ノ一 会館 長野市栗田八ノ一	03(3508)7277 026(269)0330	1-1002	51002	(3508)7277	(3508)3727	㊎浜謙一 ①渡邉一聖 ②齊藤拓磨	120
安	東京比例	自民	若宮健嗣（わかみや けんじ）	100-8982 154-0004	千代田区永田町二ノ一ノ二 会館 世田谷区太子堂四ノ六ノ一 パークヒル6	03(3508)7509 03(3795)8255	2-523	70523	(3508)7509	(3508)3939	㊎荒木田聡 ①山口拓也 ②田崎陽介	147
環基議懲	北陸信越比例	自民	鷲尾英一郎（わしお えいいちろう）	100-8982 940-2023	千代田区永田町二ノ一ノ二 会館 長岡市蓮潟五ノ一ノ七二	03(3508)7650 0258(86)4900	2-208	70208	(3508)7650	(3508)3062	㊎横山卓司 ①竹内和美 ②植木毅	149

氏名	委員	選挙区	会派	〒	住所	電話番号	号室	内線	直通	FAX	秘書名	頁
渡辺孝一（わたなべこういち）		比例北海道	自民	100-8981 068-0004	千代田区永田町二ノ二ノ一　会館 岩見沢市四条東一ノ七ノ一 北商四・一ビル1F	03(3508)7401 0126(25)1188	1-520	50520	(3508)7401	(3508)3881	㊇朝比奈正倫 ①原田竜爾 ②澁谷皇将	139
渡辺周（わたなべしゅう）	安	比例東海	立憲	100-8982 410-0888	千代田区永田町二ノ一ノ二　会館 沼津市末広町五四	03(3508)7077 055(951)1949	2-1109	71109	(3508)7077	(3508)3767	㊇大塚敏弘 ①山田幸宣 ②増山敬一	152
渡辺創（わたなべそう）	農	宮崎1区	立憲	100-8981 880-0001	千代田区永田町二ノ二ノ一　会館 宮崎市橘通西五ノ五ノ一九	03(3508)7086 0985(77)8777	1-1015	51015	(3508)7086	(3508)3866	㊇荻山明美 ①谷口浩太郎 ②竹内絢	137
渡辺博道（わたなべひろみち）	予	千葉6区	自民	100-8981 270-2241	千代田区永田町二ノ二ノ一　会館 松戸市松戸新田五九二	03(3508)7387 047(369)2929	1-1012	51012	(3508)7387	(3508)3701	㊇井本昇 ①大森亜希 ②	112
鰐淵洋子（わにぶちようこ）	文環	比例近畿	公明	100-8981 550-0013	千代田区永田町二ノ二ノ一　会館 大阪市西区新町三ノ五ノ八 エーペック西長堀ビル四〇一	03(3508)7070 06(6585)7486	1-924	50924	(3508)7070	(3508)3850	㊇髙坂友和 ①上松満義 ②中村久美子	154

議員宿所・秘書名・略歴頁一覧表【参議院】

掲載順は次の通りです。
1．姓の第一文字 ……………【1】読みの五十音順　【2】画数が少ない順　【3】部首の画数が少ない順
2．姓の第二文字以降、前記の例による

①	常任委員
②	選出選挙区
③	会派
	氏(し)名(めい)
④	〒
④	住所
④	電話番号
⑤	議員会館 号室
⑤	議員会館 内線
⑤	議員会館 直通
⑤	議員会館 FAX
	㊜政策秘書
	①第一秘書
	②第二秘書
⑥	略歴頁

① 参議院常任委員会（8月7日現在）

内	＝内　閣	国	＝国土交通
総	＝総　務	環	＝環　境
法	＝法　務	基	＝国家基本政策
外	＝外交防衛	予	＝予　算
財	＝財政金融	決	＝決　算
文	＝文教科学	行	＝行政監視
厚	＝厚生労働	議	＝議院運営
農	＝農林水産	徴	＝懲　罰
経	＝経済産業	長	＝委員長

② 選出選挙区
①：令和元年7月21日施行第25回通常選挙にて選出
　令和7年7月28日任期満了
④：令和4年7月10日施行第26回通常選挙にて選出
　令和10年7月25日任期満了
補：選挙区の補欠選挙にて選出
繰：比例代表の繰上補充にて選出
特：特定枠での選出

③ 院内会派（8月15日現在）

自民	自由民主党	114(23)
立憲	立憲民主・社民	40(19)
公明	公明党	27(4)
維教	日本維新の会・教育無償化を実現する会	21(5)
民主	国民民主党・新緑風会	11(3)
共産	日本共産党	11(5)
れ新	れいわ新選組	5(1)
沖縄	沖縄の風	2(0)
N党	NHKから国民を守る党	2(0)
無	各派に属しない議員	12(4)
欠	員	3
総	計	248(64)

※(　)内は女性数

④ 連絡先
会館：議員会館
宿舎：議員宿舎

⑤ 議員会館
室番号、内線番号、直通電話番号、FAX番号
会館住所は444頁関係所在地一覧参照

⑥ 略歴掲載頁
議員のカラー写真と略歴等を掲載している頁

議長

委員	選挙区	会派	氏名	〒	住所	電話番号	号室	内線	直通	FAX	秘書名	頁
法	①鹿児島	無	尾辻秀久（おつじ ひでひさ）	100-8962 890-0064	千代田区永田町二ノ一ノ一 会館 鹿児島市鴨池新町六ノ五ノ六〇三	03(6550)0515 099(214)3754	515	50515	(6550)0515	(3595)1127	議長秘書 末原 朋実	181

副議長

委員	選挙区	会派	氏名	〒	住所	電話番号	号室	内線	直通	FAX	秘書名	頁
法	①千葉	無	長浜博行（ながはま ひろゆき）	100-8962 277-0021	千代田区永田町二ノ一ノ一 会館 柏市中央町五ノ二一ノ七〇五	03(6550)0606 04(7166)8333	606	50606	(6550)0606	(6551)0606	副議長秘書 副島 浩 外川 裕之	167

委員	選挙区	会派	氏名	〒	住所	電話番号	号室	内線	直通	FAX	秘書名	頁
財長	④比例	自民	足立敏之（あだち としゆき）	100-8962	千代田区永田町二ノ一ノ一 会館	03(6550)0501	501	50501	(6550)0501	(6551)0501	㊙竹島 睦 ①本田 俊二 ②中山 麻友	188
内長	④比例	自民	阿達雅志（あだち まさし）	100-8962	千代田区永田町二ノ一ノ一 会館	03(6550)0309	309	50309	(6550)0309	(6551)0309	㊙土屋 達之介 ①長岐 康平 ②安西 直紀	190
国長	④比例	立憲	青木愛（あおき あい）	100-8962 114-0021	千代田区永田町二ノ一ノ一 会館 北区岸町一ノ二ノ九	03(6550)0507 03(5948)5038	507	50507	(6550)0507	(6551)0507	㊙ ① ②	192
国議	④鳥取・島根	自民	青木一彦（あおき かずひこ）	100-8962 690-0873	千代田区永田町二ノ一ノ一 会館 松江市内中原町一四〇ノ二	03(6550)0814 0852(22)0111	814	50814	(6550)0814	(3502)8825	㊙吉武 崇 ①青戸 哲哉 ②佐々木 弘行	177
国議	④比例	維教	青島健太（あおしま けんた）	100-8962 340-0023	千代田区永田町二ノ一ノ一 会館 草加市谷塚町五九二 関マンション一〇四	03(6550)0405 048(954)6641	405	50405	(6550)0405	(6551)0405	㊙有働 正 ①劔持 益美 ②高橋 叔之	191

氏名	委員	選挙区	会派	〒	住所	電話番号	号室	内線	直通	FAX	秘書名	頁
青山(あおやま) 繁晴(しげはる)	経 行	④比例	自民	100-8962	千代田区永田町二ノ一ノ一 会館		1215	51215			政 三浦麻未 ① 川村香奈枝 ② 入間川和美	188
赤池(あかいけ) 誠章(まさあき)	文 決	①比例	自民	100-8962 400-0032	千代田区永田町二ノ一ノ一 会館 甲府市中央一ノ一ノ一一 2F	03(6550)0524 055(237)5523	524	50524	(6550)0524	(6551)0524	政 中島朱美 ② 松岡俊一	183
赤松(あかまつ) 健(けん)	文 決	④比例	自民	100-8962	千代田区永田町二ノ一ノ一 会館	03(6550)0423	423	50423	(6550)0423	(6551)0423	政 広野文治 ① 日髙周 ② 中野梨紗	188
秋野(あきの) 公造(こうぞう)	厚 予	④福岡	公明	100-8962 804-0066	千代田区永田町二ノ一ノ一 会館 北九州市戸畑区初音町六ノ七 中西ビル二〇一	03(6550)0711 093(873)7550	711	50711	(6550)0711	(6551)0711	政 中條壽信 ① 前田洋 ② 明石康子	179
浅尾(あさお) 慶一郎(けいいちろう)	経 議長	④神奈川	自民	100-8962 247-0056	千代田区永田町二ノ一ノ一 会館 鎌倉市大船一ノ二三ノ一一 松岡ビル5F	03(6550)0601 0467(47)5682	601	50601	(6550)0601	(6551)0601	政 東海林大 ① 三谷智雄 ② 長尾有祐	170
浅田(あさだ) 均(ひとし)	財 基長	④大阪	維教	100-8962 536-0005	千代田区永田町二ノ一ノ一 会館 大阪市城東区中央一ノ一三ノ一三ノ二一八	03(6550)0621 06(6933)2300	621	50621	(6550)0621	(6551)0621	政 熊谷知 ① 平岡紀志 ② 坪内政史	175
朝日(あさひ) 健太郎(けんたろう)	環	④東京	自民	100-8962	千代田区永田町二ノ一ノ一 会館	03(6550)0620	620	50620	(6550)0620	(6551)0620	政 桑代真哉 ① 門内淳 ② 宮部正紀	168
東(あずま) 徹(とおる)	経 予	①大阪	維教	100-8962 559-0012	千代田区永田町二ノ一ノ一 会館 大阪市住之江区東加賀屋四ノ五ノ一九	03(6550)0510 06(6681)0350	510	50510	(6550)0510	(6551)0510	政 吉成正則 ① 髙野隆宏 ② 柊谷龍哉	174

委員	選挙区	会派	氏名	〒	住所	電話番号	号室	内線	直通	FAX	秘書名	頁
外予	比例①	自民	有村治子（ありむら はるこ）	100-8962	千代田区永田町二ノ一ノ一　会館	03(6550)1015	1015	51015	(6550)1015	(6551)1015	政 髙橋弘光 ① 渡部桃子 ② 田中三恵	182
内懲	比例①	共産	井上哲士（いのうえ さとし）	100-8962 604-0092	千代田区永田町二ノ一ノ一　会館 京都市中京区丸太町新町角大炊町一八六	03(6550)0321 075(231)5198	321	50321	(6550)0321	(6551)0321	政 児玉善彦 ① 広井真光 ② 藤浦修司	186
総行	比例④	自民	井上義行（いのうえ よしゆき）	100-8962 250-0011	千代田区永田町二ノ一ノ一　会館 小田原市栄町一ノ一四ノ四八 ジャンボーナックビル7F七〇六	03(6550)0920 0465(20)8357	920	50920	(6550)0920	(6551)0920	政 佐藤貴洋 ① 梅澤恭徳 ② 帖地雅史	189
総予	埼玉①	共産	伊藤岳（いとう がく）	100-8962 330-0835	千代田区永田町二ノ一ノ一　会館 さいたま市大宮区北袋町一ノ一七一ノ一 伊藤岳埼玉事務所	03(6550)0609 048(658)5551	609	50609	(6550)0609	(6551)0609	政 石川健介 ① 岡嵜拓也 ② 磯ヶ谷理恵	166
法予	兵庫④	公明	伊藤孝江（いとう たかえ）	100-8962 650-0015	千代田区永田町二ノ一ノ一　会館 神戸市中央区多聞通三ノ三ノ一六 甲南第一ビル八一二	03(6550)1014 078(599)6619	1014	51014	(6550)1014	(6551)1014	政 本孝薫 ① 園谷晃一 ② 武田朋久	176
文予	愛知④	民主	伊藤孝恵（いとう たかえ）	100-8962 456-0002	千代田区永田町二ノ一ノ一　会館 名古屋市熱田区金山町一ノ五ノ三 トーワ金山ビル7F	03(6550)1008 052(683)1101	1008	51008	(6550)1008	(6551)1008	政 中島浩一 ① 川井太司 ② 千竈祐介	173
外行	沖縄④	沖縄	伊波洋一（いは よういち）	100-8962 901-2203	千代田区永田町二ノ一ノ一　会館 宜野湾市野嵩二ノ一ノ八ノ一〇一	03(6550)0519 098(892)7734	519	50519	(6550)0519	(6551)0519	政 末廣哲 ① 伊波俊介 ② 高江洲満子	181
厚議	東京④	自民	生稲晃子（いくいな あきこ）	100-8962	千代田区永田町二ノ一ノ一　会館	03(6550)0904	904	50904	(6550)0904	(6551)0904	政 伊藤慎一 ① 永瀬祐見子 ② 後藤大介	169

氏名	委員	選挙区	会派	〒	住所	電話番号	号室	内線	直通	FAX	秘書名	頁
石井 章(いしい あきら)	経	④比例	維教	100-8962 300-1513	千代田区永田町二ノ一ノ一 会館 取手市片町二九六	03(6550)1204 0297(83)8900	1204	51204	(6550)1204	(6551)1204	政 ① ②	190
石井 準一(いしい じゅんいち)	環懲	①千葉	自民	100-8962 297-0035	千代田区永田町二ノ一ノ一 会館 茂原市下永吉九六四ノ二	03(6550)0506 0475(25)2311	506	50506	(6550)0506	(5512)2606	政 森崎大輔 ① 東野公俊 ② 山田光男	167
石井 浩郎(いしい ひろお)	国決	④秋田	自民	100-8962 010-0951	千代田区永田町二ノ一ノ一 会館 秋田市山王三ノ一ノ一五	03(6550)0713 018(883)1711	713	50713	(6550)0713	(6551)0713	政 黒川茂雄 ① 畑澤敦子 ② 千葉淳一	164
石井 正弘(いしい まさひろ)	文行	①岡山	自民	100-8962 700-0824	千代田区永田町二ノ一ノ一 会館 岡山市北区内山下一ノ九ノ一五	03(6550)1214 086(233)6600	1214	51214	(6550)1214	(6551)1214	政 近藤儀道 ① 田淵善一 ② 石田真佐代	177
石井 苗子(いしい みつこ)	外決	④比例	維教	100-8962	千代田区永田町二ノ一ノ一 会館	03(6550)1115	1115	51115	(6550)1115	(6551)1115	政 ① 橋本範子 ② 森本卓矢	190
石垣 のりこ(いしがき のりこ)	内予	①宮城	立憲	100-8962 980-0014	千代田区永田町二ノ一ノ一 会館 仙台市青葉区本町三ノ五ノ二一	03(6550)0813 022(355)9737	813	50813	(6550)0813	(6551)0813	政 ① 青木まり子 ② 木村雅広	164
石川 大我(いしかわ たいが)	法	①比例	立憲	100-8962	千代田区永田町二ノ一ノ一 会館	03(6550)1113	1113	51113	(6550)1113	(6551)1113	政 榎本順一 ① 浜原健伍 ② 飛鳥斗亜	184
石川 博崇(いしかわ ひろたか)	法	④大阪	公明	100-8962 534-0027	千代田区永田町二ノ一ノ一 会館 大阪市都島区中野町四ノ四ノ二	03(6550)0616 06(6357)1458	616	50616	(6550)0616	(6551)0616	政 櫻井久美子 ① 青木正伸 ② 本浦正志	175

氏名	委員	選挙区	会派	〒	住所	電話番号	号室	内線	直通	FAX	秘書名	頁
石田昌宏（いしだまさひろ）	厚予	①比例	自民	100-8962	千代田区永田町二ノ一ノ一 会館	03(6550)1101	1101	51101	(6550)1101	(6551)1101	政 五反分正彦 ① 大田京子 ② 橋本祥太朗	182
石橋通宏（いしばしみちひろ）	厚予	④比例	立憲	100-8962	千代田区永田町二ノ一ノ一 会館	03(6550)0523	523	50523	(6550)0523	(6551)0523	政 渡辺卓也 ① 鈴木良知 ② 伊藤淳子	192
磯﨑仁彦（いそざきよしひこ）	内行	④香川	自民	100-8962 760-0068	千代田区永田町二ノ一ノ一 会館 高松市松島町一ノ一三ノ一四 九十九ビル4F	03(6550)0624 087(834)6301	624	50624	(6550)0624	(6551)0624	政 冨田久雄 ① 後藤寿也 ② 竹内康弘	178
礒﨑哲史（いそざきてつじ）	経	①比例	民主	100-8962	千代田区永田町二ノ一ノ一 会館	03(6550)1210	1210	51210	(6550)1210	(6551)1210	政 長谷康人 ① ②	187
猪口邦子（いのぐちくにこ）	外予	④千葉	自民	100-8962 260-0027	千代田区永田町二ノ一ノ一 会館 千葉市中央区新田町一四ノ五 大野ビル一〇一	03(6550)1105 043(307)9001	1105	51105	(6550)1105	(6551)1105	政 ① ②	167
猪瀬直樹（いのせなおき）	厚	④比例	維教	100-8962	千代田区永田町二ノ一ノ一 会館	03(6550)0513	513	50513	(6550)0513	(6551)0513	政 梛澤悟 ① 中嶋徳彦 ② 龍田かおり	190
今井絵理子（いまいえりこ）	文決	④比例	自民	100-8962 900-0014	千代田区永田町二ノ一ノ一 会館 那覇市松尾一ノ二一ノ五九 1F	03(6550)0315 098(975)9216	315	50315	(6550)0315	(6551)0315	政 柳澤浩美 ① 吉川夏貴 ② 川﨑多津也	189
岩渕友（いわぶちとも）	経議	④比例	共産	100-8962	千代田区永田町二ノ一ノ一 会館	03(6550)1002	1002	51002	(6550)1002	(6551)1002	政 安部由美子 ① 阿部了 ② 小島あずみ	193

氏名	委員	選挙区	会派	〒	住所	電話番号	号室	内線	直通	FAX	秘書名	頁
岩本（いわもと）剛人（つよひと）	総 決	①北海道	自民	100-8962 060-0041	千代田区永田町二ノ一ノ一 会館 札幌市中央区大通東二ノ三ノ一 第36桂和ビル7F	03(6550)0205 011(211)8185	205	50205	(6550)0205	(6551)0205	政 荒木真一 ① 小林三奈子 ② 原雅子	163
上田（うえだ）勇（いさむ）	外 行	④比例	公明	100-8962 430-0917	千代田区永田町二ノ一ノ一 会館 浜松市中央区常盤町一三九ノ一八	03(6550)1212 053(523)7977	1212	51212	(6550)1212	(6551)1212	政 嶋林秀一 ① 時田能行 ② 大井源也	192
上田（うえだ）清司（きよし）	厚	④埼玉	無	100-8962 351-0022	千代田区永田町二ノ一ノ一 会館 朝霞市東弁財三ノ一三ノ六ノ二〇七	03(6550)0618 048(466)7566	618	50618	(6550)0618	(6551)0618	① 池田麻里 ② 西澤理	166
上野（うえの）通子（みちこ）	文 行	④栃木	自民	100-8962 320-0034	千代田区永田町二ノ一ノ一 会館 宇都宮市泉町六ノ二二	03(6550)0918 028(627)8801	918	50918	(6550)0918	(6551)0918	政 齋藤淳 ① 根本龍夫 ② 横田地美佳	165
臼井（うすい）正一（しょういち）	文 予	④千葉	自民	100-8962 261-0004	千代田区永田町二ノ一ノ一 会館 千葉市美浜区高洲一ノ九ノ七	03(6550)0909 043(244)0033	909	50909	(6550)0909	(6551)0909	政 江熊富美代 ① 大森裕志 ② 鹿嶋祐介	167
打越（うちこし）さく良（ら）	厚	①新潟	立憲	100-8962 950-0916	千代田区永田町二ノ一ノ一 会館 新潟市中央区米山二ノ五ノ八 米山プラザビル二〇一	03(6550)0901 025(250)5915	901	50901	(6550)0901	(6551)0901	政 山口希望 ① 相墨武人 ② 石田佳	170
梅村（うめむら）聡（さとし）	厚 決	①比例	維教	100-8962 532-0011	千代田区永田町二ノ一ノ一 会館 大阪市淀川区西中島四ノ六ノ二九 第3ユヤマビル3FB号	03(6550)0326 06(6886)2000	326	50326	(6550)0326	(6551)0326	政 北野大地	186
梅村（うめむら）みずほ	環	①大阪	維教	100-8962 532-0011	千代田区永田町二ノ一ノ一 会館 大阪市淀川区西中島五ノ一ノ四 モジュール新大阪一〇〇二	03(6550)1004 06(6379)3183	1004	51004	(6550)1004	(6551)1004	政 浅田淳志 ① 松村東 ② 大嶋公一	174

氏名	委員	選挙区	会派	〒	住所	電話番号	号室	内線	直通	FAX	秘書名	頁
江島（えじま）潔（きよし）	国行	山口④	自民	100-8962 754-0002	千代田区永田町二ノ一ノ一　会館 山口市小郡下郷二九一二ノ三	03(6550)1103 083(976)4318	1103	51103	(6550)1103	(6551)1103	政 三浦善一郎 ① 稲田亮 ② 亀永誉晃	178
衛藤（えとう）晟一（せいいち）	内	比例①	自民	100-8962 870-0042	千代田区永田町二ノ一ノ一　会館 大分市豊町一ノ二ノ六	03(6550)1216 097(534)2015	1216	51216	(6550)1216	(6551)1216	政 北村賢一 ① 柴原佳史 ② 清水剛	183
小澤（おざわ）雅仁（まさひと）	総議	比例①	立憲	100-8962	千代田区永田町二ノ一ノ一　会館	03(6550)1119	1119	51119	(6550)1119	(6551)1119	政 加藤陽子 ① 秋野健太郎	184
小沼（おぬま）巧（たくみ）	国予	茨城①	立憲	102-0083 310-0851	千代田区麹町四ノ七　宿舎 水戸市千波町一一五〇ノ一 石川ビル一〇五	029(350)1815	1012	51012	(6550)1012	(6551)1012	政 西恵美子 ② 四倉茂	165
小野田（おのだ）紀美（きみ）	外長	岡山④	自民	100-8962 700-0927	千代田区永田町二ノ一ノ一　会館 岡山市北区西古松二ノ二ノ二七	03(6550)0318 086(243)8000	318	50318	(6550)0318	(6551)0318	政 山口栄利香 ① 石原千絵	177
尾辻（おつじ）秀久（ひでひさ）	法	鹿児島①	無	100-8962 890-0064	千代田区永田町二ノ一ノ一　会館 鹿児島市鴨池新町六ノ五ノ六〇三	03(6550)0515 099(214)3754	515	50515	(6550)0515	(3595)1127	政 松尾有嗣	181
越智（おち）俊之（としゆき）	経決	比例④	自民	100-8962	千代田区永田町二ノ一ノ一　会館	03(6550)0821 082(545)5500	821	50821	(6550)0821	(5512)5121	政 皆川洋平 ① 一瀬晃一朗 ② 張富栄偉	190
大家（おおいえ）敏志（さとし）	財	福岡④	自民	100-8962 805-0019	千代田区永田町二ノ一ノ一　会館 北九州市八幡東区中央三ノ八ノ二四	03(6550)0518 093(681)5500	518	50518	(6550)0518	(6551)0518	政 石田麻子 ① 伊原隆敏 ② 柴田泰夫	179

氏名	委員	選挙区	会派	〒	住所	電話番号	号室	内線	直通	FAX	秘書名	頁
大島九州男（おおしまくすお）	内行	④比例	れ新	100-8962 902-0062	千代田区永田町二ノ一ノ一会館 那覇市松川二ノ一六ノ一	03(6550)0714	714	50714	(6550)0714	(6551)0714	政 ① ②	193
大塚耕平（おおつかこうへい）	財	①愛知	民主	100-8962 464-0841	千代田区永田町二ノ一ノ一会館 名古屋市千種区覚王山通九ノ一九 覚王山プラザ2F	03(6550)1121 052(757)1955	1121	51121	(6550)1121	(6551)1121	政 河本安子 ① 岩崎孝史 ② 川越崇史	172
大椿ゆうこ（おおつばき）	厚行	①比例	立憲	100-8962 567-0816	千代田区永田町二ノ一ノ一会館 茨木市永代町五ノ一一六 ソシオⅠ 1F	03(6550)0906 072(648)7846	906	50906	(6550)0906	(6551)0906	政 野崎哲 ① 西尾慧吾 ② 小野寺葉月	187
大野泰正（おおのやすただ）	財	①岐阜	無	100-8962 501-6244	千代田区永田町二ノ一ノ一会館 羽島市竹鼻町丸の内三ノ二五ノ一	03(6550)0503 058(391)0273	503	50503	(6550)0503	(6551)0503	政 岩田佳子 ① 髙井雅之 ② 高木まゆみ	172
太田房江（おおたふさえ）	内決	①大阪	自民	100-8962 541-0046	千代田区永田町二ノ一ノ一会館 大阪市中央区平野町二ノ五ノ一四 FUKUビル三休橋五〇二	03(6550)0308 06(4862)4822	308	50308	(6550)0308	(6551)0308	政 郷千鶴子 ① 川端威臣 ② 片山哲生	175
岡田直樹（おかだなおき）	法懲	④石川	自民	100-8962 920-8203	千代田区永田町二ノ一ノ一会館 金沢市鞍月四ノ一一五 金沢ジーサイドビル4F	03(6550)0807 076(255)1931	807	50807	(6550)0807	(6551)0807	政 丹後智浩 ① 下田学 ② 大畠央三	171
奥村政佳（おくむらまさよし）	文	①比例	立憲	100-8962	千代田区永田町二ノ一ノ一会館	03(6550)0914	914		(6550)0914		政 ① ②	185
音喜多駿（おときたしゅん）	総行	①東京	維教	100-8962 160-0022	千代田区永田町二ノ一ノ一会館 新宿区新宿一ノ一〇ノ二 文芸社別館	03(6550)0612 03(6550)0612	612	50612	(6550)0612	(6551)0612	政 下山達人 ① 濱あやこ ②	168

委員	選挙区	会派	氏名	〒	住所	電話番号	号室	内線	直通	FAX	秘書名	頁
内行	比例④	立憲	鬼木（おにき）誠（まこと）	100-8962	千代田区永田町二ノ一ノ一 会館	03(6550)0511	511	50511	(6550)0511	(6551)0511	㉎鳥越保浩 ①三木みどり ②	191
環行	兵庫①	自民	加田（かだ）裕之（ひろゆき）	100-8962 650-0001	千代田区永田町二ノ一ノ一 会館 神戸市中央区加納町二ノ四ノ一〇ノ六〇三	03(6550)0819 078(262)1666	819	50819	(6550)0819	(6551)0819	㉎福田聖也 ①藤本哲也 ②宇都宮祥一郎	176
内予	茨城④	自民	加藤（かとう）明良（あきよし）	100-8962 310-0817	千代田区永田町二ノ一ノ一 会館 水戸市柳町二ノ七ノ一〇	03(6550)0414 029(306)7778	414	50414	(6550)0414	(6551)0414	㉎大塚典子 ①前田拓哉 ②雨澤陸希	165
国	滋賀①	維教	嘉田（かだ）由紀子（ゆきこ）	100-8962 520-0044	千代田区永田町二ノ一ノ一 会館 大津市京町二ノ四ノ二三	03(6550)0815 077(509)7206	815	50815	(6550)0815	(6551)0815	㉎安部秀行 ①五月女彩子 ②田代直	174
環議	比特例④	自民	梶原（かじはら）大介（だいすけ）	100-8962 780-0861	千代田区永田町二ノ一ノ一 会館 高知市升形二ノ一五 升形ビル2F	03(6550)0201 088(803)9600	201	50201	(6550)0201	(6551)0201	㉎吉澤昌樹 ①向井和至 ②宍戸麻里子	188
厚行	比例④	自民	片山（かたやま）さつき	100-8962 432-8069	千代田区永田町二ノ一ノ一 会館 浜松市西区志都呂一ノ三三ノ一五	03(6550)0420 053(581)7151	420	50420	(6550)0420	(6551)0420	㉎源平尚人 ①山下英二 ②山崎規恵	188
内基	兵庫④	維教	片山（かたやま）大介（だいすけ）	100-8962 650-0022	千代田区永田町二ノ一ノ一 会館 神戸市中央区元町通三ノ一七ノ八 TOWA神戸元町ビル二〇二	03(6550)0721 078(332)4224	721	50721	(6550)0721	(6551)0721	㉎ ①三井敏弘 ②近藤純子	176
財議	北海道①	立憲	勝部（かつべ）賢志（けんじ）	100-8962 060-0042	千代田区永田町二ノ一ノ一 会館 札幌市中央区大通西五ノ八 昭和ビル5F	03(6550)0608 011(596)7339	608	50608	(6550)0608	(6551)0608	㉎田中信彦 ①片桐眞 ②花田雅昭	163

（参）宿所表

委員	文予	財	厚議	農	法行	環 行長	国予	国基
選挙区	④比例	④比例	④比例	①比例	④比例	①比例	①比例	①比特例
会派	維教	無	自民	共産	民主	立憲	公明	れ新
氏名	**金子道仁**（かねこ みちひと）	**神谷宗幣**（かみや そうへい）	**神谷政幸**（かみや まさゆき）	**紙智子**（かみ ともこ）	**川合孝典**（かわい たかのり）	**川田龍平**（かわだ りゅうへい）	**河野義博**（かわの よしひろ）	**木村英子**（きむら えいこ）
〒	100-8962 666-0251	100-8962 920-0967	100-8962	102-0083 065-0012	100-8962	100-8962	100-8962 810-0045	100-8962
住所	千代田区永田町二ノ一ノ一 会館 川辺郡猪名川町若葉一ノ一三七ノ二二	千代田区永田町二ノ一ノ一 会館 金沢市菊川二ノ二四ノ三	千代田区永田町二ノ一ノ一 会館	千代田区麹町四ノ七 宿舎 札幌市東区北十二条東二ノ三ノ二	千代田区永田町二ノ一ノ一 会館	千代田区永田町二ノ一ノ一 会館	千代田区永田町二ノ一ノ一 会館 福岡市中央区草香江一ノ四ノ三四 エーデル大濠二〇二	千代田区永田町二ノ一ノ一 会館
電話番号	03(6550)1013 072(767)6004	03(6550)0520 076(255)0177	03(6550)1218	03(3237)0804 011(750)6677	03(6550)1223	03(6550)0508	03(6550)0720 092(753)6491	03(6550)0314
号室	1013	520	1218	710	1223	508	720	314
内線	51013	50520	51218	50710	51223	50508	50720	50314
直通	(6550)1013	(6550)0520	(6550)1218	(6550)0710	(6550)1223	(6550)0508	(6550)0720	(6550)0314
FAX	(6551)1013	(6551)0520	(6551)1218	(6551)0710	(6551)1223	(6551)0508	(6551)0720	(6551)0314
秘書名 ㊠①②	宮田宗冬 米内宏明	上原千可子 高岩勝人 和田武士	桒原健 五十嵐哲也 内田美和	田井共生 小松正英	平澤幸子 海保順一 朝野恵理子	稲葉治久 矢下雄介 小室靖浩	新保正則 矢野久枝 芝田博子	入野田智也 堤昌也
頁	191	194	190	187	193	184	185	187

委員	選挙区	会派	氏名	〒	住所	電話番号	号室	内線	直通	FAX	秘書名	頁
文決	東京①	共産	吉良(きら)よし子(こ)	100-8962 151-0053	千代田区永田町二ノ一ノ一 会館 渋谷区代々木一ノ四四ノ一一	03(6550)0509 03(5302)6511	509	50509	(6550)0509	(6551)0509	政 加藤昭宏 ① 菊田由佳 ② 恒川京子	168
総決	比例①	立憲	岸(きし)真紀子(まきこ)	100-8962	千代田区永田町二ノ一ノ一 会館	03(6550)0611	611	50611	(6550)0611	(6551)0611	政 岸野ミチル ① 米田由美子 ② 森木亮太	184
法予	山口補①	自民	北村(きたむら)経夫(つねお)	100-8962 753-0064	千代田区永田町二ノ一ノ一 会館 山口市神田町五ノ一一	03(6550)1109 083(928)8071	1109	51109	(6550)1109	(6551)1109	政 菅田誠 ① 渡部仁志 ② 黒坂陽子	178
環決	比例④	維教	串田(くしだ)誠一(せいいち)	100-8962 231-0012	千代田区永田町二ノ一ノ一 会館 横浜市中区相生町二ノ二七 宇田川ビル3F	03(6550)1203 045(212)3327	1203	51203	(6550)1203	(6551)1203	① 大塚莉沙 ② 新山美香	191
内議	比例④	公明	窪田(くぼた)哲也(てつや)	100-8962 890-0052	千代田区永田町二ノ一ノ一 会館 鹿児島市上之園町二五ノ三六 光健ボイスビル三〇六号室	03(6550)0202 099(296)8920	202	50202	(6550)0202	(6551)0202	政 細田千鶴子 ① 仮屋雄一	192
財	埼玉①	立憲	熊谷(くまがい)裕人(ひろと)	100-8962 330-0841	千代田区永田町二ノ一ノ一 会館 さいたま市大宮区東町二ノ二八九ノ二 森田ビル1F	03(6550)1217 048(640)5977	1217	51217	(6550)1217	(6551)1217	政 上原広 ① 野口浩 ② 坂本竜士	166
厚行	京都①	共産	倉林(くらばやし)明子(あきこ)	100-8962 604-0092	千代田区永田町二ノ一ノ一 会館 京都市中京区丸太町新町角大炊町一八六	03(6550)1021 075(231)5198	1021	51021	(6550)1021	(6551)1021	政 増田優子 ① 佐藤萌海	174
国基	滋賀④	自民	こやり隆史(たかし)	100-8962 520-0043	千代田区永田町二ノ一ノ一 会館 大津市中央三ノ二ノ一 セザール大津森田ビル7F	03(6550)0716 077(523)5048	716	50716	(6550)0716	(6551)0716	政 増田綾子 ① 田村敏一 ② 田中里佳子	174

	小池晃	小西洋之	小林一大	古賀千景	古賀友一郎	古賀之士	古庄玄知	上月良祐
委員	財基	外	経予	文決	内基	経行	法議	経基
選挙区	①比例	④千葉	④新潟	④比例	①長崎	④福岡	④大分	①茨城
会派	共産	立憲	自民	立憲	自民	立憲	自民	自民
氏名	小池(こいけ) 晃(あきら)	小西(こにし) 洋之(ひろゆき)	小林(こばやし) 一大(かずひろ)	古賀(こが) 千景(ちかげ)	古賀(こが) 友一郎(ゆういちろう)	古賀(こが) 之士(ゆきひと)	古庄(こしょう) 玄知(はるとも)	上月(こうづき) 良祐(りょうすけ)
〒	100-8962 151-0053	100-8962 260-0012	100-8962 950-0941	100-8962	100-8962 850-0033	100-8962 814-0015	100-8962 870-0047	100-8962 310-0063
住所	千代田区永田町二ノ一ノ一会館 渋谷区代々木一ノ四四ノ一一 1F	千代田区永田町二ノ一ノ一会館 千葉市中央区本町二ノ二ノ六 パークサイド小柴一〇二	千代田区永田町二ノ一ノ一会館 新潟市中央区女池五ノ九ノ一九 Charites一ノ二	千代田区永田町二ノ一ノ一会館	千代田区永田町二ノ一ノ一会館 長崎市万才町二ノ七 松本ビル三〇一	千代田区永田町二ノ一ノ一会館 福岡市早良区室見五ノ一三ノ二二 アローズ室見駅前二〇一	千代田区永田町二ノ一ノ一会館 大分市中島西三ノ二ノ二六 大分弁護士ビル2F	千代田区永田町二ノ一ノ一会館 水戸市五軒町一ノ三ノ四ノ三〇一
電話番号	03(6550)1208 03(5304)5639	03(6550)0915 043(441)3011	03(6550)0416 025(383)6696	03(6550)0409	03(6550)1206 095(832)6061	03(6550)1108 092(833)2288	03(6550)0907 097(540)6255	03(6550)0704 029(291)7231
号室	1208	915	416	409	1206	1108	907	704
内線	51208	50915	50416	50409	51206	51108	50907	50704
直通	(6550)1208	(6550)0915	(6550)0416	(6550)0409	(6550)1206	(6550)1108	(6550)0907	(6550)0704
FAX	(6551)1208	(6551)0915	(6551)0416	(6551)0409	(6551)1206	(6551)1108	(6551)0907	(6551)0704
秘書名	㊵丸井龍平 ①吉井芳子 ②槐島明香	㊵千葉章 ①鈴木宏明 ②小野寺章	㊵橋本美奈子 ① ②向井崇浩	㊵前川浩司 ①坂上貴子 ②	㊵高田久美子 ①葉山史織 ②坂爪ひとみ	㊵川口良治 ①片山浩 ②西田久美	㊵原敬一 ①川口純男 ②古庄はるか	㊵岸田礼子 ①平島剛 ②瀧幸彦
頁	186	167	170	191	180	179	180	165

氏名	委員	選挙区	会派	〒	住所	電話番号	号室	内線	直通	FAX	秘書名	頁
佐々木（ささき）さやか	法長	①神奈川	公明	100-8962 231-0002	千代田区永田町二ノ一ノ一 会館 横浜市中区海岸通四ノ二三 関内カサハラビル3F	03(6550)0514 045(319)4945	514	50514	(6550)0514	(6551)0514	政 長岡光明 ① 古屋伸一 ② 高木和明	169
佐藤（さとう）啓（けい）	農予	④奈良	自民	100-8962 630-8012	千代田区永田町二ノ一ノ一 会館 奈良市二条大路南一ノ二ノ七 松岡ビル三〇一号室	03(6550)0708 0742(36)0086	708	50708	(6550)0708	(6551)0708	政 榎本政子 ① 寺内清智 ② 岩本有子	176
佐藤（さとう）信秋（のぶあき）	環 決長	①比例	自民	100-8962	千代田区永田町二ノ一ノ一 会館	03(6550)0722	722	50722	(6550)0722	(6551)0722	政 玉村貴 ① 安和博 ② 富山明彦	182
佐藤（さとう）正久（まさひさ）	外	①比例	自民	100-8962 162-0845	千代田区永田町二ノ一ノ一 会館 新宿区市谷本村町三ノ二〇 新盛堂ビル	03(6550)0705 03(5206)7668	705	50705	(6550)0705	(6551)0705	政 橋谷田洋介 ② 野口マキ	182
斎藤（さいとう）嘉隆（よしたか）	文基	④愛知	立憲	100-8962 454-0976	千代田区永田町二ノ一ノ一 会館 名古屋市中川区服部三ノ五〇七	03(6550)0707	707	50707	(6550)0707	(6551)0707	政 石田敏高 ① 市川晶 ② 鈴木善幸	173
齊藤（さいとう）健一郎（けんいちろう）	総	④比例繰	N党	100-8962 660-0892	千代田区永田町二ノ一ノ一 会館 尼崎市東難波町一ノ一ノ一四一二	03(6550)0304	304	50304	(6550)0304	(6551)0304	政 渡辺文久 ① 本間明子 ② 丸山穂高	194
酒井（さかい）庸行（やすゆき）	内決	①愛知	自民	100-8962 448-0003	千代田区永田町二ノ一ノ一 会館 刈谷市一ツ木町八ノ一一ノ一四	03(6550)0723 0566(25)3071	723	50723	(6550)0723	(6551)0723	政 忽那薫 ① 鈴木秀二 ② 歌川純子	172
櫻井（さくらい）充（みつる）	財 予長	④宮城	自民	100-8962 980-0811	千代田区永田町二ノ一ノ一 会館 仙台市青葉区一番町一ノ一ノ三〇 南町通有楽館ビル2F	03(6550)0512 022(723)4077	512	50512	(6550)0512	(6551)0512	政 庄子真央 ① 菅原正和 ② 尾形幸子	164

氏名	委員	選挙区	会派	〒	住所	電話番号	号室	内線	直通	FAX	秘書名	頁
里見隆治（さとみりゅうじ）	経決	④愛知	公明	100-8962 451-0031	千代田区永田町二ノ一ノ一 会館 名古屋市西区城西一ノ九ノ五 寺島ビル1F	03(6550)0301 052(522)1666	301	50301	(6550)0301	(6551)0301	政 黒田泰広 ① 山下高明 ② 長尾稔	173
山東昭子（さんとうあきこ）	法懲	①比例	自民	100-8962	千代田区永田町二ノ一ノ一 会館	03(6550)0310	310	50310	(6550)0310	(6551)0310	政 勝俣岳人 ① 島田好隆 ② 京谷政春	183
清水貴之（しみずたかゆき）	法予	①兵庫	維教	100-8962 660-0892	千代田区永田町二ノ一ノ一 会館 尼崎市東難波町五ノ七ノ一七	03(6550)0404 06(6482)7577	404	50404	(6550)0404	(6551)0404	政 上杉真子 ① 小濱丈弥 ② 福西こころ	175
清水真人（しみずまさと）	農議	①群馬	自民	100-8962 371-0805	千代田区永田町二ノ一ノ一 会館 前橋市南町二ノ三八ノ四 AMビル1F	03(6550)0923 027(212)9366	923	50923	(6550)0923	(6551)0923	政 三留哲郎 ① 佐藤始 ② 神田彩	166
自見はなこ（じみはなこ）	法	④比例	自民	100-8962 802-0077	千代田区永田町二ノ一ノ一 会館 北九州市小倉北区馬借二ノ七ノ二八	03(6550)0504 093(513)0875	504	50504	(6550)0504	(6551)0504	政 讃岐浩士 ① 佐藤裕之 ② 大畑成美	189
塩田博昭（しおたひろあき）	国議	①比例	公明	100-8962	千代田区永田町二ノ一ノ一 会館	03(6550)1117	1117	51117	(6550)1117	(6551)1117	政 橋本正博 ① 菊地淑子 ② 尾形康彦	185
塩村あやか（しおむらあやか）	内	①東京	立憲	100-8962 154-0017	千代田区永田町二ノ一ノ一 会館 世田谷区世田谷四ノ一八ノ三ノ二〇二	03(6550)0706	706	50706	(6550)0706	(6551)0706	政 石井茂 ① 丸子知奈美 ② 北嶋昭廣	168
柴愼一（しばしんいち）	財行	④比例	立憲	100-8962	千代田区永田町二ノ一ノ一 会館	03(6550)1009	1009	51009	(6550)1009	(6551)1009	① 高木智章 ② 加藤久美子	191

（参）宿所表

委員	選挙区	会派	氏名	〒	住所	電話番号	号室	内線	直通	FAX	秘書名	頁
内議	①比例	維教	柴田巧（しばたたくみ）	100-8962 932-0113	千代田区永田町二ノ一ノ一 会館 小矢部市岩武一〇五一	03(6550)0816 0766(61)1315	816	50816	(6550)0816	(6551)0816	政 吉岡彩乃 ① 富田道康 ② 牧毅	186
文決	①福岡	公明	下野六太（しものろくた）	100-8962 812-0873	千代田区永田町二ノ一ノ一 会館 福岡市博多区西春町三ノ二ノ二 島田ビル2F	03(6550)0913 092(558)8910	913	50913	(6550)0913	(6551)0913	政 奈須野文麿 ① 成松明 ② 清川通貴	179
財行	①大分	自民	白坂亜紀（しらさかあき）	100-8962 870-0036	千代田区永田町二ノ一ノ一 会館 大分市寿町五ノ二四ノ一〇一	03(6550)0419 097(533)8585	419	50419	(6550)0419	(6551)0419	政 神田信浩 ① 大塚久美 ② 園田綾乃	180
財	④比例	自民	進藤金日子（しんどうかねひこ）	100-8962	千代田区永田町二ノ一ノ一 会館	03(6550)0719	719	50719	(6550)0719	(6551)0719	政 豊輝久 ① 知花正博 ② 佐々木理恵	189
外基	①静岡	民主	榛葉賀津也（しんばかづや）	100-8962 436-0022	千代田区永田町二ノ一ノ一 会館 掛川市上張八六二ノ一 FGKビル	03(6550)1011 0537(62)3355	1011	51011	(6550)1011	(6551)0026	政 堀池厚志 ① 日高由佳 ② 林田玲	172
文	④兵庫	自民	末松信介（すえまつしんすけ）	102-0094 655-0044	千代田区紀尾井町一ノ一五 宿舎 神戸市垂水区舞子坂三ノ一五ノ九	078(783)8682	905	50905	(6550)0905	(5512)2616	政 荒金美保 ① 中根健治 ② 末松真帆	176
厚行	①大阪	公明	杉久武（すぎひさたけ）	100-8962 543-0033	千代田区永田町二ノ一ノ一 会館 大阪市天王寺区堂ケ芝一ノ九ノ二 3B	03(6550)0615 06(6773)0234	615	50615	(6550)0615	(6551)0615	政 小神輝高 ① 川久保一司 ② 井崎光城	175
内予	④長野	立憲	杉尾秀哉（すぎおひでや）	100-8962 380-0936	千代田区永田町二ノ一ノ一 会館 長野市中御所岡田一〇二ノ二八	03(6550)0724 026(236)1517	724	50724	(6550)0724	(6551)0724	政 山根睦弘 ① 松原秀吉 ② 小林直樹	171

氏名	委員	選挙区	会派	〒	住所	電話番号	号室	内線	直通	FAX	秘書名	頁
鈴木宗男（すずき むねお）	法	比例①	無	100-8962 060-0061	千代田区永田町二ノ一ノ一 会館 札幌市中央区南一条西五ノ一七ノ二 プレジデント松井ビル一二〇五	03(6550)1219 011(251)5351	1219	51219	(6550)1219	(6551)1219	政 赤松真次 ① 飯島翔 ② 堀居和美	186
世耕弘成（せこう ひろしげ）	環	和歌山①	無	100-8962 640-8232	千代田区永田町二ノ一ノ一 会館 和歌山市南汀丁二二 汀ビル2F	03(6550)1017 073(427)1515	1017	51017	(6550)1017	(6551)1017	政 佐藤拓治 ① 福井康司 ② 花田周基	176
関口昌一（せきぐち まさかず）	環懲	埼玉④	自民	100-8962 369-1412	千代田区永田町二ノ一ノ一 会館 秩父郡皆野町皆野二三九一ノ九	03(6550)1104 0494(62)3535	1104	51104	(6550)1104	(6551)1104	政 多田政弘 ① 関口恵太 ② 齋藤亮	166
田島麻衣子（たじま まいこ）	環行	愛知①	立憲	100-8962 461-0003	千代田区永田町二ノ一ノ一 会館 名古屋市東区筒井三ノ二六ノ一〇 リムファースト5F	03(6550)0410 052(937)0151	410	50410	(6550)0410	(6551)0410	政 藤田真信 ① 河合利弘 ② 廣田直美	173
田中昌史（たなか まさし）	法予	①比例 繰	自民	100-8962	千代田区永田町二ノ一ノ一 会館	03(6550)0505	505	50505	(6550)0505	(6551)0505	政 上野裕子 ① 内藤貴司	184
田名部匡代（たなぶ まさよ）	農基	青森④	立憲	100-8962 031-0088	千代田区永田町二ノ一ノ一 会館 八戸市岩泉町四ノ七	03(6550)1106 0178(44)1414	1106	51106	(6550)1106	(6551)1106	政 大谷佳子 ① 八木歳博 ② 田中春希	163
田村智子（たむら ともこ）	国基	比例④	共産	100-8962 151-0053	千代田区永田町二ノ一ノ一 会館 渋谷区代々木一ノ四四ノ一一	03(6550)0908 03(5304)5639	908	50908	(6550)0908	(6551)0908	政 岩藤智彦 ① 寺下真 ② 関恵美子	193
田村まみ（たむら まみ）	厚予	比例①	民主	100-8962	千代田区永田町二ノ一ノ一 会館	03(6550)0910	910	50910	(6550)0910	(6551)0910	政 堺知美 ① 林公太郎	187

委員	選挙区	会派	氏名	〒	住所	電話番号	号室	内線	直通	FAX	秘書名	頁
総	大阪④	維教	高木（たかぎ）かおり	100-8962 593-8311	千代田区永田町二ノ一ノ一 会館 堺市西区上四三九ノ八	03(6550)0306 072(349)3295	306	50306	(6550)0306	(6551)0306	政 近藤晶久 ① 石田航一 ②	175
厚予	埼玉④	立憲	高木（たかぎ）真理（まり）	100-8962 331-0812	千代田区永田町二ノ一ノ一 会館 さいたま市北区宮原町三ノ三六四ノ一 1F	03(6550)0317 048(654)2559	317	50317	(6550)0317	(6551)0317	政 森千代子 ① 細川千恵子 ② 浅沼祐輝	167
文長	栃木①	自民	高橋（たかはし）克法（かつのり）	100-8962 329-1232	千代田区永田町二ノ一ノ一 会館 塩谷郡高根沢町光陽台一ノ一ノ二	03(6550)0324 028(675)6500	324	50324	(6550)0324	(6551)0324	政 網野辰男 ① 阿久津晃一 ② 市村綾子	165
内決	北海道①	自民	高橋（たかはし）はるみ	100-8962 060-0042	千代田区永田町二ノ一ノ一 会館 札幌市中央区大通西一〇丁目 南大通ビル4F	03(6550)0303 011(200)8066	303	50303	(6550)0303	(6551)0303	政 斎藤伸志 ① 小西崇聖 ② 三上静	163
農	兵庫①	公明	高橋（たかはし）光男（みつお）	100-8962 650-0015	千代田区永田町二ノ一ノ一 会館 神戸市中央区多聞通三ノ三ノ一六 甲南第一ビル一一〇二	03(6550)0614 078(367)6755	614	50614	(6550)0614	(6551)0614	政 深田知行 ① 青木勇人 ② 中間和住	175
外	沖縄①	沖縄	髙良（たから）鉄美（てつみ）	100-8962	千代田区永田町二ノ一ノ一 会館	03(6550)0712 098(885)7171	712	50712	(6550)0712	(6551)0712	政 ① 新澤有 ② 知念祐紀	181
環基	青森①	自民	滝沢（たきさわ）求（もとめ）	100-8962 031-0057	千代田区永田町二ノ一ノ一 会館 八戸市上徒士町一五ノ一	03(6550)0522 0178(45)5858	522	50522	(6550)0522	(6551)0522	政 平岡久宣 ① 野月法文 ② 細谷真理子	163
農長	福井①	自民	滝波（たきなみ）宏文（ひろふみ）	100-8962 910-0854	千代田区永田町二ノ一ノ一 会館 福井市御幸四ノ二〇ノ一八 オノダニビル御幸5F	03(6550)0307 0776(28)2815	307	50307	(6550)0307	(6551)0307	政 磯村圭一 ① 前川正治 ② 橋本純子	171

委員	選挙区	会派	氏名	〒	住所	電話番号	号室	内線	直通	FAX	秘書名	頁
財行	比例④	公明	竹内（たけうち）真二（しんじ）	100-8962 260-0013	千代田区永田町二ノ一ノ一 会館 千葉市中央区中央四ノ一三ノ一三 なのはなビル5F	03(6550)0801	801	50801	(6550)0801	(6551)0801	㊐金田守正 ①半沢拓巳 ②中村純一	192
内決	比例④	民主	竹詰（たけづめ）仁（ひとし）	100-8962	千代田区永田町二ノ一ノ一 会館	03(6550)0406	406	50406	(6550)0406	(6551)0406	㊐小池ひろみ ①井上徹 ②塚越深雪	193
環行	東京④	公明	竹谷（たけや）とし子（こ）	100-8962	千代田区永田町二ノ一ノ一 会館	03(6550)0517	517	50517	(6550)0517	(6551)0517	㊐池田奈保美 ①松下秋子 ②萩野谷明子	168
財	東京①	自民	武見（たけみ）敬三（けいぞう）	100-8962	千代田区永田町二ノ一ノ一 会館	03(6550)0413	413	50413	(6550)0413	(6206)1502	㊐牧野能治 ①畠山恵美子 ②安藤拓海	168
環基	比例④	公明	谷合（たにあい）正明（まさあき）	100-8962 702-8031	千代田区永田町二ノ一ノ一 会館 岡山市南区福富西一ノ二〇ノ四八 クボタビル2F	03(6550)0922 086(262)3611	922	50922	(6550)0922	(6551)0922	㊐木倉谷靖 ①田村智 ②尾上健太	192
外基	比例①	自民	柘植（つげ）芳文（よしふみ）	100-8962	千代田区永田町二ノ一ノ一 会館	03(6550)1114	1114	51114	(6550)1114	(6551)1114	㊐辰巳知宏 ①依田裕 ②水野真梨	181
経予	比例④	立憲	辻元（つじもと）清美（きよみ）	100-8962	千代田区永田町二ノ一ノ一 会館	03(6550)0613	613	50613	(6550)0613	(6551)0613	㊐長谷川哲也 ①辻元一之 ②岩崎雅子	191
国行	和歌山④	自民	鶴保（つるほ）庸介（ようすけ）	100-8962 640-8341	千代田区永田町二ノ一ノ一 会館 和歌山市黒田一〇七ノ一ノ五〇三	03(6550)0313 073(472)3311	313	50313	(6550)0313	(6551)0313	①山本明 ②小川哲志	176

氏名	委員	選挙区	会派	〒	住所	電話番号	号室	内線	直通	FAX	秘書名	頁
寺田（てらだ） 静（しずか）	農	秋田①	無	100-8962 010-1424	千代田区永田町二ノ一ノ一 会館 秋田市御野場一ノ一ノ九	03(6550)0204 018(853)9226	204	50204	(6550)0204	(6551)0204	政 反田麻理 ① 桑原愛 ② 荒木裕美子	164
天畠（てんばた） 大輔（だいすけ）	厚	④比特例	れ新	100-8962	千代田区永田町二ノ一ノ一 会館	03(6550)0316	316	50316	(6550)0316	(6551)0316	政 中島浩 ① 黒田宗矢 ② 篠田恵	193
堂故（どうこ） 茂（しげる）	国	富山①	自民	100-8962 930-0095	千代田区永田町二ノ一ノ一 会館 富山市舟橋南町三ノ一五 富山県自由民主会館4F	03(6550)1003 076(432)1217	1003	51003	(6550)1003	(6551)1003	政 深津登 ① 亀谷忠宏 ② 関由加	170
堂込（どうごみ） 麻紀子（まきこ）	財	茨城④	無	100-8962 310-0022	千代田区永田町二ノ一ノ一 会館 水戸市梅香二ノ一ノ三九 3F	03(6550)0607 029(306)6444	607	50607	(6550)0607	(6551)0607	政 荒木有子 ① 岡光隆 ② 黒田誠	165
徳永（とくなが） エリ	農決	北海道④	立憲	100-8962 060-0042	千代田区永田町二ノ一ノ一 会館 札幌市中央区大通西五ノ八	03(6550)0701 011(218)2133	701	50701	(6550)0701	(6551)0701	政 岡内隆博 ① 矢野信彦 ② 水見祥子	163
友納（とものう） 理緒（りお）	厚議	比例④	自民	100-8962	千代田区永田町二ノ一ノ一 会館	03(6550)1116	1116	51116	(6550)1116	(6551)1116	政 池田達郎 ① 星井孝之 ② セイク千亜紀	189
豊田（とよだ） 俊郎（としろう）	国決	千葉①	自民	100-8962 276-0046	千代田区永田町二ノ一ノ一 会館 八千代市大和田新田三一〇	03(6550)1213 047(480)7777	1213	51213	(6550)1213	(6551)1213	政 木村慎一 ① 松崎和也 ② 鶴岡瑛右	167
ながえ 孝子（たかこ）	環	愛媛①	無	100-8962 790-0802	千代田区永田町二ノ一ノ一 会館 松山市喜与町一ノ五ノ四	03(6550)0709 089(941)8007	709	50709	(6550)0709	(6551)0709	政 林弘樹 ① 福田剛 ② 藤田一成	178

氏名	委員	選挙区	会派	〒	住所	電話番号	号室	内線	直通	FAX	秘書名	頁
中条(なかじょう)きよし	文	比例④	維教	100-8962	千代田区永田町二ノ一ノ一 会館	03(6550)0805	805	50805	(6550)0805	(6551)0805	政 進藤慶子 ① 園田弘幸 ② 畠中和昭	190
中曽根(なかそね)弘文(ひろふみ)	外	群馬④	自民	100-8962 371-0801	千代田区永田町二ノ一ノ一 会館 前橋市文京町一ノ一ノ一四	03(6550)1224 027(221)1133	1224	51224	(6550)1224	(3592)2424	政 上屋勝哉 ① 望月美樹 ② 米岡輝和	166
中田(なかだ)宏(ひろし)	経予	比例①繰	自民	100-8962 222-0033	千代田区永田町二ノ一ノ一 会館 横浜市港北区新横浜二ノ一四ノ一四 新弘ビル7F	03(6550)1102 045(548)4488	1102	51102	(6550)1102	(6551)1102	②①政	183
中西(なかにし)祐介(ゆうすけ)	総予	徳島・高知④	自民	100-8962 770-8056	千代田区永田町二ノ一ノ一 会館 徳島市問屋町三一	03(6550)0622 088(655)8852	622	50622	(6550)0622	(6551)0622	②①政 平岡英士 喜多村旬	178
永井(ながい)学(まなぶ)	国決	山梨④	自民	100-8962 400-0034	千代田区永田町二ノ一ノ一 会館 甲府市宝二ノ二七ノ五	03(6550)0516 055(267)6626	516	50516	(6550)0516	(6551)0516	政 玉木武彦 ① 折山俊樹 ② 内藤裕太郎	171
長浜(ながはま)博行(ひろゆき)	法	千葉①	無	100-8962 277-0021	千代田区永田町二ノ一ノ一 会館 柏市中央町五ノ二ノ七〇五	03(6550)0606 04(7166)8333	606	50606	(6550)0606	(6551)0606	政 鈴木浩暢 ① 大滝奈央 ② 山田由美子	167
長峯(ながみね)誠(まこと)	経予	宮崎①	自民	100-8962 880-0805	千代田区永田町二ノ一ノ一 会館 宮崎市橘通東一ノ八ノ一一	03(6550)0802 0985(27)7677	802	50802	(6550)0802	(6551)0802	政 早川健一郎 ① 持永隆大 ② 栗山真也	180
仁比(にひ)聡平(そうへい)	法	比例④	共産	100-8962	千代田区永田町二ノ一ノ一 会館	03(6550)0408	408	50408	(6550)0408	(6551)0408	政 加藤紀男 ① 園山あゆみ ② 韮澤彰	193

氏名	委員	選挙区	会派	〒	住所	電話番号	号室	内線	直通	FAX	秘書名	頁
新妻（にいづま）秀規（ひでき）	総長	比例 ①	公明	100-8962 460-0008	千代田区永田町二ノ一ノ一 会館 名古屋市中区栄一ノ一四ノ一五 RSビル二〇三	03(6550)1112 052(253)5085	1112	51112	(6550)1112	(6551)1112	政 萱原信英 ① 松浦美喜子 ② 樋上輝夫	185
西田（にしだ）昌司（しょうじ）	財決	京都 ①	自民	102-0083 601-8031	千代田区麹町四ノ七 宿舎 京都市南区烏丸通り十条上る西側	075(661)6100	1110	51110	(6550)1110	(3502)8897	政 安藤高士 ① 柿本大輔 ② 新村崇	174
西田（にしだ）実仁（まこと）	総	埼玉 ④	公明	100-8962 330-0063	千代田区永田町二ノ一ノ一 会館 さいたま市浦和区高砂三ノ七ノ四 2F	03(6550)1005	1005	51005	(6550)1005	(6551)1005	政 吉田正 ① 関谷富士男 ② 大間博昭	167
野上（のがみ）浩太郎（こうたろう）	財	富山 ④	自民	100-8962 939-8272	千代田区永田町二ノ一ノ一 会館 富山市太郎丸本町三ノ一ノ一二	03(6550)1010 076(491)7500	1010	51010	(6550)1010	(6551)1010	政 野村隆宏 ① 小林靖 ② 白川智也	170
野田（のだ）国義（くによし）	総	福岡 ①	立憲	100-8962 834-0031	千代田区永田町二ノ一ノ一 会館 八女市本町二ノ八一	03(6550)0323 0943(24)4630	323	50323	(6550)0323	(6551)0323	政 大谷正人 ① 林卓也 ② 久利勝明	179
野村（のむら）哲郎（てつろう）	農	鹿児島 ④	自民	100-8962 890-0064	千代田区永田町二ノ一ノ一 会館 鹿児島市鴨池新町六ノ五ノ四〇四	03(6550)1120 099(206)7557	1120	51120	(6550)1120	(6551)1120	政 留奥敦義 ① 碇本博一 ② 田畑雅代	181
羽田（はた）次郎（じろう）	農決	長野 ①補	立憲	100-8962 386-0014	千代田区永田町二ノ一ノ一 会館 上田市材木町一ノ一ノ一三	03(6550)0818 0268(22)0321	818	50818	(6550)0818	(6551)0818	政 辻甲子郎 ① 横山志保 ② 朝倉秀夫	171
羽生田（はにゅうだ）俊（たかし）	厚行	比例 ①	自民	100-8962 371-0022	千代田区永田町二ノ一ノ一 会館 前橋市千代田町二ノ一〇ノ一三	03(6550)0319 027(289)8680	319	50319	(6550)0319	(6551)0319	政 安部和之 ① 津坂光継 ② 白鳥貴子	183

委員	選挙区	会派	氏名	〒	住所	電話番号	号室	内線	直通	FAX	秘書名	頁
総決	①山形	民主	芳賀(はが)道也(みちや)	100-8962 990-0825	千代田区永田町二ノ一ノ一 会館 山形市城北町一ノ二四ノ一五ノ二A	03(6550)0917 023(676)5115	917	50917	(6550)0917	(6551)0917	㊥戸次貴彦 ①菅賢洋 ②関井美喜男	164
国	④北海道	自民	長谷川(はせがわ)岳(がく)	100-8962 060-0004	千代田区永田町二ノ一ノ一 会館 札幌市中央区北四条西四丁目 ニュー札幌ビル7F	03(6550)0619 011(223)7708	619	50619	(6550)0619	(6550)0055	㊥前島英希 ①牛間由美子 ②森越正也	163
環予	④比例	自民	長谷川(はせがわ)英晴(ひではる)	100-8962	千代田区永田町二ノ一ノ一 会館	03(6550)1020	1020	51020	(6550)1020	(6551)1020	㊥坪根輝彦 ①藤澤信行 ②渡辺明子	188
総基	①熊本	自民	馬場(ばば)成志(せいし)	100-8962 861-8045	千代田区永田町二ノ一ノ一 会館 熊本市東区小山六ノ二ノ二〇	03(6550)1016 096(388)8855	1016	51016	(6550)1016	(6551)1016	㊥吉津暢章 ①登耕太 ②柴田啓介	180
文行	①比例	自民	橋本(はしもと)聖子(せいこ)	102-0094 060-0001	千代田区紀尾井町一ノ一五 宿舎 札幌市中央区北一条西五ノ二 6F	011(222)7275	803	50803	(6550)0803	(6551)0803	㊥宮内榮子 ①藤原清美子 ②甲斐将裕	182
国	④比例	民主	浜口(はまぐち)誠(まこと)	100-8962	千代田区永田町二ノ一ノ一 会館	03(6550)1022	1022	51022	(6550)1022	(6551)1022	①石綿慶子 ②井上香織	193
総行	①比例 繰	N党	浜田(はまだ)聡(さとし)	100-8962	千代田区永田町二ノ一ノ一 会館	03(6550)0403	403	50403	(6550)0403	(6551)0403	㊥坂本雅彦 ①末永友香梨 ②重黒木優平	187
環議	①比例	民主	浜野(はまの)喜史(よしふみ)	100-8962	千代田区永田町二ノ一ノ一 会館	03(6550)0521	521	50521	(6550)0521	(6551)0521	㊥下橋佑治 ①小林和未 ②居垣勇人	187

氏名	委員	選挙区	会派	〒	住所	電話番号	号室	内線	直通	FAX	秘書名	頁
比嘉(ひが)奈津美(なつみ)	厚長	①比例 繰	自民	100-8962 904-0004	千代田区永田町二ノ一ノ一 会館 沖縄市中央一ノ一八ノ六	03(6550)1221 098(938)0070	1221	51221	(6550)1221	(6551)1221	㊥岡田英 ① ②石川登夢	183
平木(ひらき)大作(だいさく)	国	①比例	公明	100-8962 273-0011	千代田区永田町二ノ一ノ一 会館 船橋市湊町一ノ七ノ四 B号室	03(6550)0422 047(404)3202	422	50422	(6550)0422	(6551)0422	㊥田中大作 ①麻生賢一 ②遠藤彰子	185
平山(ひらやま)佐知子(さちこ)	経	④静岡	無	100-8962 422-8061	千代田区永田町二ノ一ノ一 会館 静岡市駿河区森下町一ノ二三	03(6550)0822 054(287)5511	822	50822	(6550)0822	(6551)0822	㊥細井貴光 ①宮﨑隆司 ②篠原倫太郎	172
広田(ひろた)一(はじめ)	総	①徳島・高知 補	無	770-8008 781-8001	徳島市西新浜町一ノ一ノ一九 ハミングVILLAGE一〇六 高知市土居町九ノ八	088(624)8648 088(821)7411	421	50421	(6550)0421	(6551)0421	㊥二瓶真樹子 ①野村公紀 ②青木光男	178
福岡(ふくおか)資麿(たかまろ)	厚懲	④佐賀	自民	100-8962 840-0826	千代田区永田町二ノ一ノ一 会館 佐賀市白山一ノ四ノ一八	03(6550)0919 0952(20)0111	919	50919	(6550)0919	(6551)0919	㊥岩永幸雄 ①稲富雅和 ②相澤晃二	179
福島(ふくしま)みずほ	法予	④比例	立憲	100-8962	千代田区永田町二ノ一ノ一 会館	03(6550)1111	1111	51111	(6550)1111	(6551)1111	㊥石川顕 ①櫛田佳代 ②鍋野哲	194
福山(ふくやま)哲郎(てつろう)	外	④京都	立憲	100-8962 602-0873	千代田区永田町二ノ一ノ一 会館 京都市上京区河原町通丸太町下る 伊勢屋町四〇六 マツヲビル1F	03(6550)0808 075(213)0988	808	50808	(6550)0808	(6551)0808	㊥ ①正木幸一 ②	174
藤井(ふじい)一博(かずひろ)	総行	④比例 特例	自民	100-8962 682-0023	千代田区永田町二ノ一ノ一 会館 倉吉市山根五七二ノ四 サンクピエスビル2F二〇一号室	03(6550)0605 0858(26)6081	605	50605	(6550)0605	(6551)0605	㊥伊勢田暁子 ①浅井政厚 ②上杉和輝	188

委員	選挙区	会派	氏名	〒	住所	電話番号	号室	内線	直通	FAX	秘書名 政	秘書名 ①	秘書名 ②	頁
総	④愛知	自民	藤川(ふじかわ) 政人(まさひと)	100-8962 451-0042	千代田区永田町二ノ一ノ一 会館 名古屋市西区那古野二ノ二三ノ二 6C	03(6550)0717 052(485)8361	717	50717	(6550)0717	(6550)0057	松本由紀子	藤原勝彦	小林祐太	173
農議	④比例	自民	藤木(ふじき) 眞也(しんや)	100-8962 861-3101	千代田区永田町二ノ一ノ一 会館 上益城郡嘉島町大字鯰二七九二	03(6550)1006 096(282)8856	1006	51006	(6550)1006	(6551)1006	池上知子	富永健一		189
国	①比繰例	維教	藤巻(ふじまき) 健史(たけし)	100-8962	千代田区永田町二ノ一ノ一 会館	03(6550)1122	1122	51122	(6550)1122	(6551)1122	藤生賢哉	川鍋修司	古川秀雄	186
農懲	④山形	民主	舟山(ふなやま) 康江(やすえ)	100-8962 990-0039	千代田区永田町二ノ一ノ一 会館 山形市香澄町三ノ二ノ一 山交ビル8F	03(6550)0810 023(627)2780	810	50810	(6550)0810	(6551)0810	中田兼司	伊藤一洋	齊藤秀昭	164
文	①比特例	れ新	舩後(ふなご) 靖彦(やすひこ)	102-0083	千代田区麹町四ノ七 宿舎		302	50302	(6550)0302	(6551)0302	岡田哲扶	蒔田備憲	小林律子	187
総基	④北海道	自民	船橋(ふなはし) 利実(としみつ)	100-8962 060-0042	千代田区永田町二ノ一ノ一 会館 札幌市中央区大通西八ノ二ノ三二 ダイヤモンドビル	03(6550)0424 011(272)0171	424	50424	(6550)0424	(6551)0424	戸田玄	三浦祐子	船橋真典	163
財行	①埼玉	自民	古川(ふるかわ) 俊治(としはる)	100-8962 330-0063	千代田区永田町二ノ一ノ一 会館 さいたま市浦和区高砂三ノ一二ノ二四 小峰ビル3F	03(6550)0718 048(788)8887	718	50718	(6550)0718	(6551)0718	森本義久	池上聡	高橋利典	166
厚行	④福島	自民	星(ほし) 北斗(ほくと)	100-8962 963-8071	千代田区永田町二ノ一ノ一 会館 郡山市富久山町久保田字久保田二二七ノ一	03(6550)0322 024(953)4710	322	50322	(6550)0322	(6551)0322		漆畑佑	星神裕希枝	165

氏名	委員	選挙区	会派	〒	住所	電話番号	号室	内線	直通	FAX	秘書名	頁
堀井（ほりい）巌（いわお）	総 予	奈良 ①	自民	100-8962 630-8114	千代田区永田町二ノ一ノ一 会館 奈良市芝辻町一ノ二ノ二七 乾ビル2F	03(6550)0417 0742(30)3838	417	50417	(6550)0417	(6551)0417	㊙平田勝紀 ①米田憲司 ②吉田悠亮	176
本田（ほんだ）顕子（あきこ）	文	比例 ①	自民	100-8962 860-0072	千代田区永田町二ノ一ノ一 会館 熊本市西区花園七ノ一二ノ一六	03(6550)1001 096(325)4470	1001	51001	(6550)1001	(6551)1001	㊙関野秀人 ①我妻理子 ②	183
舞立（まいたち）昇治（しょうじ）	農	鳥取・島根 ①	自民	100-8962 683-0067	千代田区永田町二ノ一ノ一 会館 米子市東町一七七 東町ビル	03(6550)0603 0859(37)5016	603	50603	(6550)0603	(6551)0603	㊙中園めぐみ ①浅井威厚 ②中ノ森早苗	177
牧野（まきの）たかお	総 基	静岡 ①	自民	100-8962 422-8056	千代田区永田町二ノ一ノ一 会館 静岡市駿河区津島町一一ノ二五 山形ビル1F	03(6550)0812 054(285)9777	812	50812	(6550)0812	(6551)0812	㊙渡邊恵美 ①鷲見正親 ②土屋行男	172
牧山（まきやま）ひろえ	法 議	神奈川 ①	立憲	100-8962 231-0012	千代田区永田町二ノ一ノ一 会館 横浜市中区相生町一ノ七 和同ビル四〇三	03(6550)1007 045(226)2393	1007	51007	(6550)1007	(6551)1007	㊙平澤和也 ①柴田明良 ②渡辺真也	169
松川（まつかわ）るい	外 予	大阪 ④	自民	100-8962 571-0030	千代田区永田町二ノ一ノ一 会館 門真市末広町八ノ一三 6F	03(6550)0407 06(6908)6677	407	50407	(6550)0407	(6551)0407	㊙清水康弘 ①藤本美佳 ②秋山真美	175
松沢（まつざわ）成文（しげふみ）	外 懲長	神奈川 ④	維教	100-8962 231-0048	千代田区永田町二ノ一ノ一 会館 横浜市中区蓬莱町二ノ四ノ五	03(6550)0903 045(594)6991	903	50903	(6550)0903	(6551)0903	㊙千葉修平 ①神田友輔 ②杉山卓	170
松下（まつした）新平（しんぺい）	総	宮崎 ④	自民	100-8962 880-0813	千代田区永田町二ノ一ノ一 会館 宮崎市丸島町五ノ一八 平和ビル丸島1F	03(6550)0824 0985(61)1501	824	50824	(6550)0824	(6551)0824	㊙児玉勝 ①大出浩己 ②松浦克哉	180

氏名	委員	選挙区	会派	〒	住所	電話番号	号室	内線	直通	FAX	秘書名	頁
松野明美（まつの あけみ）	農予	比例 ④	維教	100-8962 861-0113	千代田区永田町二ノ一ノ一 会館 熊本市北区植木町伊知坊四一〇ノ三	03(6550)0912 096(273)6377	912	50912	(6550)0912	(6551)0912	②西村仁美 ①金光雅美 ㉈	190
松村祥史（まつむら よしふみ）	経	熊本 ④	自民	102-0083 868-0422	千代田区麹町四ノ七 宿舎 球磨郡あさぎり町上北二五一	0966(45)1488	1023	51023	(6550)1023	(6551)1023	②小野晃嗣 ①畑山登 ㉈古賀正秋	180
松山政司（まつやま まさじ）	財基	福岡 ①	自民	100-8962 810-0001	千代田区永田町二ノ一ノ一 会館 福岡市中央区天神三ノ八ノ二〇 1F	03(6550)1124 092(725)7739	1124	51124	(6550)1124	(6551)1124	②松本麗 ①佐々木久之 ㉈中島基彰	179
丸川珠代（まるかわ たまよ）	経	東京 ①	自民	100-8962	千代田区永田町二ノ一ノ一 会館	03(6550)0902	902	50902	(6550)0902	(6551)0902	②美坂勇輝 ①山田孝次 ㉈三浦基広	168
三浦信祐（みうら のぶひろ）	経議	神奈川 ④	公明	100-8962 231-0033	千代田区永田町二ノ一ノ一 会館 横浜市中区長者町五ノ四八ノ二 トロージャンビル三〇三	03(6550)0804 045(341)3751	804	50804	(6550)0804	(6551)0804	②薗部幸広 ①浪川健太郎 ㉈山本大三郎	170
三浦靖（みうら やすし）	厚	比例 特 ①	自民	100-8962 690-0873	千代田区永田町二ノ一ノ一 会館 松江市内中原町一四〇ノ二 島根県政会館3F	03(6550)0811 0852(61)2828	811	50811	(6550)0811	(6551)0811	②森山真吉 ①長尾広志 ㉈小林一巳	181
三上えり（みかみ えり）	国行	広島 ④	立憲	100-8962 732-0816	千代田区永田町二ノ一ノ一 会館 広島市南区比治山本町三ノ三 大保ビル二〇一号	03(6550)0320 082(250)8811	320	50320	(6550)0320	(6551)0320	②川田海栄 ①槙埜秀樹 ㉈石橋鉄也	177
三原じゅん子（みはら じゅんこ）	環長	神奈川 ④	自民	100-8962 231-0013	千代田区永田町二ノ一ノ一 会館 横浜市中区住吉町五ノ六四ノ一 VELUTINA馬車道七〇四	03(6550)0823 045(228)9520	823	50823	(6550)0823	(6551)0823	②武原美佐 ①関根千里 ㉈宮崎達也	170

委員	選挙区	会派	氏名	〒	住所	電話番号	号室	内線	直通	FAX	秘書名	頁
外	①香川	自民	三宅(みやけ) 伸吾(しんご)	100-8962 760-0080	千代田区永田町二ノ一ノ一 会館 高松市木太町二三四三ノ四 木下産業ビル2F	03(6550)0604 087(802)3845	604	50604	(6550)0604	(6551)0604	政 須山義正	178
環 懲	①比例	立憲	水岡(みずおか) 俊一(しゅんいち)	102-0083	千代田区麹町四ノ七 宿舎		305	50305	(6550)0305	(6551)0305	政 平野和子 ① 藤野花菜 ② 濵田彦丸	184
外 予	①神奈川 補	立憲	水野(みずの) 素子(もとこ)	100-8962 231-0014	千代田区永田町二ノ一ノ一 会館 横浜市中区常盤町三ノ二一 アライアンス関内ビル五〇一号室	03(6550)1209 050(8883)8488	1209	51209	(6550)1209	(6551)1209	政 東使義浩 ① 西塔謙志 ② 岡野めぐみ	169
文	①広島 補	立憲	宮口(みやぐち) 治子(はるこ)	100-8962 720-0032	千代田区永田町二ノ一ノ一 会館 福山市三吉町南一ノ七ノ一七	03(6550)0206 084(926)4878	206	50206	(6550)0206	(6551)0206	政 江田洋一 ① 山田洋満 ② 井上信也	177
農 予	①比例	自民	宮崎(みやざき) 雅夫(まさお)	100-8962	千代田区永田町二ノ一ノ一 会館	03(6550)0610	610	50610	(6550)0610	(6551)0610	政 木村充 ① 坪田昇三 ② 大竹晃子	183
内 予	④比例 繰	公明	宮崎(みやざき) 勝(まさる)	102-0083 330-0063	千代田区麹町四ノ七 宿舎 さいたま市浦和区高砂三ノ七ノ四 2F		1118	51118	(6550)1118	(6551)1118	政 廣野光夫 ① 青木正美 ② 坪井正一朗	192
財	④広島	自民	宮沢(みやざわ) 洋一(よういち)	100-8962 730-0017	千代田区永田町二ノ一ノ一 会館 広島市中区鉄砲町八ノ二四 にしたやビル四〇一	03(6550)0820 082(511)5541	820	50820	(6550)0820	(6551)0820	政 小川修一 ① 髙島淳子 ② 有本悦子	177
国 予	①石川 補	自民	宮本(みやもと) 周司(しゅうじ)	100-8962 920-8203	千代田区永田町二ノ一ノ一 会館 金沢市鞍月三ノ一二七 AXIS鞍月1-B	03(6550)1018 076(256)5623	1018	51018	(6550)1018	(6551)1018	政 不破行大 ① 中嶋友紀 ② 南野祥恵	171

氏名	委員	選挙区	会派	〒	住所	電話番号	号室	内線	直通	FAX	秘書名	頁
村田(むらた) 享子(きょうこ)	経決	比例④	立憲	100-8962	千代田区永田町二ノ一ノ一 会館	03(6550)1222	1222	51222	(6550)1222	(6551)1222	政 井出智則 ① 田中美佐江 ② 田代宏大	191
森(もり) まさこ	法決	福島①	自民	100-8962 970-8026	千代田区永田町二ノ一ノ一 会館 いわき市平五色町一ノ一〇三	03(6550)0924 0246(21)3700	924	50924	(6550)0924	(6551)0924	政 工藤誠一 ① 吉田佳代 ② 小池康之	165
森本(もりもと) 真治(しんじ)	経長 基	広島①	立憲	100-8962 739-1732	千代田区永田町二ノ一ノ一 会館 広島市安佐北区落合南一ノ三ノ一二	03(6550)0311 082(840)0801	311	50311	(6550)0311	(6551)0311	政 八木橋美千代 ① 古賀寛三 ② 百田正則	177
森屋(もりや) 隆(たかし)	国	比例①	立憲	100-8962	千代田区永田町二ノ一ノ一 会館	03(6550)1211	1211	51211	(6550)1211	(6551)1211	政 大沢祥文 ① 瀬森理介 ② 古城戸美奈	184
森屋(もりや) 宏(ひろし)	内	山梨①	自民	100-8962 400-0031	千代田区永田町二ノ一ノ一 会館 甲府市丸の内一ノ一七ノ一八 東山ビル2F	03(6550)0502 055(298)6357	502	50502	(6550)0502	(6551)0502	政 漆原大介 ① 小泉文彦 ② 髙橋賢治	171
矢倉(やくら) 克夫(かつお)	財	埼玉①	公明	100-8962	千代田区永田町二ノ一ノ一 会館	03(6550)0401	401	50401	(6550)0401	(6551)0401	政 中居俊夫 ① 久富礼子 ②	166
安江(やすえ) 伸夫(のぶお)	文	愛知①	公明	100-8962 462-0044	千代田区永田町二ノ一ノ一 会館 名古屋市北区元志賀町一ノ六八ノ一 ヴェルドミール志賀	03(6550)0312 052(908)3955	312	50312	(6550)0312	(6551)0312	政 大﨑順一 ① 髙橋直樹 ② 鐘ヶ江義之	173
柳ヶ瀬(やながせ) 裕文(ひろふみ)	財 行	比例①	維教	100-8962 146-0083	千代田区永田町二ノ一ノ一 会館 大田区千鳥三ノ一一ノ一九 第2桜ビル3F	03(6550)0703 03(6459)8706	703	50703	(6550)0703	(6551)0703	政 姉石洋一 ① 大岡貴志 ② 吉岡美智子	186

委員	選挙区	会派	氏名	〒	住所	電話番号	号室	内線	直通	FAX	秘書名	頁
外基	東京①	公明	山口(やまぐち) 那津男(なつお)	100-8962	千代田区永田町二ノ一ノ一 会館	03(6550)0806	806	50806	(6550)0806	(6551)0806	政 山下千秋 ① 出口俊夫 ② 大川満里子	168
法	福井④	自民	山崎(やまざき) 正昭(まさあき)	102-0083 912-0043	千代田区麹町四ノ七 宿舎 大野市国時町一一〇五	03(5211)0248 0779(65)3000	1201	51201	(6550)1201	(6551)1201	政 石山秀樹 ① 松山康代 ② 岸本成美	171
農行	佐賀①	自民	山下(やました) 雄平(ゆうへい)	100-8962 840-0801	千代田区永田町二ノ一ノ一 会館 佐賀市駅前中央三ノ六ノ一一	03(6550)0916 0952(37)8290	916	50916	(6550)0916	(6551)0916	政 永石浩視 ① 水谷秀美 ② 中原 茂	179
環	比例①	共産	山下(やました) 芳生(よしき)	100-8962 537-0025	千代田区永田町二ノ一ノ一 会館 大阪市東成区中道一ノ一〇ノ一〇ノ一〇二	03(6550)1123 06(6975)9111	1123	51123	(6550)1123	(6551)1123	政 中村哲也 ① 中島敬介 ② 小松正英	186
外予	東京④	共産	山添(やまぞえ) 拓(たく)	100-8962 151-0053	千代田区永田町二ノ一ノ一 会館 渋谷区代々木一ノ四四ノ一一	03(6550)0817 03(5302)6511	817	50817	(6550)0817	(6551)0817	政 阿戸知則 ① 佐藤祐実 ② 折原知子	169
財予	比例①	自民	山田(やまだ) 太郎(たろう)	100-8962	千代田区永田町二ノ一ノ一 会館	03(6550)0623	623	50623	(6550)0623	(6551)0623	政 小山紘一 ① 荒井理沙 ② 小寺直子	182
農予	比例①	自民	山田(やまだ) 俊男(としお)	100-8962	千代田区永田町二ノ一ノ一 会館	03(6550)0809	809	50809	(6550)0809	(6551)0809	政 村瀬弘美 ① 西野 司 ② 木下純宏	182
厚予	比例④	自民	山田(やまだ) 宏(ひろし)	100-8962 102-0093	千代田区永田町二ノ一ノ一 会館 千代田区平河町二ノ一六ノ五 クレール平河町六〇二	03(6550)1205	1205	51205	(6550)1205	(6551)1205	政 新良 薫 ① 大島康之 ② 田中晴司	189

氏名	委員	選挙区	会派	〒	住所	電話番号	号室	内線	直通	FAX	秘書名	頁
山谷（やまたに）えり子（こ）	内行	比例④	自民	100-8962	千代田区永田町二ノ一ノ一 会館	03(6550)1107	1107	51107	(6550)1107	(6551)1107	政 速水美智子 ① 福元亮次 ② 渡辺智彦	189
山本（やまもと）香苗（かなえ）	厚懲	比例①	公明	100-8962 590-0957	千代田区永田町二ノ一ノ一 会館 堺市堺区中之町西一ノ一ノ一〇 堀ビル五〇一	03(6550)1024 072(225)0102	1024	51024	(6550)1024	(6551)1024	政 小谷恵美子 ① 吹田幸一 ② 中村広美	185
山本（やまもと）啓介（けいすけ）	農議	長崎④	自民	100-8962 850-0033	千代田区永田町二ノ一ノ一 会館 長崎市万才町七ノ一 TBM長崎ビル10F	03(6550)1202 095(818)6588	1202	51202	(6550)1202	(6551)1202	政 太田久晴 ① 前田浩章 ② 吉田安秀	180
山本（やまもと）佐知子（さちこ）	内議	三重④	自民	100-8962 511-0836	千代田区永田町二ノ一ノ一 会館 桑名市江場五五四	03(6550)0203 0594(86)7200	203	50203	(6550)0203	(6551)0203	政 ① ②	173
山本（やまもと）順三（じゅんぞう）	総	愛媛④	自民	102-0094 794-0005	千代田区紀尾井町一ノ一五 宿舎 今治市大新田町二ノ二ノ五〇	0898(31)7800	1019	51019	(6550)1019	(6551)1019	政 能登祐克 ① 高岡直宏 ② 近藤華菜子	178
山本（やまもと）太郎（たろう）	環予	東京④	れ新	100-8962	千代田区永田町二ノ一ノ一 会館	03(6550)0602	602	50602	(6550)0602	(6551)0602	政 ① ②	169
山本（やまもと）博司（ひろし）	総決	比例①	公明	100-8962 760-0080	千代田区永田町二ノ一ノ一 会館 高松市木太町九区六〇七ノ一ノ二〇一	03(6550)0911 087(868)3607	911	50911	(6550)0911	(6551)0911	政 梅津秀宣 ① 鈴木孝久 ② 髙井彰	185
横澤（よこさわ）高徳（たかのり）	農議	岩手①	立憲	100-8962 020-0022	千代田区永田町二ノ一ノ一 会館 盛岡市大通三ノ一ノ二四 第三菱和ビル5F	03(6550)0702 019(625)6601	702	50702	(6550)0702	(6551)0702	政 平野優 ① 居上顕一 ② 丸山亜里	164

委員	農予	国議	総議	外予	法決	外予	財決	経議
選挙区	④比例	④京都	①比例	①三重	①比例	④静岡	①比例	④岐阜
会派	公明	自民	立憲	自民	自民	自民	公明	自民
氏名	横山（よこやま）信一（しんいち）	吉井（よしい）章（あきら）	吉川（よしかわ）沙織（さおり）	吉川（よしかわ）ゆうみ	和田（わだ）政宗（まさむね）	若林（わかばやし）洋平（ようへい）	若松（わかまつ）謙維（かねしげ）	渡辺（わたなべ）猛之（たけゆき）
〒	100-8962 060-0001	100-8962 600-8177	100-8962	100-8962 510-0821	100-8962 980-0011	100-8962 422-8065	100-8962 960-8107	100-8962 500-8383
住所	千代田区永田町二ノ一ノ一 会館 札幌市中央区北一条西一九丁目 緒方ビル3F	千代田区永田町二ノ一ノ一 会館 京都市下京区大坂町三九一 第一〇長谷ビル6F	千代田区永田町二ノ一ノ一 会館	千代田区永田町二ノ一ノ一 会館 四日市市久保田二ノ八ノ一ノ一〇三	千代田区永田町二ノ一ノ一 会館 仙台市青葉区上杉一ノ五ノ一三 3-B	千代田区永田町二ノ一ノ一 会館 静岡市駿河区宮本町一ノ九	千代田区永田町二ノ一ノ一 会館 福島市浜田町四ノ一六 富士ビル1F2号	千代田区永田町二ノ一ノ一 会館 岐阜市江添三ノ七ノ二六 金子ビル3F
電話番号	03(6550)0402 011(688)6222	03(6550)0921 075(341)5800	03(6550)0617	03(6550)0412 059(356)8060	03(6550)1220 022(263)3005	03(6550)0715 054(272)1137	03(6550)1207 024(572)5567	03(6550)0325 058(271)0008
号室	402	921	617	412	1220	715	1207	325
内線	50402	50921	50617	50412	51220	50715	51207	50325
直通	(6550)0402	(6550)0921	(6550)0617	(6550)0412	(6550)1220	(6550)0715	(6550)1207	(6550)0325
FAX	(6551)0402	(6551)0921	(6551)0617	(6551)0412	(6551)1220	(6551)0715	(6551)1207	(6551)0325
秘書名	㊎八木橋広宣 ①小田秀路 ②吉井透	㊎木本和宜 ① ②堀憲人	㊎浅野英之 ① ②狩野恵理	㊎岸田直樹 ①菊池知子 ②水谷亜妃	㊎浜崎博 ①高田彌 ②安藤純	㊎佐々木俊夫 ①勝亦好美 ②高橋靖銘	㊎恩田祐将 ①佐藤大作 ②柳沼明美	㊎長谷川英樹 ①大東由幸 ②榊原美穂
頁	192	174	184	173	182	172	185	172

(参)宿所表

議員選挙区別略歴【衆議院】

※原則として8月1日調べによるものです。

※選挙区割については、345～361頁を、
得票については、387～364頁をご覧ください。

①こっかいたろう 国会太郎 ②60 ③自 ④[新]

⑤衆内閣委員、総務委員、党青年局次長、元都議、区議、東京大学卒、東京都

⑥当1 ⑦勤2・3 ⑧（参1、勤1・1）

⑨昭39年1月1日生 ⑩（無派閥）

① **氏名**

② 年齢（令和6年8月末時点）

③ 所属政党

政党要件を満たしている政党、正副議長は「無」とする

自 ＝自由民主党　立憲＝立憲民主党　維新＝日本維新の会

公 ＝公明党　共 ＝日本共産党　国民＝国民民主党

教育＝教育無償化を実現する会　れ新＝れいわ新選組　社 ＝社会民主党

無 ＝無所属

（院内会派）… 政党と異なる議員のみ表記

院内会派の正式名称については、9頁をご覧ください。

④ [前]・[元]・[新]の区別

[前]…当選2回以上で、選出される選挙時点で衆議院議員であった議員

[元][前]…当選2回以上で、選出される選挙時点では、衆議院議員でなかった議員、または当選2回以上で、繰上補充もしくは、補欠選挙により選出された議員

[新]…当選1回の議員

⑤ 現職、前職、元職、最終学歴、出身地

役職の文頭に衆・党・前・元が付く場合、基本的には続く役職も同じ

⑥ 衆議院議員として当選した回数

⑦ 国会議員として勤続した年月（令和6年8月末時点）

2・3は、2年3ヶ月、衆議院議員としては1年2ヶ月

⑧ 参議院議員として当選した回数と勤続した年月

1・1は、1年1ヶ月

⑨ 生年月日（昭は昭和の略、平は平成の略）

⑩ 原則として自民党議員の所属する党内派閥

北海道

1区

道下大樹（みちした だいき） 48 立憲 [前]

衆法務委理事、総務委員、党国対副委員長、元北海道議、道議会民進党政審会長、衆議院議員秘書、中央大、新得町

当2 勤7・0

昭50年12月24日生

2区

松木けんこう（まつき） 65 立憲 [前]

前沖縄北方委員長、衆環境委、元決算行政監視委員長、農水政務官、大学理事長、会社役員、青山学院大卒、札幌市

当6 勤15・5

昭34年2月22日生

3区

高木宏壽（たかぎ ひろひさ） 64 自 [元]

復興副大臣、党内閣第一部会長代理、党金融調査会副幹事長、内閣府大臣政務官(兼)復興大臣政務官、道議、慶大法

当3 勤7・9

昭35年4月9日生（無派閥）

4区

中村裕之（なかむら ひろゆき） 63 自 [前]

文科委理、国交委、党水産部会長代理、文科部会長、農水副大臣、文科政務官、道議、道P連会長、JC、道庁、北海学園大、余市町

当4 勤11・10

昭36年2月23日生（麻生派）

5区

和田義明（わだ よしあき） 52 自 [前]

経産委、安保委、沖北特委、党女性局次長、前防衛大臣補佐官、内閣府副大臣、元内閣府大臣政務官、三菱商事、早大、江別市

当3 勤8・6

昭46年10月10日生（無派閥）

6区

東国幹（あずま くによし） 56 自 [新]

衆農水委、法務委、災対特委、沖北特委、党新聞出版局次長、党地方組織・議員総局次長、旭川市議、北海道議、東海大法卒

当1 勤2・11

昭43年2月17日生（無派閥）

7区

伊東良孝（いとう よしたか） 75 自 [前]

衆農水委理、衆沖北特委理、党総務、北特委員長、元農水副大臣、財務政務官、釧路市長、道教育大、北海道

当5 勤15・2

昭23年11月24日生（無派閥）

8区

逢坂誠二（おおさか せいじ） 65 立憲 [前]

憲法審、内閣委、原子力特委、党代表代行、道連代表、元総理補佐官、総務政務官、ニセコ町長、薬剤師、行政書士、北大卒

当5 勤17・1

昭34年4月24日生

9区 
山岡達丸（やまおか たつまる） 45 立憲 [前]
経済産業委、党副幹事長㊝総務局長、党ハラスメント対策委員会事務局長、党北海道第9区総支部長、元NHK記者、慶大、東京都
当3　勤10・4
昭54年7月22日生

10区 
稲津久（いなつ ひさし） 66 公 [前]
衆財金委理事、農水委、党幹事長代理、政調会長代理、道本部代表、元厚労副大臣、元農水政務官、専修大学卒、芦別市
当5　勤15・2
昭33年2月9日生

11区 
石川香織（いしかわ かおり） 40 立憲 [前]
衆予算委、国交委、消費者特委、党副幹事長、前党青年局長、元日本BS放送アナ、聖心女子大文学部卒、横浜市
当2　勤7・0
昭59年5月10日生

12区 
武部新（たけべ あらた） 54 自 [前]
衆法務委員長、衆議事進行係、農水副大臣、環境㊝内閣府大臣政務官、党農林部会長、党水産部会長代理、早大法、シカゴ大院、北海道
当4　勤11・10
昭45年7月20日生（無派閥）

青森県

1区 
江渡聡徳（えと あきのり） 68 自 [前]
安保委、原子力特委、党総務、党北朝鮮核実験・ミサイル問題対策本部長、元防衛大臣、日大院、青森県
当8　勤24・8
昭30年10月12日生（麻生派）

2区 
神田潤一（かんだ じゅんいち） 53 自 [新]
内閣府大臣政務官、内閣委、日本銀行職員、マネーフォワード執行役員、東大経、イェール大学院、八戸市
当1　勤2・11
昭45年9月27日生（無派閥）

3区 
木村次郎（きむら じろう） 56 自 [前]
議運委、文科委、原子力特委、防衛大臣政務官、国交大臣政務官、党鳥獣被害対策特委事務局次長、青森県職員、中央大、藤崎町
当2　勤7・0
昭42年12月16日生（無派閥）

岩手県

1区 
階猛（しな たけし） 57 立憲 [前]
予算委、財金委、憲法審委、党「次の内閣」財務金融大臣、元総務大臣政務官、元銀行員、弁護士、東大法卒、盛岡市
当6　勤17・3
昭41年10月7日生

2区　**鈴木 俊一**（すずき しゅんいち）　71　自　[前]

財務大臣、前党環境温暖化調査会長、元総務会長、東京五輪大臣、環境大臣、衆厚労・外務・復興特委長、早大、山田町

当10　勤31・5

昭28年4月13日生（麻生派）

3区　**藤原 崇**（ふじわら たかし）　41　自　[前]

前党青年局長、元財務大臣政務官、元内閣府（兼）復興大臣政務官、弁護士、明治学院大学法科大学院修了、西和賀町

当4　勤11・10

昭58年8月2日生（無派閥）

宮城県

1区　**土井 亨**（どい とおる）　66　自　[前]

党所有者不明土地等に関する特委員長、国交委筆頭理、国交副大臣・政務官、復興副大臣、国交委員長、県議、東北学院大、宮城

当5　勤15・9

昭33年8月12日生（無派閥）

2区　**鎌田 さゆり**（かまた さゆり）　59　立憲　[元]

震災復興特別委員会筆頭理事、法務委員、党法務部門会議事務局長、党災害事務局東北ブロック副局長、東北学院大卒、仙台市

当3　勤7・6

昭40年1月8日生

3区　**西村 明宏**（にしむら あきひろ）　64　自　[前]

党国対委員長代行、環境大臣、内閣府特命担当大臣、内閣官房副長官、国交・内閣府・復興副大臣、国交委長、党筆頭副幹事長、早大院

当6　勤17・7

昭35年7月16日生（無派閥）

4区　**伊藤 信太郎**（いとう しんたろう）　71　自　[前]

環境大臣、衆環境委員長、衆復興特委員長、党国際局長、外務副大臣、慶大院、ハーバード大院、東京都

当7　勤19・8

昭28年5月6日生（麻生派）

5区　**安住 淳**（あずみ じゅん）　62　立憲　[前]

党国対委員長・元財務相・政府税調会長、防衛副相、沖北特・安保各委員長、党代表代行、ＮＨＫ記者、早大卒、石巻市

当9　勤28・1

昭37年1月17日生

6区　**小野寺 五典**（おのでら いつのり）　64　自　[前]

予算委員長、党安全保障調査会長、[歴]防衛大臣、外務副大臣、衆沖北特委長、外務政務官、松下政経塾、東大院、気仙沼市

当8　勤23・1

昭35年5月5日生（無派閥）

（衆）略歴

秋田県

1区　冨樫博之（とがし ひろゆき）　69　自　[前]

党内閣第二部会長、内閣委理、経産委、復興特、倫選特、元復興副大臣、総務政務官、秋田県議長、衆院秘書、秋田経済大、秋田市

当4　勤11・10

昭30年4月27日生（無派閥）

2区　緑川貴士（みどりかわ たかし）　39　立憲　[前]

衆農水委、党秋田県連代表、元秋田朝日放送アナウンサー、早稲田大、埼玉県

当2　勤7・0

昭60年1月10日生

3区　御法川信英（みのりかわ のぶひで）　60　自　[前]

党国対委員長代理、災害対策特別委員長、国交副大臣、財金委員長、財務副大臣、外務政務官、慶應大、コロンビア大院、大仙市

当6　勤17・7

昭39年5月25日生（無派閥）

山形県

1区　遠藤利明（えんどう としあき）　74　自　[前]

党中央政治大学院学院長、党総務会長、党選対委員長、東京五輪大臣、農水委員長、文科副大臣、建設政務次官、中大法、上山市

当9　勤27・11

昭25年1月17日生（無派閥）

2区　鈴木憲和（すずき のりかず）　42　自　[前]

農林水産副大臣、元党青年局長、元外務大臣政務官、元党農林部会長代理、元農林水産省職員、東大法卒、東京都

当4　勤11・10

昭57年1月30日生（無派閥）

3区　加藤鮎子（かとう あゆこ）　45　自　[前]

内閣府特命担当（こども政策）大臣、元国交政務官、元環境・内閣政務官、コロンビア大学院、慶応大学、山形県鶴岡市

当3　勤9・10

昭54年4月19日生（無派閥）

福島県

1区　金子恵美（かねこ えみ）　59　立憲　[前]

農水委、復興特委、党会計監査、党ＮＣ農水大臣、党震復本部事務局長、内閣府(兼)復興政務官、参議員、法大、伊達市

当3　勤15・11（参1、勤6・1）

昭40年7月7日生

2区　根本匠（ねもと たくみ）　73　自　[前]

国家基本委員長、党復興本部長、前予算委員長、元厚労相、復興相、総理補佐官、党金融会長、中小調査会長、建設省、東大、郡山市

当9　勤28・0

昭26年3月7日生（無派閥）

3区 玄葉光一郎（げんば こういちろう） 60 立憲 [前]

党東日本大震災復興本部長、元外務相、国家戦略相、民主党政調会長、選対委員長、県議、松下政経塾、上智大、福島県
当10 勤31・4
昭39年5月20日生

4区 小熊慎司（おぐま しんじ） 56 立憲 [前]

衆拉致特委員長、外務委、元参院議員、福島県議、元会津若松市議、専修大法学部卒、福島県
当4 勤14・4（参1、勤2・6）
昭43年6月16日生

5区 吉野正芳（よしの まさよし） 76 自 [前]

党復興本部長代理、復興大臣、政倫審会長、農林水産・震災復興特・原子力特・環境各委員長、環境副大臣、早大商卒、いわき市
当8 勤24・4
昭23年8月8日生（無派閥）

茨城県

1区 福島伸享（ふくしま のぶゆき） 54 無（有志） [元]

国交委、厚労委、政治改革特委、震災復興特委、筑波大学客員教授、内閣官房参事官補佐、経済産業省、東京大学、水戸市
当3 勤9・1
昭45年8月8日生

2区 額賀福志郎（ぬかが ふくしろう） 80 無 [前]

衆議院議長、元財務相、防衛庁長官、経済財政相、党復興本部長、党税調顧問、党政調会長、早大、行方市
当13 勤40・11
昭19年1月11日生

3区 葉梨康弘（はなし やすひろ） 64 自 [前]

総務委、国家基本政策委、懲罰委、元法務大臣、元農林水産副大臣、法務(兼)内閣府副大臣、財務大臣政務官、党総務部会長、東大、東京都
当6 勤17・7
昭34年10月12日生（無派閥）

4区 梶山弘志（かじやま ひろし） 68 自 [前]

幹事長代行、元経産・地方創生大臣、国交副大臣・政務官、国交・災対特委長、党選対委長代理、経理局長、政調会長代理、日大法、常陸太田
当8 勤24・4
昭30年10月18日生（無派閥）

5区 浅野哲（あさの さとし） 41 国民 [前]

議運理、内閣理、原子力特理、党県連代表、青年局長、元衆議秘書、(株)日立製作所研究員、日立労組役員、青学院修了、東京都
当2 勤7・0
昭57年9月25日生

6区

国光（くにみつ）あやの 45 自 [前]
総務大臣政務官、衆総務委、元厚労職員、長崎大医、東京医科歯科大学院
当2　勤7・0
昭54年3月20日生（無派閥）

7区

永岡（ながおか）桂子（けいこ） 70 自 [前]
党文化立国調査会長、党選対委員長代理、文科委筆頭理事 歴 文科大臣、文科・厚労各副大臣、農水政務官、学習院大法卒
当6　勤19・1
昭28年12月8日生（麻生派）

栃木県

1区

船田（ふなだ）元（はじめ） 70 自 [前]
党消費者問題調査会長、党代議士会長、衆憲法審査会幹事、元経企庁長官、元文部政務次官、慶應義塾大院、宇都宮市
当13　勤38・4
昭28年11月22日生（無派閥）

2区

福田（ふくだ）昭夫（あきお） 76 立憲 [前]
総務委、地域こどもデジタル特委、党県連代表、総務大臣政務官、栃木県知事、今市市長、東北大学、日光市
当6　勤19・1
昭23年4月17日生

3区

簗（やな）和生（かずお） 45 自 [前]
元文部科学副大臣、元安全保障委員長、元農林部会長、元国交兼内閣府大臣政務官、シンクタンク研究員、慶大卒、東大院修士修了
当4　勤11・10
昭54年4月22日生（無派閥）

4区

佐藤（さとう）勉（つとむ） 72 自 [前]
国家基本委理事、党党紀委員、党総務会長、総務大臣、衆議運委員長、党国対委員長、日大、壬生町
当9　勤28・1
昭27年6月20日生（無派閥）

5区

茂木（もてぎ）敏充（としみつ） 68 自 [前]
党幹事長、元外務・経済財政・経産・金融・行革各大臣、党政調会長、選対委員長、東大、ハーバード大院、足利市
当10　勤31・4
昭30年10月7日生（無派閥）

群馬県

1区

中曽根（なかそね）康隆（やすたか） 42 自 [前]
安保委理事、法務委、復興特委、前防衛兼内閣府大臣政務官、元参議院議員秘書、元JPモルガン証券㈱、慶應大学卒、東京都
当2　勤7・0
昭57年1月19日生（無派閥）

2区 **井野 俊郎**(いの としろう) 44 自 [前]
党国会対策副委員長、防衛副大臣(兼)内閣府副大臣、畜酪対策委員長代理、議運理事、元法務大臣政務官、弁護士、明大法卒
当4 勤11・10
昭55年1月8日生(無派閥)

3区 **笹川 博義**(ささがわ ひろよし) 58 自 [前]
党法務部会長、元衆議院農林水産委員長、元議事進行係、元環境副大臣・政務官、元党総務・副幹事長、県議、明大中退
当4 勤11・10
昭41年8月29日生(無派閥)

4区 **福田 達夫**(ふくだ たつお) 57 自 [前]
党筆頭副幹事長、中小企業調査会事務局長、税調幹事、前党総務会長、元防衛政務官、総理秘書官、商社員、慶大法卒、東京都
当4 勤11・10
昭42年3月5日生(無派閥)

5区 **小渕 優子**(おぶち ゆうこ) 50 自 [前]
党選対委員長、元党組織運動本部長、経産大臣、衆文科委員長、財務副大臣、内閣府特命担当大臣、成城大卒、早大院修了、吾妻郡
当8 勤24・4
昭48年12月11日生(無派閥)

埼玉県

1区 **村井 英樹**(むらい ひでき) 44 自 [前]
内閣官房副長官、前内閣総理大臣補佐官、元大臣政務官、党国対副委員長、党副幹事長、財務省、ハーバード大院、東大、さいたま市
当4 勤11・10
昭55年5月14日生(無派閥)

2区 **新藤 義孝**(しんどう よしたか) 66 自 [前]
経済再生担当大臣、元裁判官訴追委員長、衆憲法審査会与党筆頭幹事、党政調会長代行、総務大臣、経済副大臣
当8 勤26・3
昭33年1月20日生(無派閥)

3区 **黄川田 仁志**(きかわだ ひとし) 53 自 [前]
党国防部会長、元内閣府副大臣、元外務大臣政務官、元国連環境計画主任研究員、松下政経塾、米国メリーランド大院修了
当4 勤11・10
昭45年10月13日生(無派閥)

4区 **穂坂 泰**(ほさか やすし) 50 自 [前]
外務大臣政務官、衆外務委員、元環境大臣政務官(兼)内閣府大臣政務官、志木市議会議員、青山学院大学卒、埼玉県
当2 勤7・0
昭49年2月17日生(無派閥)

5区
枝野幸男（えだのゆきお）　60　立憲　[前]
前党代表、元経産大臣、官房長官、行政刷新担当大臣、弁護士、東北大法、栃木県
当10　勤31・4
昭39年5月31日生

6区

大島敦（おおしまあつし）　67　立憲　[前]
憲法審査会、経産委、党企業・団体交流委員長、懲罰委員長、内閣府副大臣、総務副大臣、日本鋼管、ソニー生命、早大、北本市
当8　勤24・4
昭31年12月21日生

7区
中野英幸（なかのひでゆき）　62　自　[新]
法務大臣政務官、内閣㈮復興政務官、党商工・中小企業団体副委員長、厚生団体副委員長、広報戦略局次長、県議、日大中退、川越市
当1　勤2・11
昭36年9月6日生（無派閥）

8区
柴山昌彦（しばやままさひこ）　58　自　[前]
党政調会長代理、県連会長、教育・人材力強化調査会長、元幹事長代理、文部科学大臣、首相補佐官、弁護士、東大法、愛知県
当7　勤20・6
昭40年12月5日生（無派閥）

9区
大塚拓（おおつかたく）　51　自　[前]
党選対副委員長、前政調副会長、安保委員長、国防部会長、財務副大臣、内閣府副大臣、法務政務官、三菱銀、慶大法、ハーバード大院
当5　勤15・9
昭48年6月14日生（無派閥）

10区
山口晋（やまぐちすすむ）　41　自　[新]
党国対委員、衆農水委他、元内閣官房長官秘書官、衆院議員秘書、東京ガス社員、一橋大院、国立シンガポール大院修了
当1　勤2・11
昭58年7月28日生（無派閥）

11区
小泉龍司（こいずみりゅうじ）　71　自　[前]
法務大臣、元大蔵省証券局調査室長、東大法卒、東京都
当7　勤20・5
昭27年9月17日生（無派閥）

12区
森田俊和（もりたとしかず）　49　立憲　[前]
衆環境委筆頭理事、元埼玉県議、介護施設代表、早大院単位取得退学、埼玉県熊谷市
当2　勤7・0
昭49年9月19日生

13区
土屋品子（つちや しなこ） 72 自 [前]
復興大臣、総務会副会長、食育調査会長、厚生労働副大臣、環境副大臣、外務委員長、消費者特委員長、聖心女子大卒、春日部市
当8 勤24・9
昭27年2月9日生（無派閥）

14区
三ツ林裕巳（みつばやし ひろみ） 68 自 [前]
元内閣府副大臣、厚労政務官、厚労委員長、党副幹事長、医師、日本歯科大教授、日大客員教授、日大医学部卒、埼玉県幸手市
当4 勤11・10
昭30年9月7日生（無派閥）

15区

田中良生（たなか りょうせい） 60 自 [前]
元院財金委員長、元内閣府・国交副大臣、党経産部会長、副幹事長、経産大臣政務官、立教大、埼玉県
当5 勤15・9
昭38年11月11日生（無派閥）

千葉県

1区
田嶋要（たじま かなめ） 62 立憲 [前]
党NC経産大臣、党環境エネPT座長、経産委、原子力特委、[歴]原災現対本部長、経産政務官、世銀IFC、ウォートンMBA、東大法
当7 勤20・11
昭36年9月22日生

2区
小林鷹之（こばやし たかゆき） 49 自 [前]
経産委理事、憲法審幹事、党組織運動副本部長、前経済安全保障担当大臣、元防衛大臣政務官、財務省、ハーバード大院、千葉県
当4 勤11・10
昭49年11月29日生（無派閥）

3区
松野博一（まつの ひろかず） 61 自 [前]
前内閣官房長官、前情報監視審査会長、党総務会長代行、党雇用問題調会長、元文科大臣、厚労政務官、文科委長、松下政経塾、早大法、千葉県
当8 勤24・4
昭37年9月13日生（無派閥）

4区
野田佳彦（のだ よしひこ） 67 立憲 [前]
元内閣総理大臣、財務大臣、財務副大臣、衆懲罰委員長、県議、松下政経塾、早大政経、船橋市
当9 勤27・7
昭32年5月20日生

5区

英利アルフィヤ（えり） 35 自 [新]
法務、財金、消費者特委、青年局学生部副部長、広報戦略局次長、国連事務局本部、日銀、ジョージタウン大学外交政策学部、院卒
当1 勤1・5
昭63年10月16日生（麻生派）

6区

渡辺博道（わたなべひろみち） 74 自 [前]

党財務委長、党再犯防止推進特委長、前復興大臣、厚労委長、総務委長、経産副大臣、早大、明大院

当8　勤24・9

昭25年8月3日生（無派閥）

7区

齋藤健（さいとうけん） 65 自 [前]

経済産業大臣、法務大臣、党団体総局長、農水大臣、環境政務官、埼玉県副知事、東大、ハーバード大院卒、東京

当5　勤15・2

昭34年6月14日生（無派閥）

8区

本庄知史（ほんじょうさとし） 49 立憲 [新]

衆内閣委、憲法審、政治改革特委、党副幹事長、元副総理・外務大臣秘書官、元衆院議員政策秘書、東大法学部卒

当1　勤2・11

昭49年10月22日生

9区

奥野総一郎（おくのそういちろう） 60 立憲 [前]

予算委理事、総務委、憲法審査会委員、党役員室長、党千葉県連代表、総務省調査官、東大法卒、神戸市

当5　勤15・2

昭39年7月15日生

10区

林幹雄（はやしもとお） 77 自 [前]

元経産大臣、元国務大臣国家公安委長、元議運委長、日大芸、銚子

当10　勤31・4

昭22年1月3日生（無派閥）

11区

森英介（もりえいすけ） 76 自 [前]

衆憲法審査会長、党労政局長、党司法制度調査会長、元法務相、厚労副相、衆厚労委長、川崎重工、工学博士、東北大

当11　勤34・9

昭23年8月31日生（麻生派）

12区

浜田靖一（はまだやすかず） 68 自 [前]

防衛大臣、元党幹事長代理、党国対委員長、衆予算委員長、専修大、富津市

当10　勤31・4

昭30年10月21日生（無派閥）

13区

松本尚（まつもとひさし） 62 自 [新]

防衛大臣政務官、安保委、日本医科大学特任教授、千葉県医師会顧問、外傷外科医、ＭＢＡ、金沢大医学部、金沢市

当1　勤2・11

昭37年6月3日生（無派閥）

東京都

1区
山田美樹（やまだみき） 50 自［前］
党副幹事長、前環境副大臣、元外務政務官、エルメス、ボストンコンサル、通産省、東大法、コロンビア大MBA、東京
当4 勤11・10
昭49年3月15日生（無派閥）

2区
辻清人（つじきよと） 44 自［前］
外務副大臣、前党国対副委員長、元外務大臣政務官、京都大学卒、コロンビア大学院修了、米戦略国際問題研究員、東京
当4 勤11・10
昭54年9月7日生（無派閥）

3区
松原仁（まつばらじん） 68 無（立憲）［前］
外務委、元民主党国対委員長、国家公安委員長、拉致・消費者担当相、国交副大臣、元都議、松下政経塾、早大商、東京都
当8 勤24・4
昭31年7月31日生

4区
平将明（たいらまさあき） 57 自［前］
衆原子力特委委員長、元内閣府副大臣、環境委長、党副幹事長、情報調査局長、経産(兼)内閣府政務官、早大法卒、江戸川区
当6 勤19・1
昭42年2月21日生（無派閥）

5区
手塚仁雄（てづかよしお） 57 立憲［前］
党幹事長代理、党都連幹事長、元衆議運委野党筆頭理事、元内閣総理大臣補佐官、都議、早大、目黒区
当5 勤15・7
昭41年9月14日生

6区
落合貴之（おちあいたかゆき） 45 立憲［前］
衆政治改革特委理事、経産委、党副幹事長、党政治改革実行本部事務局長、党都連政調会長、元銀行員、慶大経済、世田谷区
当3 勤9・10
昭54年8月17日生

7区
長妻昭（ながつまあきら） 64 立憲［前］
党政調会長、元厚生労働大臣、衆厚生労働委員長、日経ビジネス記者、NEC、慶大法卒、東京
当8 勤24・4
昭35年6月14日生

8区
吉田はるみ（よしだ） 52 立憲［新］
外資系経営コンサルタント、法務大臣政務秘書官、大学特任教授、立教大卒、バーミンガム大学経営大学院修了、山形県
当1 勤2・11
昭47年1月1日生

9区　山岸一生（やまぎし いっせい）　43　立憲［新］

予算委、内閣委、情報監視審委、党政調会長筆頭補佐、党政治改革実行本部役員、元朝日新聞記者、東大法卒、練馬区

当1　勤2・11

昭56年8月28日生

10区　鈴木隼人（すずき はやと）　47　自［前］

前外務大臣政務官、外務委、元経産省課長補佐、東大、東大院修、東京

当3　勤9・10

昭52年8月8日生(無派閥)

11区　下村博文（しもむら はくぶん）　70　無(自民)［前］

元党政調会長、党選対委員長、幹事長代行、総裁特別補佐・副幹事長、文科教育再生オリパラ担当大臣、内閣官房副長官、早大、群馬県

当9　勤28・1

昭29年5月23日生

12区　岡本三成（おかもと みつなり）　59　公［前］

経産委員長、党国際委員長、元財務副大臣、元外務政務官、ゴールドマン・サックス証券、ケロッグ経営大学院、創価大、佐賀県

当4　勤11・10

昭40年5月5日生

13区　土田慎（つちだ しん）　33　自［新］

デジタル大臣政務官(兼)内閣府大臣政務官、参議院議長参事、(現)株式会社リクルート、京大経、神奈川県

当1　勤2・11

平2年10月30日生(麻生派)

14区　松島みどり（まつしま）　68　自［前］

党住宅土地・都市政策調会長、中小企業・小規模事業者政策調会長代、元法務大臣、経産・国交副大臣、外務政務官、朝日記者、東大、豊中市

当7　勤21・0

昭31年7月15日生(無派閥)

15区　酒井なつみ（さかい）　38　立憲［新］

衆安保委員、党政調会長補佐、元江東区議、昭和大学江東豊洲病院、看護師、助産師、中林病院助産師学院卒、北九州市

当1　勤0・5

昭61年7月24日生

16区　大西英男（おおにし ひでお）　78　自［前］

前衆議院内閣委員長、元国交副大臣、元総務政務官、元都議会自民党幹事長、國學院大卒、元江戸川区議長、江戸川区松島

当4　勤11・10

昭21年8月28日生(無派閥)

17区 平沢勝栄（ひらさわ かつえい） 78 自 [前]
元党国際局長、元復興大臣、党広報本部長、政調会長代理、外務委長、内閣府副大臣、官房長官秘書官、東大法、岐阜
当9 勤28・1
昭20年9月4日生（無派閥）

18区 菅直人（かん なおと） 77 立憲 [前]
党最高顧問、元内閣総理大臣、民主党代表、財務相、国家戦略担当、厚相、さきがけ政調会長、社民連政審会長、弁理士、東工大、宇部市
当14 勤44・5
昭21年10月10日生

19区 末松義規（すえまつ よしのり） 67 立憲 [前]
衆財務金融委筆頭理事、党財金部会長、初代復興副大臣、総理補佐官、内閣府副大臣、一橋大、米国プリンストン大学院、北九州市
当7 勤23・3
昭31年12月5日生

20区 木原誠二（きはら せいじ） 54 自 [前]
党幹事長代理(兼)政調会長特別補佐、前内閣官房副長官、元外務副大臣、外務政務官、内閣委員長、財務省、東大法、東京都
当5 勤15・9
昭45年6月8日生（無派閥）

21区 小田原潔（おだわら きよし） 60 自 [前]
衆外務委、財金委、党金融調査会事務総長、元外務副大臣、モルガンスタンレー証券MD、富士銀行NY支店、東大経、大分県
当4 勤11・10
昭39年5月23日生（無派閥）

22区 伊藤達也（いとう たつや） 63 自 [前]
衆予算委、党国際局長、中小企業調査会長、税調副会長、元金融相、総理補佐官、通産政務次官、衆財金委員長、慶大、東京
当9 勤28・0
昭36年7月6日生（無派閥）

23区 小倉將信（おぐら まさのぶ） 43 自 [前]
副幹事長、前少子化担当大臣、元総務大臣政務官、元日本銀行員、東京大学法学部卒、オックスフォード大学院修了、東京都
当4 勤11・10
昭56年5月30日生（無派閥）

24区 萩生田光一（はぎうだ こういち） 61 自 [前]
前党政調会長、元経産大臣、元文科大臣、党幹事長代行、内閣官房副長官、党青年局長、都議、市議、明大、八王子市
当6 勤17・7
昭38年8月31日生（無派閥）

25区
井上信治（いのうえ しんじ）54　自　[前]
党幹事長代理、元国際博覧会担当大臣、内閣府特命担当大臣、環境副大臣、内閣府副大臣、内閣委員長、国交省、東大法卒
当7　勤20・11
昭44年10月7日生（麻生派）

神奈川県

1区
篠原　豪（しのはら ごう）49　立憲　[前]
安全保障委員、党政務調査会副会長、党外交安全保障戦略PT事務局長、党県政策委員長、横浜市議、早大院、横浜市
当3　勤9・10
昭50年2月12日生

2区
菅　義偉（すが よしひで）75　自　[前]
前内閣総理大臣、元内閣官房長官、拉致問題担当大臣、党幹事長代行、総務大臣、経産・国交政務官、横浜市議、法政大学、秋田県
当9　勤28・1
昭23年12月6日生（無派閥）

3区
中西健治（なかにし けんじ）60　自　[新]
衆決算行監委筆頭理事、元財務副大臣、元党財金部会長、元党法務部会長、JPモルガン証券副社長、東大法卒、東京都
当1　勤14・4（参2、勤11・5）
昭39年1月4日生（麻生派）

4区
早稲田ゆき（わせだ）65　立憲　[前]
衆予算委員、厚労委員、地こデジ特委員、障がい・難病PT座長、元神奈川県議、元鎌倉市議、日本輸出入銀行、早大法卒、東京都
当2　勤7・0
昭33年12月6日生

5区
坂井　学（さかい まなぶ）58　自　[前]
党花博特委長、内閣官房副長官、総務内閣府・財務副大臣、国交部会長、国交復興政務官、議員秘書、配管工、松下政経塾、東大法、府中市
当5　勤15・9
昭40年9月4日生（無派閥）

6区
古川直季（ふるかわ なおき）56　自　[新]
総務委、文科委、政治改革特委、党国対委、横浜市会議員、衆議院議員秘書、横浜銀行行員、明治大政経、明治大院、横浜市
当1　勤2・11
昭43年8月31日生（無派閥）

7区
鈴木馨祐（すずき けいすけ）47　自　[前]
財金委理事、党政調副会長、元外務副大臣、財務副大臣、党青年局長、国交政務官、予算理、大蔵省、在NY副領事、東大法、目黒区
当5　勤15・9
昭52年2月9日生（麻生派）

8区
江田憲司(えだけんじ) 68 立憲[前]
衆財務金融委員、前党代表代行、元民進党代表代行、桐蔭横浜大客員教授、首相・通産相秘書官、ハーバード大、東大法、岡山
当7 勤20・2
昭31年4月28日生

9区
笠浩史(りゅうひろふみ) 59 立憲[前]
党国対委員長代理、元衆科技特委員長、元希望の党国対委員長、元文科副大臣、元文科政務官、元テレ朝記者、慶大文卒、福岡県
当7 勤20・11
昭40年1月3日生

10区
田中和徳(たなかかずのり) 75 自[前]
政倫審会長、党交通安全対策特委長、保護司議連会長、元復興大臣、党幹事長代理、財金委員長、神奈川県議、川崎市議、法大
当9 勤28・1
昭24年1月21日生(麻生派)

11区
小泉進次郎(こいずみしんじろう) 43 自[前]
衆安保委員長、前国対副委員長、党総務会長代理、環境大臣、党厚労・農林部会長、筆頭副幹事長、コロンビア大院修了、横須賀市
当5 勤15・2
昭56年4月14日生(無派閥)

12区
阿部知子(あべともこ) 76 立憲[前]
衆厚労委、原子力特委、「原発ゼロ・再エネ100の会」事務局長、小児科医、東大医学部、目黒区
当8 勤24・4
昭23年4月24日生

13区
太栄志(ふとりひでし) 47 立憲[新]
内閣委理事、政治改革特委、衆議員秘書、米ハーバード大国際問題研究所員、ウィルソン・センター研究員、中大法、中大院、鹿児島
当1 勤2・11
昭52年4月27日生

14区
あかま二郎(じろう) 56 自[前]
国交委筆頭理事、元国交委長、党総務部会長、内閣府副大臣、総務副大臣、県議、立教大、マンチェスター大学院、相模原市
当5 勤15・9
昭43年3月27日生(麻生派)

15区
河野太郎(こうのたろう) 61 自[前]
デジタル大臣、党広報本部長、前行政・規制改革相、防衛相、ワクチン接種担当相、元外相、防災相、米ジョージタウン大、平塚市
当9 勤28・1
昭38年1月10日生(麻生派)

16区
後藤祐一（ごとう ゆういち） 55 立憲 [前]
衆議運委理事、国家基本委理事、党国対副委員長、都市農業推進議連会長、経産省課長補佐、東大法、相模原市
当5　勤15・2
昭44年3月25日生

17区
牧島かれん（まきしま） 47 自 [前]
前デジタル大臣、党副幹事長、元内閣府大臣政務官、大学客員教授、国際基督教大（ICU）大学院博士号取得、神奈川県
当4　勤11・10
昭51年11月1日生（麻生派）

18区
山際大志郎（やまぎわ だいしろう） 55 自 [前]
党競争政策調査会長、元内閣府特命担当大臣、元内閣委員長、元経産副大臣、獣医学博士、東大院修了、東京都
当6　勤17・7
昭43年9月12日生（麻生派）

新潟県

1区
西村智奈美（にしむら ちなみ） 57 立憲 [前]
党代表代行、党県連代表、厚労委、拉致特委、元厚労副大臣、元外務政務官、新潟県議、新潟大院、旧吉田町
当6　勤18・11
昭42年1月13日生

2区
細田健一（ほそだ けんいち） 60 自 [前]
党農林部会長、元経産副大臣、元予算委理事、元農水政務官、経産省、京大法、ハーバード院、東京
当4　勤11・10
昭39年7月11日生（無派閥）

3区
斎藤洋明（さいとう ひろあき） 47 自 [前]
総務大臣政務官、衆総務委理事、農水・財金・拉致特各委、原子力特委理、労政局次長、元公取委、内閣府、学習院、神戸大院、村上市
当4　勤11・10
昭51年12月8日生（麻生派）

4区
菊田真紀子（きくた まきこ） 54 立憲 [前]
衆災害特筆頭理事、党ネクスト文科・子ども大臣、拉致対策副本部長、元外務政務官、中国黒龍江大学留学、加茂高卒、加茂市
当7　勤20・11
昭44年10月24日生

5区
米山隆一（よねやま りゅういち） 56 立憲 [新]
前新潟県知事、医師、医学博士、弁護士、医療法人財団綜友会理事、おおたか総合法律事務所代表弁護士、東大医学部医学科卒
当1　勤2・11
昭42年9月8日生

6区

梅谷(うめたに) **守**(まもる) 50 立憲 [新]

党政務調査会長補佐、衆農水委、拉致特委、元新潟県議、国会議員政策担当秘書、早大

当1 勤2・11

昭48年12月9日生

富山県

1区

田畑(たばた) **裕明**(ひろあき) 51 自 [前]

党社会保障制度調査会事務局次長、衆厚労委員長、党厚労部会長、元総務副大臣、厚労政務官、県議、市議、獨協大、富山市

当4 勤11・10

昭48年1月2日生(無派閥)

2区

上田(うえだ) **英俊**(えいしゅん) 59 自 [新]

衆農林水産委、厚生労働委、党組織運動本部地方組織・議員総局長、元富山県議会議長・県連幹事長、早稲田大学卒

当1 勤2・11

昭40年1月22日生(無派閥)

3区

橘(たちばな) **慶一郎**(けいいちろう) 63 自 [前]

議運理事、農水・地こデジ特委、党国対副委長、前党団体総局長、元復興副大臣、総務政務官、高岡市長、北開庁、東大、高岡市

当5 勤15・2

昭36年1月23日生(無派閥)

石川県

1区

小森(こもり) **卓郎**(たくお) 54 自 [新]

衆国交委、衆内閣委、総務大臣政務官、金融庁総合政策課長、防衛省会計課長、石川県総務部長、プリンストン大院修了、東大法卒

当1 勤2・11

昭45年5月21日生(無派閥)

2区

佐々木(ささき) **紀**(はじめ) 49 自 [前]

党国交部会長、元国交大臣政務官、党青年局長、会社役員、東北大法卒、能美市

当4 勤11・10

昭49年10月18日生(無派閥)

3区

西田(にしだ) **昭二**(しょうじ) 55 自 [前]

国土交通・内閣・復興政務官、党総務、党国交副部会長、元県議会副議長、県議(3期)、市議(3期)、秘書、愛知学院大卒、七尾市

当2 勤7・0

昭44年5月1日生(無派閥)

福井県

1区

稲田(いなだ) **朋美**(ともみ) 65 自 [前]

党幹事長代理、党整備新幹線等鉄道調査会長、元防衛大臣、行革担当相、党政調会長、弁護士、早大法卒、越前市

当6 勤19・1

昭34年2月20日生(無派閥)

2区

高木　毅（たかぎ　つよし）68 無（自民）［前］

前国会対策委員長、前衆院議院運営委員長、元原子力特別委員長、復興大臣、国交副大臣、防衛政務官、青学卒、敦賀市

当8　勤24・4

昭31年1月16日生

山梨県

1区

中谷　真一（なかたに　しんいち）47 自［前］

議運理事、国会対策副委員長、前経産副大臣、元外務大臣政務官、元自衛官、参院議員秘書、防衛大、甲府市

当4　勤11・10

昭51年9月30日生（無派閥）

2区

堀内　詔子（ほりうち　のりこ）58 自［前］

党副幹事長、元ワクチン接種推進大臣、東京オリパラ大臣、元環境㊥内閣府副大臣、元厚労政務官、学習院大大学院、山梨県笛吹市

当4　勤11・10

昭40年10月28日生（無派閥）

長野県

1区

若林　健太（わかばやし　けんた）60 自［新］

党国対副委員長、元外務政務官、参農水委員長、監査法人代表社員、長野JC理事長、税理士、公認会計士、慶大、早大院、長野市

当1　勤9・0（参1、勤6・1）

昭39年1月11日生（無派閥）

2区

下条　みつ（しもじょう　みつ）68 立憲［前］

文科委、拉致特委、元防衛大臣政務官、拉致特委員長、予算委理事、党総務、厚生大臣秘書官、富士銀、信州大卒、松本市

当5　勤16・1

昭30年12月29日生

3区

井出　庸生（いで　ようせい）46 自［前］

党国対副委員長、文部科学副大臣、党厚労部会長代理、司法制度調査会事務局長、衆法務委、元NHK記者、東大卒

当4　勤11・10

昭52年11月21日生（麻生派）

4区

後藤　茂之（ごとう　しげゆき）68 自［前］

こ若未来本部長、税調小委長代理、前経済再生大臣、元厚生労働大臣、社保調査会長、政調会長代理、衆厚労委長、大蔵省、東大法

当7　勤21・0

昭30年12月9日生（無派閥）

5区

宮下　一郎（みやした　いちろう）66 自［前］

党長野県連会長、前農林水産大臣、元党農林・経産部会長、元内閣府・財務副大臣、元衆院財務金融委員長、東大、伊那市

当6　勤17・7

昭33年8月1日生（無派閥）

岐阜県

1区

野田聖子（のだせいこ） 63 自 [前]

党情報通信戦略調査会長、元内閣府特命担当相、党幹事長代行、予算委員長、総務相、党総務会長、郵政相、県議、帝国ホテル、上智大

当10　勤31・4

昭35年9月3日生（無派閥）

2区

棚橋泰文（たなはしやすふみ） 61 自 [前]

党行政改革推進本部長、国家公安委員長、衆予算委員長、党幹事長代理、国務大臣、党青年局長、通産省、弁護士、東大、岐阜県

当9　勤28・1

昭38年2月11日生（麻生派）

3区

武藤容治（むとうようじ） 68 自 [前]

衆議運理事、党国対副委員長、鳥獣被害対策特委長、元衆農林委長、経産副大臣、外務副大臣、総務政務官、会社会長、慶大商卒、岐阜県

当5　勤15・9

昭30年10月18日生（麻生派）

4区

金子俊平（かねこしゅんぺい） 46 自 [前]

党国交副部会長、財務政務官、党副幹事長、党農林副部会長、国交相秘書官、日本JCブロック会長、三井不動産、慶大、高山市

当2　勤7・0

昭53年5月28日生（無派閥）

5区

古屋圭司（ふるやけいじ） 71 自 [前]

党憲法改正実現本部長、元議運委長、国家公安委長、拉致・国土強靭化・防災相、党選対委員長、成蹊大、恵那市

当11　勤34・9

昭27年11月1日生（無派閥）

静岡県

1区

上川陽子（かみかわようこ） 71 自 [前]

外務大臣、党幹事長代理、法務大臣、総務副大臣、内閣府特命大臣、公文書管理担当相、東大、ハーバード大院、静岡市

当7　勤21・0

昭28年3月1日生（無派閥）

2区

井林辰憲（いばやしたつのり） 48 自 [前]

内閣府副大臣、元衆財金委理事、元環境兼内閣府大臣政務官、元国交省、中部地整地域道路課長、京大工学部卒、大学院修、東京都

当4　勤11・10

昭51年7月18日生（麻生派）

3区

小山展弘（こやまのぶひろ） 48 立憲 [元]

予算委、経産委、財金委、災害特委、党つながる本部副、党企業団体委副、党静岡県連副、早大院修了、静岡県小笠郡大須賀町

当3　勤9・1

昭50年12月26日生

4区
深澤陽一(ふかざわ よういち) 48 自 [前]
外務大臣政務官、外務委、元党財金副部会長、元厚生労働大臣政務官、元県議、市議、衆議員秘書、信州大卒、静岡県
当2 勤4・6
昭51年6月21日生(無派閥)

5区
細野豪志(ほその ごうし) 53 自 [前]
元民進党代表代行、民主党幹事長・政調会長、環境大臣、原発事故収束・再発防止担当大臣、内閣府特命担当大臣、京大法卒、滋賀県
当8 勤24・4
昭46年8月21日生(無派閥)

6区
勝俣孝明(かつまた たかあき) 48 自 [前]
外務委員長、元農林水産副大臣、元環境大臣政務官、スルガ銀行員、学習院大、慶應大院経営管理修士、沼津市
当4 勤11・10
昭51年4月7日生(無派閥)

7区
城内実(きうち みのる) 59 自 [前]
党副幹事長、党政調副会長、外務委筆頭理事、元外務委員長、元環境副大臣、元外務副大臣、外務省、東大卒、浜松市
当6 勤17・0
昭40年4月19日生(無派閥)

8区
源馬謙太郎(げんま けんたろう) 51 立憲 [前]
外務筆頭理事、議運委、党副幹事長、国際局長、県連代表、静岡県議、松下政経塾、成蹊大、American University 大学院卒、浜松市
当2 勤7・0
昭47年12月21日生

愛知県

1区
熊田裕通(くまだ ひろみち) 60 自 [前]
法務委理事、環境委、拉致特委、総務副大臣、防衛大臣政務官、国対副委員長、県議、総理大臣秘書、神奈川大法、名古屋市
当4 勤11・10
昭39年8月28日生(無派閥)

2区
古川元久(ふるかわ もとひさ) 58 国民 [前]
党国会対策委員長、国交委、元国家戦略担当大臣、官房副長官、大蔵省、米国コロンビア大学院留学、東大卒、名古屋市
当9 勤28・1
昭40年12月6日生

3区
近藤昭一(こんどう しょういち) 66 立憲 [前]
前党副代表、元環境副大臣、衆総務委員長、衆外務委筆頭理事、党企業・団体交流委顧問、元中日新聞社事業局、上智大、名古屋市
当9 勤28・1
昭33年5月26日生

（衆）略歴

4区
工藤彰三（くどう しょうぞう） 59 自 [前]
内閣府副大臣、内閣委理、文科委理、災害特委理、内閣第一部会長、国交政務官、名古屋市議、中央大卒、名古屋市
当4 勤11・10
昭39年12月8日生（麻生派）

5区
神田憲次（かんだ けんじ） 61 自 [前]
衆経産委、農水委、原子力特委、前財務副大臣、内閣委理、財金委、党内閣第二部会長、税理士、中京大院、愛知学院大院修了
当4 勤11・10
昭38年2月19日生（無派閥）

6区
丹羽秀樹（にわ ひでき） 51 自 [前]
議運委筆頭理事、党国対筆頭副委員長、前文科・内閣府副大臣、元厚労委員長、議員秘書、玉川大卒、春日井市
当6 勤17・5
昭47年12月20日生（無派閥）

7区
鈴木淳司（すずき じゅんじ） 66 自 [前]
衆経産委、前総務大臣、元法務・原子力特委員長、党原子力規制特委員長、総務・経産副大臣、瀬戸市議、松下政経塾、早大
当6 勤17・7
昭33年4月7日生（無派閥）

8区
伊藤忠彦（いとう ただひこ） 60 自 [前]
衆法務委員長、前震災復興特委員長、前国交委員長、前国交部会長、前環境副大臣、県議、電通、早大法、愛知県
当5 勤15・9
昭39年7月11日生（無派閥）

9区
長坂康正（ながさか やすまさ） 67 自 [前]
国土交通委員長、元経産（兼）内閣府副大臣、元内閣府（兼）復興政務官、愛知県議、総理大臣秘書、青山学院大学卒
当4 勤11・10
昭32年4月10日生（麻生派）

10区
江﨑鐵磨（えさき てつま） 80 自 [前]
元総務会長代理、元内閣府特命大臣（沖縄・北方・消費者担当）、法務・消費者委員長、国交副大臣、外務総括次官、（財）日本武道館役員、立教大、一宮市
当8 勤24・7
昭18年9月17日生（無派閥）

11区
八木哲也（やぎ てつや） 77 自 [前]
環境副大臣、党国会対策副委員長、予算・環境・復興特各委、環境大臣政務官、党副幹事長、豊田市議長、中央理工、豊田市
当4 勤11・10
昭22年8月10日生（無派閥）

12区

重徳和彦（しげとく かずひこ）　53　立憲　[前]

党愛知県連代表、安保委理、経産委、元総務省課長補佐、コロンビア大修士、東大法卒、愛知県

当4　勤11・10

昭45年12月21日生

13区

大西健介（おおにし けんすけ）　53　立憲　[前]

党政調会長代理、衆予算委、厚労委、消費者問題特委、元議員秘書、在米日本大使館書記官、参院職員、京大法、奈良県

当5　勤15・2

昭46年4月13日生

14区

今枝宗一郎（いまえだ そういちろう）　40　自　[前]

文部科学副大臣、財務大臣政務官、衆・予算委員会理事／農水委員会理事、党経産部会長代理／国交部会長代理、党青年部長

当4　勤11・10

昭59年2月18日生（麻生派）

15区

根本幸典（ねもと ゆきのり）　59　自　[前]

衆総務・文科・災対特各委員、党総務部会長、元国土交通兼内閣府大臣政務官、豊橋市議、一橋大経卒、豊橋市

当4　勤11・10

昭40年2月21日生（無派閥）

三重県

1区

田村憲久（たむら のりひさ）　59　自　[前]

党政調会長代行、裁判官訴追委員長、元厚労大臣（2回）、元総務副大臣、元厚労委員長、保育議連会長、千葉大、松阪市

当9　勤28・1

昭39年12月15日生（無派閥）

2区

川崎ひでと（かわさき）　42　自　[新]

総務・厚労・政治改革特委、党青年局団体部長・ネットメディア局次長、衆議院議員秘書、NTTドコモ、法政大卒、三重県伊賀市

当1　勤2・11

昭56年11月4日生（無派閥）

3区

岡田克也（おかだ かつや）　71　立憲　[前]

立憲民主党幹事長、元外相、元副総理、元民進党代表、元民主党代表、東大、三重県

当11　勤34・9

昭28年7月14日生

4区

鈴木英敬（すずき えいけい）　50　自　[新]

党文部科学部会副部会長、前内閣府大臣政務官、党憲法改正実現本部事務局次長、三重県知事（3期）、経済産業省、東大

当1　勤2・11

昭49年8月15日生（無派閥）

滋賀県

1区
大岡敏孝（おおおか としたか） 52 自［前］
厚労理事、元環境副大臣、元財務大臣政務官、スズキ自動車、県議、市議、中小企業診断士、早大卒、甲賀市
当4 勤11・10
昭47年4月16日生（無派閥）

2区
上野賢一郎（うえの けんいちろう） 59 自［前］
予算委理事、党選対副委員長、党税調幹事、財務副大臣、党経産部会長、党財金部会長、国交政務官、京大法、長浜市
当5 勤15・9
昭40年8月3日生（無派閥）

3区
武村展英（たけむら のぶひで） 52 自［前］
農林水産副大臣、元内閣府政務官、党副幹事長、党総務部会長、新日本監査法人、公認会計士、慶大、草津市
当4 勤11・10
昭47年1月21日生（無派閥）

4区
小寺裕雄（こてら ひろお） 63 自［前］
文科・復興特委理事、農水・地こデジ委、党農林副部会長、内閣府大臣政務官、県議会副議長、JC理事長、同志社大、東近江市
当2 勤7・0
昭35年9月18日生（無派閥）

京都府

1区
勝目康（かつめ やすし） 50 自［新］
党京都府第一選挙区支部長、総務省室長、京都府総務部長、内閣官房副長官秘書官、在仏大使館書記官、東大法、京都市
当1 勤2・11
昭49年5月17日生（無派閥）

2区
前原誠司（まえはら せいじ） 62 教育（維教）［前］
衆文科委、党代表、元外相、国交相、国家戦略担当相、民主党、民進党代表、松下政経塾、府議、京大法、京都市
当10 勤31・4
昭37年4月30日生

3区
泉健太（いずみ けんた） 50 立憲［前］
党代表、国家基本委、元政務調査会長、国民民主党国対委員長、元議運委筆頭理事、内閣府大臣政務官、立命館大法卒、北海道
当8 勤21・0
昭49年7月29日生

4区
北神圭朗（きたがみ けいろう） 57 無（有志）［元］
衆農水委、憲法審委、元首相補佐官、経済産業大臣政務官、内閣府大臣政務官、経産委筆頭理事、大蔵省職員、京大法卒
当4 勤11・8
昭42年2月1日生

5区
本田太郎（ほんだたろう）　50　自　[前]
議運委、総務委理、厚労委、党税調幹事、党厚労副部会長、外務大臣政務官、弁護士、京都府議、東大法
当2　勤7・0
昭48年12月1日生（無派閥）

6区
山井和則（やまのいかずのり）　62　立憲　[前]
衆厚労委、党国対筆頭副委長、元民進党国対委長、元民主党国対委長、元厚労政務官、立命館大講師、松下政経塾、京大工院、京都市
当8　勤24・4
昭37年1月6日生

大阪府

1区
井上英孝（いのうえひでたか）　52　維新（維教）　[前]
党会計監査人代表、選対本部長代行、懲罰委理事、元科技特委員長、大阪市議、近畿大、大阪市港区
当4　勤11・10
昭46年10月25日生

2区
守島正（もりしまただし）　43　維新（維教）　[新]
経産委理事、予算委、政調副会長、経産部会長、中小企業診断士、大阪市議3期、大阪市大院修了、同志社大卒、大阪市
当1　勤2・11
昭56年7月15日生

3区
佐藤茂樹（さとうしげき）　65　公　[前]
党国会対策委員長、党外交安全保障調査会長、党関西方面副本部長、元厚生労働副大臣、衆文科委員長、国交政務官、京大、滋賀県
当10　勤28・4
昭34年6月8日生

4区
美延映夫（みのべてるお）　63　維新（維教）　[前]
法務委員会、震災復興特別委員会、大阪維新の会議員団幹事長2期、大阪市監査委員、大阪市議、会社役員、神戸学院大
当2　勤4・6
昭36年5月23日生

5区
國重徹（くにしげとおる）　49　公　[前]
党広報局長、青年委員長、国交部会長、衆国交委理事、消費者特理事、憲法審、元総務政務官、弁護士、税理士、創価大、大阪市
当4　勤11・10
昭49年11月23日生

6区
伊佐進一（いさしんいち）　49　公　[前]
党厚生労働部会長、前厚生労働副大臣、元財務大臣政務官、東大卒、米ジョンズ・ホプキンス大院修、大阪府守口市
当4　勤11・10
昭49年12月10日生

7区
奥下剛光（おくした たけみつ） 48 維新(維教)[新]
衆環境委理事、予算委、沖北特委、国対副委員長、元大阪市長特別秘書、元大阪府知事秘書、元総理秘書、専修大学、大阪府
当1 勤2・11
昭50年10月4日生

8区
漆間譲司（うるま じょうじ） 49 維新(維教)[新]
予算委員会理事、国土交通委、党政調副会長、代表付、大阪府議3期、銀行勤務、会社役員、慶應大卒、大阪府門真市
当1 勤2・11
昭49年9月14日生

9区
足立康史（あだち やすし） 58 維新(維教)[前]
厚生労働委理事、前党国会議員団政務調査会長、元経産大臣官房参事官、米コロンビア大院、京大、大阪府
当4 勤11・10
昭40年10月14日生

10区
池下卓（いけした たく） 49 維新(維教)[新]
法務委理事、拉致問題特委、党国会議員団政調会副会長、法務部会長、党会計監査人、元大阪府議、税理士、龍谷大院、高槻市
当1 勤2・11
昭50年4月10日生

11区
中司宏（なかつか ひろし） 68 維新(維教)[新]
衆総務委理事、情報監視審査会、議運委、党代表補佐、国対委員長代理、元枚方市長、府議、産経記者、早大卒、枚方市
当1 勤2・11
昭31年3月11日生

12区
藤田文武（ふじた ふみたけ） 43 維新(維教)[前]
党幹事長、維新・衆議院大阪府第12区支部長、会社役員、筑波大学卒業、大阪府立四條畷高校卒業、寝屋川市出身
当2 勤5・6
昭55年12月27日生

13区
岩谷良平（いわたに りょうへい） 44 維新(維教)[新]
衆憲法審委員、安保委員、党副幹事長、行政書士、元大阪府議、元会社経営者、早大法卒、京産大院修了（法務博士）、大阪府
当1 勤2・11
昭55年6月7日生

14区
青柳仁士（あおやぎ ひとし） 45 維新(維教)[新]
外務委理事、憲法審、党国会議員団政調会長代行、党国際局長、元国連職員、元JICA職員、早大政経学部、デューク大学修士
当1 勤2・11
昭53年11月7日生

15区

浦野靖人（うらのやすと）　51　維新(維教)［前］

衆決算行政監視委委員、政倫審幹事、政治改革特委員、党選対本部長代理、保育士、大阪府議、聖和大（現関西学院大）卒

当4　勤11・10

昭48年4月4日生

16区

北側一雄（きたがわかずお）　71　公［前］

党副代表、同中央幹事会会長、元国土交通大臣・観光立国担当大臣、党幹事長、弁護士、税理士、創価大法卒、大阪府

当10　勤31・5

昭28年3月2日生

17区

馬場伸幸（ばばのぶゆき）　59　維新(維教)［前］

党代表、衆憲法審幹事、衆国家基本委、元堺市議会議長、衆院議員中山太郎秘書、大阪維新の会副代表、鳳高校卒、堺市

当4　勤11・10

昭40年1月27日生

18区

遠藤敬（えんどうたかし）　56　維新(維教)［前］

党国対委員長、(社)秋田犬保存会会長、日本青年会議所大阪ブロック協議会長、大産大附属高卒、高石市

当4　勤11・10

昭43年6月6日生

19区

伊東信久（いとうのぶひさ）　60　維新(維教)［元］

財金委理事、地こデジ特委、党政調会副会長、医療法人理事長、大阪大学大学院招聘教授、神戸大学卒、大阪府

当3　勤7・9

昭39年1月4日生

兵庫県

1区

井坂信彦（いさかのぶひこ）　50　立憲［元］

予算委、決算委理事、厚労委理事、消費者特委、党デジタルPT・フリーランスWT事務局長、行政書士、神戸市議、京大

当3　勤7・9

昭49年3月27日生

2区

赤羽一嘉（あかばかずよし）　66　公［前］

党幹事長代行、前国土交通大臣、元経産(兼)内閣府副大臣、財務副大臣、国交委委員長、三井物産、慶應義塾法卒、東京都

当9　勤28・0

昭33年5月7日生

3区

関芳弘（せきよしひろ）　59　自［前］

党副幹事長、元経産副大臣、元環境副大臣、三井住友銀行、関学大、英国国立ウェールズ大学院（MBA取得）、小松島市

当5　勤15・9

昭40年6月7日生（無派閥）

4区 藤井比早之（ふじい ひさゆき） 52 自 [前]
党外交部会長、外務委理、元党副幹事長、党選対副委員長、元内閣副大臣、デジタル副大臣、元国交政務官、東大法卒
当4 勤11・10
昭46年9月11日生（無派閥）

5区 谷公一（たに こういち） 72 自 [前]
地こデジ特委長、前国家公安委員長、防災担当大臣、元予算委筆頭理事、国交・復興特委長、元復興大臣補佐官、明大、兵庫県
当7 勤20・11
昭27年1月28日生（無派閥）

6区 市村浩一郎（いちむら こういちろう） 60 維新（維教） [元]
党代議士会長、経産委、復興特委、元国交大臣政務官、松下政経塾9期生、一橋大学
当4 勤12・0
昭39年7月16日生

7区 山田賢司（やまだ けんじ） 58 自 [前]
党文科部会長、前外務副大臣、元外務政務官、元議事進行係、三井住友銀行、通産省出向、神戸大法、大阪府
当4 勤11・10
昭41年4月20日生（麻生派）

8区 中野洋昌（なかの ひろまさ） 46 公 [前]
経済産業委員会理事、党経済産業部会長、元経産大臣政務官、元国交省課長補佐、東大、米コロンビア大院修了、京都市
当4 勤11・10
昭53年1月4日生

9区 西村康稔（にしむら やすとし） 61 無（自民） [前]
前経済産業大臣、元経済再生・コロナ対策担当大臣、内閣官房副長官、内閣府副大臣、自民党筆頭副幹事長、東大法学部
当7 勤20・11
昭37年10月15日生

10区 渡海紀三朗（とかい きさぶろう） 76 自 [前]
党政調会長、衆国家基本委、元文科相、決算行監委長、総理大臣補佐官、政倫審会長、早大理工卒、一級建築士、高砂市
当10 勤31・3
昭23年2月11日生（無派閥）

11区 松本剛明（まつもと たけあき） 65 自 [前]
総務大臣、元外務大臣、衆議運委長、党税調副会長、政調会長代理、国協調会長、競争調会長、党改革本部、旧興銀、東大法
当8 勤24・4
昭34年4月25日生（麻生派）

12区

山口 壯（やまぐち つよし） 69 自 [前]
環境大臣、前党筆頭副幹事長、選対副委員長、元拉致特委長、内閣府・外務各副大臣、国際政治学博士、米ジョンズホプキンス大院卒、東大法卒
当7 勤22・6
昭29年10月3日生（無派閥）

奈良県

1区

馬淵 澄夫（まぶち すみお） 64 立憲 [前]
元国土交通大臣・副大臣、内閣府特命担当大臣（沖縄及び北方）、総理補佐官、横浜国立大、奈良市
当7 勤19・7
昭35年8月23日生

2区

高市 早苗（たかいち さなえ） 63 自 [前]
経済安全保障・科学技術政策担当大臣、元総務大臣、元議院運営委員長、元自民党政調会長、近畿大学教授、神戸大
当9 勤29・6
昭36年3月7日生（無派閥）

3区

田野瀬 太道（たのせ たいどう） 50 自 [前]
衆文部科学委員長、元文部科学（兼）内閣府副大臣、文科（兼）内閣（兼）復興大臣政務官、衆議運理事、議事進行係、早大、五條市
当4 勤11・10
昭49年7月4日生（無派閥）

和歌山県

1区

林 佑美（はやし ゆみ） 43 維新（維教） [新]
予算委、環境委、消費者特理、日本維新の会和歌山県総支部副代表、会社役員、和歌山市議、立命館大学大学院政策科学研究科修了
当1 勤1・5
昭56年5月12日生

2区

石田 真敏（いしだ まさとし） 72 自 [前]
政治改革委員長、裁判官訴追委員長、党税調副会長、総務大臣、財務副大臣、国交政務官、海南市長、県議、早大、海南市
当8 勤22・6
昭27年4月11日生（無派閥）

3区

二階 俊博（にかい としひろ） 85 自 [前]
党国土強靭化推進本部長、元党幹事長、党総務会長、経産相、運輸相、衆予算委員長、全国旅行業協会長、中大、御坊市
当13 勤40・11
昭14年2月17日生（無派閥）

鳥取県

1区

石破 茂（いしば しげる） 67 自 [前]
元地方創生相、党幹事長・政調会長、農水相、防衛相、防衛庁長官、衆運輸・規制緩和特委長、三井銀行、慶大、八頭郡
当12 勤38・4
昭32年2月4日生（無派閥）

2区

赤澤 亮正（あかざわ りょうせい） 63 自 ［前］

財務副大臣、前原子力問題調査特別委員長、元内閣府副大臣、議院運営委員会理事、国土交通大臣政務官、東大法卒

当6 勤19・1

昭35年12月18日生（無派閥）

島根県

1区

亀井 亜紀子（かめい あきこ） 59 立憲 ［元］

政倫審委員、懲罰委員、元農水委理事、元党国際局長、元参議院議員、元代議士秘書、通訳、カールトン大卒、東京都

当2 勤10・7（参1、勤6・1）

昭40年5月14日生

2区

高見 康裕（たかみ やすひろ） 43 自 ［新］

防衛大臣補佐官、党青年局学生部長、県連副会長、法務大臣政務官、島根県議2期、学習塾教室長、海上自衛官、読売記者、東大大学院、出雲市

当1 勤2・11

昭55年10月16日生（無派閥）

岡山県

1区

逢沢 一郎（あいさわ いちろう） 70 自 ［前］

党選挙制度調会長、衆院政倫審会長、国基・議運・予算委長、党国対委長、幹事長代理、外務副大臣、松下政経塾理事、慶大工、岡山

当12 勤38・4

昭29年6月10日生（無派閥）

2区

山下 貴司（やました たかし） 58 自 ［前］

党政調副会長、党改革実行本部事務局長、憲法改正実現本部事務局長、経産委理事、決算委理事、法務大臣、弁護士、東大法、岡山市

当4 勤11・10

昭40年9月8日生（無派閥）

3区

平沼 正二郎（ひらぬま しょうじろう） 44 自 ［新］

内閣府(兼)復興大臣政務官、元ソニーマーケティング社員、学習院大学卒、岡山市

当1 勤2・11

昭54年11月11日生（無派閥）

4区

橋本 岳（はしもと がく） 50 自 ［前］

前衆地こデジ委員長、元厚労委員長、元党総務、元党岡山県連会長、元厚労副大臣、元党厚労部会長、三菱総研研究員、慶大院

当5 勤15・9

昭49年2月5日生（無派閥）

5区

加藤 勝信（かとう かつのぶ） 68 自 ［前］

予算委理事、憲法審幹事、党税調小委長、党社保調査会長、党拉致本部長、厚労相、官房長官、党総務会長、東大経、東京都

当7 勤20・11

昭30年11月22日生（無派閥）

（衆略歴）

広島県

1区

岸田文雄（きしだ ふみお）　67　自　[前]

内閣総理大臣、元党政調会長、外務大臣、防衛大臣、内閣府特命大臣、党国対委員長、衆厚労委員長、文科副大臣、早大法、広島

当10　勤31・4

昭32年7月29日生（無派閥）

2区

平口洋（ひらぐち ひろし）　76　自　[前]

自民党報道局長、元自民党国交部会長、法務副大臣、環境副大臣、河川局次長、秋田県警本部長、東大法、ペンシルバニア大院

当5　勤15・9

昭23年8月1日生（無派閥）

3区

斉藤鉄夫（さいとう てつお）　72　公　[前]

国土交通大臣、党副代表、元幹事長、環境相、党政調会長、米プリンストン大客員研究員、工学博士、東工大院、島根県

当10　勤31・4

昭27年2月5日生

4区

新谷正義（しんたに まさよし）　49　自　[前]

党副幹事長、衆厚労委員長、総務副大臣、厚労大臣政務官、医師、帝京大医卒、東京大経卒、広島県

当4　勤11・10

昭50年3月8日生（無派閥）

5区

寺田稔（てらだ みのる）　66　自　[前]

党総務会長代理、前総務大臣、総理大臣補佐官、衆総務理事、元安保委長、内閣府副大臣、財務省主計官、ハーバード大院、東大、広島

当6　勤17・2

昭33年1月24日生（無派閥）

6区

佐藤公治（さとう こうじ）　65　立憲　[前]

衆沖北特委員長、外務委、元参外交防衛委員長、国務大臣秘書官（旧国土庁、旧北海道・沖縄開発庁）、電通、慶大法卒

当4　勤18・4（参1、勤6・1）

昭34年7月28日生

7区

小林史明（こばやし ふみあき）　41　自　[前]

党新しい資本主義実行本部事務局長、元デジタル副大臣㈼内閣府副大臣、元NTTドコモ、上智大学理工学部、福山市

当4　勤11・10

昭58年4月8日生（無派閥）

山口県

1区

高村正大（こうむら まさひろ）　53　自　[前]

外務大臣政務官、財務大臣政務官、党財務金融・国防・外交副部会長、経企庁、外務大臣秘書官、慶應大、周南市

当2　勤7・0

昭45年11月14日生（麻生派）

2区 **岸**(きし) **信千世**(のぶちよ) 33 自 [新]
文科委、財金委、消費者特委、党国対委員、党青年局次長、防衛大臣秘書官、衆議院議員秘書、フジテレビ、慶大商
当1 勤1・5
平3年5月16日生(無派閥)

3区 **林**(はやし) **芳正**(よしまさ) 63 自 [新]
内閣官房長官、前党税調小委長、外相、元文科相、農林水産相、経財相、防衛相、三井物産、東大、ハーバード院、下関市
当1 勤29・5(参5、勤26・6)
昭36年1月19日生(無派閥)

4区 **吉田**(よしだ) **真次**(しんじ) 40 自 [新]
党厚生関係団体副委員長、党農林水産関係団体副委員長、党青年局次長、下関市議会議員3期、関西大学法学部政治学科卒
当1 勤1・5
昭59年7月6日生(無派閥)

徳島県

1区 **仁木**(にき) **博文**(ひろふみ) 58 自 [元]
法務委理事、厚労委、消費者特委、党厚労副部会長、党農水関団副委員長、党情報通信関団副委員長、徳島大院、徳島県
当2 勤6・3
昭41年5月23日生(麻生派)

2区 **山口**(やまぐち) **俊一**(しゅんいち) 74 自 [前]
議運委員長、党情報通信戦略調査会長、元国務大臣、財務・総務副大臣、総理補佐官、郵政次官、青学、三好市
当11 勤34・9
昭25年2月28日生(麻生派)

香川県

1区 **小川**(おがわ) **淳也**(じゅんや) 53 立憲 [前]
党税制調査会長、決算行政監視委員会委員長、元総務政務官、総務省職員、東大法卒、高松市
当6 勤19・1
昭46年4月18日生

2区 **玉木**(たまき) **雄一郎**(ゆういちろう) 55 国民 [前]
党代表、衆国家基本政策委、憲法審委、元民進党幹事長代理、財務省主計局課長補佐、東大法、ハーバード大院、さぬき市
当5 勤15・2
昭44年5月1日生

3区 **大野**(おおの) **敬太郎**(けいたろう) 55 自 [前]

党総務会副会長、国対副委員長、科技イノベ調査会長、副幹事長、内閣府副大臣、防衛政務官、UCB、東大博士、東工大・院修士、丸亀市
当4 勤11・10
昭43年11月1日生(無派閥)

愛媛県

1区
塩崎彰久（しおざき あきひさ）47 自［新］
厚生労働大臣政務官、厚労委、長島・大野・常松法律事務所パートナー弁護士、内閣官房長官秘書官、東大法卒、松山市
当1　勤2・11
昭51年9月9日生（無派閥）

2区
村上誠一郎（むらかみ せいいちろう）72 自［前］
衆決算行監委、元党総務、衆政倫審会長、内閣府特命担当大臣、財務副大臣、衆大蔵委員長、大蔵政務次官、東大法、越智郡
当12　勤38・4
昭27年5月11日生（無派閥）

3区
井原巧（いはら たくみ）60 自［新］
総務委・経産委各委員、党文科部会長代理、元経産・内閣府・復興大臣政務官、参院議員、四国中央市長、県議、専修大卒、四国中央市
当1　勤9・0（参1、勤6・1）
昭38年11月13日生（無派閥）

4区
長谷川淳二（はせがわ じゅんじ）56 自［新］
総務大臣政務官、総務委、党愛媛県連会長、党農林水産関係団体副委員長、総務省地域政策課長、財務調査課長、愛媛県副知事、東大
当1　勤2・11
昭43年8月5日生（無派閥）

高知県

1区
中谷元（なかたに げん）66 自［前］
衆憲法審幹事、総理大臣補佐官、防衛大臣、自治総括政務次官、郵政政務次官、衆総務委員長、防衛大、高知市
当11　勤34・9
昭32年10月14日生（無派閥）

2区
尾﨑正直（おざき まさなお）56 自［新］
国土交通大臣政務官、前デジタル大臣政務官、前高知県知事（3期）、財務省、東大経卒、高知市
当1　勤2・11
昭42年9月14日生（無派閥）

福岡県

1区
井上貴博（いのうえ たかひろ）62 自［前］
総括副幹事長、財務副大臣、財務大臣政務官、財務大臣補佐官、憲法審幹事、議運理事、国対副、福岡県議、福岡JC理事長、獨協大
当4　勤11・10
昭37年4月2日生（麻生派）

2区
鬼木誠（おにき まこと）51 自［前］
防衛副大臣、前党国防部会長、元衆院安保委長、経産・国交各委理事、党税調幹事、環境政務官、県議、銀行員、九大法
当4　勤11・10
昭47年10月16日生（無派閥）

3区

古賀 篤（こが あつし） 52 自 [前]

内閣府副大臣、前党厚労部会長、元環境委員長、元厚労副大臣、元総務㈱内閣府大臣政務官、財務省、東大法卒、福岡市

当4 勤11・10

昭47年7月14日生（無派閥）

4区

宮内 秀樹（みやうち ひでき） 61 自 [前]

党経済産業部会長、前文部科学委員長、元農林水産副大臣、党副幹事長、国土交通政務官、青山学院大卒、愛媛県松山市

当4 勤11・10

昭37年10月19日生（無派閥）

5区

堤 かなめ（つつみ） 63 立憲 [新]

厚労委、復興特委、党政調会長補佐、党福岡県連副代表、福岡県議、大学教員、NPO、九州大学、福岡県

当1 勤2・11

昭35年10月27日生

6区

鳩山 二郎（はとやま じろう） 45 自 [前]

総務大臣政務官、国交大臣政務官㈱内閣府大臣政務官、元大川市長、衆議院秘書、法相政務秘書官、杏林大社会科学部、東京都

当3 勤8・0

昭54年1月1日生（無派閥）

7区

藤丸 敏（ふじまる さとし） 64 自 [前]

安保委理事、財金委、災対特、地・こ・デジ特、党国対副委長、元内閣府副大臣、防衛㈱内閣府政務官、高校教師、東京学芸大院中退、みやま市

当4 勤11・10

昭35年1月19日生（無派閥）

8区

麻生 太郎（あそう たろう） 83 自 [前]

党副総裁、前副総理・財相・金融相、元首相、党幹事長、外相、総務相、党政調会長、経財相、経企庁長官、学習院大、飯塚市

当14 勤42・6

昭15年9月20日生（麻生派）

9区

緒方 林太郎（おがた りんたろう） 51 無（有志） [元]

内閣委、予算委、元外務省課長補佐、東大法中退

当3 勤9・1

昭48年1月8日生

10区

城井 崇（きい たかし） 51 立憲 [前]

国交委筆頭理事、憲法審、地・こ・デジ特、党政調会長代理、子ども若者応副本部長、県連代表、文科政務官、社福法人評議員、衆議員秘書、京大

当4 勤12・2

昭48年6月23日生

11区

武田良太（たけだ　りょうた）56　自　[前]

元総務大臣、国家公安委員長、内閣府特命担当大臣（防災）、防衛副大臣・政務官、安保委員長、早大院修了、田川郡

当7　勤20・11

昭43年4月1日生（無派閥）

佐賀県

1区

原口一博（はらぐち　かずひろ）65　立憲　[前]

衆財務金融委、元民進党副代表、民主党副代表・代議士会長、総務相、県議、松下政経塾、東大、佐賀市

当9　勤28・1

昭34年7月2日生

2区

大串博志（おおぐし　ひろし）59　立憲　[前]

党選対委員長、懲罰委員、元首相補佐官、元財務大臣政務官、財務省主計局主査、東大法卒、白石町

当6　勤19・1

昭40年8月31日生

長崎県

1区

西岡秀子（にしおか　ひでこ）60　国民　[前]

総務委、文科委、党政調会長代理、副幹事長、男女共同参画推進本部長代理、長崎県連代表、国会議員秘書、学習院大法卒、長崎市

当2　勤7・0

昭39年3月15日生

2区

加藤竜祥（かとう　りゅうしょう）44　自　[新]

党国対委、農水委、経産委、消費者特委、前国土交通兼内閣府兼復興大臣政務官、衆議院議員秘書、日大経卒、長崎県

当1　勤2・11

昭55年2月10日生（無派閥）

3区

山田勝彦（やまだ　かつひこ）45　立憲　[前]

法務委員、農林水産委員、消費者委員、衆議院議員秘書、障がい福祉施設代表、法政大学卒、長崎県長崎市

当2　勤3・0

昭54年7月19日生

4区

金子容三（かねこ　ようぞう）41　自　[新]

衆厚労委員、環境委員、党国対委員、党青年局次長、会社員、慶大法、ウィリアム＆メアリー大院修了、佐世保市

当1　勤0・11

昭58年2月1日生（無派閥）

熊本県

1区

木原稔（きはら　みのる）55　自　[前]

防衛大臣、前国交委長、元党政調副兼事務局長、総理補佐官、財務副大臣、防衛政務官、党文科部会長、青年局長、日本航空、早大、熊本市

当5　勤15・9

昭44年8月12日生（無派閥）

2区
西野太亮(にしの だいすけ) 45 自[新]
農水委、総務委、震災復興特委、党青年局次長、元財務省主計局主査、復興庁参事官補佐、コロンビア大学院、東大卒、熊本県
当1 勤2・11
昭53年9月22日生(無派閥)

3区
坂本哲志(さかもと てつし) 73 自[前]
農林水産大臣、元内閣府特命担当大臣、元農林水産委員長、総務副大臣、県議、新聞記者、中大法
当7 勤19・1
昭25年11月6日生(無派閥)

4区
金子恭之(かねこ やすし) 63 自[前]
党組織運動本部長、党道路調査会長、党総務会長代理、総務大臣、国交副大臣、農水政務官、早大、球磨郡
当8 勤24・4
昭36年2月27日生(無派閥)

大分県

1区
吉良州司(きら しゅうじ) 66 無(有志)[前]
衆院外務委員、元外務副大臣、外務大臣政務官、東京大学法学部卒、大分県玖珠町
当6 勤18・11
昭33年3月16日生

2区
衛藤征士郎(えとう せいしろう) 83 自[前]
元衆副議長、予算・決算・大蔵委員長、防衛庁長官、外務副大臣、参院、玖珠町長、早大院、佐伯市
当13 勤47・0(参1、勤6・1)
昭16年4月29日生(無派閥)

3区
岩屋毅(いわや たけし) 67 自[前]
衆情報監視審査会長、予算、憲法、党治安テロ調査会長、歴防衛大臣、衆文科委員長、外務副大臣、防衛政務官、早大政経、別府市
当9 勤27・9
昭32年8月24日生(無派閥)

宮崎県

1区
渡辺創(わたなべ そう) 46 立憲[新]
農水委、災害特委理事、党組織委副委員長、党県連代表、元宮崎県議、元毎日新聞政治部記者、新潟大学卒、宮崎県
当1 勤2・11
昭52年10月3日生

2区
江藤拓(えとう たく) 64 自[前]
衆災害対策特委員長、党総合農林政策調査会長、元農水大臣、元総理大臣補佐官、元衆拉致特委員長、成城大、門川町
当7 勤20・11
昭35年7月1日生(無派閥)

3区

古川禎久（ふるかわ よしひさ） 59 自 ［前］
財金委、党財政健全化本部長、団体総局長、司法制度調査会長、税調副、元法相、財務副大臣、建設省、東大法、串間市
当7 勤20・11
昭40年8月3日生（無派閥）

鹿児島県

1区

宮路拓馬（みやじ たくま） 44 自 ［前］
党総務会総務、党国対副委員長、元内閣府政務官、元総務政務官、総務省課長補佐、広島市財政課長、東大、南さつま市
当3 勤9・10
昭54年12月6日生（無派閥）

2区

三反園訓（みたぞの さとし） 66 無（自民） ［新］
決算行政監視委、前鹿児島県知事、ニュースキャスター政治記者、総理官邸各省庁キャップ、早稲田大学院非常勤講師
当1 勤2・11
昭33年2月13日生

3区

野間健（のま たけし） 65 立憲 ［元］
農林水産委筆頭理事、原子力特委員、国民新党政調会長、国務大臣秘書官、商社員、松下政経塾、慶應大学、鹿児島県
当3 勤7・9
昭33年10月8日生

4区

森山裕（もりやま ひろし） 79 自 ［前］
党総務会長、前選対委員長、元国対委員長、農水大臣、財務副大臣、鹿児島市議7期・議長5期、九州市議会議長会会長2期、鹿児島
当7 勤26・4（参1、勤5・10）
昭20年4月8日生（無派閥）

沖縄県

1区

赤嶺政賢（あかみね せいけん） 76 共 ［前］
衆安保・沖北特・憲法審各委員、党沖縄県委員長、元那覇市議、高教組支部執行委員、東京教育大、那覇市
当8 勤24・4
昭22年12月18日生

2区

新垣邦男（あらかき くにお） 68 社（立憲） ［新］
党副党首、政審会長、国対委員長、沖縄伝統空手道振興会理事長、北中城村長、沖縄県町村会長、日本大学卒、沖縄県出身
当1 勤2・11
昭31年6月19日生

3区

島尻安伊子（しまじり あいこ） 59 自 ［新］
予算委理事、沖北特委理事、外務委、内閣府特命担当大臣、参議院環境委員長、党沖縄県連会長、元参議院議員
当1 勤12・4（参2、勤9・5）
昭40年3月4日生（無派閥）

4区

西銘恒三郎（にしめ こうさぶろう） 70 自 [前]

党幹事長代理、衆沖北特筆理、外務筆理、復興・沖北大臣、安保・国交委長、経産・総務副大臣、国交政務官、県議、上智大、沖縄
当6 勤17・7
昭29年8月7日生（無派閥）

比例代表

北海道ブロック（8）

自由民主党（4）

鈴木貴子（すずき たかこ） 38 自 [前]

党青年局長・副幹事長、前外務副大臣、元防衛政務官、元NHK長野放送局ディレクター、カナダトレント大卒、帯広市
当4 勤11・4
昭61年1月5日生（無派閥）

渡辺孝一（わたなべ こういち） 66 自 [前]

総務副大臣、総務大臣政務官、防衛大臣政務官、農水委理事、党副幹事長、岩見沢市長、歯科医、東日本学園大、東京
当4 勤11・10
昭32年11月25日生（無派閥）

堀井学（ほりい まなぶ） 52 無 [前]

農水委、経産委、前内閣府副大臣、元予算委理事、元外務大臣政務官、元道議、王子製紙、専修大卒、室蘭市
当4 勤11・10
昭47年2月19日生

中川郁子（なかがわ ゆうこ） 65 自 [元]

外務委理事、農水委、党内閣第一部会長代理、水産総合調査会副会長、元農水大臣政務官、三菱商事㈱、聖心女子大
当3 勤7・9
昭33年12月22日生（麻生派）

立憲民主党（3）

おおつき紅葉（おおつき くれは） 40 立憲 [新]

衆総務委員、法務委員、消費者特委員、党国対委員長補佐、フジテレビ政治部記者、英国バーミンガムシティ大、小樽市
当1 勤2・11
昭58年10月16日生

荒井優（あらい ゆたか）　49　立憲　[新]
衆経産委理事、復興特委、政務会長補佐、副幹事長（人材局長兼務）、ソフトバンク㈱社長室、高校校長、早大卒、札幌市
当1　勤2・11
昭50年2月28日生

神谷裕（かみや ひろし）　56　立憲　[前]
衆農水委、沖北特委筆頭理事、党政調副会長、元日鰹連職員、衆参議員秘書、国務大臣秘書官、帝京大卒、東京都
当2　勤7・0
昭43年8月10日生

公明党（1）

佐藤英道（さとう ひでみち）　63　公　[前]
予算委理事、前党厚労部会長、元厚労副大臣・内閣府副大臣、農水政務官、党国交部会長、創価大院修了、宮城県名取市
当4　勤11・10
昭35年9月26日生

東北ブロック（13）

自由民主党（6）

津島淳（つしま じゅん）　57　自　[前]
衆財務金融委員長、元法務副大臣、元国交兼内閣府政務官、前国交部会長、元財金部会長代理、会社員、学習院大卒
当4　勤11・10
昭41年10月18日生（無派閥）

秋葉賢也（あきば けんや）　62　自　[前]
衆消費者特委員長、元復興大臣、元厚労副大臣、元首相補佐官、総務大臣政務官、松下政経塾、中大法、東北大院、宮城県
当7　勤19・6
昭37年7月3日生（無派閥）

菅家一郎（かんけ いちろう）　69　自　[前]
環境委、震災復興特委、国交委、元市長、復興副大臣、環境政務官、早大、会津若松市
当4　勤11・10
昭30年5月20日生（無派閥）

亀岡偉民（かめおか よしたみ）　68　自　[前]
予算委、倫選特委員長、拉致特委員長、党総裁特別補佐、復興副大臣、文科兼内閣府副大臣、文科委員長、早大（野球部）
当5　勤15・9
昭30年9月10日生（無派閥）

金田勝年（かねだ かつとし）　74　自　[前]
党総務会長代行、元予算委員長、党幹事長代行、法務大臣、厚労部会長、外務副大臣、農水次官、一橋大、能代市
当5　勤27・4（参2、勤12・2）
昭24年10月4日生（無派閥）

上杉謙太郎(うえすぎけんたろう) 49 自 [前]
地こデジ特委理事、外務委、文科委、復興特委、前外務大臣政務官、党国防部会副部長、党遊説局次長、党支部長、早大、神奈川県
当2 勤7・0
昭50年4月20日生(無派閥)

立憲民主党(4)

岡本あき子(おかもとあきこ) 60 立憲 [前]
地・こ・デジ特筆頭理事、総務委、党政調副会長、子ども若者本部/ジェンダー平等本部事務局長、仙台市議、NTT、東北大、宮城
当2 勤7・0
昭39年8月16日生

寺田学(てらたまなぶ) 47 立憲 [前]
衆政倫審幹事、法務委、元内閣総理大臣補佐官、三菱商事、中大卒、横手市
当6 勤18・11
昭51年9月20日生

小沢一郎(おざわいちろう) 82 立憲 [前]
元自由党代表、民主党代表、自由党党首、新進党党首、自民党幹事長、官房副長官、自治相、衆議運委員長、慶大、奥州市
当18 勤55・0
昭17年5月24日生

馬場雄基(ばばゆうき) 31 立憲 [新]
衆環境委理事、震災復興特委理事、財金委、議運委、松下政経塾、三井住友信託銀行、コミュニティ施設事業統括、慶應大法卒、福島
当1 勤2・11
平4年10月15日生

公明党(1)

庄子賢一(しょうじけんいち) 61 公 [新]
衆内閣委理事、決算行政監視委員、復興特委理事、公明党中央幹事、同東北方面本部長、広告代理店、宮城県会議員5期
当1 勤2・11
昭38年2月8日生

日本共産党(1)

高橋千鶴子(たかはしちづこ) 64 共 [前]
衆国土交通委員、震災復興特別委員、地域こどもデジタル特別委員、党衆院団長、元青森県議、元私立高校教諭、弘前大学
当7 勤20・11
昭34年9月16日生

日本維新の会(1)

早坂敦(はやさかあつし) 53 維新(維教) [新]
衆文部科学委員、復興特委理事、元仙台市議会議員、児童指導員、会社員、東北高等学校卒、宮城県
当1 勤2・11
昭46年3月11日生

北関東ブロック（19）

自由民主党（7）

尾身朝子（おみあさこ）　63　自　[前]
文科委、総務委、沖北特委、党総務会副会長、前総務副大臣、元外務政務官、元党情報・通信関係団体委員長、NTT、東大法
当3　勤9・10
昭36年4月26日生（無派閥）

野中厚（のなかあつし）　47　自　[前]
農林水産委員長、農林水産副大臣、党総務、党副幹事長、農水大臣政務官、党国対副委員長、県議、慶大、埼玉県
当4　勤11・10
昭51年11月17日生（無派閥）

牧原秀樹（まきはらひでき）　53　自　[前]
法務委筆頭理、予算委理、厚労部会長、経産副大臣、内閣委員長、厚労副大臣、環境政務官、青年局長、弁護士、NY州弁護士、東大法
当5　勤15・9
昭46年6月4日生（無派閥）

田所嘉徳（たどころよしのり）　70　自　[前]
党副幹事長、元法務副大臣、法務政務官、県議、法務博士、特定行政書士、一級建築士、白鷗大法科大学院、筑西市
当4　勤11・10
昭29年1月19日生（無派閥）

石川昭政（いしかわあきまさ）　51　自　[前]
デジタル副大臣、内閣府副大臣、元党経産部会長、元経産・内閣・復興大臣政務官、元党職員、國學院大學大学院修了、日立市
当4　勤11・10
昭47年9月18日生（無派閥）

五十嵐清（いがらしきよし）　54　自　[新]
農水委、法務委、震災復興特委、党農水・環境団体委副委長、国際協力調査会事務局次長、元栃木県議会議長、豪州ボンド大、小山市
当1　勤2・11
昭44年12月14日生（無派閥）

中根一幸（なかねかずゆき）　55　自　[前]
原子力特委員長、国交委員長・筆頭理、内閣府副大臣、外務副大臣、党総務部会長、国交部会長、内閣部会長、専大院法、鴻巣市
当5　勤15・9
昭44年7月11日生（無派閥）

立憲民主党（5）

藤岡隆雄（ふじおかたかお）　47　立憲　[新]
衆総務委、地こデジ特委理事、党政調会長補佐、党栃木県連代表代行、元金融庁課長補佐、大阪大学卒
当1　勤2・11
昭52年3月28日生

中村喜四郎（なかむら きしろう） 75 立憲［前］
衆国家基本政策委員、元建設大臣、元自民党国対筆頭副委員長、元自民党政調副会長、元科技庁長官、日大、猿島郡
当15 勤45・4
昭24年4月10日生

小宮山泰子（こみやま やすこ） 59 立憲［前］
国交委、災害特委、党国交・復興部門長、NC国交・復興大臣、元農水委長、県議、NTT社員、衆議員秘書、慶大、日大院、川越市
当7 勤20・11
昭40年4月25日生

坂本祐之輔（さかもと ゆうのすけ） 69 立憲［元］
衆文科委理、地・こ・デジ特委、元衆科技特委長、民進党副代表、埼玉県体育協会長、東松山市長、日大、東松山市
当3 勤7・9
昭30年1月30日生

青山大人（あおやま やまと） 45 立憲［前］
衆外務委員、消費者特委員、党青年局長、元茨城県議、世界史講師、土浦YEG顧問、消防団員、土浦一高、慶大経卒、土浦市
当2 勤7・0
昭54年1月24日生

公明党（3）

石井啓一（いしい けいいち） 66 公［前］
党幹事長、元国土交通大臣、元党関東方面本部長、元党政務調査会長、元財務副大臣、元建設省課長補佐、東大工学部卒、東京都
当10 勤31・4
昭33年3月20日生

輿水恵一（こしみず けいいち） 62 公［元］
党国対委代理、議運委理事、政治改革特委、元総務大臣政務官、さいたま市議、キヤノン㈱、青学大理工、山梨県
当3 勤7・9
昭37年2月4日生

福重隆浩（ふくしげ たかひろ） 62 公［新］
厚労委、決算行監委、震災復興特委、群馬県議、党県本部代表、党地方議会局次長、国際局次長、労働局次長、創価大、群馬県
当1 勤2・11
昭37年5月3日生

日本共産党（1）

塩川鉄也（しおかわ てつや） 62 共［前］
衆院内閣委員、議院運営委員、倫理公選特委員、党国対委員長代理、党衆院国対副委員長、元市職員、都立大卒、日高市
当8 勤24・4
昭36年12月18日生

日本維新の会（2）

沢田　良（さわだ　りょう）　44　維新（維教）〔新〕
財務金融委、東日本大震災復興特別委、参議員秘書、さいたま商工会青年部、PTA会長、日大校友会県支部常任幹事
当1　勤2・11
昭54年9月27日生

髙橋英明（たかはし　ひであき）　61　維新（維教）〔新〕
衆国交委、沖北特別委理事、党埼玉県総支部代表、元川口市議、武蔵大経済学部卒、中央工学校卒、埼玉県川口市
当1　勤2・11
昭38年5月10日生

国民民主党（1）

鈴木義弘（すずき　よしひろ）　61　国民〔元〕
衆経産委、消費者特委、復興特委、元参議院議員秘書、元埼玉県議、日大理工学部卒、三郷市
当3　勤7・9
昭37年11月10日生

南関東ブロック（22）

自由民主党（9）

星野剛士（ほしの　つよし）　61　自〔前〕
内閣委員長、元内閣府副大臣、元経産・内閣府・復興政務官、新聞記者、神奈川県議、NYエルマイラ大、日大法卒、藤沢市
当4　勤11・10
昭38年8月8日生（無派閥）

甘利　明（あまり　あきら）　75　自〔前〕
党税調顧問、前党幹事長、元党政調会長、予算委長、労働大臣、経産大臣、行革大臣、経済再生大臣、慶応大、厚木市
当13　勤40・11
昭24年8月27日生（麻生派）

秋本真利（あきもと　まさとし）　49　無〔前〕
元外務大臣政務官、国交大臣政務官、党副幹事長、党再エネ議連事務局長、元市議、法政大学法学部、千葉県富里市
当4　勤11・10
昭50年8月10日生

三谷英弘（みたに　ひでひろ）　48　自〔前〕
厚労委理事、文科委、憲法審査会、党遊説局長、消費者問題調査会事務局長、弁護士、東大法卒、神奈川県
当3　勤9・0
昭51年6月28日生（無派閥）

義家弘介（よしいえ　ひろゆき）　53　自〔前〕
自民党政党副会長、文科委、拉致特委、法務副大臣、文科副大臣、文科政務官、参院議員、教育再生会議担当室長、明治学院大卒、長野県
当4　勤17・3（参1、勤5・5）
昭46年3月31日生（無派閥）

中山展宏（なかやま のりひろ） 55 自 [前]
内閣委理事、国土交通副大臣、外務政務官、ルール形成戦略議連事務局長、東大先端研上級研究員、早大院中退、兵庫県
当4 勤11・10
昭43年9月16日生（麻生派）

門山宏哲（かどやま ひろあき） 59 自 [前]
法務副大臣、弁護士、元法務大臣政務官、元千葉家庭裁判所調停委員、中央大学法学部法律学科卒、千葉市
当4 勤11・10
昭39年9月3日生（無派閥）

山本ともひろ（やまもと） 49 自 [前]
内閣委、前防衛・内閣府副相、松下政経塾員、米ジョージタウン大客員研究員、関西大、京大院修
当5 勤15・9
昭50年6月20日生（無派閥）

櫻田義孝（さくらだ よしたか） 74 自 [前]
党千葉県連会長、前東京オリパラ相、消費者特委長、文科委、元文科副相、内閣府副相、外務政務官、県議、市議、明大商卒、柏市
当8 勤24・9
昭24年12月20日生（無派閥）

立憲民主党（5）

中谷一馬（なかたに かずま） 41 立憲 [前]
内閣委、決算行政監視委、地・こ・デジ特別委、政調副会長、デジタル政策PT座長、県議、デジタルハリウッド大学院、神奈川
当2 勤7・0
昭58年8月30日生

谷田川元（やたがわ はじめ） 61 立憲 [前]
国交委、決算行監委、憲法審、党政調副会長、千葉県議4期、山村新治郎衆院議員秘書、松下政経塾、早大政経、香取市
当3 勤8・11
昭38年1月17日生

青柳陽一郎（あおやぎ よういちろう） 55 立憲 [前]
議運委理事、決算行監委、党国対副委員長、党神奈川県連代表、NPO法人ICA会長、元国務大臣政策秘書、日大法、早大院、横浜市
当4 勤11・10
昭44年8月29日生

中島克仁（なかじま かつひと） 56 立憲 [前]
厚労委筆頭理事、ほくと診療所院長、韮崎市立病院、山梨大学病院第一外科医、帝京大学医学部卒、韮崎高校出身、医師、山梨県
当4 勤11・10
昭42年9月27日生

山崎　誠（やまざき　まこと）　61　立憲　［前］

内閣委、経産委、原子力特委理事、党政調副会長、党環境エネPT事務局長、横浜市議2期、上智大卒、青学大院修了、東京都

当3　勤10・4

昭37年11月22日生

公明党（2）

古屋範子（ふるや　のりこ）　68　公　［前］

党副代表、東海道方面顧問、社会保障制度調査会長代理、衆総務委員長、元厚労副大臣、元経産委員長、早大卒、さいたま市

当7　勤20・11

昭31年5月14日生

角田秀穂（つのだ　ひでお）　63　公　［元］

農水委理事、予算委、党国対副委員長、党千葉県本部副代表、前農水政務官、元船橋市議、社労士、創価大学卒、東京都

当2　勤5・9

昭36年3月25日生

日本共産党（1）

志位和夫（しい　かずお）　70　共　［前］

衆議院国家基本委員、党中央委員会議長、前党委員長、元党書記局長、東京大学卒、四街道市

当10　勤31・4

昭29年7月29日生

日本維新の会（3）

金村龍那（かねむら　りゅうな）　45　維新（維教）［新］

文科・内閣委、党副幹事長、国対副委員長、神奈川維新の会代表、元児童福祉会社社長、専大法中退、名古屋

当1　勤2・11

昭54年4月6日生

藤巻健太（ふじまき　けんた）　40　維新（維教）［新］

財金委、沖北特委、参議院議員秘書、みずほ銀行、慶應大経済卒

当1　勤2・11

昭58年10月7日生

浅川義治（あさかわ　よしはる）　56　維新（維教）［新］

衆安全保障委、消費者特委、党国対副委員長、党県幹事長、横浜市会議員、日大法卒、横浜市

当1　勤2・11

昭43年2月23日生

国民民主党（1）

鈴木　敦（すずき　あつし）　35　教育（維教）［新］

衆外務委、拉致特委、国対委長、元政党職員、航空関連会社社員、聖徳学園高卒、駿河台大中退、神奈川県川崎市

当1　勤2・11

昭63年12月15日生

れいわ新選組（1）

たがや 亮（りょう） 55 れ新 [新]

衆国土交通委員、決算行政監視委員、党国会対策委員長、国学院大学卒、東京都

当1 勤2・11

昭43年11月25日生

東京ブロック（17）

自由民主党（6）

髙木 啓（たかぎ けい） 59 自 [前]

党経済産業副部会長、運輸・交通関係副委員長、衆内閣委理事、国交委、拉致特理事、外務大臣政務官、都議、区議、立教大卒、北区

当2 勤7・0

昭40年3月16日生（無派閥）

松本 洋平（まつもと ようへい） 51 自 [前]

党政調副会長（兼）事務局長、衆経産委筆頭理事、元経産副大臣、内閣府副大臣、党青年局長、副幹事長、銀行員、慶大、東京

当5 勤15・9

昭48年8月31日生（無派閥）

越智 隆雄（おち たかお） 60 自 [前]

衆予算委、財金委、憲法委、党金融調査会幹事長、元内閣府副大臣（経済財政）、住銀、東大法院、慶大経、世田谷区

当5 勤15・9

昭39年2月27日生（無派閥）

若宮 健嗣（わかみや けんじ） 62 自 [前]

政調会長代理、元幹事長代理、経理局長、元内閣府特命担当大臣、外務副大臣、防衛副大臣、外務委長、安全保障委長、慶大、東京

当5 勤15・9

昭36年9月2日生（無派閥）

長島 昭久（ながしま あきひさ） 62 自 [前]

党政調副会長、国際局長代理、衆東日本大震災復興特筆頭理事・前委員長、元総理補佐官、元防衛副大臣、慶大院、横浜市

当7 勤20・11

昭37年2月17日生（無派閥）

石原 宏高（いしはら ひろたか） 60 自 [前]

総理補佐官、党離島半島振興特委長、党環境調査会事務局長、衆環境委長、環境省・内閣府副大臣、外務大臣政務官、興銀、慶大

当5 勤15・9

昭39年6月19日生（無派閥）

立憲民主党（4）

伊藤 俊輔（いとう しゅんすけ） 45 立憲 [前]

衆議運委、情報監視審査会、党副幹事長、青年局長、UR議運、全建総連懇、小田急多摩延伸議連、桐蔭高、北京大留学、中央大

当2 勤7・0

昭54年8月5日生

鈴木庸介（すずき ようすけ） 48 立憲 [新]
立教大学経済学部兼任講師、元ＮＨＫ記者、コロンビア大学院、ロンドン大学ＬＳＥ、東京都豊島区
当1　勤2・11
昭50年11月21日生

海江田万里（かいえだ ばんり） 75 無 [前]
党都連顧問、党税制調査会顧問、元民主党代表、元経済産業大臣、元内閣府特命担当大臣、慶應義塾大卒、東京
当8　勤24・7
昭24年2月26日生

大河原まさこ（おおかわら） 71 立憲 [前]
衆環境委、決算行政監視委、消費者特委、ジェンダー平等推進本部副事務局長、多摩ＰＦＡＳ議連会長代行、ＩＣＵ卒
当2　勤13・1（参1、勤6・1）
昭28年4月8日生

公明党（2）

高木陽介（たかぎ ようすけ） 64 公 [前]
党政調会長、党都本部代表、元経産副大臣、元国交政務官、元党国対委員長、元党選対委員長、毎日記者、創価大卒、東京都
当9　勤27・7
昭34年12月16日生

河西宏一（かさい こういち） 45 公 [新]
衆内閣委、地こデジ特理事、憲法審、党学生局長、党都本部副代表、政党職員、電機メーカー社員、東京大学卒、神奈川県
当1　勤2・11
昭54年6月25日生

日本共産党（2）

笠井亮（かさい あきら） 71 共 [前]
衆経済産業委員、衆拉致特委員、衆原子力特委員、元参院議員、東大経済卒、三鷹市
当6　勤25・2（参1、勤6・1）
昭27年10月15日生

宮本徹（みやもと とおる） 52 共 [前]
衆厚生労働委員、予算委員、東京大学教育学部卒業、兵庫県三木市
当3　勤9・10
昭47年1月22日生

日本維新の会（2）

阿部司（あべ つかさ） 42 維新（維教） [新]
衆内閣委、総務委、党代表付、元青山社中株式会社（政策シンクタンク）、日本ＨＰ、早稲田大、東京都
当1　勤2・11
昭57年6月18日生

小野泰輔（おの たいすけ） 50 維新（維教）[新]

衆経産委、原子力問題調査特別委員会理事、憲法審査会、元熊本県副知事、熊本県政策参与、衆議員公設秘書、東大法卒、東京都

当1 勤2・11

昭49年4月20日生

れいわ新選組（1）

櫛渕万里（くしぶち まり） 56 れ新 [元]

元国際交流NGO共同代表(兼)事務局長、全国ご当地エネルギー協会事務局長、立教大学社会学部卒、群馬県沼田市

当2 勤5・9

昭42年10月15日生

北陸信越ブロック（11）

自由民主党（6）

鷲尾英一郎（わしお えいいちろう） 47 自 [前]

議運委理事、党国対副委員長、外務副大臣、環境委員長、農水政務官、公認会計士、税理士、行政書士、新日本監査法人、東大経

当6 勤19・1

昭52年1月3日生（無派閥）

髙鳥修一（たかとり しゅういち） 63 自 [前]

災害特委、農水委委員、元筆頭副幹事長・総裁特別補佐、政調会長代理、農水・内閣府副大臣、早大法卒、上越市

当5 勤15・9

昭35年9月29日生（無派閥）

国定勇人（くにさだ いさと） 52 自 [新]

環境大臣政務官(兼)内閣府大臣政務官、環境委、三条市長、総務省、郵政省、一橋大商学部卒、東京都

当1 勤2・11

昭47年8月30日生（無派閥）

泉田裕彦（いずみだ ひろひこ） 61 自 [前]

衆国交委理事、原子力特委理事、元国交大臣政務官(兼)内閣府大臣政務官、中央防災会議委員、国交省、通産省、京大法卒

当2 勤7・0

昭37年9月15日生（無派閥）

塚田一郎（つかだ いちろう） 60 自 [新]

財金委理事、拉致特委理事、予算委、元国交副大臣、元復興副大臣、元内閣府副大臣、党新潟県連会長、中央大卒、ボストン大院卒

当1 勤15・1（参2、勤12・2）

昭38年12月27日生（麻生派）

務台俊介（むたい しゅんすけ） 68 自 [前]

環境委員長、元環境(兼)内閣府副大臣、元内閣府(兼)復興政務官、消防庁防災課長、神奈川大教授、東大法卒、安曇野市

当4 勤11・10

昭31年7月3日生（麻生派）

立憲民主党（3）

近藤和也（こんどう かずや）　50　立憲　[前]
衆農水委理事、衆復興特委、党副幹事長、党選対委員長代理、党拉致問題対策本部幹事、元野村證券㈱、京大経済学部卒
当3　勤10・4
昭48年12月12日生

篠原孝（しのはら たかし）　76　立憲　[前]
衆環境委、憲法審、元農水副大臣、農水政策研究所長、ＯＥＣＤ代表部、農学博士、京大法、ＵＷ修士、中野市
当7　勤20・11
昭23年7月17日生

神津たけし（こうづ）　47　立憲　[新]
政策研究大学院大学修了、元ＪＩＣＡ企画調査員（南アフリカ等）、アフリカ開発銀行アドバイザー
当1　勤2・11
昭52年1月21日生

公明党（1）

中川宏昌（なかがわ ひろまさ）　54　公　[新]
安全保障委理事、財金委、拉致特委、党中央幹事、北陸信越方面本部長、長野県本部代表、長野県議、長野銀行、創価大、長野県
当1　勤2・11
昭45年7月15日生

日本維新の会（1）

吉田豊史（よしだ とよふみ）　54　無　[元]
衆財務金融委、富山県議会議員2期、早稲田大学法学部卒、富山県
当2　勤5・9
昭45年4月10日生

東海ブロック（21）

自由民主党（9）

青山周平（あおやま しゅうへい）　47　自　[前]
内閣委、文科委、文科副大臣、国対副委員長、文科・内閣・復興政務官、幼稚園園長、法政大
当4　勤10・6
昭52年4月28日生（無派閥）

石井拓（いしい たく）　59　自　[新]
経産・内閣府大臣政務官、経産委、党環境関係団体委・農水関係団体委各副委員長、愛知県議、碧南市議、立命館大法
当1　勤2・11
昭40年4月11日生（無派閥）

池田佳隆（いけだ よしたか）　58　無　[前]
決算行監委、元文科副大臣、元内閣府副大臣、06年度日本青年会議所会頭、ＭＢＡ、慶大院修、愛知県
当4　勤11・10
昭41年6月20日生

塩谷　立（しおのや　りゅう）　74　無　［前］
衆外務委員、［歴］党雇用問題調会長、党税調副会長、選対委員長、衆ＴＰＰ特委員長、党総務会長、文科大臣、官房副長官、慶大、浜松市
当10　勤28・10
昭25年2月18日生

中川　貴元（なかがわ　たかもと）　57　自　［新］
総務委、経産委、党国対委、総務大臣政務官、名古屋市議、名古屋市会議長、指定都市議長会会長、早稲田大学、愛知県
当1　勤2・11
昭42年2月25日生（麻生派）

石原　正敬（いしはら　まさたか）　52　自　［新］
議運委、財金委、環境委、災害特委、党総務会総務、国対委員陪席、中小企業小規模事業者政策調査会幹事、菰野町長、名大院
当1　勤2・11
昭46年11月29日生（無派閥）

吉川　赳（よしかわ　たける）　42　無　［前］
元内閣府大臣政務官㈹復興大臣政務官、元国会秘書、元医療法人職員、日大院博士前期課程修了、静岡県
当3　勤7・7
昭57年4月7日生

山本　左近（やまもと　さこん）　42　自　［新］
文科・厚労各委員、元文部科学㈹復興大臣政務官、青年局次長、元Ｆ１ドライバー、医療法人・社会福祉法人理事、愛知県
当1　勤2・11
昭57年7月9日生（麻生派）

森　由起子（もり　ゆきこ）　52　自　［新］
内閣委、環境委、党女性局次長、党国対委員、機械整備会社社長、信販会社社員、大原簿記専門学校卒、三重県四日市市
当1　勤0・4
昭46年9月29日生（無派閥）

立憲民主党（5）

伴野　豊（ばんの　ゆたか）　63　立憲　［元］
衆原子力問題特委筆頭理事、元外務副大臣、国交副大臣、国交委員長、財金委筆頭理事、名古屋工業大学大学院修了、東海市
当6　勤18・3
昭36年1月1日生

中川　正春（なかがわ　まさはる）　74　立憲　［前］
懲罰委員長、元文科・防災相、予算筆頭、民主党幹事長代行、ＮＣ財務、立憲憲法調査会長、県議、国際交流基金、ジョージタウン大
当9　勤28・1
昭25年6月10日生

吉田統彦（よしだつねひこ） 49 立憲 [前]
衆厚労委員、消費者特委員、党愛知県連副代表、医師・医博、愛知学院大歯学部眼科客員教授、名大卒、名大院修了、名古屋市
当3 勤10・4
昭49年11月14日生

渡辺周（わたなべしゅう） 62 立憲 [前]
党常幹議長、NC安保大臣、政治改革推進本部長、安保委理、拉致特委、元総務・防衛副大臣、領土議連事務局長、早大卒、沼津市
当9 勤28・1
昭36年12月11日生

牧義夫（まきよしお） 66 立憲 [前]
衆文科委理事、政倫審、憲法審、元厚労副大臣、衆厚労委員長、衆環境委員長、上智大学中退、名古屋市
当7 勤22・4
昭33年1月14日生

公明党（3）

大口善徳（おおぐちよしのり） 68 公 [前]
政調会長代理、中央幹事、東海道方面本部長、静岡県本部代表、元厚労副大臣、元農水政務官、弁護士、創価大、大阪
当9 勤27・11
昭30年9月5日生

伊藤渉（いとうわたる） 54 公 [前]
党中央幹事、党政調会長代理、党税調副会長、党中部方面本部長、財務副大臣、厚労政務官、JR東海、防災士、阪大院、名古屋市
当5 勤15・9
昭44年11月13日生

中川康洋（なかがわやすひろ） 56 公 [元]
国対筆頭副委員長、中部方面幹事長、三重県本部代表、元環境政務官、三重県議、四日市市議、議員秘書、創価大学、三重県
当2 勤5・9
昭43年2月12日生

日本共産党（1）

本村伸子（もとむらのぶこ） 51 共 [前]
法務委員、消費者特委、党中央委員、党幹部会委員、元八田ひろ子参議員秘書、龍谷大学院国史学専攻修士
当3 勤9・10
昭47年10月20日生

日本維新の会（2）

杉本和巳（すぎもとかずみ） 63 維新(維教) [前]
決算行監委理事、環境委、弾劾裁判所裁判員、元銀行員（興銀）、早大政経、英オックスフォード大院、米ハーバード大院
当4 勤12・4
昭35年9月17日生

岬（みさき）**麻紀**（まき） 55 維新（維教）［新］
衆財務金融委員、衆災害対策特別委員、愛知維新の会副代表、フリーアナウンサー、早稲田大学eスクール在学中
当1 勤2・11
昭43年12月26日生

国民民主党（1）

田中（たなか）**健**（けん） 47 国民［新］
予算委、厚労委、地こデジ特委、党政務調査副会長、税調副事務局長、党静岡県連代表、都議、区議、銀行員、青学大、静岡県
当1 勤2・11
昭52年7月18日生

近畿ブロック（28）

自由民主党（8）

奥野（おくの）**信亮**（しんすけ） 80 自［前］
予算委、法務委、倫選特委、裁判官訴追委、党山村振興特別委員長、元総務副大臣、日産役員、慶應大、奈良県御所市
当6 勤17・7
昭19年3月5日生（無派閥）

柳本（やなぎもと）**顕**（あきら） 50 自［新］
厚労委、環境委、地こデジ特委、前環境(兼)内閣府政務官、大阪市議（5期）、大阪市議幹事長、関電(株)、京大法卒、大阪市
当1 勤2・11
昭49年1月29日生（麻生派）

大串（おおぐし）**正樹**（まさき） 58 自［前］
党厚労部会長、前デジタル副大臣、元経産大臣政務官、大学客員教授、博士（知識科学）、東北大、IHI、松下政経塾、北陸先端大
当4 勤11・10
昭41年1月20日生（無派閥）

小林（こばやし）**茂樹**（しげき） 59 自［前］
党国交部会長代理、党国土・建設関係団体委員長、国交委理事、文科委、元環境副大臣、国交政務官、奈良県議、慶大法、奈良市
当3 勤9・0
昭39年10月9日生（無派閥）

田中（たなか）**英之**（ひでゆき） 54 自［前］
党副幹事長、国交委、地方創生特委理、決算委理、文科副大臣、国交政務官、農林部会長代理、市議、京都外大職員、京都外大、京都市
当4 勤11・10
昭45年7月11日生（無派閥）

宗清（むねきよ）**皇一**（こういち） 54 自［前］
財金理事、前内閣府(兼)復興政務官、経産政務官、大阪府議、元塩川正十郎議員秘書、龍谷大卒、東大阪市
当3 勤9・10
昭45年8月9日生（無派閥）

盛山正仁（もりやま まさひと）70 自 [前]
文科大臣、前議運委筆頭理事、元厚労委長、元国交部会長、法務（兼）内閣府副大臣、国交省部長、東大、神戸大院法・商博士、大阪府
当5　勤15・9
昭28年12月14日生（無派閥）

谷川とむ（たにがわ とむ）48 自 [前]
衆法務委、国交委、地こデジ特委、党大阪府連会長、元党副幹事長、総務政務官、秘書、俳優、僧侶、阪大院、尼崎市
当3　勤9・10
昭51年4月27日生（無派閥）

立憲民主党（3）

櫻井周（さくらい しゅう）54 立憲 [前]
党政調副会長、国際局副会長、財金委理事、決算委、元伊丹市議、弁理士、JBIC、京大、京大院、ブラウン大学院
当2　勤7・0
昭45年8月16日生

森山浩行（もりやま ひろゆき）53 立憲 [前]
内閣委筆頭理事、党副幹事長、災害・緊急事態局長、大阪府連代表、関西TV記者、堺市議、大阪府議、明大法
当3　勤10・4
昭46年4月8日生

徳永久志（とくなが ひさし）61 教（維教）[新]
教育無償化を実現する会幹事長、参議院議員、外務大臣政務官、滋賀県議、松下政経塾、早大政経、滋賀県近江八幡市
当1　勤9・0（参1、勤6・1）
昭38年6月27日生

公明党（3）

竹内譲（たけうち ゆずる）66 公 [前]
党中央幹事会会長代理、元党政調会長、厚労副大臣、財務政務官、京都市議、三和銀行、京大法、京都市
当6　勤18・5
昭33年6月25日生

浮島智子（うきしま ともこ）61 公 [前]
衆文科委員会理事、党政調副会長、党文科部会長、元文科副大臣（兼）内閣府副大臣、元環境政務官、東京立正高卒、東京
当4　勤17・11（参1、勤6・1）
昭38年2月1日生

鰐淵洋子（わにぶち ようこ）52 公 [前]
環境委理事、党国対副委長、党女性副委長、元参院議員、文科大臣政務官、経産委理事、公明党本部、創価女子短大、福岡市
当2　勤13・1（参1、勤6・1）
昭47年4月10日生

日本共産党（2）

穀田恵二（こくたけいじ） 77 共 [前]

党国対委員長、選対委員長、衆外務委員、政倫審委員、党常任幹部会委員、元京都市議、立命館大、岩手県

当10 勤31・4

昭22年1月11日生

宮本岳志（みやもとたけし） 64 共 [元]

衆総務委員、文部科学委員、党中央委員、参院議員、日本民主主義文学会員、和歌山大除籍、岸和田市

当5 勤18・9（参1、勤6・1）

昭34年12月25日生

日本維新の会（10）

三木圭恵（みきけえ） 58 維新（維教）[元]

国交委理事、憲法審査会委、国会議員団幹事長代理、元三田市議、関西大学卒、兵庫県

当2 勤4・11

昭41年7月7日生

和田有一朗（わだゆういちろう） 59 維新（維教）[新]

衆外務委員、拉致特委員会理事、党第三選挙区支部長、元市議、県議、早稲田大学卒、神戸市外大院修士修了、兵庫県

当1 勤2・11

昭39年10月23日生

住吉寛紀（すみよしひろき） 39 維新（維教）[新]

安全保障委、内閣委、三菱ＵＦＪモルガン・スタンレー証券、兵庫県議、白陵高、名古屋大、東京大学院、兵庫県神戸市

当1 勤2・11

昭60年1月24日生

掘井健智（ほりいけんじ） 57 維新（維教）[新]

財金委、農水委、災害特委理事、日本維新の会役員（副選対本部長）、同能登半島地震対策副本部長、元県議・市議、大阪産業大学卒

当1 勤2・11

昭42年1月10日生

堀場幸子（ほりばさちこ） 45 維新（維教）[新]

衆内閣委員理事、文科委員、災害特委員、アンガーマネジメント講師、フェリス女学院大学大学院修了

当1 勤2・11

昭54年3月24日生

遠藤良太（えんどうりょうた） 39 維新（維教）[新]

衆厚生労働委理事、決算行政監視委員、会社役員、追手門学院大学卒、大阪府

当1 勤2・11

昭59年12月19日生

一谷勇一郎（いちたに ゆういちろう）　49　維新（維教）［新］
㈱ライフケア代表取締役、関西医療学園専門学校校友会・柔整部会会長
当1　勤2・11
昭50年1月22日生

池畑浩太朗（いけはた こうたろう）　49　維新（維教）［新］
農水委理事、国対副委員長、党県副代表、兵庫県議2期、衆院議員公設秘書、農業高校実習助手、県立農業大学校卒
当1　勤2・11
昭49年9月26日生

赤木正幸（あかぎ まさゆき）　49　維新（維教）［新］
党代表付、国土交通委員会委員、IT会社創業、不動産会社創業、不動産テック協会創設、早稲田大学卒、岡山県
当1　勤2・11
昭50年2月22日生

中嶋秀樹（なかじま ひでき）　53　維新（維教）［新］
衆総務委員、会社役員、大阪国際大学、京都府
当1　勤0・11
昭46年5月20日生

国民民主党（1）

斎藤アレックス（さいとう）　39　教育（維教）［新］
党政調会長、安保委理事、法務委、証券会社社員、松下政経塾、米国議会フェロー、衆議院議員秘書、同志社大学
当1　勤2・11
昭60年6月30日生

れいわ新選組（1）

大石あきこ（おおいし）　47　れ新［新］
衆議院内閣委員、元大阪府職員、大阪大学工学部卒業、大阪大学大学院工学研究科修了、大阪府大阪市
当1　勤2・11
昭52年5月27日生

中国ブロック（11）

自由民主党（6）

石橋林太郎（いしばし りんたろう）　46　自［新］
国土交通大臣政務官、法務・文部科学各委員、広島県議（2期）、大阪外大（現大阪大外国語学部）中退
当1　勤2・11
昭53年5月2日生（無派閥）

小島敏文（こじま としふみ）　73　自［前］
農林水産委理事、前復興副大臣、元党国交部会長、党厚労部会長代理、厚労政務官、党副幹事長、県議会副議長、大東大、世羅町
当4　勤11・10
昭25年9月7日生（無派閥）

あべ俊子（としこ） 65 自 [前]
文部科学副大臣、元農水委筆頭理事、外務・農水副大臣、東京医科歯科大院助教授、米イリノイ州立大院卒（ＰＨＤ）、宮城県
当6 勤19・1
昭34年5月19日生（無派閥）

髙階恵美子（たかがい えみこ） 60 自 [新]
震災復興特委員長、元厚労副大臣、元厚労政務官、元参文教委員長、元厚労省課長補佐、東京医科歯科大学院、宮城県
当1 勤14・4（参2、勤11・5）
昭38年12月21日生（無派閥）

杉田水脈（すぎた みお） 57 自 [前]
衆内閣委員会、安全保障委員会、災害対策特別委員会、元西宮市役所、鳥取大学農学部、神戸市
当3 勤9・0
昭42年4月22日生（無派閥）

畦元将吾（あぜもと しょうご） 66 自 [前]
党副幹事長、厚生労働大臣政務官、厚労委、環境委、東邦大客員教授、岐阜医療科学大院修了、診療放射線技師、広島市
当2 勤5・3
昭33年4月30日生（無派閥）

立憲民主党（2）

柚木道義（ゆのき みちよし） 52 立憲 [前]
衆厚生労働委員、政治改革特委、前衆文部科学委筆頭理事、決算委、元財務大臣政務官、元会社員、岡山大卒、倉敷市
当6 勤19・1
昭47年5月28日生

湯原俊二（ゆはら しゅんじ） 61 立憲 [元]
総務委員会理事、国会対策副委員長、県連代表、鳥取県議、米子市議、衆議員秘書
当2 勤6・3
昭37年11月20日生

公明党（2）

平林晃（ひらばやし あきら） 53 公 [新]
党組織局次長、国際局次長、デジタル社会推進本部事務局次長、立命館大学教授、博士（工学）、スイス連邦工科大学招聘教授、愛知県
当1 勤2・11
昭46年2月2日生

日下正喜（くさか まさき） 58 公 [新]
衆災害特理事、党組織局次長、同中国方面本部副幹事長、元広島県本部事務長、広島大院中退、創価大卒、和歌山県
当1 勤2・11
昭40年11月25日生

日本維新の会（1）

空本誠喜（そらもと せいき）60 維新（維教）〔元〕
衆環境委、原子力特委、党県総支部（広島維新の会）代表、東芝、東大院・原子力、工学博士、スキー指導員、広島県呉市音戸町
当2 勤6・3
昭39年3月11日生

四国ブロック（6）

自由民主党（3）

山本有二（やまもと ゆうじ）72 自〔前〕
党経理局長、治水議連会長、税調副会長、水政策・国土保全調査会会長、元農水・金融大臣、予算・憲法審査会、弁護士、早大法
当11 勤34・9
昭27年5月11日生（無派閥）

平井卓也（ひらい たくや）66 自〔前〕
党デジタル社会推進本部長、党広報本部長、初代デジタル大臣、デジタル改革担当相、内閣委長、国交副大臣、上智大卒、高松市
当8 勤24・4
昭33年1月25日生（無派閥）

瀬戸隆一（せと たかかず）59 自〔元〕
財務大臣政務官、財金委、前デジタル社会推進本部次長、医療セキュリティPT座長、総務省、郵政省、東工大院修、坂出市
当3 勤6・6
昭40年8月2日生（麻生派）

立憲民主党（1）

白石洋一（しらいし よういち）61 立憲〔前〕
衆国交委理事、元米国監査法人、元長銀、カリフォルニア大バークレー校MBA、東大法
当3 勤10・4
昭38年6月25日生

公明党（1）

山崎正恭（やまさき まさやす）53 公〔新〕
農林水産委、党教育改革推進本部事務局次長、高知県議、中京大、鳴門教育大学院、高知市
当1 勤2・11
昭46年3月5日生

日本維新の会（1）

吉田とも代（よしだ ともよ）49 維新（維教）〔新〕
総務委、災害対策特委、徳島維新代表、元丹波篠山市議2期、元損害保険会社員、神戸松蔭女子学院短期大学、兵庫県神戸市
当1 勤2・11
昭50年2月23日生

九州ブロック（20）

自由民主党（8）

今村雅弘（いまむら まさひろ）77 自〔前〕
党物流調査会長、衆予算委、元復興大臣、農林水産副大臣、国交・外務政務官、衆国交・決算委員長、JR九州、東大法、鹿島市
当9 勤28・1
昭22年1月5日生（無派閥）

保岡宏武（やすおか ひろたけ） 51 自 [新]
農林水産・総務委、地こデジ・消費者特委、元衆院秘書、青山学院大卒、鹿児島大学大学院農学修士（焼酎学）、鹿児島市
当1 勤2・11
昭48年5月6日生（無派閥）

岩田和親（いわた かずちか） 50 自 [前]
経済産業・内閣府副大臣、前党経産部会長、元経産・内閣府・復興・GX担当・防衛大臣政務官、佐賀県議、九大法卒、佐賀市
当4 勤11・10
昭48年9月20日生（無派閥）

武井俊輔（たけい しゅんすけ） 49 自 [前]
国交委理、外務委、沖北特委、消費者特委理、前外務副大臣、国対副委員長、宮崎県議、早稲田大院、中央大学、宮崎市
当4 勤11・10
昭50年3月29日生（無派閥）

古川康（ふるかわ やすし） 66 自 [前]
党農林部会長代理、畜産酪農対策委員長、高専小委幹事長、元国土交通政務官、総務政務官、佐賀県知事、自治省、東大法、唐津市
当3 勤9・10
昭33年7月15日生（無派閥）

國場幸之助（こくば こうのすけ） 51 自 [前]
国交副大臣、国防部会長、選対副委長、元外務政務官、副幹事長、国対副委長、県連会長、県議、早大卒、日大中退、那覇市
当4 勤11・10
昭48年1月10日生（無派閥）

宮崎政久（みやざき まさひさ） 59 自 [前]
党法務部会長、沖振調事務局長、法務委理事、消費者特委理事、法務大臣政務官、党経産・国交部会部会長代理、弁護士、明大法
当4 勤10・9
昭40年8月8日生（無派閥）

小里泰弘（おざと やすひろ） 65 自 [前]
内閣総理大臣補佐官、党総務会長代理、党経済成長戦略委員長、元国交・農水部会長、農水・環境副大臣、慶大法卒、鹿児島県
当6 勤19・1
昭33年9月29日生（無派閥）

立憲民主党（4）

吉川元（よしかわ はじめ） 57 立憲 [前]
総務委理事、文部科学委員会、党国対副委員長、元社民党副党首、元政策秘書、神戸大中退、香川県丸亀市
当4 勤11・10
昭41年9月28日生

稲富修二（いなとみ しゅうじ）　54　立憲　［前］
衆財務金融委筆頭理事、政倫審幹事、党財務局長、丸紅、松下政経塾、東大法、米コロンビア大院修了、福岡県
当3　勤10・4
昭45年8月26日生

屋良朝博（やら ともひろ）　62　立憲　［元］
安保委、環境委、沖北特理事、元沖縄タイムス論説委員、ハワイ東西センター客員研究員、フィリピン大、沖縄県中頭郡北谷町
当2　勤3・6
昭37年8月22日生

川内博史（かわうち ひろし）　62　立憲　［元］
衆農林水産委、元国交委員長、文部科学委員長、政倫審会長、大和銀行、早大卒、鹿児島市
当7　勤20・9
昭36年11月2日生

公明党（4）

濵地雅一（はまち まさかず）　54　公　［前］
厚生労働副大臣、党福岡県本部代表、元外務大臣政務官、弁護士、早稲田大法学部卒、福岡市
当4　勤11・10
昭45年5月8日生

吉田宣弘（よしだ のぶひろ）　56　公　［前］
経済産業・内閣府・復興政務官、党熊本県本部顧問、元福岡県議、元参院議員秘書、九州大学卒、熊本県荒尾市出身
当3　勤6・6
昭42年12月8日生

金城泰邦（きんじょう やすくに）　55　公　［新］
衆外務・予算委員、衆沖縄北方特理事、党外交部会長代理・内閣副部会長、党沖縄県本部代表代行、元県議、沖縄国際大卒
当1　勤2・11
昭44年7月16日生

吉田久美子（よしだ くみこ）　61　公　［新］
内閣委、厚労委、消費者特委理事、党女性委員会副委員長、県立鳥栖高卒、佐賀大学教育学部卒、佐賀県鳥栖市出身
当1　勤2・11
昭38年7月19日生

日本共産党（1）

田村貴昭（たむら たかあき）　63　共　［前］
衆財務金融委員、農水委員、災害特別委員、党中央委員、元北九州市議会議員、北九州大学法学部政治学科卒、大阪府枚方市
当3　勤9・10
昭36年4月30日生

日本維新の会（2）

阿部弘樹（あべ ひろき）　62　維新（維教）［新］

法務委員、元県議、元町長、厚生省、熊本大、熊本大院、ウィーン大学、医師

当1　勤2・11

昭36年12月15日生

山本剛正（やまもと ごうせい）　52　維新（維教）［元］

衆経産委、日本維新の会・福岡一区支部長、商社員、会社役員、衆参議員秘書、駒澤大、東京都

当2　勤6・3

昭47年1月1日生

国民民主党（1）

長友慎治（ながとも しんじ）　47　国民［新］

党政調副会長、衆農林水産委、衆政改特委、NPO法人フードバンク日向理事長、早稲田大卒、宮崎県

当1　勤2・11

昭52年6月22日生

議員選挙区別略歴【参議院】

（獲得票数の多い政党の順、政党内は当選順）

※得票数については、399～388頁をご覧ください。

①国会（こっかい）次郎（じろう） ②60 ③自 ④[新]

⑤参内閣委員、総務委員、党青年局次長、元都議、区議、東京大学卒、東京都

⑥当1 ⑦勤2・3 ⑧（衆1、勤1・1）

⑨昭39年1月1日生 ⑩（無派閥）

※原則として8月1日調べによるものです。

①**氏名**

②年齢（令和6年8月末時点）

③所属政党

政党要件を満たしている政党、正副議長は「無」とする

自＝自由民主党　立憲＝立憲民主党　公＝公明党

維新＝日本維新の会　共＝日本共産党　国民＝国民民主党

れ新＝れいわ新選組　社＝社会民主党　参政＝参政党

教育＝教育無償化を実現する会　無＝前出以外

（院内会派）… 政党と異なる議員のみ表記

院内会派の正式名称については、69頁をご覧ください。

④[前]・[元]・[新]の区別

[前]…当選2回以上で、選出される選挙時点で参議院議員であった議員

[元]…当選2回以上で、選出される選挙時点では、参議院議員でなかった議員、または当選2回以上で、繰上補充もしくは、補欠選挙により選出された議員

[新]…当選1回の議員

⑤現職、前職、元職、最終学歴、出身地

役職の文頭に参・党・前・元が付く場合、基本的には続く役職も同じ

⑥参議院議員として当選した回数

⑦国会議員として勤続した年月（令和6年8月末時点）

2・3は、2年3ヶ月、参議院議員としては1年2ヶ月

⑧衆議院議員として当選した回数と勤続した年月

1・1は、1年1ヶ月

⑨生年月日（昭は、昭和の略）

⑩自民党議員の所属する党内派閥

北海道（6）

〔令和元年〕

高橋（たかはし）はるみ 70 自 [新]
党女性局長、決算委、内閣委、資源エネ調、沖北特委、北海道知事4期、北海道経済産業局長、通産省、一橋経、富山市
当1 勤5・2
昭29年1月6日生（無派閥）

勝部（かつべ）賢志（けんじ） 64 立憲 [新]
議運委理事、財金委、ODA沖北特、党副幹事長、道議会副議長、道議会議員、小学校教員、北海道教育大札幌分校
当1 勤5・2
昭34年9月6日生

岩本（いわもと）剛人（つよひと） 59 自 [新]
自民党副幹事長、参党副幹事長、総務委筆頭、災害特筆頭、外交安全調査会筆頭、決算委、道議5期、淑徳大学社会福祉学科、札幌
当1 勤5・2
昭39年10月19日生（無派閥）

〔令和4年〕

長谷川（はせがわ）岳（がく） 53 自 [前]
地方創生・デジタル特別委員長、国交委、党北海道総合開発特別委員長代理、元総務副大臣、北大経卒、愛知県
当3 勤14・4
昭46年2月16日生（無派閥）

徳永（とくなが）エリ 62 立憲 [前]
決算委理事、農水委、ODA・沖北特委、党政調会長代理（参政審会長）、元TVリポーター、法大中退、札幌市
当3 勤14・4
昭37年1月1日生

船橋（ふなはし）利実（としみつ） 63 自 [新]
総務大臣政務官、総務委、資源エネ調査委、元財務大臣政務官、衆議2期、道議、北見市議、北海商科大学大学院、北海道
当1 勤8・3（衆2、勤6・1）
昭35年11月20日生（麻生派）

青森県（2）

〔令和元年〕

滝沢（たきさわ）求（もとめ） 65 自 [前]
環境兼内閣府副大臣、環境委員長、党環境部会長、副幹事長、外務大臣政務官、県議会副議長、中大法卒、八戸市
当2 勤11・3
昭33年10月11日生（麻生派）

〔令和4年〕

田名部（たなぶ）匡代（まさよ） 55 立憲 [前]
党参幹事長、党つながる本部参与、農水委、国基委、国民・経済調理事、元国交委員長、農水政務官、玉川学園女子短大卒、八戸市
当2 勤15・10（衆3、勤7・7）
昭44年7月10日生

岩手県（2）

〔令和元年〕

横澤高徳（よこさわ たかのり）　52　立憲　[新]

党障がい・難病PT座長、農水委筆頭理事、議運委、震災復興特委、パラアルペンスキー日本代表、盛岡工高卒、岩手県矢巾町

当1　勤5・2

昭47年3月6日生

〔令和4年〕

広瀬めぐみ（ひろせ）

令和6年8月15日辞職

※補欠選挙期日は令和6年10月27日予定

宮城県（2）

〔令和元年〕

石垣のりこ（いしがき）　50　立憲　[新]

予算委員会、内閣委員会、震災復興特別委員会、元ラジオ局アナウンサー、宮城教育大卒、防災士、宮城県

当1　勤5・2

昭49年8月1日生

〔令和4年〕

櫻井充（さくらい みつる）　68　自　[前]

元厚労・財務各副大臣、経産・金融経済特各委員長、参議院予算委員長、国立岩手病院第二内科医長、医博、東北大院、仙台市

当5　勤26・6

昭31年5月12日生（無派閥）

秋田県（2）

〔令和元年〕

寺田静（てらた しずか）　49　無　[新]

参院農林水産委員、環境委、元議員秘書、早稲田大、秋田県横手市

当1　勤5・2

昭50年3月23日生

〔令和4年〕

石井浩郎（いしい ひろお）　60　自　[前]

決算委筆頭理、国交委、政治改革・復興特委理、党国対筆頭副委長、前国交・復興・内閣府副大臣、プロ野球選手、早大中退、八郎潟町

当3　勤14・4

昭39年6月21日生（無派閥）

山形県（2）

〔令和元年〕

芳賀道也（はが みちや）　66　無(民主)　[新]

総務委員会、決算委員会、災害対策特別委員会、元アナウンサー、日本大学、山形市

当1　勤5・2

昭33年3月2日生

〔令和4年〕

舟山康江（ふなやま やすえ）　58　国民　[前]

党参議院議員会長、農水委理事、国民生活・経済・地方調理事、元農林水産大臣政務官、元農水省職員、北海道大学卒、埼玉県

当3　勤14・4

昭41年5月26日生

福島県（2）

〔令和元年〕

森 まさこ（もり） 60 自［前］

元内閣総理大臣補佐官、元法務大臣、女性活力・少子化担当大臣、環境委員長、弁護士、東北大、NY大、いわき市

当3 勤17・4

昭39年8月22日生（無派閥）

〔令和4年〕

星 北斗（ほし ほくと） 60 自［新］

厚労理事、行政監視委、復興特委、国民経済調、公財星総合病院理事長、福島県医師会参与、東邦大学医学部客員教授、同大卒、福島

当1 勤2・2

昭39年3月18日生（無派閥）

茨城県（4）

〔令和元年〕

上月 良祐（こうづき りょうすけ） 61 自［前］

経産副大臣（兼内閣府副大臣、元農水政務官、自治省・総務省、茨城県副知事、東京大学法学部、兵庫県

当2 勤11・3

昭37年12月26日生（無派閥）

小沼 巧（おぬま たくみ） 38 立憲［新］

政治改革特筆頭理、予算委、国交委、党政調副会長、元経産省、ボストンコンサルティング、早大、タフツ大院、鉾田市

当1 勤5・2

昭60年12月21日生

〔令和4年〕

加藤 明良（かとう あきよし） 56 自［新］

予算委理事、災害特委理事、内閣委、政改特委、憲法審、前茨城県議会議員（3期）、元参議院議員秘書、専修大商学部卒、水戸市

当1 勤2・2

昭43年2月7日生（無派閥）

堂込 麻紀子（どうごみ まきこ） 48 無［新］

財金委、連合茨城執行委員、UAゼンセン茨城運営評議員、イオンリテールワーカーズユニオン、流通経済大卒、茨城県

当1 勤2・2

昭50年9月15日生

栃木県（2）

〔令和元年〕

高橋 克法（たかはし かつのり） 66 自［前］

参文教科学委員長、元国交政務官、元議運委理事、元参党国対筆頭副、元高根沢町長、県議、国会議員秘書、明大法卒、高根沢町

当2 勤11・3

昭32年12月7日生（麻生派）

〔令和4年〕

上野 通子（うえの みちこ） 66 自［前］

参文科委、党政調会長代理、前総理補佐官、元文科副大臣、元文科委員長、県連女性局長、県議、共立女子大卒、宇都宮市

当3 勤14・4

昭33年4月21日生（無派閥）

群馬県（2）

〔令和元年〕

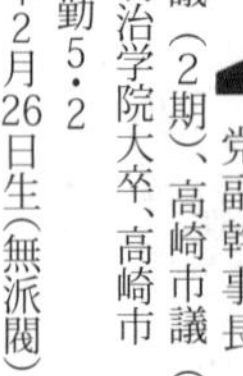

清水真人（しみずまさと）　49　自　[新]

参党国対副委員長、参議運委理、国交政務官、参党副幹事長、群馬県議（2期）、高崎市議（2期）、明治学院大卒、高崎市

当1　勤5・2

昭50年2月26日生（無派閥）

〔令和4年〕

中曽根弘文（なかそねひろふみ）　78　自　[前]

憲法審会長、外防委、党外交調査会長、党総務、情報監視審査会長、参党議員会長、予算・議運委長、外相、文相、科技長官、慶大、前橋市

当7　勤38・8

昭20年11月28日生（無派閥）

埼玉県（8）

〔令和元年〕

古川俊治（ふるかわとしはる）　61　自　[前]

参地デジ特委委員長、医師、弁護士、博士（医学）、慶大教授、慶大医卒、英オックスフォード大院修（MBA）、さいたま市

当3　勤17・4

昭38年1月14日生（無派閥）

熊谷裕人（くまがいひろと）　62　立憲　[新]

文科委、決算委、消費者特委、党埼玉県連合代表代行、さいたま市議、国会議員政策担当秘書、中央大、埼玉県さいたま市

当1　勤5・2

昭37年3月23日生

矢倉克夫（やくらかつお）　49　公　[前]

財務副大臣、財政金融委、倫理選挙委、党青年委顧問、弁護士（日本・NY州）、経産省参事官補佐、東大法卒、神奈川県

当2　勤11・3

昭50年1月11日生

伊藤岳（いとうがく）　64　共　[新]

参院総務委員、参院地方創生及びデジタル社会の形成等に関する特別委員、党中央委員、前環境委員、前党埼玉県常任委員

当1　勤5・2

昭35年3月6日生

〔令和4年〕

関口昌一（せきぐちまさかず）　71　自　[前]

参党議員会長、前参党国会対策委員長、元総務㊎内閣府副大臣、文教委長、外務政務官、日歯医議連会長、城西歯大卒、秩父郡

当5　勤21・3

昭28年6月4日生（無派閥）

上田清司（うえだきよし）　76　無　[前]

法政大学法学部卒業、早稲田大学大学院政治学研究科修了、衆議院議員3期、埼玉県知事4期、全国知事会会長

当2　勤15・3（衆3、勤10・3）

昭23年5月15日生

西田実仁（にしだまこと） 62 公 [前]
党参院会長、選対委員長、税調会長、埼玉県本部代表、元参法務委員長、元経済誌副編集長、慶應大経済卒、西東京市
当4 勤20・5
昭37年8月27日生

高木真理（たかぎまり） 57 立憲 [新]
党県連副代表、前埼玉県議会議員、元さいたま市議会議員、枝野幸男秘書、東京（現三菱UFJ）銀行、東京大法、栃木
当1 勤2・2
昭42年8月12日生

千葉県（6）

〔令和元年〕

石井準一（いしいじゅんいち） 66 自 [前]
参党国対委員長、前議運委長、元憲法審会長、党幹事長代理、党選対委長代理、予算委長、国交委長、県議5期、長生高校、千葉県
当3 勤17・4
昭32年11月23日生（無派閥）

長浜博行（ながはまひろゆき） 65 無 [前]
参議院副議長、元環境大臣、内閣官房副長官、厚労副大臣、環境委長、国交委長、松下政経塾2期生、早大政経、東京都
当3 勤27・9（衆4、勤10・5）
昭33年10月20日生

豊田俊郎（とよだとしろう） 72 自 [前]
参政治改革特委員長、元国土交通副大臣、元参財政金融委員長、元内閣府大臣政務官、八千代市長、千葉県議、中央工学校、八千代市
当2 勤11・3
昭27年8月21日生（麻生派）

〔令和4年〕

臼井正一（うすいしょういち） 49 自 [新]
日大卒、(株)オリエンタルランド勤務、（公財）千葉県肢体不自由児協会理事長、県野球協会長、稲毛浅間神社責任役員
当1 勤2・2
昭50年1月8日生（無派閥）

猪口邦子（いのぐちくにこ） 72 自 [前]
党領土に関する特委長、外交・安保調会長、上智大名誉教授、元少子化・男女共同参画相、軍縮大使、エール大Ph.D.、吉野作造賞、千葉県
当3 勤18・3（衆1、勤3・11）
昭27年5月3日生（麻生派）

小西洋之（こにしひろゆき） 52 立憲 [前]
外防委理事、憲法審幹事、弾劾裁判所、参院政治改革特別委、元総務省・経産省課長補佐、徳大医中退、東大卒、コロンビア大院修
当3 勤14・4
昭47年1月28日生

東京都（12）

〔令和元年〕

丸川珠代（まるかわたまよ）　53　自　[前]
都連会長代行、前参党幹事長代行、前東京オリパラ大臣、元広報本部長、前参拉致特委長、元環境大臣、参厚労委長・政務官、テレ朝アナ、東大経卒
当3　勤17・4
昭46年1月19日生（無派閥）

山口那津男（やまぐちなつお）　72　公　[前]
党代表、参外交防衛・国家基本各委員、元政調会長、元行政監視委員長、元防衛政務次官、弁護士、東大卒、葛飾区
当4　勤30・1（衆2、勤6・8）
昭27年7月12日生

吉良よし子（きらよしこ）　41　共　[前]
参文教科学委員、決算委員、資源エネ・持続可能社会調査会理事、党常任幹部会委員、早稲田大学第一文学部卒業、高知県
当2　勤11・3
昭57年9月14日生

塩村あやか（しおむら）　46　立憲　[新]
内閣委、ODA沖北特委、外交安保調理事、党青年局長代理、国際局副局長、元東京都議、放送作家、共立女子短大卒、広島県
当1　勤5・2
昭53年7月6日生

音喜多駿（おときたしゅん）　40　維新（維教）　[新]
政調会長、総務委、行政監視理事、ODA・沖北特委、東京維新の会幹事長、都議、早大、東京都
当1　勤5・2
昭58年9月21日生

武見敬三（たけみけいぞう）　72　自　[前]
厚労大臣、前参院議員副会長、元参院政審会長、厚労副大臣、外務政務次官、参外防委長、東海大教授、TVキャスター、慶大院、東京
当5　勤24・1
昭26年11月5日生（麻生派）

〔令和4年〕

朝日健太郎（あさひけんたろう）　48　自　[前]
環境大臣政務官、参環境委、外交・安保調査会、ODA及び沖北特委、元国交大臣政務官、法政大、早稲田大院、熊本県
当2　勤8・3
昭50年9月19日生（無派閥）

竹谷とし子（たけやとしこ）　54　公　[前]
党参国対委長、党女性委長、党都本部副代表、環境委、行政監視委、前復興副大臣、元財務政務官、公認会計士、創価大、北海道
当3　勤14・4
昭44年9月30日生

山添（やまぞえ）　拓（たく）　39　共　[前]

党政策副委員長、予算委、外防委、憲法審幹事、国民生活地方調査会理事、弁護士、東大法、早大院卒、京都市
当2　勤8・3
昭59年11月20日生

蓮（れん）　舫（ほう）

令和6年6月20日退職
※補欠選挙は実施無し
次回参院選まで欠員

生稲（いくいな）　晃子（あきこ）　56　自　[新]

議運委、厚労委、消費者問題特委、外交・安保調査会、参党国対委、党女性局次長、党ネットメディア局次長、恵泉女短大、東京
当1　勤2・2
昭43年4月28日生（無派閥）

山本（やまもと）　太郎（たろう）　49　れ新　[元]

れいわ新選組代表、前衆院議員、元自由党共同代表、俳優、箕面自由学園高等学校中退、兵庫県宝塚市
当2　勤8・10（衆1、勤0・7）
昭49年11月24日生

神奈川県（8）〔令和元年〕

島村（しまむら）　大（だい）

令和5年8月30日死去
※補欠選挙は実施無し
次回参院選まで欠員

牧山（まきやま）　ひろえ　59　立憲　[前]

法務委理、党ネクスト法務大臣、参議院会長代行、米国弁護士、元ＴＢＳ、国際基督教大、トーマス・クーリー法科大学院卒
当3　勤17・4
昭39年9月29日生

佐々木（ささき）　さやか　43　公　[前]

参法務委員長、党女性局長、党宣伝局長、党青年委副委員長、党県本部代表代行、弁護士、創価大法科大院修了、青森県
当2　勤11・3
昭56年1月18日生

水野（みずの）　素子（もとこ）　54　立憲　[新]

元ＪＡＸＡ参事、元東大・慶大非常勤講師、東京大学法学部卒、オランダ・ライデン大学修士課程修了、中小企業診断士
当1　勤2・2
昭45年4月9日生

〔令和4年〕

三原じゅん子（みはら じゅんこ）59　自　[前]

参環境委員長、前ODA沖北特委員長、元内閣府大臣補佐官、厚労副大臣、党女性局長、参厚労委員長、明大中野高中退、東京都

当3　勤14・4

昭39年9月13日生（無派閥）

松沢成文（まつざわ しげふみ）66　維新（維教）[元]

神奈川県知事2期、衆議院議員3期、神奈川県議2期、聖マリアンナ医科大学客員教授、慶應義塾大学卒、神奈川県

当3　勤20・3（衆3、勤9・10）

昭33年4月2日生

三浦信祐（みうら のぶひろ）49　公　[前]

議運委理事、経産委、党青年局長、党安全保障部会長、県本部代表、博士（工学）、元防衛大准教授、千葉工大卒、仙台市

当2　勤8・3

昭50年3月5日生

浅尾慶一郎（あさお けいいちろう）60　自　[元]

参議院運営委員長、経産委、元党政調会長代理（兼）党参政審会長代理、東京大学卒、スタンフォード院修了、東京都

当3　勤21・7（衆3、勤8・2）

昭39年2月11日生（麻生派）

新潟県（2）

〔令和元年〕

打越さく良（うちこし さくら）56　立憲　[新]

参厚労委理事、拉致特委理事、憲法審査会委員、弁護士（新潟県弁護士会）、東京大学大学院教育学研究科博士課程中途退学

当1　勤5・2

昭43年1月6日生

〔令和4年〕

小林一大（こばやし かずひろ）50　自　[新]

元新潟県議、元県連政務調査会長、東京海上日動火災保険㈱、普談寺副住職、東大経卒

当1　勤2・2

昭49年6月12日生（無派閥）

富山県（2）

〔令和元年〕

堂故茂（どうこ しげる）72　自　[前]

国土交通・内閣府・復興副大臣、国交委、復興特委、国民生調委、文科政務官、農水委長、代議士秘書、県議、市長、慶大、氷見市

当2　勤11・3

昭27年8月7日生（無派閥）

〔令和4年〕

野上浩太郎（のがみ こうたろう）57　自　[前]

前参党国対委員長、元農林水産大臣、内閣官房副長官、国交副大臣、財務政務官、文教委長、三井不動産、県議、慶大、富山市

当4　勤20・5

昭42年5月20日生（無派閥）

石川県（2）

〔令和元年〕

宮本周司（みやもと しゅうじ） 53 自 [前]
参議院予算委員会、参議院国土交通委員会、参議院災害対策特別委員会、東経大、能美市
当3 勤11・4
昭46年3月27日生（無派閥）

〔令和4年〕

岡田直樹（おかだ なおき） 62 自 [前]
参党幹事長代行、国務大臣、参党国対委員長、内閣官房副長官、財務副大臣、国交委員長、国交政務官、県議、新聞記者、東大、金沢市
当4 勤20・5
昭37年6月9日生（無派閥）

福井県（2）

〔令和元年〕

滝波宏文（たきなみ ひろふみ） 52 自 [前]
農林水産委員長、党税調幹事、党水産部会長、経産政務官、財務省広報室長、早大院博士、シカゴ大院修士、東大法、福井県
当2 勤11・3
昭46年10月20日生（無派閥）

〔令和4年〕

山崎正昭（やまざき まさあき） 82 自 [前]
元参議院議長、元参議院副議長、参議院自民党幹事長、内閣官房副長官、議運委員長、大蔵政務次官、県議長、日大、大野市
当6 勤32・7
昭17年5月24日生（無派閥）

山梨県（2）

〔令和元年〕

森屋宏（もりや ひろし） 67 自 [前]
内閣官房副長官、内閣委、党県連会長、元参内閣委員長、総務大臣政務官、県議会議長、北教大、山梨学院大院、山梨県
当2 勤11・3
昭32年7月21日生（無派閥）

〔令和4年〕

永井学（ながい まなぶ） 50 自 [新]
国土交通委、拉致特別委、党運輸交通関係団体副委員長、FM富士記者、旅行会社役員、県議、議員秘書、国学院大法卒
当1 勤2・2
昭49年5月7日生（無派閥）

長野県（2）

〔令和元年〕

羽田次郎（はた じろう） 54 立憲 [新]
農林水産委、決算委、災害対策特委理事、党政調会長補佐、元代議士秘書、会社社長、米ウェイクフォレスト大学留学、東京都
当1 勤3・5
昭44年9月7日生

〔令和4年〕

杉尾秀哉（すぎお ひでや） 66 立憲 [前]
党内閣NC大臣、参予算委理事、参内閣委、参災害特委、元TBSテレビキャスター、東大文学部卒、兵庫県
当2 勤8・3
昭32年9月30日生

（参）略歴

岐阜県（2）

〔令和元年〕
大野泰正（おおの やすただ）　65　無　［前］
財金委、内閣委員長、予算委理、自民党副幹事長、国交委筆理、元国土交通大臣政務官、県議、全日空㈱、慶大法、岐阜県
当2　勤11・3
昭34年5月31日生

〔令和4年〕
渡辺猛之（わたなべ たけゆき）　56　自　［前］
議院運営委員会筆頭理事、環境委員、元国交・内閣府・復興副大臣、名古屋大経卒、元県議、松下政経塾卒、八百津町
当3　勤14・4
昭43年4月18日生（無派閥）

静岡県（4）

〔令和元年〕
牧野たかお（まきの たかお）　65　自　［前］
総務委員会委員、党幹事長代理、元国交副大臣、外務政務官、議運筆頭理事、県議、民放記者、早大法卒、島田市
当3　勤17・4
昭34年1月1日生（無派閥）

榛葉賀津也（しんば かづや）　57　国民　［前］
党幹事長、外交防衛委、元外務副大臣、防衛副大臣、内閣委長、外防委長、沖北特委長、党参国対委長、オタバイン大、静岡県
当4　勤23・5
昭42年4月25日生

〔令和4年〕
若林洋平（わかばやし ようへい）　52　自　［新］
前御殿場市長、病院事務長、大正製薬株式会社、埼玉大学理学部化学科卒、茨城県水戸市
当1　勤2・2
昭46年12月24日生（無派閥）

平山佐知子（ひらやま さちこ）　53　無　［前］
参経済産業委員、元NHK静岡キャスター、河合楽器製作所、日本福祉大短大部卒、静岡県磐田市
当2　勤8・3
昭46年1月3日生

愛知県（8）

〔令和元年〕
酒井庸行（さかい やすゆき）　72　自　［前］
参内閣委理事、前経済・内閣副大臣、参財金委員長、党副幹事長、元内閣府政務官、県議、刈谷市議、日大卒、愛知県刈谷市
当2　勤11・3
昭27年2月14日生（無派閥）

大塚耕平（おおつか こうへい）　64　無（民主）　［前］
財金委、早大研究機構客員上席研究員、藤田医大客員教授、元厚労副大臣、内閣府副大臣、日銀、早大院博士、愛知県
当4　勤23・5
昭34年10月5日生

田島麻衣子（たじま まいこ） 47 立憲 [新]

環境委、行政監視委、ODA沖北特委、党県連副代表、国連食糧計画WFP元職員、英オックスフォード大院修

当1 勤5・2

昭51年12月20日生

安江伸夫（やすえ のぶお） 37 公 [新]

文部科学大臣政務官、党青年副委員長、県本部副代表、弁護士、防災士、創価大法科大学院、愛知県

当1 勤5・2

昭62年6月26日生

〔令和4年〕

藤川政人（ふじかわ まさひと） 64 自 [前]

参ODA・沖北特委委員長、総務委、県連最高顧問、元財務副大臣、総務政務官、財金委員長、県議、南山大卒、愛知県

当3 勤14・4

昭35年7月8日生（麻生派）

里見隆治（さとみ りゅうじ） 56 公 [前]

経産委、決算委、政治改革特委、憲法審査会、党経産部会長代理、厚労副部会長、愛知県本部代表、経済産業政務官、東大

当2 勤8・3

昭42年10月17日生

斎藤嘉隆（さいとう よしたか） 61 立憲 [前]

国会対策委員長、文教委、前国土交通委員長、元連合愛知副会長、県教組委員長、愛知教育大卒、名古屋市

当3 勤14・4

昭38年2月18日生

伊藤孝恵（いとう たかえ） 49 国民 [前]

参文教理、予算委、地方デジタル特委、党選対委員長代理、歴テレビ大阪、資生堂、リクルート、金城学院大文卒、犬山市

当2 勤8・3

昭50年6月30日生

三重県（2）

〔令和元年〕

吉川ゆうみ（よしかわ ゆうみ） 50 自 [前]

党副幹事長、参予算委、前外務大臣政務官、元経産大臣政務官、党女性局長、参文教委員長、三井住友銀行、農工大院卒

当2 勤11・3

昭48年9月4日生（無派閥）

〔令和4年〕

山本佐知子（やまもと さちこ） 56 自 [新]

元三重県議会議員、旅行会社、住友銀行、神戸大学法卒、米オハイオ大院修了、桑名市

当1 勤2・2

昭42年10月24日生（無派閥）

滋賀県（2）

〔令和元年〕

嘉田由紀子（かだゆきこ）　74　教育（維教）〔新〕

国交委、災害特委、環境社会学者、滋賀県知事、びわこ成蹊スポーツ大学長、京都精華大学教授、京大農学博士

当1　勤5・2

昭25年5月18日生

〔令和4年〕

こやり隆史（たかし）　57　自〔前〕

国交政務官、国交委、国家基本委、外交安保調委、厚労政務官、経産省職員、京大院、インペリアルカレッジ大学院、大津市

当2　勤8・3

昭41年9月9日生（無派閥）

京都府（4）

〔令和元年〕

西田昌司（にしだしょうじ）　65　自〔前〕

財金理事、党税調幹事、財政政策検討本部長、与党新幹線PT北陸新幹線整備委員長、元府議、滋賀大経卒、京都市

当3　勤17・4

昭33年9月19日生（無派閥）

倉林明子（くらばやしあきこ）　63　共〔前〕

参厚生労働委員、行政監視委理事、消費者特委員、党副委員長、元京都府議、元京都市議、京都市立看護短大卒業、福島県

当2　勤11・3

昭35年12月3日生

〔令和4年〕

吉井章（よしいあきら）　57　自〔新〕

国交委理、議運委、拉致特委理、憲法審幹、参党国対委、党女性局次長、京都市議4期、衆院議員秘書、京都産業大学中退、京都市

当1　勤2・2

昭42年1月2日生（無派閥）

福山哲郎（ふくやまてつろう）　62　立憲〔前〕

参国民生活調会長、外防委員、元党幹事長、民主党政調会長、官房副長官、副外相、参外防・環境委長、大和証券、京大院修、東京都

当5　勤26・6

昭37年1月19日生

大阪府（8）

〔令和元年〕

梅村みずほ（うめむら）　45　維新（維教）〔新〕

環境委、震災復興特別委、資源エネ・持続可能調、元フリーアナウンサー、JTB、立命館大、愛知県

当1　勤5・2

昭53年9月10日生

東徹（あずまとおる）　57　維新（維教）〔前〕

党拉致対策本部長、党改革実行本部長、元大阪府議会議員3期、専門学校講師、東洋大学大学院修士課程修了、大阪市

当2　勤11・3

昭41年9月16日生

杉 久武（すぎ ひさたけ） 48 公 [前]
党税調事務局長、元法務委員長、予算委理事、財務政務官、公認会計士、米国公認会計士、税理士、創価大経営学部卒、大阪府
当2 勤11・3
昭51年1月4日生

太田房江（おおた ふさえ） 73 自 [前]
参内閣委理事、党内閣第一部会長、経産(兼)内閣府副大臣、文科委員長、厚労政務官、党女性局長、大阪府知事、通産省、東大経卒
当2 勤11・3
昭26年6月26日生（無派閥）

〔令和4年〕

高木かおり（たかぎ かおり） 51 維新(維教) [前]
参総務委、政治改革特委、党政調副会長・総務部会長・ダイバーシティ推進局長、元堺市議2期、元三菱信託銀行員、京都女子大
当2 勤8・3
昭47年10月10日生

松川るい（まつかわ るい） 53 自 [前]
党副幹事長、国防部会長代理、国際局次長、元防衛政務官、外務省日中韓協力事務局次長、東大法卒
当2 勤8・3
昭46年2月26日生（無派閥）

浅田 均（あさだ ひとし） 73 維新(維教) [前]
党参議院会長、元大阪府議会議長、OECD代専門調査員、NHK職員、京大卒、スタンフォード大院、大阪市
当2 勤8・3
昭25年12月29日生

石川博崇（いしかわ ひろたか） 50 公 [前]
法務委、拉致特委理事、党参政審会長、中央幹事、市民活動委員長、元防衛大臣政務官、外務省職員、創価大学、豊中市
当3 勤14・4
昭48年9月12日生

兵庫県（6）

〔令和元年〕

清水貴之（しみず たかゆき） 50 維新(維教) [前]
法務委員、予算委員、ODA・沖北特委理、元朝日放送アナ、早大卒、関学大院修了、福岡
当2 勤11・3
昭49年6月29日生

高橋光男（たかはし みつお） 47 公 [新]
農林水産大臣政務官、農水委、復興特委、党青年委副委員長、党兵庫県本部副代表、元外務省職員、中央大学卒、宝塚市
当1 勤5・2
昭52年2月15日生

加田裕之（かだひろゆき）54　自　[新]
環境委、行政監視委、災害特委、参党国対副委員長、前議運理、兵庫県議会副議長、県議4期、神戸新聞MC、甲南大、神戸市
当1　勤5・2
昭45年6月8日生（無派閥）

〔令和4年〕

片山大介（かたやまだいすけ）57　維新（維教）[前]
内閣委、地デジ特委、憲法審幹事、党国会議員団政調会長代理、兵庫維新の会代表、NHK記者、慶應大卒、早大院修了、岡山県
当2　勤8・3
昭41年10月6日生

末松信介（すえまつしんすけ）68　自　[前]
党県連会長、元参予算委員長、文科大臣、参国対委員長、参議運委員長、国交・復興・内閣府副大臣、県議、関学大
当4　勤20・5
昭30年12月17日生（無派閥）

伊藤孝江（いとうたかえ）56　公　[前]
法務理事、党女性委員会副委員長、文部科学大臣政務官、国交理事、弁護士、税理士、関西大学卒、兵庫県
当2　勤8・3
昭43年1月13日生

奈良県（2）

〔令和元年〕

堀井巌（ほりいいわお）58　自　[前]
参党副幹事長、予算・総務委、前外務副大臣、党外交部会長、外務政務官、総務省、SF領事、官房副長官秘書官、岡山県部長、東大、橿原市
当2　勤11・3
昭40年10月22日生（無派閥）

〔令和4年〕

佐藤啓（さとうけい）45　自　[前]
農水委理事、予算委、財務大臣政務官、党参国対副、党税調幹事、経産(兼)内閣府(兼)復興大臣政務官、首相官邸、総務省、東大、奈良市
当2　勤8・3
昭54年4月7日生（無派閥）

和歌山県（2）

〔令和元年〕

世耕弘成（せこうひろしげ）61　無　[前]
前参院自民党幹事長、前経産大臣、元官房副長官、元参院党政審会長、元総理補佐官、早大
当5　勤26・2
昭37年11月9日生

〔令和4年〕

鶴保庸介（つるほようすけ）57　自　[前]
観光立国調査会会長、元国経・外交調会長、沖北大臣、政審会長、国交副大臣、厚労委長、国交政務官、東大法、岩出市
当5　勤26・6
昭42年2月5日生（無派閥）

鳥取県及び島根県（2）

〔令和元年〕

舞立昇治（まいたち しょうじ） 49 自 [前]

農林水産大臣政務官、農水委、倫選特委、前参党国対副、元党副幹事長、水産部会長、過疎特幹事、内閣府政務官、東大、鳥取

当2 勤11・3

昭50年8月13日生（無派閥）

〔令和4年〕

青木一彦（あおき かずひこ） 63 自 [前]

参党筆頭副幹事長、党副幹事長、党選対副委員長、国交理事、ODA沖北理事、議運委、予算筆頭理事、国交副大臣、早大、出雲市

当3 勤14・4

昭36年3月25日生（無派閥）

岡山県（2）

〔令和元年〕

石井正弘（いしい まさひろ） 78 自 [前]

政調副、税調幹、元経産(兼)内閣府副大臣、内閣委長、岡山県知事4期、建設省官房審議官、建設大臣秘書官、東大法、岡山県

当2 勤11・3

昭20年11月29日生（無派閥）

〔令和4年〕

小野田紀美（おのだ きみ） 41 自 [前]

参外防委員長、党副幹事長、防衛政務官、政調副会長、法務政務官、参政審副会長、都北区議、CDゲーム制作会社、拓大

当2 勤8・3

昭57年12月7日生（無派閥）

広島県（4）

〔令和元年〕

森本真治（もりもと しんじ） 51 立憲 [前]

経産委員長、災害特委、国家基本政策委、党組織委員長・国民運動局長、元市議3期、同志社大、広島市

当2 勤11・3

昭48年5月2日生

宮口治子（みやぐち はるこ） 48 立憲 [新]

文教委理事、政治改革特委、資源持続調理事、元TV局アナウンサー、声楽家、ヘルプマーク普及団体代表、大阪音大卒、福山市

当1 勤3・5

昭51年3月5日生

〔令和4年〕

宮沢洋一（みやざわ よういち） 74 自 [前]

党税制調査会会長、元経産相、特命担当相、党政調会長代理、内閣府副大臣、首相首席秘書官、大蔵省、東大法

当3 勤23・6（衆3、勤9・2）

昭25年4月21日生（無派閥）

三上えり（みかみ えり） 54 無(立憲) [新]

国交委、行政監視委、拉致特委、外交安全保障調査委、元テレビ新広島アナウンサー、サザンセミナリーカレッジ卒(米)、広島県

当1 勤2・2

昭45年6月11日生

山口県（2）

〔令和元年〕

北村経夫（きたむらつねお）69 自［前］

党財金部会長、拉致議連事務局長、元経産政務官、参外防委員長、産経政治部長、中央大、ペンシルベニア大院、山口県

当3　勤11・4

昭30年1月5日生（無派閥）

〔令和4年〕

江島潔（えじまきよし）67 自［前］

党副幹事長、参国交委、元経産副大臣、参農林水産、震災復興特委員長、党水産部会長、国交政務官、下関市長、東大院

当3　勤11・7

昭32年4月2日生（無派閥）

徳島県及び高知県（2）

〔令和元年〕

広田一（ひろたはじめ）55 無［元］

総務委、防衛大臣政務官、参国土交通委員長、衆議院議員1期、高知県議2期、㈱コクド、早大、高知県土佐清水市

当3　勤17・2（衆1、勤4・1）

昭43年10月10日生

〔令和4年〕

中西祐介（なかにしゆうすけ）45 自［前］

参予算委筆頭、元総務副大臣、元財務政務官、参財金委員長、党国対筆頭副委員長、党水産部会長、銀行員、松下政経塾、慶大法、阿南市

当3　勤14・4

昭54年7月12日生（麻生派）

香川県（2）

〔令和元年〕

三宅伸吾（みやけしんご）62 自［前］

防衛大臣政務官、党環境部会長、参地方デジタル特委理事、決算委理事、外務大臣政務官、日経新聞編集委員、東大大学院、香川県

当2　勤11・3

昭36年11月24日生（無派閥）

〔令和4年〕

磯崎仁彦（いそざきよしひこ）66 自［前］

党国対副委員長、前内閣官房副長官、元経産副大臣㈼内閣府副大臣、元環境委員長、元党副幹事長、東大法、丸亀市

当3　勤14・4

昭32年9月8日生（無派閥）

愛媛県（2）

〔令和元年〕

ながえ孝子（たかこ）64 無［新］

参環境委員、元衆議院議員、神戸大学卒、愛媛県

当1　勤8・6（衆1、勤3・4）

昭35年6月15日生

〔令和4年〕

山本順三（やまもとじゅんぞう）69 自［前］

参自議員副会長、前参予算委長、元県連会長、国家公安委長、防災・国土強靭化大臣、議運委長、国交副大臣、県議、早大、今治市

当4　勤20・5

昭29年10月27日生（無派閥）

福岡県（6）

〔令和元年〕

松山政司（まつやま まさじ） 65 自 [前]
参党幹事長、弾裁長、党外国人委長 [歴]国務大臣、政審会長、国対委長、議運委長、外副相、経産政務官、日本JC会頭、明大商、福岡市
当4 勤23・5
昭34年1月20日生（無派閥）

下野六太（しもの ろくた） 60 公 [新]
文教科学委、決算委、党参院国対副委員長、中学校保健体育教諭、福岡教育大学大学院修士課程
当1 勤5・2
昭39年5月1日生

〔令和4年〕

野田国義（のだ くによし） 66 立憲 [前]
復興特委員長、総務委、元国土交通委員長、衆議院議員1期、八女市長4期、日本大学法卒、福岡県
当2 勤14・7（衆1、勤3・4）
昭33年6月3日生

大家敏志（おおいえ さとし） 57 自 [前]
財金委員、元党政調会長代理、財務副大臣、議運筆頭理事、財金委員長、財務大臣政務官、県議、北九大、北九州市
当3 勤14・4
昭42年7月17日生（麻生派）

古賀之士（こが ゆきひと） 65 立憲 [前]
参経産委筆頭理事、行政監視委、ODA・沖北特委、前震災特委長、国交委長、元FBS福岡放送キャスター、明治大政経卒
当2 勤8・3
昭34年4月9日生

秋野公造（あきの こうぞう） 57 公 [前]
党中央幹事、九州方面本部長、元財務副大臣、元環境・内閣府政務官、元党参国対委員長、医師、医学博士、長崎大院卒
当3 勤14・4
昭42年7月11日生

佐賀県（2）

〔令和元年〕

山下雄平（やました ゆうへい） 45 自 [前]
党水産部会長、農水委理、倫選特委、前農水委員長、元内閣府大臣政務官、日経新聞記者、慶大法卒、唐津市
当2 勤11・3
昭54年8月27日生（無派閥）

〔令和4年〕

福岡資麿（ふくおか たかまろ） 51 自 [前]
党政審会長、党県連会長、元参議運委員長、党厚労部会長、党政調・総務会長代理、内閣府副大臣・政務官、慶大法卒、佐賀市
当3 勤18・3（衆1、勤3・11）
昭48年5月9日生（無派閥）

（参）略歴

(参)略歴

長崎県（2）

〔令和元年〕

古賀友一郎（こが ゆういちろう）　56　自　[前]

内閣府政務官、党長崎県連会長、元内閣委長、元環境委長、元総務政務官、元長崎市副市長、総務省、東大法、諫早市

当2　勤11・3

昭42年11月2日生（無派閥）

〔令和4年〕

山本啓介（やまもと けいすけ）　49　自　[新]

農水委、議運委、元党長崎県連幹事長、同総務会長、長崎県議（3期）、衆院議員秘書、皇學館大卒、壱岐市

当1　勤2・2

昭50年6月21日生（無派閥）

熊本県（2）

〔令和元年〕

馬場成志（ばば せいし）　59　自　[前]

総務副大臣、総務委、国家基本委、元外防委長、元予算理事、厚労大臣政務官、県議長、市議、熊工、熊本県

当2　勤11・3

昭39年11月30日生（無派閥）

〔令和4年〕

松村祥史（まつむら よしふみ）　60　自　[前]

国家公安委員長、防災担当大臣、前総務会長代理、元決算委員長、経産副大臣、全国商工会顧問、専修大卒、熊本県

当4　勤20・5

昭39年4月22日生（無派閥）

大分県（2）

〔令和元年〕

白坂亜紀（しらさか あき）　58　自　[新]

財政金融理事、行政監視、政治改革特別、復興特別、国民・経済地方委員、党女性局次長、党広報報道局次長、早大卒、大分県

当1　勤1・5

昭41年7月20日生（無派閥）

〔令和4年〕

古庄玄知（こしょう はるとも）　66　自　[新]

法務理、議運委、憲法審、災害特委、党報道局次長、司法制度調査会事務局次長、元大分県弁護士会会長、早大法、大分県

当1　勤2・2

昭32年12月24日生（無派閥）

宮崎県（2）

〔令和元年〕

長峯誠（ながみね まこと）　55　自　[前]

経産委理事、予算委、党国対副、前経産政務官、元党水産部会長、元外防委員長、元財務政務官、都城市長、県議、早大、宮崎県

当2　勤11・3

昭44年8月2日生（無派閥）

〔令和4年〕

松下新平（まつした しんぺい）　58　自　[前]

拉致特委長、党総務会長代理、スポーツ立国会長、元政倫審会長、倫選特、ODA特委長、総務(兼)内閣府副大臣、県議、法大、宮崎

当4　勤20・5

昭41年8月18日生（無派閥）

鹿児島県（2）

〔令和元年〕

尾辻秀久（おつじひでひさ）83　無［前］

参議院議長、元党両院議員総会長、参議院副議長、参党議員会長、厚労相、財務副大臣、防大、東大中退、鹿児島

当6　勤35・7

昭15年10月2日生

〔令和4年〕

野村哲郎（のむらてつろう）80　自［前］

参政倫審会長、元農林水産大臣、参党議員副会長、農林部会長、参ODA特委長、参農水委員長、ラサール高校卒、鹿児島市

当4　勤20・5

昭18年11月20日生（無派閥）

沖縄県（2）

〔令和元年〕

髙良鉄美（たからてつみ）70　無（沖縄）［新］

参外交防衛委員、琉球大学名誉教授、琉球大学法科大学院院長、九州大学大学院博士課程満期、那覇市

当1　勤5・2

昭29年1月15日生

〔令和4年〕

伊波洋一（いはよういち）72　無（沖縄）［前］

参外交防衛委員、行政監視委員、外交・安保調査委員、元宜野湾市長、沖縄県議、宜野湾市職員、琉球大卒

当2　勤8・3

昭27年1月4日生

比例代表

〔令和元年第25回選挙〕

自由民主党（19）

三浦靖（みうらやすし）51　自［新］

厚生労働大臣政務官、元総務大臣政務官、衆議院議員、大田市議、衆議院議員秘書、神奈川大、島根県

当1　勤7・0（衆1、勤1・10）

昭48年4月9日生（無派閥）

柘植芳文（つげよしふみ）78　自［前］

外務副大臣、総務副大臣、党政務調査会副会長、総務委筆頭理事、内閣委員長、環境委員長、愛知大

当2　勤11・3

昭20年10月11日生（無派閥）

山田太郎（やまだ たろう） 57 自 [元]
財金委理事、予算委、党知財小委事務局長、文科(兼)復興大臣政務官、デジタル(兼)内閣政務官、元東工大特任教授、上場企業社長、慶大卒
当2　勤8・10
昭42年5月12日生（無派閥）

和田政宗（わだ まさむね） 49 自 [前]
法務筆頭理事、決算委、復興特理事、憲法審、党広報副本部長・新聞出版局長、元国交(兼)内閣大臣政務官、元ＮＨＫアナ、慶大法
当2　勤11・3
昭49年10月14日生（無派閥）

佐藤正久（さとう まさひさ） 63 自 [前]
参国会対策委員長代行、党国防議連事務局長、元外務副大臣、元参外防委員長、一佐自衛官、イラク先遣隊長、防大卒、福島県
当3　勤17・4
昭35年10月23日生（無派閥）

佐藤信秋（さとう のぶあき） 76 自 [前]
決算委員長、環境委、党国土強靭化推進本部長代行、党地方行政調査会長、元国交事務次官、元道路局長、京大院修、新潟
当3　勤17・4
昭22年11月8日生（無派閥）

橋本聖子（はしもと せいこ） 59 自 [前]
参文教委、元公益財団法人東京オリ・パラ組織委会長、東京オリ・パラ担当大臣、党議員会長、外務副大臣、駒大苫高、北海道
当5　勤29・6
昭39年10月5日生（無派閥）

山田俊男（やまだ としお） 77 自 [前]
参農水委、予算委、党総務会副会長、都市農業対策委長、元ＯＤＡ特・農水委長、全国農協中央会専務理事、早大政経卒、富山県
当3　勤17・4
昭21年11月29日生（無派閥）

有村治子（ありむら はるこ） 53 自 [前]
参情報監視審査会長、党両院議員総会長、元女性活躍・少子化対策担当大臣、参党政審会長、米国ＳＩＴ大院修士、滋賀県
当4　勤23・5
昭45年9月21日生（麻生派）

石田昌宏（いしだ まさひろ） 57 自 [前]
予算委、厚労委、参党国対副委員長、女性局長代理、厚労委員長、党財務金融副部会長、日本看護連盟幹事長、東大応援部
当2　勤11・3
昭42年5月20日生（無派閥）

（参）略歴

本田顕子（ほんだ あきこ） 52 自 [新]
文部科学(兼)復興大臣政務官、前厚生労働(兼)内閣府大臣政務官、日本薬剤師会・連盟顧問、薬剤師、星薬科大卒、熊本
当1 勤5・2
昭46年9月29日生（無派閥）

衛藤晟一（えとう せいいち） 76 自 [前]
党障害児者問題調査会長、元党紀委員長、元一億総活躍・少子化担当大臣、総理大臣補佐官、厚労副大臣、大分大、大分市
当3 勤29・7（衆4、勤12・3）
昭22年10月1日生（無派閥）

羽生田俊（はにゅうだ たかし） 76 自 [前]
党厚労部会長代理、厚労委理、復興特委、党政審会副会長、前厚労副大臣、元厚労委長、元日本医師会副会長、医師、東医大、群馬県
当2 勤11・3
昭23年3月28日生（無派閥）

宮崎雅夫（みやざき まさお） 60 自 [新]
参予算委理事、農水・災対特委、政治改革特委、参党政審副会長、党農林部会副部会長、元農水省課長、神戸大卒、兵庫県
当1 勤5・2
昭38年12月3日生（無派閥）

山東昭子（さんとう あきこ） 82 自 [前]
前参議院議長、前党紀委員長、元参議院副議長、元科技庁長官、元環境政務次官、文化学院卒、東京都
当8 勤42・10
昭17年5月11日生（麻生派）

赤池誠章（あかいけ まさあき） 63 自 [前]
党政務調査会副会長、前内閣府副大臣、元党文科部会長3期、元参文教委員長、元文科大臣政務官、衆院議員、明大卒、山梨県
当2 勤15・2（衆1、勤3・11）
昭36年7月19日生（無派閥）

比嘉奈津美（ひが なつみ） 65 自 [新]
厚生労働委員長、消費者問題特委、参院党国対副委員長、環境大臣政務官、衆議院議員、歯科医師、福岡歯科大卒
当1 勤7・9（衆2、勤4・10）
昭33年10月3日生（無派閥）

中田宏（なかだ ひろし） 59 自 [新]
経済産業委員、衆議院議員4期、横浜市長2期、松下政経塾10期生、青山学院大学経済学部卒、神奈川県出身
当1 勤13・3（衆4、勤10・10）
昭39年9月20日生（無派閥）

田中昌史（たなか まさし）　58　自　[新]
予算・法務・消費特・国生調・憲法審、厚労団体副、日本理学療法士協会政策参与、日本理学療法士連盟顧問、理学療法士、北翔大院、札幌
当1　勤1・8
昭40年10月11日生（無派閥）

立憲民主党（8）

岸真紀子（きし まきこ）　48　立憲　[新]
参総務委、決算委、地方・デジ特委、立憲民主党参議院比例第13総支部長、自治労中央執行委員、北海道岩見沢緑陵高卒
当1　勤5・2
昭51年3月24日生

水岡俊一（みずおか しゅんいち）　68　立憲　[元]
党参院議員会長、元内閣総理大臣補佐官、元内閣委員長、元兵庫県教組書記次長、元中学校教諭、奈教大卒、豊岡市
当3　勤17・4
昭31年6月13日生

小澤雅仁（おざわ まさひと）　59　立憲　[新]
参総務委理事、議運委、消費者特委、憲法審、日本郵政グループ労働組合副執行委員長、山梨県立甲府西高
当1　勤5・2
昭40年8月13日生

吉川沙織（よしかわ さおり）　47　立憲　[前]
議運委筆頭理事、総務委、経産委員長、ＮＴＴ元社員、同志社大院（博士前期）修了、京大院（博士後期）在学、徳島
当3　勤17・4
昭51年10月9日生

森屋隆（もりや たかし）　57　立憲　[新]
国土交通委理、倫選特委、国民生活調委、元私鉄総連交通対策局長、都立多摩工業高卒、東京都檜原村
当1　勤5・2
昭42年6月28日生

川田龍平（かわだ りゅうへい）　48　立憲　[前]
行政監視委員長、環境委、拉致特委、党両院議員総会長、薬害エイズ訴訟原告、岩手医科大客員教授、東京経済大卒、東京都
当3　勤17・4
昭51年1月12日生

石川大我（いしかわ たいが）　50　立憲　[新]
消費者特委理事、法務委、憲法審、前豊島区議、早稲田大学大学院政治学研究科修了、東京都豊島区
当1　勤5・2
昭49年7月3日生

奥村政佳（おくむら まさよし） 46 立憲 [新]
厚労委、文科委、党代表補佐、気象予報士、保育士、防災士、横国大台風科学技術研究センター長補佐、筑波大卒、横国大院卒
当1 勤0・4
昭53年3月30日生

公明党（7）

山本香苗（やまもと かなえ） 53 公 [前]
厚労委、懲罰委、地デジ特委、党参副会長、関西方面副本部長、大阪府本部代表代行、元厚生労働副大臣、経産政務官、京都大卒、広島県
当4 勤23・5
昭46年5月14日生

山本博司（やまもと ひろし） 69 公 [前]
党中央規律副委員長、党中国副議長、党四国幹事長、元厚労副大臣、元財務政務官、元日本IBM社員、慶大卒、愛媛県
当3 勤17・4
昭29年12月9日生

若松謙維（わかまつ かねしげ） 69 公 [前]
財金委理、決算委、資源エネ調委、復興特委、党中央幹事、復興・総務副大臣、公認会計士、税理士、行政書士、防災士、中央大、福島
当2 勤21・8（衆3、勤10・5）
昭30年8月5日生

河野義博（かわの よしひろ） 46 公 [前]
予算委理事、国交委、沖北特委、党中央幹事、九州方面副本部長、沖縄方面副本部長、元丸紅(株)、慶應大卒、福岡市
当2 勤11・3
昭52年12月1日生

新妻秀規（にいづま ひでき） 54 公 [前]
総務委員長、党国際局長、同中部方面本部副幹事長、同愛知県本部副代表、元川崎重工、東大院卒、越谷市
当2 勤11・3
昭45年7月22日生

平木大作（ひらき だいさく） 49 公 [前]
復興副大臣、元経産(兼)内閣府(兼)復興政務官、元シティバンク、経営コンサルタント、東大法卒、イエセビジネススクールMBA、長野市
当2 勤11・3
昭49年10月16日生

塩田博昭（しおた ひろあき） 62 公 [新]
国交委理事、議運委、消費者特委、憲法審、党中央幹事、都本部副代表、山梨・秋田県本部顧問、元政調事務局長、秋田大卒、徳島県
当1 勤5・2
昭37年1月19日生

日本維新の会（5）

鈴木宗男（すずき むねお）　76　無　[新]
参前懲罰・元沖北各委長、法務委、衆外務・議運各委長、自民総務局長、内閣官房副長官、国務大臣、防・外各政務次官、拓大、足寄町
当1　勤30・3（衆8、勤25・1）
昭23年1月31日生

梅村聡（うめむら さとし）　49　維新（維教）　[元]
財金委、行政監視委理事、党コロナ対策本部長、元厚労大臣政務官、内科医師、大阪大学医学部卒、堺市
当2　勤11・3
昭50年2月13日生

柴田巧（しばた たくみ）　63　維新（維教）　[元]
参内閣委員、議運委員、憲法審査会、党参国対委員長、元代議士秘書、富山県議、早大院、富山県
当2　勤11・3
昭35年12月11日生

柳ケ瀬裕文（やながせ ひろふみ）　49　維新（維教）　[新]
参財金委、参行革委理、拉致特委、党総務会長、元都議会議員3期、大田区議、参議員秘書、早大卒、大田区
当1　勤5・2
昭49年11月8日生

藤巻健史（ふじまき たけし）　74　維新（維教）　[元]
モルガン銀行（現ＪＰモルガン・チェース銀行）日本における代表者（兼）東京支店長、元一橋大・早大大学院非常勤講師
当2　勤6・9
昭25年6月3日生

日本共産党（4）

小池晃（こいけ あきら）　64　共　[前]
党書記局長、医師、東北大学医学部卒、東京都
当4　勤23・5
昭35年6月9日生

山下芳生（やました よしき）　64　共　[前]
参環境委理事、ＯＤＡ・政治改革特委員、政治倫理審査委員、党副委員長、元生協職員、鳥取大学卒、香川県
当4　勤23・5
昭35年2月27日生

井上哲士（いのうえ さとし）　66　共　[前]
参懲罰委理事、内閣委、拉致特、倫選特、党参幹事長・国対委員長、幹部会委員、元赤旗記者、広島国泰寺高、京大法卒
当4　勤23・5
昭33年5月5日生

紙　智子（かみ　ともこ）　69　共　[前]

農水委、行政監視委、ODA・沖北特委、震災復興特委、党農林漁民局長（常幹）、国会議員団総会会長、北海道女子短大卒、札幌市

当4　勤23・5

昭30年1月13日生

国民民主党（3）

田村まみ（たむら　まみ）　48　国民　[新]

厚労委、予算委、消費者問題特委、UAゼンセン、イオン労組、イオンリテール㈱、同志社大卒、広島市

当1　勤5・2

昭51年4月23日生

礒﨑哲史（いそざき　てつじ）　55　国民　[前]

参経済産業委、憲法審査会委、党参国対委員長、広報局長、元日産自動車㈱、東京電機大工学部卒、東京都

当2　勤11・3

昭44年4月7日生

浜野喜史（はまの　よしふみ）　63　国民　[前]

参議院運営委理事、環境委員、倫選特委員、元労働組合役員、神戸大卒、兵庫県

当2　勤11・3

昭35年12月21日生

れいわ新選組（2）

舩後靖彦（ふなご　やすひこ）　66　れ新　[新]

文教科学委員、北朝鮮による拉致問題等に関する特別委員、株式会社アース顧問、拓殖大学政経学部卒業、岐阜市

当1　勤5・2

昭32年10月4日生

木村英子（きむら　えいこ）　59　れ新　[新]

参国土交通委員、国家基本政策委員、自立ステーションつばさ事務局長、平塚養護学校高等部卒業、横浜市

当1　勤5・2

昭40年5月11日生

社会民主党（1）

大椿ゆうこ（おおつばき　ゆうこ）　51　社（立憲）　[新]

厚労委、党全国連合副党首、障害者支援NPO、労組専従役員、社会福祉士、精神保健福祉士、保育士、四国学院大学卒、岡山県高梁市

当1　勤1・5

昭48年8月14日生

NHKから国民を守る党（1）

浜田聡（はまだ　さとし）　47　無（N党）　[新]

党政策調査会長、党幹事長、参総務委員、放射線科専門医、京都大学医学部卒、東京大学教育学部卒、京都市

当1　勤4・11

昭52年5月11日生

（参）略歴

〔令和4年第26回選挙〕

自由民主党（18）

藤井一博（ふじい かずひろ）　46　自　[新]

参総務委理、行監委、政治改革特委理、党青年局長代理、新聞局次長、鳥取県議会議員、医師、鳥取大学医学部卒
当1　勤2・2
昭52年12月23日生（無派閥）

梶原大介（かじはら だいすけ）　50　自　[新]

環境委理、議運委、復興特委理、災害特委、憲法審委、党国土建設関係団体副委長、元高知県連幹事長、県議、公設秘書、国立高知高専、高知県
当1　勤2・2
昭48年10月29日生（無派閥）

赤松健（あかまつ けん）　56　自　[新]

漫画家、文教委理、決算委、（公社）日本漫画家協会常務理事、著作権部、㈱Jコミックテラス取締役、中央大学卒、愛知県
当1　勤2・2
昭43年7月5日生（無派閥）

長谷川英晴（はせがわ ひではる）　65　自　[新]

環境理、予算委、地デジ特委、国民経済調、全国郵便局長会顧問、関東地方郵便局長会会長、全国郵便局長会副会長、東北大学卒
当1　勤2・2
昭34年5月7日生（無派閥）

青山繁晴（あおやま しげはる）　72　自　[前]

経産委理、ODA特委、行政監視委、憲法審査会委、党経産部会長代理、㈱独立総合研究所社長、共同通信社、早大、神戸市
当2　勤8・3
昭27年7月25日生（無派閥）

片山さつき（かたやま さつき）　65　自　[前]

党政調会長代理、金融調査会長、元国務大臣（地方創生・女性活躍）、厚労・行監委、衆議員、総務・経産政務官、大蔵主計官、東大法
当3　勤18・3（衆1、勤3・11）
昭34年5月9日生（無派閥）

足立敏之（あだち としゆき）　70　自　[前]

財政金融委員長、予算委員会理事、災害対策特別委員会理事、元国交省技監、京都大学大学院修了、京都府福知山市
当2　勤8・3
昭29年5月20日生（無派閥）

自見はなこ（じみ） 48 自 [前]
内閣府特命担当大臣・政務官、元党女性局長、元厚労政務官、東大・虎の門病院小児科、筑波大・東海大医、北九州市
当2 勤8・3
昭51年2月15日生（無派閥）

藤木眞也（ふじき しんや） 57 自 [前]
参副幹事長、農林部会長代理、議運理、元農水大臣政務官、農水理、JAかみましき組合長、全青協会長、農業法人社長、熊本農高、熊本
当2 勤8・3
昭42年2月25日生（無派閥）

山田宏（やまだ ひろし） 66 自 [前]
党副幹事長、元防衛大臣政務官、元衆院議員、元杉並区長、元東京都議、松下政経塾、京大卒
当2 勤13・6（衆2、勤5・3）
昭33年1月8日生（無派閥）

友納理緒（とものう りお） 43 自 [新]
弁護士、看護師、日本看護協会参与、早稲田大学大学院法務研究科、東京医科歯科大学大学院修、東京都
当1 勤2・2
昭55年11月18日生（無派閥）

山谷えり子（やまたに えりこ） 73 自 [前]
参拉致問題特委員、元党文化立国調査会長、国家公安委長、拉致問題担当大臣、参党政審会長、首相補佐官、聖心女大、福井
当4 勤23・10（衆1、勤3・5）
昭25年9月19日生（無派閥）

井上義行（いのうえ よしゆき） 61 自 [元]
総務委理、行監委、ODA・沖北特委、第一次安倍内閣総理大臣秘書官、元国交委理、日大経済（通信）卒、小田原市
当2 勤8・2
昭38年3月12日生（無派閥）

進藤金日子（しんどう かねひこ） 61 自 [前]
財務大臣政務官、財政金融委、地方・デジ特委、元農水省中山間地域振興課長、岩手大、秋田県協和町（現大仙市）
当2 勤8・3
昭38年7月7日生（無派閥）

今井絵理子（いまい えりこ） 40 自 [前]
元内閣府大臣政務官、参院文科委理事、党文科部会長代理、女性局長代理、青年局次長、歌手、八雲学園高卒、沖縄県那覇市
当2 勤8・3
昭58年9月22日生（麻生派）

阿達　雅志（あだち　まさし）　64　自　[前]

内閣委員長、災害特委、前外防委員長、前総理補佐官、元国交政務官、元党外交部会長、NY州弁護士、住友商事、東大法
当3　勤9・11
昭34年9月27日生(無派閥)

神谷　政幸（かみや　まさゆき）　45　自　[新]

厚労委、党青年局次長、党厚生関係団体委副委長、日本薬剤師連盟副会長、エーザイ㈱、福山大学薬学部卒、薬剤師、愛知県豊橋市
当1　勤2・2
昭54年1月6日生(麻生派)

越智　俊之（おち　としゆき）　46　自　[新]

宿泊業代表取締役、建設業会社顧問、法政大学工学部卒、広島県江田島市
当1　勤2・2
昭53年3月9日生(無派閥)

日本維新の会(8)

石井　章（いしい　あきら）　67　維新(維教)　[前]

経産委員、消費者問題特別委委員長、両院議員総会長、元衆院議員、社会福祉法人理事長、専修大学法学部卒業、茨城県取手市
当2　勤11・7(衆1、勤3・4)
昭32年5月6日生

石井　苗子（いしい　みつこ）　70　維新(維教)　[前]

外交防衛委理事、復興特委理事、決算委、政倫審、東京維新代表代行、東大医学部客員研究員、女優、キャスター、聖路加大、東大院
当2　勤8・3
昭29年2月25日生

松野　明美（まつの　あけみ）　56　維新(維教)　[新]

熊本県議会議員2期、熊本市議会議員2期、タレント、ソウル五輪選手、ニコニコドー陸上部、熊本県立鹿本高等学校卒、熊本県
当1　勤2・2
昭43年4月27日生

中条　きよし（なかじょう　きよし）　78　維新(維教)　[新]

文教科学委、拉致問題特委、国民生活・経済地方調理事、歌手、俳優、コメンテーター、岐阜東高校中退、岐阜県
当1　勤2・2
昭21年3月4日生

猪瀬　直樹（いのせ　なおき）　77　維新(維教)　[新]

党参議院幹事長、作家、元東京都知事、副知事、道路公団民営化委員、東大院客員教授、大阪府市特別顧問、信州大、明大院、長野市
当1　勤2・2
昭21年11月20日生

金子 道仁（かねこ みちひと） 54 維新（維教）［新］
予算委理事、文教委、外交・安保調、キリスト教会牧師、社会福祉法人理事長、外務省、東京大学法学部卒、横浜市
当1 勤2・2
昭45年2月20日生

串田 誠一（くしだ せいいち） 66 維新（維教）［新］
前衆議院議員、弁護士、元法政大学院特任教授、法政大学、東京都
当1 勤6・3（衆1、勤4・1）
昭33年6月20日生

青島 健太（あおしま けんた） 66 維新（維教）［新］
参国交委理事、党国対副委員長、元ヤクルトスワローズ選手、スポーツライター、テレビキャスター、慶応義塾大学、新潟市
当1 勤2・2
昭33年4月7日生

立憲民主党（7）

辻元 清美（つじもと きよみ） 64 立憲［新］
党代表代行、憲法審筆頭幹事、予算委、経産委、元幹事長代行、国対委員長、首相補佐官、国交副大臣、早大、奈良県
当1 勤23・11（衆7、勤21・9）
昭35年4月28日生

鬼木 誠（おにき まこと） 60 立憲［新］
参国対副委員長、内閣委、行監理、復興特、資源エネ調、自治労本部書記長、福岡県職労委員長、福岡県庁、福岡県立筑紫高卒
当1 勤2・2
昭38年12月7日生

古賀 千景（こが ちかげ） 57 立憲［新］
日教組特別中央執行委員、小学校教諭、熊本大教育学部卒、福岡県久留米市
当1 勤2・2
昭41年11月25日生

柴 慎一（しば しんいち） 59 立憲［新］
元ＪＰ労組中央副執行委員長、柿生高校卒、神奈川県
当1 勤2・2
昭39年9月14日生

村田 享子（むらた きょうこ） 41 立憲［新］
参議院議員秘書、基幹労連職員、東京大学法学部卒、早稲田大学文化構想学部卒、鹿児島県
当1 勤2・2
昭58年5月16日生

青木　愛（あおき　あい）　59　立憲　[前]
国土交通委員長、前行政監視委員長、元東日本大震災復興特委員長、千葉大大学院・高野山大大学院修了、保育士
当3　勤17・7（衆3、勤7・2）
昭40年8月18日生

石橋　通宏（いしばし　みちひろ）　59　立憲　[前]
参予算委理事、厚労委、党参・国対委員長代理、元情報労連、ILO、中大法卒、米アラバマ大院修、島根県
当3　勤14・4
昭40年7月1日生

公明党（6）

竹内　真二（たけうち　しんじ）　60　公　[前]
災害特委長、財金委、行監委、国民経済調、党遊説局長、千葉県本部副代表、元公明新聞編集局次長、早大政経卒、東京都
当2　勤7・0
昭39年3月19日生

横山　信一（よこやま　しんいち）　65　公　[前]
道本部代表代行、東北方面副本部長、党復興・防災部会長、前参国対委員長、元復興副大臣、元農水政務官、道議、北大院、北海道
当3　勤14・4
昭34年7月21日生

谷合　正明（たにあい　まさあき）　51　公　[前]
党幹事長代理、参院幹事長、広報委員長、中国方面本部長、岡山県本部代表、元農水副大臣、NGO職員、京大院、埼玉県
当4　勤20・5
昭48年4月27日生

窪田　哲也（くぼた　てつや）　58　公　[新]
党参院国対副委員長、党団体局次長、党沖縄21世紀委員会事務局次長、公明新聞九州支局長、明治大、愛媛県
当1　勤2・2
昭40年11月2日生

上田　勇（うえだ　いさむ）　66　公　[新]
党政調会長代理、経済再生調査会長、中部方面副本部長、静岡県本部代表代行、元財務副大臣、東京大学、神奈川県
当1　勤23・2（衆7、勤21・0）
昭33年8月5日生

宮崎　勝（みやざき　まさる）　66　公　[前]
内閣委、予算委、災害特委、党埼玉県本部副代表、党税調事務局次長、元環境大臣政務官、元公明新聞編集局長、埼玉大
当2　勤8・0
昭33年3月18日生

日本共産党(3)

田村智子(たむら ともこ) 59 共 [前]
党委員長、元党政策委員長、元党東京都副委員長、参議院議員秘書、早稲田大学卒、東京都
当3 勤14・4
昭40年7月4日生

仁比聡平(にひ そうへい) 60 共 [元]
元参議院議員、憲法審、法務委、弁護士、京都大学法学部卒、北九州市
当3 勤14・4
昭38年10月16日生

岩渕友(いわぶち とも) 47 共 [前]
党中央委員、党国対副委員長、議運委理、参経産委、東日本復興特委、外交・安保調理事、元民青福島県委員長、福島大卒、福島県
当2 勤8・3
昭51年10月3日生

国民民主党(3)

竹詰仁(たけづめ ひとし) 55 国民 [新]
内閣委、決算委、復興特委、東電労組中央執行委員長、全国電力総連副会長、在タイ日本大使館一等書記官、慶大経、東京
当1 勤2・2
昭44年2月6日生

浜口誠(はまぐち まこと) 59 国民 [前]
国交委、ODA特委、外交安保調理、情監審委、党政調会長、役員室長、自動車総連顧問、元トヨタ自動車、筑波大、三重県松阪市
当2 勤8・3
昭40年5月18日生

川合孝典(かわい たかのり) 60 国民 [前]
法務理事、行政監視委、拉致特委、党幹事長代行、党参院幹事長、党拉致問題対策本部長、党岡山県連会長、立命館大法学部、京都市
当3 勤14・4
昭39年1月29日生

れいわ新選組(2)

天畠大輔(てんばた だいすけ) 42 れ新 [新]
厚労委、立命館大学院先端総合学術研究科博士号取得、重度障がい者支援の一般社団法人代表理事
当1 勤2・2
昭56年12月29日生

大島九州男(おおしま くすお) 63 れ新 [元]
参内閣委員会、行政監視委員会、災害対策特別委員会、直方市議、日本大学法学部卒、福岡県直方市
当3 勤13・10
昭36年6月11日生

参政党（1）

神谷（かみや）宗幣（そうへい） 46 参政(無)[新]
党代表、党事務局長、元吹田市議会議員、関西大学法科大学院卒、福井県
当1　勤2・2
昭52年10月12日生

社会民主党（1）

福島（ふくしま）みずほ 68 社(立憲)[前]
党首、元消費者行政・男女共同参画・少子化・食品安全担当大臣、元党首、弁護士、東大法卒、宮崎県
当5　勤26・6
昭30年12月24日生

政治家女子48党（1）

齊藤（さいとう）健一郎（けんいちろう） 43 無(N党)[新]
総務委員会、NHKから国民を守る党党首、一般社団法人EXPEDITION　STYLE理事、奈良産業大法学部卒
当1　勤1・6
昭55年12月25日生

委員名簿【衆議院】

（令和6年8月7日現在）

（略称）	（会派名）
自民	＝自由民主党・無所属の会
立憲	＝立憲民主党・無所属
維教	＝日本維新の会・教育無償化を実現する会
公明	＝公明党
共産	＝日本共産党
国民	＝国民民主党・無所属クラブ
有志	＝有志の会
れ新	＝れいわ新選組
無	＝無所属

（略称）	（役職名）
長	＝委員長又は会長
理	＝理事
幹	＝幹事
（空欄）	＝委員

【常任委員会】

内閣委員会（40）

（自民22）（立憲 7）（維教 4）（公明 3）（共産 1）（国民 1）（有志 1）（れ新 1）

長	星野剛士	自民
理	上野賢一郎	自民
理	髙木啓	自民
理	冨樫博之	自民
理	中山展宏	自民
理	太栄志	立憲
理	森山浩行	立憲
理	堀場幸子	維教
理	庄子賢一	公明
	青山周平	自民
	井野俊郎	自民
	泉田裕彦	自民
	大西英男	自民
	大野敬太郎	自民
	神田潤一	自民
	小森卓郎	自民
	杉田水脈	自民
	鈴木英敬	自民
	土田慎	自民
	鳩山二郎	自民
	平井卓也	自民
	平沼正二郎	自民
	牧島かれん	自民
	森由起子	自民
	簗和生	自民
	山本ともひろ	自民
	逢坂誠二	立憲
	中谷一馬	立憲
	本庄知史	立憲
	山岸一生	立憲
	山崎誠	立憲
	阿部司	維教
	金村龍那	維教
	住吉寛紀	維教
	河西宏一	公明
	吉田久美子	公明
	塩川鉄也	共産
	浅野哲	国民
	緒方林太郎	有志
	大石あきこ	れ新

総務委員会（40）

（自民22）（立憲 8）（維教 4）（公明 3）（共産 1）（国民 1）（無 1）

長	古屋範子	公明
理	斎藤洋明	自民
理	田所嘉德	自民
理	田中良生	自民
理	本田太郎	自民
理	湯原俊二	立憲
理	吉川元	立憲
理	中司宏	維教
理	中川康洋	公明
	井原巧	自民
	石田真敏	自民
	尾身朝子	自民
	金子恭之	自民
	川崎ひでと	自民
	国光あやの	自民
	坂井学	自民
	田畑裕明	自民
	寺田稔	自民
	中川貴元	自民

（衆）委員

西田　昭二　自民
西野　太亮　自民
根本　幸典　自民
葉梨　康弘　自民
長谷川淳二　自民
鳩山　二郎　自民
古川　直季　自民
保岡　宏武　自民
おおつき紅葉　立憲
岡本あき子　立憲
奥野総一郎　立憲
福田　昭夫　立憲
藤岡　隆雄　立憲
道下　大樹　立憲
阿部　　司　維教
中嶋　秀樹　維教
吉田とも代　維教
平林　　晃　公明
宮本　岳志　共産
西岡　秀子　国民
吉川　　赳　無

法務委員会 (35)

(自民20)(立憲7)(維教4)(公明3)(共産1)

長　武部　　新　自民
理　熊田　裕通　自民
理　笹川　博義　自民
理　仁木　博文　自民
理　牧原　秀樹　自民
理　道下　大樹　立憲
理　米山　隆一　立憲
理　池下　　卓　維教
理　大口　善徳　公明
東　　国幹　自民
五十嵐　清　自民
井出　庸生　自民
稲田　朋美　自民
英利アルフィヤ　自民
奥野　信亮　自民
斎藤　洋明　自民
高見　康裕　自民
谷川　とむ　自民
中曽根康隆　自民
中野　英幸　自民
平口　　洋　自民
藤原　　崇　自民
三ッ林裕巳　自民
山田　美樹　自民
おおつき紅葉　立憲
鎌田さゆり　立憲
鈴木　庸介　立憲
寺田　　学　立憲
山田　勝彦　立憲
阿部　弘樹　維教
斎藤アレックス　維教
美延　映夫　維教
日下　正喜　公明
平林　　晃　公明
本村　伸子　共産

外務委員会 (30)

(自民16)(立憲5)(維教4)(公明2)(共産1)(有志1)(無　1)

長　勝俣　孝明　自民
理　城内　　実　自民
理　鈴木　貴子　自民
理　中川　郁子　自民
理　藤井比早之　自民
理　源馬謙太郎　立憲
理　鈴木　庸介　立憲
理　青柳　仁士　維教
理　竹内　　譲　公明
上杉謙太郎　自民
小田原　潔　自民
黄川田仁志　自民
高村　正大　自民
島尻安伊子　自民
武井　俊輔　自民
西銘恒三郎　自民
平沢　勝栄　自民
深澤　陽一　自民
穂坂　　泰　自民
宮路　拓馬　自民
小熊　慎司　立憲
佐藤　公治　立憲
松原　　仁　立憲
鈴木　　敦　維教
徳永　久志　維教
和田有一朗　維教
金城　泰邦　公明
穀田　恵二　共産
吉良　州司　有志
塩谷　　立　無

財務金融委員会（40）

（自民22）（立憲9）（維教4）（公明3）（共産1）（無1）

長	津島　淳	自民
理	井上　貴博	自民
理	金子　俊平	自民
理	鈴木　馨祐	自民
理	塚田　一郎	自民
理	稲富　修二	立憲
理	櫻井　周	立憲
理	伊東　信久	維教
理	稲津　久	公明
	石原　正敬	自民
	英利　アルフィヤ	自民
	小田原　潔	自民
	越智　隆雄	自民
	大塚　拓	自民
	大野　敬太郎	自民
	木原　誠二	自民
	岸　信千世	自民
	鈴木　隼人	自民
	瀬戸　隆一	自民
	中山　展宏	自民
	藤丸　敏	自民
	藤原　崇	自民
	古川　禎久	自民
	宮下　一郎	自民
	宗清　皇一	自民
	山田　美樹	自民
	江田　憲司	立憲
	小山　展弘	立憲
	階　猛	立憲
	末松　義規	立憲
	野田　佳彦	立憲
	馬場　雄基	立憲
	原口　一博	立憲
	沢田　良	維教
	藤巻　健太	維教
	掘井　健智	維教
	竹内　譲	公明
	中川　宏昌	公明
	田村　貴昭	共産
	吉田　豊史	無

文部科学委員会（40）

（自民23）（立憲8）（維教4）（公明3）（共産1）（国民1）

長	田野瀬　太道	自民
理	小寺　裕雄	自民
理	中村　裕之	自民
理	永岡　桂子	自民
理	山田　賢司	自民
理	坂本　祐之輔	立憲
理	牧　義夫	立憲
理	金村　龍那	維教
理	浮島　智子	公明
	青山　周平	自民
	井出　庸生	自民
	上杉　謙太郎	自民
	尾身　朝子	自民
	勝目　康	自民
	木村　次郎	自民
	岸　信千世	自民
	小林　茂樹	自民
	柴山　昌彦	自民
	鈴木　貴子	自民
	根本　幸典	自民
	船田　元	自民
	古川　直季	自民
	三谷　英弘	自民
	宮内　秀樹	自民
	山口　晋	自民
	山本　左近	自民
	義家　弘介	自民
	青山　大人	立憲
	菊田　真紀子	立憲
	下条　みつ	立憲
	吉川　元	立憲
	吉田　はるみ	立憲
	笠　浩史	立憲
	早坂　敦	維教
	堀場　幸子	維教
	前原　誠司	維教
	平林　晃	公明
	鰐淵　洋子	公明
	宮本　岳志	共産
	西岡　秀子	国民

（衆）委員

厚生労働委員会 (45)

(自民25)(立憲10)(維教4)(公明3)(共産1)(国民1)(有志1)

長	新谷正義	自民
理	大岡敏孝	自民
理	大串正樹	自民
理	橋本岳	自民
理	三谷英弘	自民
理	井坂信彦	立憲
理	中島克仁	立憲
理	遠藤良太	維教
理	伊佐進一	公明
	秋葉賢也	自民
	畦元将吾	自民
	上田英俊	自民
	勝目康	自民
	金子容三	自民
	川崎ひでと	自民
	塩崎彰久	自民
	鈴木英敬	自民
	田所嘉徳	自民
	田畑裕明	自民
	田村憲久	自民
	高階恵美子	自民
	中谷真一	自民
	仁木博文	自民
	堀内詔子	自民
	本田太郎	自民
	三ツ林裕巳	自民
	柳本顕	自民
	山本左近	自民
	吉田真次	自民
	阿部知子	立憲
	大西健介	立憲
	堤かなめ	立憲
	西村智奈美	立憲
	山井和則	立憲
	柚木道義	立憲
	吉田統彦	立憲
	早稲田ゆき	立憲
	足立康史	維教
	一谷勇一郎	維教
	岬麻紀	維教
	福重隆浩	公明
	吉田久美子	公明
	宮本徹	共産
	田中健	国民
	福島伸享	有志

農林水産委員会 (40)

(自民22)(立憲9)(維教3)(公明3)(共産1)(国民1)(有志1)

長	野中厚	自民
理	伊東良孝	自民
理	小島敏文	自民
理	古川康	自民
理	山口壮	自民
理	近藤和也	立憲
理	野間健	立憲
理	池畑浩太朗	維教
理	角田秀穂	公明
	東国幹	自民
	五十嵐清	自民
	上田英俊	自民
	江藤拓	自民
	加藤竜祥	自民
	神田憲次	自民
	小寺裕雄	自民
	高鳥修一	自民
	橘慶一郎	自民
	中川郁子	自民
	西野太亮	自民
	細田健一	自民
	宮下一郎	自民
	保岡宏武	自民
	簗和生	自民
	山口晋	自民
	若林健太	自民
	梅谷守	立憲
	金子恵美	立憲
	神谷裕	立憲
	川内博史	立憲
	緑川貴士	立憲
	山田勝彦	立憲
	渡辺創	立憲
	一谷勇一郎	維教
	掘井健智	維教
	稲津久	公明
	山崎正恭	公明
	田村貴昭	共産
	長友慎治	国民
	北神圭朗	有志

経済産業委員会 (40)

（自民22）（立憲8）（維教4）（公明3）（共産1）（国民1）（無1）

長	岡本三成	公明
理	小林鷹之	自民
理	鈴木隼人	自民
理	松本洋平	自民
理	山下貴司	自民
理	荒井優	立憲
理	山岡達丸	立憲
理	守島正	維教
理	中野洋昌	公明
	井原巧	自民
	石井拓	自民
	大岡敏孝	自民
	加藤竜祥	自民
	神田憲次	自民
	国光あやの	自民
	鈴木淳司	自民
	関芳弘	自民
	冨樫博之	自民
	中川貴元	自民
	福田達夫	自民
	細田健一	自民
	宮内秀樹	自民
	宗清皇一	自民
	山際大志郎	自民
	吉田真次	自民
	和田義明	自民
	若林健太	自民
	大島敦	立憲
	落合貴之	立憲
	小山展弘	立憲
	重徳和彦	立憲
	田嶋要	立憲
	山崎誠	立憲
	市村浩一郎	維教
	小野泰輔	維教
	山本剛正	維教
	吉田宣弘	公明
	笠井亮	共産
	鈴木義弘	国民
	堀井学	無

国土交通委員会 (45)

（自民25）（立憲9）（維教4）（公明3）（共産1）（国民1）（有志1）（れ新1）

長	長坂康正	自民
理	あかま二郎	自民
理	泉田裕彦	自民
理	小林茂樹	自民
理	武井俊輔	自民
理	城井崇	立憲
理	白石洋一	立憲
理	三木圭恵	維教
理	國重徹	公明
	石橋林太郎	自民
	尾﨑正直	自民
	大西英男	自民
	金子俊平	自民
	菅家一郎	自民
	小島敏文	自民
	小林鷹之	自民
	小林史明	自民
	小森卓郎	自民
	佐々木紀	自民
	櫻田義孝	自民
	田中英之	自民
	高木啓	自民
	谷公一	自民
	谷川とむ	自民
	土井亨	自民
	中根一幸	自民
	中村裕之	自民
	古川康	自民
	武藤容治	自民
	石川香織	立憲
	枝野幸男	立憲
	小宮山泰子	立憲
	神津たけし	立憲
	伴野豊	立憲
	馬淵澄夫	立憲
	谷田川元	立憲
	赤木正幸	維教
	漆間譲司	維教
	髙橋英明	維教
	伊藤渉	公明
	日下正喜	公明
	高橋千鶴子	共産
	古川元久	国民
	福島伸享	有志
	たがや亮	れ新

（衆）委員

環境委員会 (30)

(自民17)(立憲7)(維教4)(公明2)

長	務台俊介	自民
理	畦元将吾	自民
理	伊藤忠彦	自民
理	小倉將信	自民
理	堀内詔子	自民
理	馬場雄基	立憲
理	森田俊和	立憲
理	奥下剛光	維教
理	鰐淵洋子	公明
	井上信治	自民
	井上貴博	自民
	石原正敬	自民
	稲田朋美	自民
	金子容三	自民
	菅家一郎	自民
	国定勇人	自民
	熊田裕通	自民
	笹川博義	自民
	森由起子	自民
	柳本顕	自民
	鷲尾英一郎	自民
	大河原まさこ	立憲
	近藤昭一	立憲
	篠原孝	立憲
	松木けんこう	立憲
	屋良朝博	立憲
	杉本和巳	維教
	空本誠喜	維教
	林佑美	維教
	中川康洋	公明

安全保障委員会 (30)

(自民16)(立憲7)(維教4)(公明2)(共産1)

長	小泉進次郎	自民
理	黄川田仁志	自民
理	中曽根康隆	自民
理	藤丸敏	自民
理	若宮健嗣	自民
理	重徳和彦	立憲
理	渡辺周	立憲
理	斎藤アレックス	維教
理	中川宏昌	公明
	江渡聡徳	自民
	大塚拓	自民
	杉田水脈	自民
	高見康裕	自民
	武田良太	自民
	中谷元	自民
	長島昭久	自民
	細野豪志	自民
	松島みどり	自民
	松本尚	自民
	和田義明	自民
	新垣邦男	立憲
	玄葉光一郎	立憲
	酒井なつみ	立憲
	篠原豪	立憲
	屋良朝博	立憲
	浅川義治	維教
	岩谷良平	維教
	住吉寛紀	維教
	北側一雄	公明
	赤嶺政賢	共産

国家基本政策委員会 (30)

(自民18)(立憲6)(維教3)(公明1)(共産1)(国民1)

長	根本匠	自民
理	金子恭之	自民
理	佐藤勉	自民
理	平井卓也	自民
理	御法川信英	自民
理	後藤祐一	立憲
理	笠浩史	立憲
理	藤田文武	維教
理	石井啓一	公明
	麻生太郎	自民
	小渕優子	自民
	梶山弘志	自民
	金田勝年	自民
	田村憲久	自民
	渡海紀三朗	自民
	丹羽秀樹	自民
	西村明宏	自民
	葉梨康弘	自民
	浜田靖一	自民
	茂木敏充	自民
	森山裕	自民
	鷲尾英一郎	自民
	泉健太	立憲
	岡田克也	立憲
	中村喜四郎	立憲
	長妻昭	立憲
	徳永久志	維教
	馬場伸幸	維教
	志位和夫	共産
	玉木雄一郎	国民

予算委員会 (50)

(自民28)(立憲11)(維教4)(公明4)(共産1)(国民1)(有志1)

長	小野寺五典	自民
理	上野賢一郎	自民
理	加藤勝信	自民
理	島尻安伊子	自民
理	橋本岳	自民
理	牧島かれん	自民
理	奥野総一郎	立憲
理	山井和則	立憲
理	漆間譲司	維教
理	佐藤英道	公明
	井出庸生	自民
	伊東良孝	自民
	伊藤達也	自民
	石破茂	自民
	今村雅弘	自民
	岩屋毅	自民
	衛藤征士郎	自民
	越智隆雄	自民
	奥野信亮	自民
	金田勝年	自民
	亀岡偉民	自民
	後藤茂之	自民
	田中和徳	自民
	平将明	自民
	塚田一郎	自民
	平沢勝栄	自民
	古屋圭司	自民
	牧原秀樹	自民
	宮路拓馬	自民
	山本有二	自民
	若林健太	自民
	渡辺博道	自民
	井坂信彦	立憲
	石川香織	立憲
	大西健介	立憲
	小山展弘	立憲
	階猛	立憲
	藤岡隆雄	立憲
	山岸一生	立憲
	米山隆一	立憲
	早稲田ゆき	立憲
	奥下剛光	維教
	林佑美	維教
	守島正	維教
	赤羽一嘉	公明
	金城泰邦	公明
	角田秀穂	公明
	宮本徹	共産
	田中健	国民
	緒方林太郎	有志

決算行政監視委員会 (40)

(自民21)(立憲8)(維教3)(公明3)(れ新2)(無 2)(欠 1)

長	小川淳也	立憲
理	小林史明	自民
理	田中英之	自民
理	中西健治	自民
理	山下貴司	自民
理	井坂信彦	立憲
理	中谷一馬	立憲
理	杉本和巳	維教
理	福重隆浩	公明
	江﨑鐵磨	自民
	遠藤利明	自民
	小倉將信	自民
	下村博文	自民
	髙木毅	自民
	棚橋泰文	自民
	中谷真一	自民
	西村康稔	自民
	野田聖子	自民
	萩生田光一	自民
	福田達夫	自民
	松野博一	自民

	三反園　訓	自民
	村上誠一郎	自民
	森　英介	自民
	山本ともひろ	自民
	吉野正芳	自民
	青柳陽一郎	立憲
	大河原まさこ	立憲
	櫻井　周	立憲
	手塚仁雄	立憲
	谷田川　元	立憲
	浦野靖人	維教
	遠藤良太	維教
	佐藤茂樹	公明
	庄子賢一	公明
	櫛渕万里	れ新
	たがや　亮	れ新
	秋本真利	無
	池田佳隆	無

議院運営委員会 (25)

（自民14）（立憲 6）（維教 2）（公明 1）（共産 1）（国民 1）

長	山口俊一	自民
理	橘　慶一郎	自民
理	中谷真一	自民
理	丹羽秀樹	自民
理	武藤容治	自民
理	鷲尾英一郎	自民
理	青柳陽一郎	立憲
理	後藤祐一	立憲
理	遠藤　敬	維教
理	輿水恵一	公明
	井出庸生	自民
	井野俊郎	自民
	石原正敬	自民
	木村次郎	自民
	本田太郎	自民
	三ッ林裕巳	自民
	宮路拓馬	自民
	山田賢司	自民
	伊藤俊輔	立憲
	源馬謙太郎	立憲
	馬場雄基	立憲
	吉田はるみ	立憲
	中司　宏	維教
	塩川鉄也	共産
	浅野　哲	国民

懲罰委員会 (20)

（自民10）（立憲 7）（維教 1）（公明 1）（欠 1）

長	中川正春	立憲
理	奥野信亮	自民
理	林　幹雄	自民
理	武藤容治	自民
理	吉田はるみ	立憲
理	井上英孝	維教
	逢沢一郎	自民
	甘利　明	自民
	菅　義偉	自民
	二階俊博	自民
	丹羽秀樹	自民
	葉梨康弘	自民
	鷲尾英一郎	自民
	安住　淳	立憲
	小沢一郎	立憲
	大串博志	立憲
	亀井亜紀子	立憲
	菅　直人	立憲
	高木陽介	公明

【特別委員会】

災害対策特別委員会 (35)

(自民20)(立憲7)(維教3)(公明3)(共産1)(国民1)

長	後藤茂之	自民
理	金子俊平	自民
理	坂井学	自民
理	笹川博義	自民
理	宮路拓馬	自民
理	菊田真紀子	立憲
理	渡辺創	立憲
理	掘井健智	維教
理	日下正喜	公明
	東国幹	自民
	石原正敬	自民
	江藤拓	自民
	金子容三	自民
	金田勝年	自民
	国光あやの	自民
	杉田水脈	自民
	髙鳥修一	自民
	根本幸典	自民
	藤丸敏	自民
	松本洋平	自民
	簗和生	自民
	山口晋	自民
	若林健太	自民
	渡辺博道	自民
	小山展弘	立憲
	神津たけし	立憲
	近藤和也	立憲
	中島克仁	立憲
	米山隆一	立憲
	堀場幸子	維教
	吉田とも代	維教
	中川康洋	公明
	山崎正恭	公明
	田村貴昭	共産
	古川元久	国民

政治改革に関する特別委員会 (40)

(自民22)(立憲8)(維教4)(公明3)(共産1)(国民1)(有志1)

長	石田真敏	自民
理	大野敬太郎	自民
理	鳩山二郎	自民
理	平口洋	自民
理	藤井比早之	自民
理	落合貴之	立憲
理	笠浩史	立憲
理	浦野靖人	維教
理	中川康洋	公明
	石原正敬	自民
	小倉將信	自民
	大串正樹	自民
	奥野信亮	自民
	勝目康	自民
	川崎ひでと	自民
	木原誠二	自民
	岸信千世	自民
	斎藤洋明	自民
	鈴木馨祐	自民
	寺田稔	自民
	冨樫博之	自民
	中川郁子	自民
	中西健治	自民
	古川直季	自民
	本田太郎	自民
	山下貴司	自民
	野田佳彦	立憲
	太栄志	立憲
	本庄知史	立憲
	山岸一生	立憲
	柚木道義	立憲
	吉田はるみ	立憲
	青柳仁士	維教
	金村龍那	維教
	斎藤アレックス	維教
	輿水恵一	公明
	中野洋昌	公明
	塩川鉄也	共産
	長友慎治	国民
	福島伸享	有志

沖縄及び北方問題に関する特別委員会(25)

(自民14)(立憲5)(維教3)(公明2)(共産1)

長	佐藤公治	立憲
理	伊東良孝	自民
理	島尻安伊子	自民
理	鈴木貴子	自民
理	西銘恒三郎	自民
理	神谷裕	立憲
理	屋良朝博	立憲
理	髙橋英明	維教
理	金城泰邦	公明
	東国幹	自民
	井野俊郎	自民
	上田英俊	自民
	尾身朝子	自民
	鈴木隼人	自民
	武井俊輔	自民
	中谷真一	自民
	宮内秀樹	自民
	山口晋	自民
	和田義明	自民
	新垣邦男	立憲
	松木けんこう	立憲
	奥下剛光	維教
	藤巻健太	維教
	佐藤英道	公明
	赤嶺政賢	共産

北朝鮮による拉致問題等に関する特別委員会(25)

(自民14)(立憲5)(維教3)(公明2)(共産1)

長	小熊慎司	立憲
理	熊田裕通	自民
理	斎藤洋明	自民
理	髙木啓	自民
理	塚田一郎	自民
理	下条みつ	立憲
理	西村智奈美	立憲
理	和田有一朗	維教
理	山崎正恭	公明
	井出庸生	自民
	加藤勝信	自民
	小森卓郎	自民
	佐々木紀	自民
	櫻田義孝	自民
	杉田水脈	自民
	髙鳥修一	自民
	山田美樹	自民
	山本左近	自民
	義家弘介	自民
	梅谷守	立憲
	渡辺周	立憲
	池下卓	維教
	鈴木敦	維教
	中川宏昌	公明
	笠井亮	共産

消費者問題に関する特別委員会(35)

(自民20)(立憲7)(維教3)(公明3)(共産1)(国民1)

長	秋葉賢也	自民
理	小倉將信	自民
理	武井俊輔	自民
理	中山展宏	自民
理	堀内詔子	自民
理	青山大人	立憲
理	大西健介	立憲
理	林佑美	維教
理	吉田久美子	公明
	井原巧	自民
	英利アルフィヤ	自民
	加藤竜祥	自民
	勝目康	自民
	金子容三	自民
	岸信千世	自民
	鈴木英敬	自民
	髙見康裕	自民
	中川貴元	自民
	永岡桂子	自民
	仁木博文	自民
	船田元	自民
	松島みどり	自民
	三ッ林裕巳	自民
	保岡宏武	自民
	井坂信彦	立憲
	石川香織	立憲
	おおつき紅葉	立憲
	大河原まさこ	立憲
	山田勝彦	立憲
	浅川義治	維教
	岬麻紀	維教
	日下正喜	公明
	鰐淵洋子	公明
	本村伸子	共産
	鈴木義弘	国民

東日本大震災復興特別委員会(40)

(自民22)(立憲8)(維教4)(公明3)(共産1)(国民1)(有志1)

長 高階恵美子 自民
理 小寺裕雄 自民
理 小林鷹之 自民
理 坂井学 自民
理 長島昭久 自民
理 鎌田さゆり 立憲
理 馬場雄基 立憲
理 早坂敦 維教
理 庄子賢一 公明
五十嵐清 自民
上杉謙太郎 自民
小田原潔 自民
菅家一郎 自民
小島敏文 自民
小林茂樹 自民
冨樫博之 自民
中曽根康隆 自民
西野太亮 自民
平沢勝栄 自民
平沼正二郎 自民
藤原崇 自民
細野豪志 自民
三谷英弘 自民
山本左近 自民
吉田真次 自民
鷲尾英一郎 自民
荒井優 立憲
金子恵美 立憲
玄葉光一郎 立憲
小宮山泰子 立憲
鈴木庸介 立憲
堤かなめ 立憲
市村浩一郎 維教
沢田良 維教
美延映夫 維教
赤羽一嘉 公明
福重隆浩 公明
高橋千鶴子 共産
鈴木義弘 国民
福島伸享 有志

原子力問題調査特別委員会(35)

(自民20)(立憲7)(維教3)(公明3)(共産1)(国民1)

長 平将明 自民
理 泉田裕彦 自民
理 大西英男 自民
理 中村裕之 自民
理 武藤容治 自民
理 伴野豊 立憲
理 山崎誠 立憲
理 小野泰輔 維教
理 平林晃 公明
畦元将吾 自民
今村雅弘 自民
上田英俊 自民
江渡聡徳 自民
大岡敏孝 自民
神田憲次 自民
木村次郎 自民
小森卓郎 自民
佐々木紀 自民
鈴木淳司 自民
土井亨 自民
中根一幸 自民
古川康 自民
細田健一 自民
宗清皇一 自民
阿部知子 立憲
逢坂誠二 立憲
菅直人 立憲
田嶋要 立憲
野間健 立憲
阿部弘樹 維教
空本誠喜 維教
竹内譲 公明
中野洋昌 公明
笠井亮 共産
浅野哲 国民

地域活性化・こども政策・デジタル社会形成に関する特別委員会 (35)

（自民20）（立憲7）（維教3）（公明3）（共産1）（国民1）

長	谷　公一	自民
理	井上　信治	自民
理	小林　史明	自民
理	田中　英之	自民
理	牧島　かれん	自民
理	岡本　あき子	立憲
理	藤岡　隆雄	立憲
理	一谷　勇一郎	維教
理	河西　宏一	公明
	今村　雅弘	自民
	上杉　謙太郎	自民
	黄川田　仁志	自民
	小寺　裕雄	自民
	橘　慶一郎	自民
	谷川　とむ	自民
	土田　慎	自民
	土井　亨	自民
	中川　郁子	自民
	橋本　岳	自民
	福田　達夫	自民
	藤丸　敏	自民
	保岡　宏武	自民
	柳本　顕	自民
	若林　健太	自民
	城井　崇	立憲
	坂本　祐之輔	立憲
	中谷　一馬	立憲
	福田　昭夫	立憲
	早稲田　ゆき	立憲
	赤木　正幸	維教
	伊東　信久	維教
	伊佐　進一	公明
	浮島　智子	公明
	高橋　千鶴子	共産
	田中　健	国民

【憲法審査会】

憲法審査会 (50)

（自民27）（立憲11）（維教5）（公明4）（共産1）（国民1）（有志1）

長	森　英介	自民
幹	加藤　勝信	自民
幹	小林　鷹之	自民
幹	寺田　稔	自民
幹	中谷　元	自民
幹	船田　元	自民
幹	逢坂　誠二	立憲
幹	本庄　知史	立憲
幹	馬場　伸幸	維教
幹	北側　一雄	公明
	井出　庸生	自民
	井野　俊郎	自民
	井上　貴博	自民
	伊藤　達也	自民
	石破　茂	自民
	稲田　朋美	自民
	岩屋　毅	自民
	越智　隆雄	自民
	大串　正樹	自民
	城内　実	自民
	黄川田　仁志	自民
	熊田　裕通	自民
	中西　健治	自民
	長島　昭久	自民
	古川　禎久	自民
	古屋　圭司	自民
	細野　豪志	自民
	三谷　英弘	自民
	山下　貴司	自民
	山田　賢司	自民
	山本　有二	自民
	大島　敦	立憲
	奥野　総一郎	立憲
	城井　崇	立憲
	近藤　昭一	立憲
	階　猛	立憲
	篠原　孝	立憲
	牧　義夫	立憲
	谷田川　元	立憲
	吉田　はるみ	立憲
	青柳　仁士	維教
	岩谷　良平	維教
	小野　泰輔	維教
	三木　圭恵	維教
	大口　善徳	公明
	河西　宏一	公明
	國重　徹	公明
	赤嶺　政賢	共産
	玉木　雄一郎	国民
	北神　圭朗	有志

【情報監視審査会】

情報監視審査会（8）
（自民4）（立憲2）（維教1）（公明1）

長	岩屋　毅	自民
	伊藤　達也	自民
	田村　憲久	自民
	葉梨　康弘	自民
	伊藤　俊輔	立憲
	山岸　一生	立憲
	中司　宏	維教
	大口　善徳	公明

【政治倫理審査会】

政治倫理審査会（25）
（自民14）（立憲6）（維教2）（公明2）（共産1）

長	田中　和徳	自民
幹	橘　慶一郎	自民
幹	丹羽　秀樹	自民
幹	武藤　容治	自民
幹	鷲尾英一郎	自民
幹	稲富　修二	立憲
幹	寺田　学	立憲
幹	浦野　靖人	維教
幹	輿水　恵一	公明
	井出　庸生	自民
	井野　俊郎	自民
	石原　正敬	自民
	中谷　真一	自民
	葉梨　康弘	自民
	藤丸　敏	自民
	本田　太郎	自民
	宮路　拓馬	自民
	山田　賢司	自民
	枝野　幸男	立憲
	亀井亜紀子	立憲
	牧　義夫	立憲
	笠　浩史	立憲
	岩谷　良平	維教
	河西　宏一	公明
	穀田　恵二	共産

委員名簿【参議院】

(令和6年2月9日現在)

(略称)		(会派名)
自民	＝	自由民主党
立憲	＝	立憲民主・社民
公明	＝	公明党
維教	＝	日本維新の会・教育無償化を実現する会
民主	＝	国民民主党・新緑風会
共産	＝	日本共産党
れ新	＝	れいわ新選組
沖縄	＝	沖縄の風
N党	＝	NHKから国民を守る党
無所属	＝	各派に属しない議員

(略称)		(役職名)
長	＝	委員長又は会長
理	＝	理事
幹	＝	幹事
(空欄)	＝	委員

【常任委員会】

内閣委員会(22)

(自民11)(立憲4)(公明2)(維教2)(民主1)(共産1)(れ新1)

長	阿達　雅志	自民
理	磯﨑　仁彦	自民
理	酒井　庸行	自民
理	石垣　のりこ	立憲
	衛藤　晟一	自民
	太田　房江	自民
	加藤　明良	自民
	古賀　友一郎	自民
	高橋　はるみ	自民
	森屋　宏	自民
	山谷　えり子	自民
	山本　佐知子	自民
	鬼木　誠	立憲
	塩村　あやか	立憲
	杉尾　秀哉	立憲
	窪田　哲也	公明
	宮崎　勝	公明
	片山　大介	維教
	柴田　巧	維教
	竹詰　仁	民主
	井上　哲士	共産
	大島　九州男	れ新

総務委員会(25)

(自民11)(立憲4)(公明3)(維教2)(民主1)(共産1)(N党2)(無所属1)

長	新妻　秀規	公明
理	井上　義行	自民
理	岩本　剛人	自民
理	藤井　一博	自民
理	小沢　雅仁	立憲
理	山本　博司	公明
	中西　祐介	自民
	馬場　成志	自民
	藤川　政人	自民
	船橋　利実	自民
	堀井　巌	自民
	牧野　たかお	自民
	松下　新平	自民
	山本　順三	自民
	岸　真紀子	立憲
	野田　国義	立憲
	吉川　沙織	立憲
	西田　実仁	公明
	音喜多　駿	維教
	高木　かおり	維教
	芳賀　道也	民主
	伊藤　岳	共産
	齊藤　健一郎	N党
	浜田　聡	N党
	広田　一	無所属

法務委員会(21)

(自民9)(立憲3)(公明3)(維教1)(民主1)(共産1)(無所属3)

長	佐々木　さやか	公明
理	古庄　玄知	自民
理	和田　政宗	自民
理	牧山　ひろえ	立憲
理	伊藤　孝江	公明
理	川合　孝典	民主
	岡田　直樹	自民
	北村　経夫	自民
	山東　昭子	自民
	自見　はなこ	自民
	田中　昌史	自民
	森　まさこ	自民
	山崎　正昭	自民
	石川　大我	立憲
	福島　みずほ	立憲
	石川　博崇	公明
	清水　貴之	維教
	仁比　聡平	共産
	尾辻　秀久	無所属
	鈴木　宗男	無所属
	長浜　博行	無所属

外交防衛委員会 (21)

（自民10）（立憲3）（公明2）（維教2）（民主1）（共産1）（沖縄2）

長	小野田紀美	自民
理	佐藤正久	自民
理	若林洋平	自民
理	小西洋之	立憲
理	上田勇	公明
理	石井苗子	維教
	有村治子	自民
	猪口邦子	自民
	柘植芳文	自民
	中曽根弘文	自民
	松川るい	自民
	三宅伸吾	自民
	吉川ゆうみ	自民
	福山哲郎	立憲
	水野素子	立憲
	山口那津男	公明
	松沢成文	維教
	榛葉賀津也	民主
	山添拓	共産
	伊波洋一	沖縄
	髙良鉄美	沖縄

財政金融委員会 (25)

（自民12）（立憲3）（公明3）（維教2）（民主1）（共産1）（無所属3）

長	足立敏之	自民
理	白坂亜紀	自民
理	西田昌司	自民
理	山田太郎	自民
理	熊谷裕人	立憲
理	若松謙維	公明
	大家敏志	自民
	櫻井充	自民
	進藤金日子	自民
	武見敬三	自民
	野上浩太郎	自民
	古川俊治	自民
	松山政司	自民
	宮沢洋一	自民
	勝部賢志	立憲
	柴　慎一	立憲
	竹内真二	公明
	矢倉克夫	公明
	浅田均	維教
	藤巻健史	維教
	大塚耕平	民主
	小池晃	共産
	大野泰正	無所属
	神谷宗幣	無所属
	堂込麻紀子	無所属

文教科学委員会 (21)

（自民10）（立憲4）（公明2）（維教2）（民主1）（共産1）（れ新1）

長	高橋克法	自民
理	赤松健	自民
理	石井正弘	自民
理	今井絵理子	自民
理	宮口治子	立憲
理	伊藤孝恵	民主
	赤池誠章	自民
	上野通子	自民
	臼井正一	自民
	末松信介	自民
	橋本聖子	自民
	本田顕子	自民
	奥村政佳	立憲
	古賀千景	立憲
	斎藤嘉隆	立憲
	下野六太	公明
	安江伸夫	公明
	金子道仁	維教
	中条きよし	維教
	吉良よし子	共産
	舩後靖彦	れ新

厚生労働委員会 (25)

（自民11）（立憲4）（公明3）（維教2）（民主1）（共産1）（れ新1）（無所属1）（欠1）

長	比嘉奈津美	自民
理	羽生田俊	自民
理	福岡資麿	自民
理	星北斗	自民
理	打越さく良	立憲
理	秋野公造	公明
	生稲晃子	自民
	石田昌宏	自民
	片山さつき	自民
	神谷政幸	自民
	友納理緒	自民
	三浦靖	自民
	山田宏	自民
	石橋通宏	立憲
	大椿ゆうこ	立憲
	高木真理	立憲
	杉　久武	公明
	山本香苗	公明
	猪瀬直樹	維教
	梅村聡	維教
	田村まみ	民主
	倉林明子	共産
	天畠大輔	れ新
	上田清司	無所属

（参）委員

農林水産委員会 (21)

(自民10)(立憲 4)(公明 2)(維教 1)(民主 1)(共産 1)(無所属1)(欠 1)

長	滝波宏文	自民
理	佐藤啓	自民
理	山下雄平	自民
理	山本啓介	自民
理	横沢高徳	立憲
理	舟山康江	民主
	清水真人	自民
	野村哲郎	自民
	藤木眞也	自民
	舞立昇治	自民
	宮崎雅夫	自民
	山田俊男	自民
	田名部匡代	立憲
	徳永エリ	立憲
	羽田次郎	立憲
	高橋光男	公明
	横山信一	公明
	松野明美	維教
	紙智子	共産
	寺田静	無所属

経済産業委員会 (21)

(自民10)(立憲 4)(公明 2)(維教 2)(民主 1)(共産 1)(無所属1)

長	森本真治	立憲
理	青山繁晴	自民
理	中田宏	自民
理	長峯誠	自民
理	古賀之士	立憲
理	東徹	維教
	浅尾慶一郎	自民
	越智俊之	自民
	小林一大	自民
	上月良祐	自民
	松村祥史	自民
	丸川珠代	自民
	渡辺猛之	自民
	辻元清美	立憲
	村田享子	立憲
	里見隆治	公明
	三浦信祐	公明
	石井章	維教
	礒﨑哲史	民主
	岩渕友	共産
	平山佐知子	無所属

国土交通委員会 (25)

(自民11)(立憲 4)(公明 3)(維教 3)(民主 1)(共産 1)(れ新 1)(欠 1)

長	青木愛	立憲
理	青木一彦	自民
理	吉井章	自民
理	森屋隆	立憲
理	塩田博昭	公明
理	青島健太	維教
	石井浩郎	自民
	江島潔	自民
	こやり隆史	自民
	鶴保庸介	自民
	堂故茂	自民
	豊田俊郎	自民
	永井学	自民
	長谷川岳	自民
	宮本周司	自民
	小沼巧	立憲
	三上えり	立憲
	河野義博	公明
	平木大作	公明
	嘉田由紀子	維教
	柳ヶ瀬裕文	維教
	浜口誠	民主
	田村智子	共産
	木村英子	れ新

環境委員会 (21)

(自民 9)(立憲 3)(公明 2)(維教 2)(民主 1)(共産 1)(れ新 1)(無所属2)

長	三原じゅん子	自民
理	梶原大介	自民
理	長谷川英晴	自民
理	田島麻衣子	立憲
理	串田誠一	維教
理	山下芳生	共産
	朝日健太郎	自民
	石井準一	自民
	加田裕之	自民
	佐藤信秋	自民
	関口昌一	自民
	滝沢求	自民
	川田龍平	立憲
	水岡俊一	立憲
	竹谷とし子	公明
	谷合正明	公明
	梅村みずほ	維教
	浜野喜史	民主
	山本太郎	れ新
	世耕弘成	無所属
	ながえ孝子	無所属

国家基本政策委員会（20）

（自民9）（立憲3）（公明2）（維教2）（民主1）（共産2）（れ新1）

長	浅田　均	維教
理	牧野たかお	自民
理	松山政司	自民
理	榛葉賀津也	民主
理	小池　晃	共産
	こやり隆史	自民
	古賀友一郎	自民
	上月良祐	自民
	滝沢　求	自民
	柘植芳文	自民
	馬場成志	自民
	船橋利実	自民
	斎藤嘉隆	立憲
	田名部匡代	立憲
	森本真治	立憲
	谷合正明	公明
	山口那津男	公明
	片山大介	維教
	田村智子	共産
	木村英子	れ新

予算委員会（45）

（自民23）（立憲8）（公明5）（維教4）（民主2）（共産2）（れ新1）

長	櫻井　充	自民
理	臼井正一	自民
理	加藤明良	自民
理	小林一大	自民
理	中西祐介	自民
理	宮崎雅夫	自民
理	石橋通宏	立憲
理	杉尾秀哉	立憲
理	河野義博	公明
理	金子道仁	維教
	有村治子	自民
	石田昌宏	自民
	猪口邦子	自民
	北村経夫	自民
	佐藤　啓	自民
	田中昌史	自民
	中田　宏	自民
	長峯　誠	自民
	長谷川英晴	自民
	堀井　巌	自民
	松川るい	自民
	宮本周司	自民
	山田太郎	自民
	山田俊男	自民
	山田　宏	自民
	吉川ゆうみ	自民
	若林洋平	自民
	石垣のりこ	立憲
	小沼　巧	立憲
	高木真理	立憲
	辻元清美	立憲
	福島みずほ	立憲
	水野素子	立憲
	秋野公造	公明
	伊藤孝江	公明
	宮崎　勝	公明
	横山信一	公明
	東　徹	維教
	清水貴之	維教
	松野明美	維教
	伊藤孝恵	民主
	田村まみ	民主
	伊藤　岳	共産
	山添　拓	共産
	山本太郎	れ新

決算委員会（30）

（自民15）（立憲5）（公明4）（維教3）（民主2）（共産1）

長	佐藤信秋	自民
理	石井浩郎	自民
理	越智俊之	自民
理	永井　学	自民
理	徳永エリ	立憲
理	下野六太	公明
理	梅村　聡	維教
	赤池誠章	自民
	赤松　健	自民
	今井絵理子	自民
	岩本剛人	自民
	太田房江	自民
	酒井庸行	自民
	高橋はるみ	自民
	豊田俊郎	自民
	西田昌司	自民
	森まさこ	自民
	和田政宗	自民
	岸真紀子	立憲
	古賀千景	立憲
	羽田次郎	立憲
	村田享子	立憲

里見隆治	公明
山本博司	公明
若松謙維	公明
石井苗子	維教
串田誠一	維教
竹詰仁	民主
芳賀道也	民主
吉良よし子	共産

行政監視委員会 (35)

(自民17)(立憲7)(公明4)(維教2)(民主1)(共産1)(れ新1)(沖縄1)(N党1)

長	川田龍平	立憲
理	片山さつき	自民
理	鶴保庸介	自民
理	鬼木誠	立憲
理	杉久武	公明
理	音喜多駿	維教
理	柳ヶ瀬裕文	維教
理	倉林明子	共産
	青山繁晴	自民
	井上義行	自民
	石井正弘	自民
	磯﨑仁彦	自民
	上野通子	自民
	江島潔	自民
	加田裕之	自民
	白坂亜紀	自民
	羽生田俊	自民
	橋本聖子	自民
	藤井一博	自民
	古川俊治	自民
	星北斗	自民
	山下雄平	自民
	山谷えり子	自民
	大椿ゆうこ	立憲
	古賀之士	立憲
	柴慎一	立憲
	田島麻衣子	立憲
	三上えり	立憲
	上田勇	公明
	竹内真二	公明
	竹谷とし子	公明
	川合孝典	民主
	大島九州男	れ新
	伊波洋一	沖縄
	浜田聡	N党

議院運営委員会 (25)

(自民13)(立憲5)(公明3)(維教2)(民主1)(共産1)

長	浅尾慶一郎	自民
理	清水真人	自民
理	藤木眞也	自民
理	渡辺猛之	自民
理	勝部賢志	立憲
理	吉川沙織	立憲
理	三浦信祐	公明
理	柴田巧	維教
理	浜野喜史	民主
理	岩渕友	共産
	青木一彦	自民
	生稲晃子	自民
	梶原大介	自民
	神谷政幸	自民
	古庄玄知	自民
	友納理緒	自民
	山本啓介	自民
	山本佐知子	自民
	吉井章	自民
	小沢雅仁	立憲
	牧山ひろえ	立憲
	横沢高徳	立憲
	窪田哲也	公明
	塩田博昭	公明
	青島健太	維教

懲罰委員会(10)

(自民5)(立憲1)(公明1)(維教1)(民主1)(共産1)

長	松沢成文	維教
	石井準一	自民
	岡田直樹	自民
	山東昭子	自民
	関口昌一	自民
	福岡資麿	自民
	水岡俊一	立憲
	山本香苗	公明
	舟山康江	民主
	井上哲士	共産

【特別委員会】

災害対策特別委員会(20)

(自民10)(立憲3)(公明2)(維教2)(民主1)(共産1)(れ新1)

長	竹内真二	公明
理	岩本剛人	自民
理	加藤明良	自民
理	羽田次郎	立憲
理	宮崎勝	公明
	阿達雅志	自民
	加田裕之	自民
	梶原大介	自民
	古庄玄知	自民
	藤木眞也	自民
	堀井巌	自民
	宮崎雅夫	自民
	宮本周司	自民
	杉尾秀哉	立憲
	森本真治	立憲
	嘉田由紀子	維教
	松野明美	維教
	芳賀道也	民主
	仁比聡平	共産
	大島九州男	れ新

政府開発援助等及び沖縄・北方問題に関する特別委員会(35)

(自民17)(立憲6)(公明4)(維教3)(民主2)(共産1)(沖縄1)(N党1)

長	藤川政人	自民
理	青木一彦	自民
理	今井絵理子	自民
理	臼井正一	自民
理	若林洋平	自民
理	田島麻衣子	立憲
理	窪田哲也	公明
理	清水貴之	維教
	青山繁晴	自民
	朝日健太郎	自民
	井上義行	自民
	江島潔	自民
	大家敏志	自民
	高橋克法	自民
	高橋はるみ	自民
	中西祐介	自民
	本田顕子	自民
	松山政司	自民
	三原じゅん子	自民
	三宅伸吾	自民
	勝部賢志	立憲
	古賀之士	立憲
	塩村あやか	立憲
	徳永エリ	立憲
	水野素子	立憲
	秋野公造	公明
	河野義博	公明
	安江伸夫	公明
	猪瀬直樹	維教
	音喜多駿	維教
	浜口誠	民主
	舟山康江	民主
	紙智子	共産
	髙良鉄美	沖縄
	浜田聡	N党

政治改革に関する特別委員会（35）

（自民17）（立憲6）（公明4）（維教3）（民主1）（共産2）（れ新1）（沖縄1）

長 豊田 俊郎 自民
理 石井 浩郎 自民
理 佐藤 正久 自民
理 藤井 一博 自民
理 牧野たかお 自民
理 小沼 巧 立憲
理 谷合 正明 公明
理 高木かおり 維教
青木 一彦 自民
赤松 健 自民
岩本 剛人 自民
臼井 正一 自民
加藤 明良 自民
神谷 政幸 自民
清水 真人 自民
白坂 亜紀 自民
鶴保 庸介 自民
友納 理緒 自民
宮崎 雅夫 自民
山下 雄平 自民
青木 愛 立憲
熊谷 裕人 立憲
小西 洋之 立憲
宮口 治子 立憲
森屋 隆 立憲
里見 隆治 公明
矢倉 克夫 公明
山本 博司 公明
梅村 聡 維教
藤巻 健史 維教
浜野 喜史 民主
井上 哲士 共産
山下 芳生 共産
船後 靖彦 れ新
伊波 洋一 沖縄

北朝鮮による拉致問題等に関する特別委員会（20）

（自民10）（立憲3）（公明2）（維教2）（民主1）（共産1）（れ新1）

長 松下 新平 自民
理 清水 真人 自民
理 吉井 章 自民
理 打越さく良 立憲
理 石川 博崇 公明
赤池 誠章 自民
衛藤 晟一 自民
北村 経夫 自民
小林 一大 自民
永井 学 自民
山田 宏 自民
山谷えり子 自民
川田 龍平 立憲
三上 えり 立憲
新妻 秀規 公明
中条きよし 維教
柳ケ瀬裕文 維教
川合 孝典 民主
井上 哲士 共産
舩後 靖彦 れ新

地方創生及びデジタル社会の形成等に関する特別委員会（20）

（自民10）（立憲3）（公明3）（維教2）（民主1）（共産1）

長 古川 俊治 自民
理 磯﨑 仁彦 自民
理 山本佐知子 自民
理 岸 真紀子 立憲
理 杉 久武 公明
越智 俊之 自民
太田 房江 自民
進藤金日子 自民
鶴保 庸介 自民
友納 理緒 自民
長谷川英晴 自民
山本 啓介 自民
高木 真理 立憲
福島みずほ 立憲
上田 勇 公明
山本 香苗 公明
東 徹 維教
片山 大介 維教
伊藤 孝恵 民主
伊藤 岳 共産

消費者問題に関する特別委員会(20)

(自民10)(立憲4)(公明2)(維教2)(民主1)(共産1)

長	石井　章	維教
理	神谷政幸	自民
理	中田　宏	自民
理	石川大我	立憲
理	伊藤孝江	公明
	赤松　健	自民
	生稲晃子	自民
	上野通子	自民
	古賀友一郎	自民
	田中昌史	自民
	比嘉奈津美	自民
	宮本周司	自民
	山田太郎	自民
	小沢雅仁	立憲
	大椿ゆうこ	立憲
	村田享子	立憲
	塩田博昭	公明
	松沢成文	維教
	田村まみ	民主
	倉林明子	共産

東日本大震災復興特別委員会(35)

(自民17)(立憲6)(公明4)(維教2)(民主2)(共産2)(れ新1)(N党1)

長	野田国義	立憲
理	石井浩郎	自民
理	梶原大介	自民
理	和田政宗	自民
理	横沢高徳	立憲
理	横山信一	公明
理	石井苗子	維教
	磯﨑仁彦	自民
	江島　潔	自民
	太田房江	自民
	櫻井　充	自民
	白坂亜紀	自民
	滝沢　求	自民
	堂故　茂	自民
	羽生田　俊	自民
	橋本聖子	自民
	星　北斗	自民
	三浦　靖	自民
	宮沢洋一	自民
	森まさこ	自民
	山田太郎	自民
	石垣のりこ	立憲
	鬼木　誠	立憲
	古賀千景	立憲
	柴　愼一	立憲
	高橋光男	公明
	平木大作	公明
	若松謙維	公明
	梅村みずほ	維教
	榛葉賀津也	民主
	竹詰　仁	民主
	岩渕　友	共産
	紙　智子	共産
	山本太郎	れ新
	齊藤健一郎	N党

【調査会】

外交・安全保障に関する調査会(25)

(自民12)(立憲5)(公明2)(維教2)(民主1)(共産1)(沖縄1)(N党1)

長	猪口邦子	自民
理	岩本剛人	自民
理	越智俊之	自民
理	吉川ゆうみ	自民
理	塩村あやか	立憲
理	宮崎　勝	公明
理	串田誠一	維教
理	浜口　誠	民主
理	岩渕　友	共産
	赤松　健	自民
	朝日健太郎	自民
	生稲晃子	自民
	上野通子	自民
	こやり隆史	自民
	永井　学	自民
	松川るい	自民
	森まさこ	自民
	大椿ゆうこ	立憲
	高木真理	立憲
	三上えり	立憲

水野素子	立憲
新妻秀規	公明
金子道仁	維教
伊波洋一	沖縄
齊藤健一郎	N党

国民生活・経済及び地方に関する調査会(25)

(自民13)(立憲4)(公明3)(維教2)(民主1)(共産1)(れ新1)

長	福山哲郎	立憲
理	今井絵理子	自民
理	清水真人	自民
理	長峯誠	自民
理	田名部匡代	立憲
理	下野六太	公明
理	中条きよし	維教
理	舟山康江	民主
理	山添拓	共産
	白坂亜紀	自民
	田中昌史	自民
	堂故茂	自民
	友納理緒	自民
	長谷川英晴	自民
	星北斗	自民
	山本啓介	自民
	山本佐知子	自民
	和田政宗	自民
	若林洋平	自民
	柴愼一	立憲
	森屋隆	立憲
	竹内真二	公明
	三浦信祐	公明
	高木かおり	維教
	木村英子	れ新

資源エネルギー・持続可能社会に関する調査会(25)

(自民12)(立憲4)(公明4)(維教3)(民主1)(共産1)

長	宮沢洋一	自民
理	北村経夫	自民
理	藤井一博	自民
理	宮口治子	立憲
理	河野義博	公明
理	青島健太	維教
理	浜野喜史	民主
理	吉良よし子	共産
	有村治子	自民
	井上義行	自民
	石田昌宏	自民
	磯﨑仁彦	自民
	神谷政幸	自民
	高橋はるみ	自民
	滝波宏文	自民
	船橋利実	自民
	本田顕子	自民
	青木愛	立憲
	鬼木誠	立憲
	村田享子	立憲
	佐々木さやか	公明
	杉久武	公明
	若松謙維	公明
	梅村みずほ	維教
	藤巻健史	維教

【憲法審査会】

憲法審査会（45）

(自民22)(立憲8)(公明5)(維教4)(民主2)(共産2)(れ新1)(沖縄1)

長	中曽根弘文	自民
幹	臼井正一	自民
幹	片山さつき	自民
幹	小林一大	自民
幹	佐藤正久	自民
幹	吉井章	自民
幹	小西洋之	立憲
幹	辻元清美	立憲
幹	西田実仁	公明
幹	片山大介	維教
幹	大塚耕平	民主
幹	山添拓	共産
	青山繁晴	自民
	赤池誠章	自民
	衛藤晟一	自民
	加藤明良	自民
	梶原大介	自民
	古庄玄知	自民
	田中昌史	自民
	中田宏	自民
	中西祐介	自民
	藤木眞也	自民
	松川るい	自民
	松下新平	自民
	山本啓介	自民
	山本佐知子	自民
	和田政宗	自民
	若林洋平	自民
	石川大我	立憲
	打越さく良	立憲
	小沢雅仁	立憲
	熊谷裕人	立憲
	古賀千景	立憲
	福島みずほ	立憲
	伊藤孝江	公明
	窪田哲也	公明
	里見隆治	公明
	塩田博昭	公明
	浅田均	維教
	猪瀬直樹	維教
	柴田巧	維教
	礒﨑哲史	民主
	仁比聡平	共産
	山本太郎	れ新
	髙良鉄美	沖縄

【情報監視審査会】

情報監視審査会（8）

(自民4)(立憲1)(公明1)(維教1)(民主1)

長	有村治子	自民
	石田昌宏	自民
	羽生田俊	自民
	宮崎雅夫	自民
	牧山ひろえ	立憲
	石川博崇	公明
	串田誠一	維教
	浜口誠	民主

【政治倫理審査会】

政治倫理審査会（15）

(自民8)(立憲2)(公明2)(維教1)(民主1)(共産1)

長	野村哲郎	自民
幹	佐藤正久	自民
幹	牧野たかお	自民
幹	吉川沙織	立憲
	青木一彦	自民
	石井準一	自民
	石井浩郎	自民
	片山さつき	自民
	福岡資麿	自民
	斎藤嘉隆	立憲
	竹谷とし子	公明
	谷合正明	公明
	音喜多駿	維教
	舟山康江	民主
	山下芳生	共産

自由民主党

（昭和30年11月15日創立）

〒100-8910 千代田区永田町一ノ一一ノ二三
03（3581）6211

総裁 岸田文雄
副総裁 麻生太郎
幹事長 茂木敏充
幹事長代行 梶山弘志
幹事長代理 井上信治
同 稲田朋美
同 西銘恒三郎
同 木原誠二
同 牧野たかお
副幹事長（筆頭） 福田達夫
同 城内実
同 井上貴博
同 関芳弘
同 大岡敏孝
同 小倉將信
同 新谷正義
同 鈴木貴子
同 田所嘉徳
同 田中英之
同 堀内詔子
同 牧島かれん
同 山田美樹
同 島尻安伊子
同 畦元将吾
同 青木一彦
同 江島潔
同 吉川ゆうみ
同 山田宏
同 松川るい
同 岩本剛人

人事局長 山下雄平
経理局長 山本有二
情報調査局長 小林史明
国際局長 伊藤達也
局長代理 石田真敏
同 岩屋毅
同 長島昭久
同 阿達雅志
次長 あかま二郎
大串正樹 大野敬太郎
小林鷹之 島尻安伊子
鈴木馨祐 武井俊輔
藤井比早之 堀内詔子
本田太郎 三谷英弘
山下貴司 鷲尾英一郎
北村経夫 吉川ゆうみ
青山繁晴 松川るい
臼井正一 永井学
星北斗 若林洋平

財務委員長 渡辺博道
委員 遠藤利明
佐藤勉 森英介
若宮健嗣 鶴保庸介
野村哲郎

組織運動本部長 金子恭之
本部長代理 古川禎久
同 山際大志郎
同 江島潔
副本部長 小島敏文
小林鷹之 笹川博義
青山繁晴
団体総局長 古川禎久
次長 武井俊輔
中谷真一 中山展宏

酒井庸行
法務・自治関係団体委員長
副委員長
石原正敬
財政・金融・証券関係団体委員長
副委員長
鈴木英敬
石井正弘
教育・文化・スポーツ関係団体委員長
副委員長
中曽根康隆
鈴木英敬
山本左近
臼井正一
社会教育・宗教関係団体委員長
副委員長
本田太郎
小林一大
厚生関係団体委員長
副委員長
泉田裕彦
本田太郎
勝目康

武井俊輔
宮路拓馬
古庄玄知
金子俊平
英利アルフィヤ
長峯誠
井原巧
小寺裕雄
勝目康
高見康裕
今井絵理子
山田宏
高木啓
高橋はるみ
大串正樹
畦元将吾
国光あやの
東国幹
川崎ひでと

吉田真次
生稲晃子
友納理緒
星北斗
環境関係団体委員長
副委員長
五十嵐清
岩本剛人
労働関係団体委員長
副委員長
畦元将吾
清水真人
農林水産関係団体委員長
副委員長
鳩山二郎
小寺裕雄
東国幹
保岡宏武
金子容三
藤木眞也
加藤明良
若林洋平
商工・中小企業関係団体委員長

石田昌宏
神谷政幸
藤井一博
田中昌史
上杉謙太郎
保岡宏武
羽生田俊
鈴木隼人
柳本顕
古川康
若林健太
宮路拓馬
仁木博文
五十嵐清
吉田真次
山下雄平
宮崎雅夫
山本啓介
中山展宏

副委員長
尾身朝子
木村次郎
古川直季
山口晋
岸信千世
越智俊之
白坂亜紀
運輸・交通関係団体委員長
副委員長
金子俊平
山口晋
永井学
情報・通信関係団体委員長
副委員長
谷川とむ
川崎ひでと
岸信千世
長谷川英晴
国土・建設関係団体委員長
副委員長
石原正敬
中川貴元

若林健太
鳩山二郎
西野太亮
柳本顕
英利アルフィヤ
太田房江
山本佐知子
江島潔
谷川とむ
髙木啓
山本左近
斎藤洋明
尾身朝子
仁木博文
中川貴元
加田裕之
小林茂樹
泉田裕彦
高見康裕
西野太亮

党役員

古川直季
吉井章
安全保障関係団体委員長
副委員長
上杉謙太郎
中曽根康隆
吉川ゆうみ
生活安全関係団体委員長
副委員長
国光あやの
NPO・NGO関係団体委員長
副委員長
同
地方組織・議員総局長
局長代理
次長
東国幹
古川直季
石原正敬
柳本顕
吉田真次
清水真人

梶原大介
黄川田仁志
和田義明
木村次郎
金子容三
松川るい
中川郁子
和田義明
和田政宗
山田太郎
鈴木隼人
赤松健
上田英俊
長峯誠
井原巧
五十嵐清
中川貴元
鈴木英敬
高見康裕
岩本剛人
加藤明良

藤井一博
女性局長
局長代理
同
次長
山田美樹
宮路拓馬
井原巧
高見康裕
柳本顕
吉田真次
比嘉奈津美
生稲晃子
小林一大
藤井一博
山本佐知子
白坂亜紀
青年局長
局長代理
次長
井野俊郎
宮路拓馬
国光あやの

吉井章
高橋はるみ
国光あやの
石田昌宏
鈴木貴子
尾身朝子
和田義明
鈴木英敬
中川貴元
英利アルフィヤ
森由起子
宮崎雅夫
加藤明良
友納理緒
山本啓介
吉井章
鈴木貴子
藤井一博
井出庸生
鳩山二郎
金子俊平
英利アルフィヤ

加藤竜祥
川崎ひでと
高見康裕
山口晋
吉田真次
今井絵理子
越智俊之
友納理緒
労政局長
局長代理
次長
鷲尾英一郎
田畑裕明
高橋はるみ
遊説局長
局長代理
広報本部長
本部長代理
副本部長
小林史明
和田政宗
広報戦略局長
次長

金子容三
岸信千世
西野太亮
山本左近
山下雄平
佐藤啓
神谷政幸
森英介
衛藤晟一
今村雅弘
大岡敏孝
斎藤洋明
宮崎雅夫
三谷英弘
上杉謙太郎
平井卓也
平将明
平口洋
牧島かれん
小林史明
鈴木貴子

党役員

谷川とむ　国光あやの
石原正敬　英利アルフィヤ
岸信千世　岩本剛人
高橋はるみ　赤松健
加藤明良　神谷政幸
小林一大　長谷川英晴

ネットメディア局長　牧島かれん
次長　三谷英弘
和田義明　鳩山二郎
川崎ひでと　西野太亮
山本左近　生稲晃子
臼井正一　永井学
山本啓介　田中昌史

新聞出版局長　和田政宗
次長　上杉謙太郎
本田太郎　東国幹
鈴木英敬　古川直季
宮崎雅夫　越智俊之
古庄玄知　藤井一博
山本佐知子　吉井章
若林洋平

報道局長　平口洋
次長　古川康

宮路拓馬　金子俊平
高見康裕　山口晋
吉田真次　加田裕之
清水真人　梶原大介
友納理緒　星北斗
白坂亜紀

国会対策委員長　浜田靖一
委員長代理（委員長代行）　西村明宏
委員長代理　御法川信英
副委員長　（筆頭）丹羽秀樹
葉梨康弘　鷲尾英一郎
武藤容治　橘慶一郎
藤丸敏　大野敬太郎
中谷真一　井出庸生
井野俊郎　若林健太
宮路拓馬　佐藤正久
磯崎仁彦

委員　泉田裕彦
上杉謙太郎　金子俊平
木村次郎　国光あやの
小寺裕雄　高木啓
中曽根康隆　本田太郎
仁木博文　畦元将吾

東国幹　五十嵐清
石原正敬　上田英俊
勝目康　加藤竜祥
川崎ひでと　小森卓郎
鈴木英敬　中川貴元
西野太亮　古川直季
保岡宏武　柳本顕
山口晋　山本左近
英利アルフィヤ　岸信千世
吉田真次　金子容三
森由起子

両院議員総会長　有村治子
副会長　宮沢洋一

総務会長　森山裕
会長代行　金田勝年
会長代理　寺田稔
同　松下新平
副会長　尾身朝子
大野敬太郎　古川俊治
山田俊男
総務　伊東良孝
石破茂　石原正敬
上田英俊　江渡聡徳

	越智隆雄
	大西英男
	田中良生
	中谷真一
	平口洋
	宮路拓馬
	山口壯
	石井浩郎
	猪口邦子
	中曽根弘文
	宮沢洋一
	山本順三
政務調査会長	渡海紀三朗
会長代行	田村憲久
会長代理	柴山昌彦
同	若宮健嗣
同	片山さつき
同	上野通子
副会長	長島昭久
同	義家弘介
同	城内実
同	坂井学
同	松本洋平
同	鈴木馨祐
同	山下貴司
同	赤池誠章
同	石井正弘
内閣第一部会長	太田房江
部会長代理	中川郁子

同	山田宏
内閣第二部会長	冨樫博之
部会長代理	鳩山二郎
同	酒井庸行
国防部会長	黄川田仁志
部会長代理	松川るい
副部会長	上杉謙太郎
総務部会長	根本幸典
部会長代理	斎藤洋明
副部会長	高橋はるみ
法務部会長	笹川博義
部会長代理	武井俊輔
副部会長	古庄玄知
外交部会長	藤井比早之
部会長代理	鈴木隼人
同	吉川ゆうみ
副部会長	国光あやの
財務金融部会長	北村経夫
部会長代理	
文部科学部会長	山田賢司
部会長代理	井原巧
同	和田政宗
副部会長	鈴木英敬

同	赤松健
厚生労働部会長	大串正樹
部会長代理	羽生田俊
副部会長	本田太郎
同	仁木博文
農林部会長	細田健一
部会長代理	古川康
同	藤木眞也
副部会長	小寺裕雄
同	宮崎雅夫
水産部会長	山下雄平
部会長代理	中村裕之
副部会長	
経済産業部会長	宮内秀樹
部会長代理	中山展宏
同	青山繁晴
副部会長	高木啓
国土交通部会長	佐々木紀
部会長代理	小林茂樹
同	江島潔
副部会長	金子俊平
環境部会長	中田宏

党役員

部会長代理
副部会長　岩本剛人
調査会長
税制調査会長　宮沢洋一
選挙制度〃　逢沢一郎
科学技術・イノベーション戦略〃　大野敬太郎
ITS推進・道路〃　金子恭之
治安・テロ対策〃　岩屋毅
沖縄振興〃　岡田直樹
消費者問題〃　船田元
障害児者問題〃　衛藤晟一
雇用問題〃　田村憲久
総合農林政策〃　江藤拓
水産総合〃　石破茂
金融〃　片山さつき
知的財産戦略〃　小林鷹之
中小企業・小規模事業者政策〃　伊藤達也
国際協力〃　牧島かれん
司法制度〃　古川禎久
スポーツ立国〃　松下新平
環境・温暖化対策〃　井上信治
住宅土地・都市政策〃　松島みどり
文化立国〃　永岡桂子

食育〃　山東昭子
観光立国〃　鶴保庸介
青少年健全育成推進〃　山本順三
外交〃　中曽根弘文
安全保障〃　小野寺五典
社会保障制度〃　加藤勝信
総合エネルギー戦略〃　梶山弘志
情報通信戦略〃　野田聖子
整備新幹線等鉄道〃　稲田朋美
競争政策〃　山際大志郎
地方行政〃　佐藤信秋
教育・人材力強化〃　柴山昌彦
物流〃　今村雅弘
水政策・国土保全〃　山本有二
特別委員長
過疎対策特別委員長　谷公一
外国人労働者等〃　松山政司
たばこ〃　江渡聡徳
捕鯨対策〃　鶴保庸介
災害対策〃　佐藤信秋
再犯防止推進〃　渡辺博道
国際保健戦略〃　羽生田俊

宇宙・海洋開発〃　若宮健嗣
超電導リニア鉄道に関する〃　古屋圭司
航空政策〃　西村明宏
海運・造船対策〃　石田真敏
都市公園緑地対策〃　江﨑鐵磨
山村振興〃　奥野信亮
離島・半島振興〃　石原宏高
インフラシステム輸出総合戦略〃　二階俊博
原子力規制に関する〃　細野豪志
鳥獣被害対策〃　武藤容治
奄美振興〃　森山裕
クールジャパン戦略推進〃　松山政司
領土に関する〃　猪口邦子
北海道総合開発〃　伊東良孝
交通安全対策〃　田中和徳
社会的事業推進〃　橘慶一郎
所有者不明土地に関する〃　土井亨
女性活躍推進〃　堀内詔子
特命委員長
郵政事業に関する特命委員長　森山裕
戦没者遺骨帰還に関する〃　福岡資麿

日本の名誉と信頼を確立するための〃　有村治子
性的マイノリティに関する〃　髙階恵美子
安全保障と土地法制に関する〃　北村経夫
医療情報政策・ゲノム医療推進〃　古川俊治
日本Well-being計画推進〃　上野通子
孤独・孤立対策〃　小倉將信
2027横浜国際園芸博覧会（花博）推進〃　坂井学
PFI推進〃　うえの賢一郎
令和の教育人材確保に関する〃　渡海紀三朗
防衛関係費の財源検討に関する〃　渡海紀三朗
差別問題に関する〃　山口壯
「日本電信電話株式会社等に関する法律」の在り方に関する〃　甘利明
財政政策検討本部長　西田昌司
経済安全保障推進本部長　甘利明
デジタル社会推進本部長　平井卓也
自由で開かれたインド太平洋戦略本部長　麻生太郎
社会機能移転分散型国づくり推進本部長　古屋圭司
「こども・若者」輝く未来創造本部長　後藤茂之
日・グローバルサウス連携本部長　小林鷹之
デジタル行財政改革推進本部長　渡海紀三朗
地方創生実行統合本部長　山口俊一

選挙対策本部長　岸田文雄
本部長代行　麻生太郎
本部長代理　茂木敏充
選挙対策委員長　小渕優子
副本部長　森山裕
渡海紀三朗　関口昌一
松山政司　梶山弘志
金子恭之　平井卓也
委員長代理　永岡桂子
葉梨康弘　牧野たかお
副委員長　山際大志郎
うえの賢一郎　大塚拓
牧原秀樹　笹川博義
岡田直樹　事務局長 青木一彦
磯﨑仁彦　中西祐介
清水真人
本部員　鈴木貴子
高橋はるみ　西田昌司
佐藤正久
選挙対策委員長　小渕優子
委員長代理　永岡桂子
葉梨康弘　牧野たかお

副委員長　山際大志郎
うえの賢一郎　大塚拓
牧原秀樹　笹川博義
岡田直樹　事務局長 青木一彦
磯﨑仁彦　中西祐介
清水真人
衆議院議員総会長　船田元
副会長　逢沢一郎
党紀委員長
副委員長　田村憲久
委員　伊藤達也
今村雅弘　岩屋毅
奥野信亮　城内実
佐藤勉　有村治子
磯﨑仁彦　佐藤信秋
藤川政人　臼井日出男
佐々木知子　新井哲男
伊藤哲朗　金美齢
久保田政一
中央政治大学院長　遠藤利明
副学院長　黄川田仁志
武井俊輔　藤井比早之
国光あやの　鈴木英敬

高見康裕　西野太亮
赤池誠章　赤松健
友納理緒
行政改革推進本部長　棚橋泰文
北朝鮮による拉致問題対策本部長　加藤勝信
党改革実行本部長　茂木敏充
憲法改正実現本部長　古屋圭司
東日本大震災復興加速化本部長　根本匠
北朝鮮核実験・ミサイル問題対策本部長　江渡聡徳
国土強靭化推進本部長　二階俊博
2025年大阪・関西万博推進本部長　二階俊博
TPP・日EU・日米TAG等経済協定対策本部長　森山裕
新しい資本主義実行本部長　岸田文雄
財政健全化推進本部長　古川禎久
ウクライナ・中東情勢に関する対策本部長　茂木敏充
GX実行本部長　茂木敏充
安定的な皇位継承の確保に関する懇談会長　麻生太郎
令和6年能登半島地震対策本部長　茂木敏充
政治刷新本部長　岸田文雄

参議院自由民主党

参議院議員会長　関口昌一
副会長　山本順三
幹事長　松山政司
幹事長代行　岡田直樹
幹事長代理　牧野たかお
副幹事長　青木一彦
江島潔　堀井巌
吉川ゆうみ　山下雄平
山田宏　藤木眞也
松川るい　岩本剛人
参議院政策審議会長　福岡資麿
会長代理　片山さつき
同　上野通子
副会長　赤池誠章
石井正弘　羽生田俊
山田太郎　宮崎雅夫
参議院国会対策委員長　石井準一
委員長代行　佐藤正久
委員長代理　磯崎仁彦
副委員長　石井浩郎
中西祐介　石田昌宏
長峯誠　佐藤啓

今井絵理子　加田裕之
清水真人
委員　赤松健
生稲晃子　臼井正一
越智俊之　加藤明良
梶原大介　神谷政幸
小林一大　古庄玄知
友納理緒　永井学
長谷川英晴　藤井一博
星北斗　山本啓介
山本佐知子　吉井章
若林洋平　田中昌史
白坂亜紀
会計　江島潔

公明党

（平成10年11月7日創立）
〒160-0012 新宿区南元町一七
03（3353）0111

代表 山口那津男
副代表 北側一雄
同 古屋範子
同 斉藤鉄夫
幹事長 石井啓一
中央幹事会会長 北側一雄
会長代理 竹内譲
中央幹事 大口善徳
稲津久 庄子賢一
塩田博昭 中川宏昌
中川康洋 山本香苗
山本博司 河野義博
中島義雄 松葉多美子
山口広治 若松謙維
伊藤渉 石川博崇
岡本三成 國重徹
秋野公造 土岐恭生
千葉宣男
中央規律委員長 浮島智子

副委員長 山本博司
委員 伊藤孝江
長橋桂一 福島直子
中央会計監査委員 佐々木さやか
同 杉久武
幹事長 石井啓一
幹事長代行 赤羽一嘉
幹事長代理 稲津久
同 谷合正明
政務調査会長 高木陽介
会長代理 上田勇
同 大口善徳
同 伊藤渉
同 山本香苗
同 稲津久
副会長 浮島智子
石川博崇 秋野公造
伊佐進一 國重徹
内閣部会長 庄子賢一
総務〃 中川康洋
法務〃 大口善徳
外交〃 上田勇
安全保障〃 三浦信祐
財政・金融〃 若松謙維

文部科学〃 浮島智子
厚生労働〃 伊佐進一
農林水産〃 角田秀穂
経済産業〃 中野洋昌
国土交通〃 國重徹
環境〃 鰐淵洋子
復興・防災〃 横山信一
決算・行政監視〃 杉久武
社会保障制度調査会長 大口善徳
外交安全保障〃 佐藤茂樹
税制〃 西田実仁
憲法〃 北側一雄
農林水産業活性化〃 稲津久
経済再生〃 上田勇
行政改革推進本部長 大口善徳
国会対策委員長 佐藤茂樹
委員長代理 輿水恵一
筆頭副委員長 中川康洋
副委員長 鰐淵洋子
同 角田秀穂
選挙対策委員長 西田実仁
組織委員長 大口善徳
委員長代理 稲津久
組織局長 稲津久

地方議会局長 興水恵一
遊説局長 竹内真二
女性委員長 竹谷とし子
女性局長 佐々木さやか
青年委員長 國重徹
青年局長 三浦信祐
学生局長 河西宏一
総務委員長 高鍋博之
機関紙委員長 吉本正史
機関紙推進委員長 若松謙維
財務委員長 石井啓一
広報委員長 谷合正明
広報局長 國重徹
宣伝局長 佐々木さやか
国際委員長 岡本三成
国際局長 新妻秀規
団体渉外委員長 伊藤渉
団体局長 中野洋昌
労働局長 佐藤英道
市民活動委員長 石川博崇
市民活動局長 石川博崇
文化芸術局長 浮島智子
NPO局長 鰐淵洋子
常任顧問 太田昭宏

同 井上義久
アドバイザー 石田祝稔
同 桝屋敬悟
同 高木美智代
同 浜田昌良
参議院会長 西田実仁
副会長 山本香苗
参議院幹事長 谷合正明
参議院国会対策委員長 竹谷とし子
筆頭副委員長 三浦信祐
副委員長 伊藤孝江
宮崎勝 塩田博昭
下野六太 窪田哲也
参議院政策審議会長 石川博崇
全国議員団会議議長 北側一雄
全国地方議員団会議議長 中島義雄
副議長 松葉多美子
同 土岐恭生

日本共産党

（大正11年7月15日創立）

〒151-8586 渋谷区千駄ヶ谷四ノ二六ノ七
03（3403）6111

中央委員会議長 志位和夫
幹部会委員長 田村智子
書記局長 小池晃
幹部会副委員長（筆頭） 山下芳生
同・書記局長代行 田中悠
同 市田忠義
同 緒方靖夫
同 倉林明子
同 浜野忠夫
政策委員長 山添拓
常任幹部会委員 市田忠義 大幡基夫 緒方靖夫 吉良佳子 小池晃 穀田恵二 志位和夫 田村智子 寺沢亜志也 浜野忠夫 広井暢子 山下芳生 若林義春
岩井鐵也 岡嵜郁子 紙智子 倉林明子 小木曽陽司 坂井希 田中悠 堤文俊 中井作太郎 土方明果 藤田文 山添拓

党役員

書記局長代行　田中　悠
書記局次長　中井作太郎
　堤　文俊　土方明果
　土井洋彦
訴願委員会責任者　大田善作
規律委員会責任者　田邊　進
監査委員会責任者　広井暢子
政策委員会委員長　山添　拓
経済・社会保障政策委員会責任者　垣内　亮
政治・外交委員会責任者　小松公生
理論委員会責任者　田中　悠
人権委員会責任者　倉林明子
ジェンダー平等委員会責任者　倉林明子
子どもの権利委員会責任者　吉良佳子
障害者の権利委員会責任者　高橋千鶴子
先住民（アイヌ）の権利委員会責任者　紙　智子
在日外国人の権利委員会責任者　田川　実
宣伝局長　田村一志
広報部長　植木俊雄
国民の声室責任者　藤原忠雄
国民運動委員会責任者　堤　文俊
労働局長　堤　文俊
農林・漁民局長　紙　智子
市民・住民運動・中小企業局長　松原昭夫
平和運動局長　川田忠明

基地対策委員会責任者　小泉親司
災害問題対策委員会責任者　太田善作
学術・文化委員会責任者　土井洋彦
文教委員会責任者　藤森　毅
宗教委員会責任者　土井洋彦
スポーツ委員会責任者　畑野君枝
選挙・自治体委員会責任者　中井作太郎
選挙対策局長　中井作太郎
自治体局長　岡嵜郁子
選挙対策委員長　穀田恵二
国際委員会責任者　緒方靖夫
党建設委員会責任者　山下芳生
組織局長　土方明果
機関紙活動局長　大幡基夫
学習・教育局長　広井暢子
青年・学生委員会責任者　坂井　希
中央党学校運営委員会責任者　田中　悠
法規対策部長　柳沢明夫
人事局長　浜野忠夫
財務・業務委員会責任者　岩井鐵也
財政部長　藤本哲也
機関紙誌業務部長　大井伸行
管理部長　大久保健三
厚生部長　大久保健三
システム開発管理部長　葛西邦生
赤旗まつり実行委員会実行委員長　小木曽陽司
社会科学研究所長　山口富男
出版企画委員会責任者　岩井鐵也

出版局長　田代忠利
雑誌刊行委員会責任者　田代忠利
資料室責任者　鈴木裕子
党史資料（研究）室責任者　岡　宏輔
中央委員会事務室責任者　工藤　充
第二事務室責任者　高宮正芳
総務部長　森田修司
車両部長　松尾信昭
原発・気候変動・エネルギー問題対策委員会責任者　笠井　亮
赤旗編集局長　小木曽陽司
国会対策委員長　穀田恵二
同委員長代理　塩川鉄也
国会議員団総会長　紙　智子
衆議院議員団長　高橋千鶴子
同副団長　赤嶺政賢
参議院議員団長　紙　智子
参議院幹事長　井上哲士
衆議院国会対策委員長　穀田恵二
同副委員長　塩川鉄也
　高橋千鶴子　宮本　徹
参議院国会対策委員長　井上哲士
同副委員長　岩渕　友
同　仁比聡平
国会議員団事務局長　藤井正人
同次長　白石敏夫
同　白髭寿一

党役員

社会民主党

（平成8年1月19日創立）
〒104-0043 中央区湊三ノ一八ノ一七
マルキ榎本ビル5F
03（3553）3731

党首 福島みずほ
副党首 大椿裕子
同 新垣邦男
幹事長 服部良一
国会対策委員長 新垣邦男
政策審議会長（兼） 新垣邦男
選挙対策委員長（兼） 服部良一
総務企画局長 中島修
組織団体局長 渡辺英明
機関紙宣伝局長（兼） 中島修
常任幹事 伊是名夏子
同 伊地智恭子
同 山城博治
（以上常任幹事会役員）
中央規律委員長 野呂正和
委員 遠藤芳孝
井上庄二 小川敬子
柏床由夫
会計監査 伊藤正通
鈴木清丞 八塚勇一
（以上全国大会選出役員）

日本維新の会

（平成27年10月31日創立）
〒542-0082 大阪市中央区島之内一ノ一七ノ一六
三栄長堀ビル
06（4963）8800

代表 馬場伸幸
共同代表 吉村洋文
副代表 辻淳子
幹事長 藤田文武
幹事長代行 河崎大樹
学生局長 松本常広
ダイバーシティ推進局長 高木かおり
国際局長 青柳仁士
副幹事長 梅村聡
石井苗子 岩谷良平
金村龍那
政務調査会長 音喜多駿
会長代行 藤田暁
総務会長 柳ヶ瀬裕文
会長代行 岡崎太
改革実行本部長 東徹
広報局長 伊良原勉
財務局長 高見亮
常任役員 東徹
同 井上英孝
同 森和臣
同 山下昌彦
同 横山英幸
同 黒田征樹
同 宮本一孝
非常任役員 松尾勇臣
同 三木けえ
選挙対策本部長 藤田文武
本部長代行 井上英孝
本部長代理 浦野靖人
副本部長 石井章
同 柴田巧
同 掘井健智
党紀委員長 横倉廉幸
維新政治塾塾長 音喜多駿
会計監査人代表 井上英孝
会計監査人 池下卓
同 札場泰司
（国会議員団）
代表 馬場伸幸
代表補佐 中司宏

党役員

同　高木かおり
幹事長　藤田文武
幹事長代理　三木圭恵
広報局長　柳ヶ瀬裕文
学生局長　沢田良
ダイバーシティ推進局長　高木かおり
政務調査会長　音喜多駿
会長代行　青柳仁士
会長代理　片山大介
副会長　高木かおり
池下卓　岩谷良平
伊東信久　金子道仁
梅村聡　松野明美
守島正　漆間譲司
串田誠一
国会対策委員長　遠藤敬
委員長代行　柴田巧
委員長代理　中司宏
副委員長　金村龍那
奥下剛光　池畑浩太郎
一谷勇一郎　浅川義治
堀場幸子　青島健太
両院議員総会長　石井章
代議士会長　市村浩一郎

参議院会長　浅田均
参議院幹事長　猪瀬直樹
参議院国会対策委員長　柴田巧
参議院国会対策委員長代理　青島健太
参議院政策審議会長　片山大介
党紀委員長　中司宏
党紀委員　浦野靖人
三木圭恵　柴田巧
小野泰輔
選対本部長代行　井上英孝

立憲民主党

立憲民主党

（平成29年10月2日創立）

〒100-0014 千代田区永田町一ノ二ノ一
03（3595）9988

最高顧問　菅直人
同　野田佳彦
代表　泉健太
代表代行　辻元清美
同　西村智奈美
同　逢坂誠二
幹事長　岡田克也
常任幹事会議長　渡辺周
参議院議員会長　水岡俊一
国会対策委員長　安住淳
選挙対策委員長　大串博志
政務調査会長　長妻昭
組織委員長　森本真治
企業・団体交流委員長　大島敦
参議院幹事長　田名部匡代
参議院国会対策委員長　斎藤嘉隆
両院議員総会長　川田龍平
北海道ブロック常任幹事　岸真紀子
東北ブロック〃　横沢高徳

北関東ブロック〃 坂本祐之輔
南関東ブロック〃 小沢雅仁
東京ブロック〃 手塚仁雄
北陸信越ブロック〃 杉尾秀哉
東海ブロック〃 吉田統彦
近畿ブロック〃 桜井周
中国ブロック〃 柚木道義
四国ブロック〃 白石洋一
九州ブロック〃 野間健
自治体議員ネットワーク代表 遊佐美由紀
幹事長代理（広報・国対担当） 手塚仁雄
幹事長代理（つながる本部・ジェンダー平等推進本部担当） 田名部匡代
副幹事長 山岡達丸
稲富修二 伊藤俊輔
森山浩行 源馬謙太郎
荒井優 落合貴之
石川香織 本庄知史
勝部賢志 田島麻衣子
総務局長 山岡達丸
財務局長 稲富修二
青年局長 伊藤俊輔
局長代理 塩村あやか
同 山田勝彦
事務局長 村田亨子

事務局長代理 山岸一生
同 おおつき紅葉
事務局次長 馬場雄基
災害・緊急事態局長 森山浩行
局長筆頭代理 近藤和也
局長代理 菊田真紀子
同 羽田次郎
筆頭副局長 神谷裕
副局長 伊藤俊輔
岸真紀子 小沼巧
山崎誠 鎌田さゆり
坂本祐之輔
事務局長 渡辺創
国際局長 源馬謙太郎
局長代理 青柳陽一郎
同 白石洋一
副局長 桜井周
青山大人 田島麻衣子
塩村あやか 堤かなめ
吉田はるみ 鈴木庸介
神津たけし 太栄志
人材局長 荒井優
国民運動局長 森本真治
局長代理 小沢雅仁

同 岸真紀子
副局長 石垣のりこ
石川大我 小沼巧
勝部賢志 熊谷裕人
古賀千景 羽田次郎
宮口治子 村田亨子
森屋隆 横沢高徳
役員室長 奥野総一郎
代表補佐 米山隆一
井坂信彦 宮口治子
選挙対策委員長 大串博志
委員長代理 近藤和也
同 野田国義
副委員長 岸真紀子
政務調査会長 長妻昭
会長代理 筆頭代理 大西健介
同 城井崇
同 徳永エリ
副会長 稲富修二
篠原豪 山崎誠
早稲田ゆき 岡本あき子
神谷裕 桜井周
中谷一馬 小沼巧
岸真紀子 小沢雅仁

党役員

政務調査会長補佐　荒井　優
おおつき紅葉　神津たけし
酒井なつみ　鈴木庸介
堤　かなめ　馬場雄基
藤岡隆雄　太　栄志
本庄知史　山岸一生
山田勝彦　吉田はるみ
米山隆一　渡辺　創
奥村政佳　鬼木　誠
古賀千景　柴　慎一
羽田次郎　水野素子
宮口治子　村田享子
憲法調査会長　逢坂誠二
事務局長　奥野総一郎
税制調査会長　小川淳也
事務局長　稲富修二
国会対策委員長　安住　淳
委員長代理　笠　浩史
同　斎藤嘉隆
筆頭副委員長　山井和則
副委員長　後藤祐一
吉川　元　青柳陽一郎
道下大樹　湯原俊二
委員・委員長補佐　渡辺　創
同　おおつき紅葉
代議士会長　伴野　豊
組織委員長　森本真治

委員長代理　早稲田ゆき
副委員長　熊谷裕人
同　渡辺　創
企業・団体交流委員・顧問　近藤昭一
委員長　大島　敦
委員長代理　末松義規
同　小宮山泰子
副委員長　重徳和彦
小山展弘　中谷一馬
小沼　巧　熊谷裕人
森屋　隆
参議院議員会長　水岡俊一
参議院議員会長代行　牧山ひろえ
参議院幹事長　田名部匡代
参議院幹事長代理　岸　真紀子
参議院国会対策委員長　斎藤嘉隆
参議院国会対策委員長代理　石橋通宏
勝部賢志　熊谷裕人
議運筆頭理事　吉川沙織
参議院政策審議会長　徳永エリ
参議院政策審議会長代理　小沢雅仁
総合選挙対策本部本部長　泉　健太
事務総長　岡田克也
事務局長　大串博志
衆議院議員選挙総合選挙対策本部長　泉　健太

副本部長　西村智奈美
逢坂誠二　徳永エリ
水岡俊一　安住　淳
長妻　昭
事務総長　岡田克也
事務局長　大串博志
事務局長代理　森本真治
大島　敦　辻元清美
手塚仁雄　重徳和彦
伊藤俊輔　遊佐美由紀
事務局長補佐　勝部賢志
国政補欠選挙対策本部特別参与　野田佳彦
同　枝野幸男
国政補欠選挙対策本部本部長　泉　健太
事務総長　岡田克也
副本部長　辻元清美
西村智奈美　逢坂誠二
渡辺　周　水岡俊一
安住　淳　長妻　昭
事務局長　大串博志
事務局長代理　森本真治
大島　敦　手塚仁雄
奥野総一郎　伊藤俊輔
石橋通宏　山田朋子
つながる本部本部長　泉　健太
特別参与　枝野幸男

参与　原口一博
同　田名部匡代
本部長代理　辻元清美
副本部長　阿部知子
川田龍平　小山展弘
打越さく良　石川大我
石垣のりこ　岸真紀子
事務局長　渡辺創
事務局次長　馬場雄基
同　高木真理
ジェンダー平等推進本部本部長　西村智奈美
参与　辻元清美
副本部長　早稲田ゆき
同　横沢高徳
事務局長　岡本あき子
副事務局長　大河原まさこ
同　打越さく良
政治改革推進本部本部長　渡辺周
本部長代行　逢坂誠二
同　田名部匡代
本部長代理　野田国義
副本部長　大串博志
笠浩史　奥野総一郎
吉川沙織　石橋通宏
事務局長　落合貴之
事務局次長　小沢雅仁
幹事　後藤祐一
青柳陽一郎　勝部賢志

小沼巧
政治改革実行本部本部長　岡田克也
副本部長　渡辺周
長妻昭　手塚仁雄
田名部匡代　野田国義
山井和則　吉川沙織
笠浩史
事務局長　落合貴之
幹事　田島麻衣子
小沼巧　本庄知史
藤岡隆雄　山岸一生
吉田はるみ
広報本部本部長　逢坂誠二
副本部長　手塚仁雄
同　城井崇
幹事　中谷一馬
横沢高徳　村田享子
拉致問題対策本部顧問　中川正春
同　原口一博
本部長　渡辺周
副本部長　西村智奈美
菊田真紀子　下条みつ
小熊慎司　川田龍平
幹事長　笠浩史
筆頭幹事　谷田川元
幹事　近藤和也
篠原豪　打越さく良

熊谷裕人
事務総長　青柳陽一郎
事務局長　源馬謙太郎
事務局次長　太栄志
東日本大震災復興対策本部本部長　玄葉光一郎
事務局長　金子恵美
令和6年能登半島地震対策本部本部長　泉健太
本部長代行　辻元清美
西村智奈美　逢坂誠二
本部長代理　岡田克也
副本部長　近藤和也
長妻昭　森本真治
事務局長　森山浩行
事務局長代行　杉尾秀哉
事務局次長　菊田真紀子
羽田次郎　渡辺創
菅沢裕明　三田村輝士
子ども・若者応援本部本部長　泉健太
本部長代理　西村智奈美
同　長妻昭
副本部長　田名部匡代
辻元清美　杉尾秀哉
菊田真紀子　高木真理
近藤昭一　城井崇
伊藤俊輔
事務総長　大西健介

党役員

事務局長　岡本あき子
事務局次長　小沢雅仁
横沢高徳　馬場雄基
農林漁業再生本部名誉顧問　郡司彰
同　佐々木隆博
顧問　篠原孝
本部長　田名部匡代
副本部長　森本真治
金子恵美　近藤和也
横沢高徳　小山展弘
神谷裕
事務局長　徳永エリ
カジノ問題対策本部本部長
事務局長
倫理委員長　菊田真紀子
委員　五百蔵洋一
坂本祐之輔　谷田川元
横沢高徳　早稲田ゆき
代表選挙管理委員長　吉川沙織
委員　坂本祐之輔
羽田次郎　宮口治子
馬場雄基
会計監査　金子恵美
同　野田国義
ハラスメント対策委員長　金子恵美
事務局長　山岡達丸

委員　村田享子
同　喜田村洋一
旧統一教会被害対策本部本部長　西村智奈美
本部長代理　大西健介
副本部長　牧山ひろえ
菊田真紀子　杉尾秀哉
高木真理　山井和則
事務局長　石橋通宏
副事務局長　石垣のりこ
打越さく良　岸真紀子
参与　有田芳生
沖縄協議会座長　福山哲郎
座長代理　玄葉光一郎
同　近藤昭一
事務局長　石橋通宏
幹事　杉尾秀哉
小宮山泰子　仲村未央
國仲昌二　喜友名智子
清水磨男　又吉健太郎
屋良朝博　金城徹
自治体議員ネットワーク代表　遊佐美由紀
副代表　梶谷大志
同　江口善紀
幹事長　川名雄児

幹事　玉造順一
望月聖子　野田哲生
河合洋介　山本忠相
坂野経三郎　富野和憲
女性議員ネットワーク代表　伊藤めぐみ
副代表　姫野敬子
同　うつのみや陽子
事務局長　中山瑞穂
事務局次長　畠山みのり
同　武田恵子
幹事　佐竹百里
うすい愛子　高橋聡子
渡辺仁美　池田美恵

国民民主党　こくみん
Democratic Party For the People

国民民主党

（平成30年5月7日創立）

〒100-0014千代田区永田町二ノ一七ノ一七
JBS永田町
03（3593）6229

代表　玉木雄一郎
幹事長　榛葉賀津也
幹事長代行（地方自治体議員担当）　川合孝典
政務調査会長兼役員室長　浜口誠
選挙対策委員長　浜野喜史
国会対策委員長兼企業団体委員長　古川元久
参議院議員会長兼両院議員総会長　舟山康江
副代表兼広報局長　礒﨑哲史
幹事長代理　鈴木義弘
副幹事長　西岡秀子
同　竹詰仁
選挙対策委員長代理　浅野哲
同　伊藤孝恵
国会対策委員長代理　浅野哲
企業団体委員長　古川元久
組織委員長　伊藤孝恵
財務局長　浜口誠

人事・総務局長　竹詰仁
倫理委員長　竹詰仁
国民運動局長　田村まみ
青年局長　浅野哲
国際局長　古川元久
参議院議員会長　舟山康江
参議院幹事長　川合孝典
参議院国会対策委員長　礒﨑哲史
政治改革・行政改革推進本部長　古川元久
男女共同参画推進本部長　玉木雄一郎
男女共同参画推進本部長代理兼LGBT担当　西岡秀子
拉致問題対策本部長　川合孝典
災害対策本部長　榛葉賀津也
政務調査会長代理　西岡秀子
政務調査副会長　田中健
同　長友慎治
第一部会長　浜口誠
第二部会長　西岡秀子
人権外交研究会主査　舟山康江
安全保障調査会長　榛葉賀津也
社会保障調査会長　田村まみ
憲法調査会長　古川元久
税制調査会長　古川元久

経済調査会長　浜口誠
農林水産調査会長　舟山康江
エネルギー調査会長　浅野哲
子ども・子育て・若者政策調査会長　伊藤孝恵
顧問　川端達夫
高木義明　大畠章宏
直嶋正行　小林正夫

党役員

れいわ新選組

（平成31年4月1日創立）
〒102-0083 千代田区麴町二ノ五ノ二〇
押田ビル4F
03（6384）1974

代表	山本太郎
共同代表	くしぶち万里
同	大石あきこ
副代表	舩後靖彦
同	木村英子
国会対策委員長	たがや亮
選挙対策委員長	山本太郎
政策審議会長	大石あきこ
政策審議会長代理	くしぶち万里
幹事長	高井たかし
幹事	天畠大輔
衆議院会長	くしぶち万里
参議院会長	舩後靖彦
参議院国会対策委員長	大島九州男
参議院国会対策副委員長	木村英子
両院総会長	舩後靖彦

参政党

（令和2年4月11日創立）
〒107-0052 港区赤坂三ノ四ノ三
赤坂マカベビル5F
03（6807）4228

代表	神谷宗幣
事務局長	神谷宗幣
議員団団長	川裕一郎
議員団副団長	新開ゆうじ
同	高橋はじめ
同	後藤せいあん
青年局長	藤本かずき
女性局長	高井ちとせ

教育無償化を実現する会

（令和5年12月13日創立）
〒100-0014 千代田区永田町
二ノ一七ノ一七ノ二七
03（6811）2100

代表	前原誠司
副代表	嘉田由紀子
幹事長	徳永久志
政務調査会長	斎藤アレックス
国会対策委員長	鈴木敦

官公庁幹部職員抄録目次

人事につきましては、8月1日調べによるものですが、編集中の異動は可能な限り訂正いたしました。

衆議院

〒100-8960 千代田区永田町一ノ七ノ一
03（3581）5111

議長 額賀福志郎
議長秘書 平川大輔
副議長 海江田万里
副議長秘書 落合友子
同 清家弘司

常任委員長
内閣 星野剛士
総務 古屋範子
法務 武部新
外務 勝俣孝明
財務金融 津島淳
文部科学 田野瀬太道
厚生労働 新谷正義
農林水産 野中厚
経済産業 岡本三成
国土交通 長坂康正
環境 務台俊介
安全保障 小泉進次郎
国家基本政策 根本匠
予算 小野寺五典
決算行政監視 小川淳也
議院運営 山口俊一
懲罰 中川正春

特別委員長
災害対策 後藤茂之
政治改革 石田真敏
沖縄北方 佐藤公治
拉致問題 小熊慎司
消費者問題 秋葉賢也
震災復興 高階恵美子
原子力 平将明
地・こ・デジ 谷公一
憲法審査会会長 森英介
情報監視審査会会長 岩屋毅
政治倫理審査会会長 田中和徳

衆議院事務局

事務総長 築山信彦
事務次長 小林英樹
秘書課長 （事務取扱）中居健吾
議長公邸長 中川浩史
副議長公邸長 中村稔
秘書主幹 玉城雅邦
議事部長 石塚公彦
副部長 片岡義隆
同 中居健吾
同 日高孝一
議事課長 （事務取扱）日高孝一
議案課長 内藤義人
請願課長 小関隆史
資料課長 田家裕一郎
委員部長 野口幸彦
副部長 飯嶋正雄
総務課長 高橋裕介
総務主幹 成瀬克実
議院運営課長 （事務取扱）飯嶋正雄
第一課長 平井俊紀
第二課長 田中勇毅
第三課長 （兼）田中勇毅
調整主幹 石川真一
第四課長 大戸優子
第五課長 （兼）大戸優子
調整主幹 杉本守
第六課長 饗庭建司
第七課長 （兼）饗庭建司
調整主幹 佐々木伸之
調査課長 野一色裕二
記録部長 仲宗根一
副部長 志田和子
総務主幹 増田順子
第一課長 （事務取扱）志田和子
会議録データ管理室長 飯塚博
第二課長 森川雅也
第三課長 稲吉明子
第四課長 中村有起子
警務部長 佐々木利明

副部長 我妻 勝好
警備主幹 圷 公司
警務課長 宮市 和明
警備課長 臼井 俊二
調整課長 宮内 剛
防災課長 佐藤 武
防災主幹 （兼）圷 公司
庶務部長 梶田 秀
副部長 瀬良田 祥二
同 神谷 剛
同 元尾 竜一
議員課長 竹内 聡子
企画調整主幹 草野 知洋
文書課長 濵島 幸男
総務主幹 蓑輪 綾
広報課長 秋山 幸司
人事課長 吉田 一路
企画室長 荒金 麻夕美
会計課長 事務取扱 元尾 竜一
監査主幹 井門 麻子
営繕課長 才木 潤
契約監理主幹 山田 弘明
PFI推進室長 山岸 広史
電気施設課長 寺田 稔
契約監理主幹 神薗 直子
情報管理監 （兼）瀬良田 祥二
情報基盤整備室長 墨谷 憲基
管理部長 吉田 早樹人
副部長 松本 邦義

同 牛丸 禎之
同 原田 健成
管理課長 近藤 英之
議員会館課長 鴻巣 正博
総務主幹 浦辺 哲矢
自動車課長 長島 義明
総務主幹 今井 一晶
印刷課長 貞弘 浩太郎
厚生課長 事務取扱 牛丸 禎之
厚生主幹 髙野 順二
業務課長 渡辺 豊
国際部長 山本 浩慎
副部長 佐藤 浩
総務課長 事務取扱 佐藤 浩
議員外交支援室長 三田 大樹
渉外課長 照内 朗人
渉外主幹 國廣 恵理子
国際会議課長 藤田 博光
国際会議主幹 二見 輝
憲政記念館長 青山 卯女
副館長 東山 哲道
資料管理課長 事務取扱 東山 哲道
調整主幹 押越 嘉満
憲法審査会事務局長 吉澤 紀子
事務局次長 白藤 知木
総務課長 髙森 雅樹
調査主幹 三上 悠子

情報監視審査会事務局長 大場 誉之
総務課長 本多 基宏

調査局

調査局長 近藤 博人
総括調整監 近藤 弘康
総務課長 辻岡 美夏
総務主幹 辻本 考一
調査情報課長 本部 実香
内閣専門員 田中 仁
首席調査員 正木 寛也
次席調査員 若林 茂一
総務専門員 阿部 哲也
首席調査員 相原 克哉
次席調査員 山口 雅之
法務専門員 三橋 善一郎
首席調査員 勝部 雄
同 平子 由美
外務専門員 大野 雄一郎
首席調査員 河上 恵子
次席調査員 大内 亘
財務金融専門員 二階堂 豊
首席調査員 相川 雅樹
次席調査員 小室 芳昭
文部科学専門員 藤井 晃
首席調査員 奈良 悦
次席調査員 髙橋 誠剛

中央省庁

厚生労働専門員　森　恭子
首席調査員　須澤卓士
同　青木修二
次席調査員　田島　淳
農林水産専門員　飯野伸夫
首席調査員　本山啓登
次席調査員　遠藤賢一
経済産業専門員　藤田和光
首席調査員　深谷陵子
次席調査員　加藤　博
国土交通専門員　國廣勇人
首席調査員　竹田優司
次席調査員　坂本峰利
環境専門員　野﨑政栄
首席調査員　鈴木　努
同　荒井コスモ
安全保障専門員　花島克臣
首席調査員　小池洋子
次席調査員　長田　健
国家基本政策専門員　菅野　亨
首席調査員　江成友幸
次席調査員　安堂恭子
予算専門員　中村　実
首席調査員　奥川陽一
同　森重達也
次席調査員　花田和命
決算行政監視専門員　菊田幸夫
首席調査員　水谷一博
同　近藤真由美

次席調査員　内田和正
第一特別調査室長　千葉　諭
首席調査員（沖縄・北方、消費者）　周藤　英
次席調査員（沖縄・北方、消費者）　志村慶太郎
第二特別調査室長　森　源二
首席調査員（政治改革）　花房久美
次席調査員（政治改革）　山岸雅広
第三特別調査室長　南　圭次
首席調査員（災害）　小林和彦
次席調査員（災害）　今井芳子
北朝鮮による拉致問題等に関する特別調査室長（兼）　菅野　亨
首席調査員（兼）　江成友幸
次席調査員（兼）　安堂恭子
東日本大震災復興特別調査室長（兼）　南　圭次
首席調査員（兼）　小林和彦
次席調査員（兼）　今井芳子
原子力問題調査特別調査室長（兼）　野﨑政栄
首席調査員（兼）　鈴木　努
同　荒井コスモ
地域活性化・こども政策・デジタル社会形成に関する特別調査室長（兼）　阿部哲也
首席調査員（兼）　正木寛也
同　相原克哉
次席調査員（兼）　山口雅之

常任委員会専門員

内閣委員会専門員　田中　仁
総務委員会専門員　阿部哲也
法務委員会専門員　三橋善一郎
外務委員会専門員　大野雄一郎
財務金融委員会専門員　二階堂　豊
文部科学委員会専門員　藤井　晃
厚生労働委員会専門員　森　恭子
農林水産委員会専門員　飯野伸夫
経済産業委員会専門員　藤田和光
国土交通委員会専門員　國廣勇人
環境委員会専門員　野﨑政栄
安全保障委員会専門員　花島克臣
国家基本政策委員会専門員　菅野　亨
予算委員会専門員　中村　実
決算行政監視委員会専門員　菊田幸夫

衆議院法制局

〒100-8960　千代田区永田町一ノ七ノ一
03（3581）5111

法制局長　橘　幸信
法制次長　笠井真一
法制企画調整部長　神﨑一郎
企画調整監　尾形孝史
副部長　吉田尚弘
企画調整課長　（事務取扱）吉田尚弘
基本法制課長　牛山　敦

総務課長	中谷幸司
調査課長	取扱事務 神崎一郎
第一部長	望月譲
副部長	栗原理恵
第一課長	取扱事務 栗原理恵
第二課長	笠松珠美
第二部長	藤井宏治
第一課長	窪島春樹
第二課長	氏家正喜
第三部長	中川博史
第一課長	取扱事務 中川博史
第一課調整主幹	石引康裕
第二課長	中司光紀
第四部長	片山敦嗣
副部長	津田樹見宗
第一課長	取扱事務 片山敦嗣
第一課調整主幹	小野寺容資
第二課長	取扱事務 津田樹見宗
第五部長	白川弘基
副部長	仁田山義明
第一課長	取扱事務 仁田山義明
第二課長	中島陽
法案審査部長	奥克彦
審査第一課長	梶山知唯
審査第二課長	（兼）梶山知唯
法制主幹	浅見剛成

参議院

〒100-8961 千代田区永田町一ノ七ノ一
03（3581）3111

議長	尾辻秀久
議長秘書	末原朋実
同	大澤敦
副議長	長浜博行
副議長秘書	副島浩
同	外川裕之

常任委員長

内閣	阿達雅志
総務	新妻秀規
法務	佐々木さやか
外交防衛	小野田紀美
財政金融	足立敏之
文教科学	高橋克法
厚生労働	比嘉奈津美
農林水産	滝波宏文
経済産業	森本真治
国土交通	青木愛
環境	三原じゅん子
国家基本政策	浅田均
予算	櫻井充
決算	佐藤信秋
行政監視	川田龍平
議院運営	浅尾慶一郎
懲罰	松沢成文

特別委員長

災害対策	竹内真二
ODA・沖縄・北方	藤川政人
政治改革	豊田俊郎
拉致問題	松下新平
地方・デジタル	古川俊治
消費者問題	石井章
震災復興	野田国義

調査会長

外交・安全保障	猪口邦子
国民生活・経済・地方	福山哲郎
資源エネ・持続可能	宮沢洋一

憲法審査会会長	中曽根弘文
情報監視審査会会長	有村治子
政治倫理審査会会長	野村哲郎

参議院事務局

事務総長	小林史武
事務次長	伊藤文靖

中央省庁

秘書課長　木暮雅和
秘書主幹　内藤一衛
議長秘書　末原朋実
同　大澤敦
副議長秘書　副島浩
同　外川裕之
議長公邸長　蜂谷勉
副議長公邸長　金子まゆみ
議事部長　八鍬敬嗣
副部長　正木裕二
議事課長（事務取扱）　正木裕二
議案課長　篠窪有恒
請願課長　橋本泰治
委員部長　黒川和良
副部長　鶴岡貴子
同　鎌野慎一
調整課長　森下伊三夫
議院運営課長（事務取扱）　鶴岡貴子
第一課長　柴崎敦史
第二課長　橋本貴義
第三課長　桐谷淳司
第四課長　小松由季
第五課長　松井新介
第六課長　鈴木克洋

第七課長　宇津木真也
第八課長　頓所要介
記録部長　森黒土
記録企画課長　大井田淳
記録企画主幹　大矢博昭
速記第一課長　鳥井晃子
速記第二課長　石井さと子
速記第三課長　芝幸
警務部長　相澤達也
警務課長　石塚雅人
警務主幹　丸健治
警備第一課長　石井剛
警備第二課長　高橋健
警備第三課長　佐藤宏
庶務部長　光地壱朗
副部長　加來賢一
同　藤原直幸
文書課長　大里慶子
調整主幹　松本良起
広報課長　渡邊啓輝
議員課長　加藤方五
人事課長　内田衡純
人事主幹　下田和明
会計課長　折茂建

会計主幹　小林孝明
厚生課長　野澤大介
厚生主幹　栗原理恵
情報システム安全管理室長　松尾理宣
管理部長　松下和史
副部長　高橋武男
管理課長　鎌田純一
麹町議員宿舎長　佐久間譲
清水谷議員宿舎長　戸部満
企画室長　東岳大
議員会館監理室長　宮澤幸正
業務室長　高橋修
営繕課長　山田剛
営繕主幹　新井浩一
電気施設課長　鈴木智道
自動車課長　高橋力
総務主幹　櫻井真司
国際部長　大村周太郎
国際交流課長　林和俊
国際企画室長　佐藤靖
国際会議課長　石原淳

企画調整室

企画調整室長（専門員）　金子真実
次長　三瓶朋秀

調査情報担当室長　福嶋博之
総合調査担当室長　坂本太郎

常任委員会調査室

内閣委員会調査室長（専門員）　岩波祐子
首席調査員　新井賢治
次席調査員　柿沼重志
総務委員会調査室長（専門員）　荒井透雅
首席調査員　皆川健一
同　三角政勝
次席調査員　牛上直行
同　鈴木友紀
法務委員会調査室長（専門員）　武蔵誠憲
首席調査員　光安陽子
次席調査員　鈴木達也
外交防衛委員会調査室長（専門員）　中内康夫
首席調査員　宮崎雅史
同　沓脱和人
次席調査員　天池恭子
財政金融委員会調査室長（専門員）　村田和彦
首席調査員　藤井一裁
次席調査員　伊田賢司
文教科学委員会調査室長（専門員）　北脇達也
首席調査員　林　晋

次席調査員　山越伸浩
厚生労働委員会調査室長（専門員）　佐伯道子
首席調査員　寺澤泰大
同　長谷明弘
農林水産委員会調査室長（専門員）　西村尚敏
首席調査員　新妻健一
次席調査員　安藤利昭
経済産業委員会調査室長（専門員）　山田千秀
首席調査員　吉田博光
次席調査員　星　友佳
国土交通委員会調査室長（専門員）　清野和彦
首席調査員　藤乗一道
同　藥師寺聖一
次席調査員　瀬戸山順一
環境委員会調査室長（専門員）　金子和裕
首席調査員　杉山綾子
予算委員会調査室長（専門員）　星　正彦
首席調査員　崎山建樹
次席調査員　大石夏樹
決算委員会調査室長（専門員）　小松康志
首席調査員　澤井勇人
次席調査員　桑原　誠
行政監視委員会調査室長（専門員）　有薗裕章

首席調査員　根岸隆史
次席調査員　森　秀勲

特別調査室

第一特別調査室長　有安洋樹
首席調査員　和喜多裕一
第二特別調査室長　高嶋久志
首席調査員　廣松彰彦
第三特別調査室長　高野智子
首席調査員　松本英樹

憲法審査会事務局

事務局長　加賀谷ちひろ
事務局次長　本多恵美
総務課長　上村隆行

情報監視審査会事務局

事務局長　富士由將
総務課長（事務取扱）　鎌野慎一

参議院法制局

〒100-0014 千代田区永田町一ノ一ノ一六
参議院第二別館内
03（3581）3111

法制局長 川崎政司
法制次長 村上たか
基本法制監理部長 宇田川令子
基本法制課長 下野久欣
法令監理課長 信谷彰
第一部長 小野寺理
第一課長 又木奈菜子
第二課長 伊庭みのり
第二部長 海野耕太郎
第一課長 齋藤陽夫
第二課長 尾崎陽一
第三部長 井上勉
第一課長 桑原明
第二課長 岩井美奈
第四部長 宮澤宏幸
第一課長 小沼敦
第二課長 坂本光
第五部長 滝川雄一
第一課長 高澤和也
第二課長 林佑
法制主幹 （兼）小野寺理
総務課長 伊藤正規
情報管理主幹 奈良優憲

裁判官弾劾裁判所

〒100-0014 千代田区永田町一ノ一ノ一六
参議院第二別館内
03（3581）3111

裁判長 松山政司
第一代理裁判長 船田元
第二代理裁判長 小西洋之
裁判員 山本有二
田中和徳 葉梨康弘
階猛 杉本和巳
北側一雄 福岡資麿
森まさこ 赤池誠章
伊藤孝江 片山大介

事務局

事務局長 神戸敬行
総務課長 縄田康光
訟務課長 山田政樹

裁判官訴追委員会

〒100-8982 千代田区永田町二ノ一ノ二
衆議院第二議員会館内
03（3581）5111

委員長 田村憲久
第一代理委員長 牧野たかお
第二代理委員長 近藤昭一
委員 越智隆雄
奥野信亮 柴山昌彦
平口洋 松島みどり
吉川元 美延映夫
大口善徳 上野通子
片山さつき 古庄玄知
中西祐介 打越さく良
杉久武 青島健太
榛葉賀津也 浜野喜史

事務局

事務局長 山本麻美
事務局次長 樫野一穂
総務・事案課長 事務取扱 樫野一穂
総務・事案主幹 伊藤隆

国立国会図書館

〒100-8924 千代田区永田町一ノ一〇ノ一
03(3581)2331

館長 倉田敬子
副館長 山地康志

総務部

部長 木藤淳子
副部長 川西晶大
同 藤本和彦
同 兼松芳之
同 田中智子
同 立松真希子
司書監 大島康作
同 辰巳公一
同 渡邉斉志
主任参事 大橋邦生
同 奥田倫子
同 佐藤菜緒恵
同 白井京
同 関根美穂
同 樋口早苗
総務課長（事務取扱） 川西晶大
企画課長 小澤弘太
人事課長（事務取扱） 兼松芳之
人事課厚生室長（兼） 樋口早苗
会計課長（事務取扱） 田中智子
管理課長 阿部泰
支部図書館・協力課長（事務取扱） 立松真希子

調査及び立法考査局

局長 松浦茂
次長 本夛真紀子
総合調査室 専門調査員（主任） 秋山勉
専門調査員 塚田洋
主幹 遠藤真弘
同 河合美穂
主任調査員 田中敏
同 長谷川卓
議会官庁資料調査室 専門調査員（主任） 三浦良文
主任調査員 徳原直子
同 松本保
憲法調査室 専門調査員（主任） 小林公夫
主任調査員 越田崇夫
政治議会調査室 専門調査員（主任）（兼） 小林公夫
行政法務調査室 専門調査員（主任） 石原隆史
外交防衛調査室 専門調査員（主任） 松山健二
主幹 樋山千冬
財政金融調査室 専門調査員（主任） 樋口修
経済産業調査室 専門調査員（主任） 奥山裕之
農林環境調査室 専門調査員（主任） 小澤隆
国土交通調査室 専門調査員（主任） 内田竜雄
文教科学技術調査室 専門調査員（主任） ローラーミカ
主任調査員 澤田大祐
社会労働調査室 専門調査員（主任） 福井祥人
主幹 恩田裕之
主任調査員 鈴木智之
海外立法情報調査室 専門調査員（主任） 南亮一
専門調査員 内海和美
主任調査員 北村弥生
調査企画課長 鎌倉治子
調査企画課連携協力室長（兼） 田中敏
国会レファレンス課長 小笠原美喜
議会官庁資料課長 石井俊行
憲法課長 鳥澤孝之
政治議会課長 佐藤令
行政法務課長 苅込照彰
外交防衛課長（事務取扱） 樋山千冬
財政金融課長 廣瀬信己
経済産業課長 笹子正成
農林環境課長 福田毅
国土交通課長 梶善登

文教科学技術課長 東　弘子
文教科学技術課科学技術室長（兼） 澤田大祐
社会労働課長 近藤倫子
海外立法情報課長 芦田　淳
国会分館長 中川　透

収集書誌部

部長 竹内秀樹
司書監 倉橋哲朗
主任司書 大柴忠彦
同 大原裕子
同 中村淳一
収集・書誌調整課長 小柏良輔
国内資料課長 幡谷祐子
逐次刊行物・特別資料課長 水戸部由美
外国資料課長 伊藤りさ
資料保存課長 村本聡子

利用者サービス部

部長 大場利康
副部長 野口貴弘
司書監 小熊美幸
主任司書 胡　龍子
同 澤井優子
同 堀越敬祐
同 山﨑幹子
サービス企画課長（兼） 小熊美幸
サービス運営課長 金井ゆき
図書館資料整備課長 高品盛也
図書館資料整備課図書整備室長（兼） 山﨑幹子
複写課長 小坂　昌
人文課長 竹林晶子
科学技術・経済課長 福林靖博
政治史料課長 大沼宜規
音楽映像資料課長 小沼里子

電子情報部

部長 伊藤克尚
副部長 木目沢司
主任司書 井上佐知子
同 小林芳幸
同 竹鼻和夫
同 田中　譲
同 中島正仁
電子情報企画課長 伊東敦子
電子情報企画課資料デジタル化推進室長（兼） 井上佐知子
電子情報企画課次世代システム開発研究室長（兼） 竹鼻和夫
電子情報流通課長 村上浩介
電子情報サービス課長 今野　篤
システム基盤課長 足立　潔

国会分館

〒100-8961 千代田区永田町一ノ七ノ一 国会議事堂内
03（3581）9123

分館長 中川　透

関西館

〒619-0287 京都府相楽郡精華町精華台八ノ一ノ三
0774（98）1200

館長 諏訪康子
次長 堀内夏紀
主任司書 津田深雪
総務課長（兼） 辰巳公一
文献提供課長 織本尚志
アジア情報課長 五十嵐麻理世
収集整理課長 前田直俊
図書館協力課長（兼） 渡邉斉志
電子図書館課長 上綱秀治

国際子ども図書館

〒110-0007 台東区上野公園一二ノ四九
03（3827）2053

館長 上保佳穂
主任司書 西中山隆
企画協力課長 白石郁子
資料情報課長 清水悦子
児童サービス課長 山田　牧

内閣

〒100-0014 千代田区永田町二ノ三ノ一　03（3581）0101

内閣総理大臣	岸田文雄
総務大臣	松本剛明
法務大臣	小泉龍司
外務大臣	上川陽子
財務大臣 内閣府特命担当大臣（金融） デフレ脱却担当	鈴木俊一
文部科学大臣	盛山正仁
厚生労働大臣	武見敬三
農林水産大臣	坂本哲志
経済産業大臣 原子力経済被害担当 GX実行推進担当 産業競争力担当 ロシア経済分野協力担当 内閣府特命担当大臣（原子力損害賠償・廃炉等支援機構）	齋藤健
国土交通大臣 水循環政策担当 国際園芸博覧会担当	斉藤鉄夫
環境大臣 内閣府特命担当大臣（原子力防災）	伊藤信太郎
防衛大臣	木原稔
内閣官房長官 沖縄基地負担軽減担当 拉致問題担当	林芳正
デジタル大臣 デジタル行財政改革担当 デジタル田園都市国家構想担当 国家公務員制度担当 行政改革担当 内閣府特命担当大臣（規制改革）	河野太郎
復興大臣 福島原発事故再生総括担当	土屋品子
国家公安委員会委員長 国土強靱化担当 領土問題担当 内閣府特命担当大臣（防災、海洋政策）	松村祥史
内閣府特命担当大臣（こども政策、少子化対策、若者活躍、男女共同参画、孤独・孤立担当） 女性活躍担当 共生社会担当	加藤鮎子
経済再生担当 新しい資本主義担当 スタートアップ担当 感染症危機管理担当 全世代型社会保障改革担当 内閣府特命担当大臣（経済財政政策）	新藤義孝
経済安全保障担当 内閣府特命担当大臣（クールジャパン戦略、知的財産戦略、科学技術政策、宇宙政策、経済安全保障）	高市早苗
内閣府特命担当大臣（沖縄及び北方対策、消費者及び食品安全、地方創生、アイヌ施策） 国際博覧会担当	自見はなこ

内閣官房

〒100-8968 千代田区永田町一ノ六ノ一　03（5253）2111

内閣総理大臣	岸田文雄
内閣官房長官	林芳正
内閣官房副長官	村井英樹
同	森屋宏
同	栗生俊一
内閣危機管理監	小島裕史
国家安全保障局長	秋葉剛男
内閣官房副長官補	阪田渉
同	市川恵一
同	鈴木敦夫
内閣広報官	小林麻紀
内閣情報官	原和也
内閣総理大臣補佐官	石原宏高
同	小里泰弘
同	森昌文
同	矢田稚子
内閣総理大臣秘書官	嶋田隆
同	山本高義
同	大鶴哲也

同　逢阪貴士
同　中山光輝
同　上田幸司
同　伊藤禎則
同　一松旬
内閣官房長官秘書官　宮本賢一
同　事務取扱　川埜周
同　事務取扱　福冨茂
同　事務取扱　丸山浩二
同　事務取扱　濱和彦
同　事務取扱　吉田真晃
同　事務取扱　松下和彦
同　事務取扱　吉田武司
同　事務取扱　渡辺真幸

内閣総務官室

内閣総務官　須藤明夫
内閣審議官　溝口洋
風早正毅　末永洋之
(併)伊藤誠一
内閣参事官　戸梶晃輔
富永健嗣　岸本哲也
(併)山口雄二　(併)三浦靖彦
(併)北村実　(併)中里正明
(併)古川淳永　(併)高橋敏明
(併)南順子　(併)田中駒子
(併)荒木孝裕　(併)中尾学
(併)藤條聡　(併)山崎洋平
(併)南野圭史　(併)村山直和
(併)杉本留三　(併)上手研治
(併)泉吉顕　(併)徳大寺祥宏
(併)海江田達也　(併)矢作将人
(併)和田幸典　(併)前川紘一郎
(併)菅潤一郎　(併)篠田和哉
企画官　山本周
日坂実　(併)藤沢恵
(併)春日英二　(併)井出英次
(併)田邉浩二　(併)冨岡勇哉
(併)福山仁　(併)中道紘一郎
(併)飯島亜希　(併)田中泰治
調査官　森幸秀

（皇室典範改正準備室）

室長　溝口洋
副室長　末永洋之
審議官　風早正毅
参事官　戸梶晃輔
富永健嗣　菅潤一郎
(併)三浦靖彦　(併)西野博之

（公文書監理官室）

室長　風早正毅
参事官　富永健嗣

（総理大臣官邸事務所）

所長　菅原強
副所長　髙野仁
企画官　(併)今井悠次郎

内閣感染症危機管理統括庁

内閣感染症危機管理監（内閣官房副長官）　栗生俊一
内閣感染症危機管理監補（内閣官房副長官補）　阪田渉
内閣感染症危機管理対策官　(充)迫井正深
内閣審議官　中村博治
吉添圭介　神谷隆
日下英司　(併)横田美香
内閣参事官　池上直樹
小浦克之　草壁京
井口豪　(併)前間聡
(併)道家知優
企画官　中野貴章
同　(併)足利貴聖

国家安全保障局

局長　秋葉剛男
次長（内閣官房副長官補）　鈴木敦夫
同（同）　市川恵一

内閣審議官
飯田陽一
彦谷直克
股野元貞
佐々木啓介
小杉裕一
西脇匡史
室田幸靖
(併)小柳誠二
(併)山野徹
(併)萬浪学
(併)木村公彦
(併)泉恒有
(併)岸川仁和
(併)安藤敦史
(併)佐野朋毅
(併)中溝和孝
(併)関口祐司
(併)門松貴
(併)西山英将
(併)米山栄一
(併)飯島秀俊

内閣参事官
早田豪
松尾智樹
雲田陽一
髙井良浩
山本武臣
林和孝
河野太
谷井義正
髙橋文武
大塚航
亀井遵児
(併)市山卓己
(併)井上哲郎
(併)髙村信
(併)田中伸彦
(併)垣見直彦
(併)仙﨑達治
(併)小松克行
(併)稲盛久人
(併)酒井雅之
(併)横田一磨
(併)竹内肇
(併)村田健太郎
(併)長谷部潤
(併)後藤武志
(併)田村亮平
(併)三宅保次郎

(併)有田純
(併)大塚慎太郎
(併)水廣佳典
(併)金柿正志
(併)髙田裕介
(併)西前幸則
(併)本多祐樹
(併)間仁田裕美
(併)杉本貴之
(併)佐々木明彦
(併)中山卓映
(併)武尾伸隆
(併)荻野剛
(併)鴨下誠
(併)積田北辰
(併)猪股正貴
(併)谷雅彰

企画官
阪口琢磨
中島健
藤井太郎
児玉啓佑
吉岡史織
武田学
根本優樹
(併)小窪貴輝
(併)松本崇
(併)大網孝也
(併)神田隆行
(併)古田純子
(併)尾川豊
(併)望月千洋
(併)鎌田寛
(併)小嶋龍亮
(併)上田智一
(併)髙木亮
(併)宮田均
(併)山田隆裕
(併)大磯一
(併)山下浩司
(併)谷澤厚志
(併)髙田康弘
(併)谷口智哉
(併)西田真啓
(併)原田佳典
(併)槙島爲朗
(併)前田宗範

(併)小西洋平
(併)佐々木将宣
(併)竹下正彦
(併)熱田尊

内閣官房副長官補

内閣官房副長官補
阪田渉
鈴木敦夫
市川恵一

内閣審議官
新原浩朗
滝崎成樹
福本茂伸
橋本泰宏
田島浩志
濱野幸一
長橋和久
林学
海老原諭
藤野克
江島一彦
渡邊昇治
河西康之
丹羽克彦
武藤真郷
小柳誠二
小川康則
塩崎正晴
望月一範
倉野泰行
萬浪学
岡朋史
泉恒有
今村敬
石原大
山口最丈
田中聖也
門前浩司
岸田里佳子
西海重和
吉田宏平
吉沢浩二郎
北尾昌也
伊澤知法
西山英将
飯島秀俊
黒木理恵

(併)井上 裕之
(併)松浦 克巳
(併)秡川 直也
(併)鯰 博行
(併)池田 貴城
(併)石坂 聡
(併)岩成 博夫
(併)馬場 健
(併)石村 幸三
(併)朝川 知昭
(併)高橋 秀誠
(併)柏原 恭子
(併)木村 聡
(併)岡本 直樹
(併)寺岡 光博
(併)高橋 宏治
(併)宮本 直樹
(併)坂 勝浩
(併)荒井 勝喜
(併)井上 学
(併)小善 真司
(併)廣瀬 健司
(併)品川 武
(併)大村 真一
(併)中村 亮

(併)林 幸宏
(併)飯田 祐二
(併)野村 裕
(併)平井 康夫
(併)中石 斉孝
(併)岡田 恵子
(併)高村 泰夫
(併)堀本 善雄
(併)柿田 恭良
(併)土居 健太郎
(併)森 重樹
(併)村上 敬亮
(併)村瀬 佳史
(併)阿久澤 孝
(併)寺門 成真
(併)内山 博之
(併)田中 佐智子
(併)岩間 浩
(併)中原 裕彦
(併)西垣 敦子
(併)平嶋 隆司
(併)佐久間 正哉
(併)須藤 明裕
(併)木村 公彦
(併)中村 和彦

(併)片平 聡
(併)合田 哲雄
(併)迫井 正深
(併)竹林 経治
(併)青山 桂子
(併)辻本 圭助
(併)畠山 陽二郎
(併)柿崎 恒美
(併)伊藤 哲也
(併)福田 毅
(併)中澤 正彦
(併)田村 公一
(併)熊木 正人
(併)河野 恭子
(併)片貝 敏雄
(併)小林 出
(併)田中 哲也
(併)山本 和徳
(併)齋藤 博之
(併)石川 泰三
(併)坂越 健一
(併)柴田 智樹
(併)髙谷 浩樹
(併)藤吉 尚之
(併)菊川 人吾

(併)淵上 孝
(併)神ノ田 昌博
(併)三浦 明
(併)大隈 俊弥
(併)飯田 健太
(併)成田 達治
(併)笠尾 卓朗
(併)安藤 敦史
(併)小八木 大成
(併)大森 一顕
(併)吉野 維一郎
(併)小林 万里子
(併)源河 真規子
(併)常葉 光郎
(併)河南 健
(併)中野 岳史
(併)桐山 伸夫
(併)龍崎 孝嗣
(併)向井 康二
(併)河合 宏一
(併)新田 一郎
(併)渡辺 公徳
(併)仙波 秀志
(併)山澄 克
(併)門松 貴

(併)田中 一成
(併)杉山 徳明
(併)森 真弘
(併)江浪 武志

内閣参事官

綱川 浩章
片桐 義博
松下 美帆
村尾 崇
奈良 弘之
佐久間 寛道
奥田 隆則
藤原 俊之
後藤 武志
井上 圭介
舛田 直樹
瀧川 聡史
仁井谷 興史
湯本 淳
胡 雅明
(併)稲川 武宣
(併)越智 健吾
(併)山田 正人
(併)西尾 利哉
(併)近藤 嘉智

(併)松家 新治
(併)岡本 利久
(併)坂本 里和
(併)加藤 経将
野口 久
上村 秀紀
荒木 孝裕
齋藤 敦
垣見 直彦
山崎 洋平
松本 加代
東 高士
和田 雅晴
宮腰 奏子
猪口 隼人
海江田 達也
吉田 誠
清野 晃平
岩崎 林太郎
(併)福岡 洋志
(併)松瀬 貴裕
(併)金井 誠
(併)井田 直樹
(併)高橋 一成
(併)内田 博文

(併)佐藤 夏人
(併)塩井 直彦
(併)曽宮 和夫
(併)臼井 暁子
(併)新田 正樹
(併)村山 直康
(併)小室 尚彦
(併)野村 政樹
(併)黒田 忠司
(併)中原 直人
(併)渡邉 倫子
(併)赤羽 元
(併)川上 敏寛
(併)大井 通博
(併)松井 正幸
(併)中里 吉孝
(併)井関 至康
(併)奥村 徳仁
(併)塩田 剛志
(併)安藤 公一
(併)阿部 一郎
(併)石ケ休 剛志
(併)永澤 剛
(併)小幡 章博
(併)井上 和也
(併)奥山 剛
(併)真田 晃宏
(併)田中 登
(併)高橋 秀幸
(併)伊佐 寛
(併)三木 清香
(併)松下 徹
(併)岡本 成男
(併)本針 和幸
(併)神山 弘
(併)西岡 隆
(併)尾室 幸子
(併)田中 敬也
(併)林 誠
(併)高村 信
(併)江碕 智三郎
(併)池田 賢志
(併)枝 慶
(併)塩川 達大
(併)宇野 禎晃
(併)石川 靖
(併)水野 良彦
(併)田中 伸彦
(併)藤田 望
(併)田中 茂樹

(併)吉田 充志
(併)井田 俊輔
(併)多田 昌弘
(併)山本 要
(併)宮下 雅行
(併)坂内 啓二
(併)吉村 直泰
(併)奥田 誠子
(併)小松 雅人
(併)磯野 哲也
(併)稲盛 久人
(併)菱田 泰弘
(併)山崎 文夫
(併)鈴木 健二
(併)立石 祐子
(併)関口 訓央
(併)寺本 恒昌
(併)二俣 芳美
(併)山崎 潤
(併)浦上 哲朗
(併)上島 大輔
(併)末光 大毅
(併)春山 浩康
(併)荒木 裕人
(併)川口 俊徳
(併)小林 知也
(併)飯嶋 威夫
(併)岩渕 秀樹
(併)篠崎 拓也
(併)大熊 規義
(併)下世古 光可
(併)池谷 巌
(併)八木 貴弘
(併)吉田 賢司
(併)吉野 議章
(併)植松 良和
(併)前田 修司
(併)竹内 尚也
(併)吉田 暁郎
(併)近藤 信
(併)大貫 繁樹
(併)遠藤 幹夫
(併)河田 敦弥
(併)木村 順治
(併)西潟 暢央
(併)長谷部 潤
(併)山本 庸介
(併)岡 貴子
(併)上田 尚弘
(併)堀 泰雄

(併)日野 力
(併)奥田 修司
(併)上手 研治
(併)平尾 禎秀
(併)高田 裕介
(併)轟 渉
(併)林 修一郎
(併)原田 朋弘
(併)竹永 祥久
(併)若林 伸佳
(併)渡邉 敬
(併)西前 幸則
(併)稲垣 吉博
(併)高橋 文武
(併)北川 伸太郎
(併)形岡 拓文
(併)池田 一郎
(併)坂井 元興
(併)鈴木 大造
(併)黒須 利彦
(併)墳崎 正俊
(併)齋藤 喬
(併)中山 卓映
(併)佐伯 美穂
(併)折田 裕幸
(併)中原 廣道
(併)鮫島 大幸
(併)清水 巌
(併)藤井 信英
(併)加藤 淳
(併)奥 篤史
(併)岸本 堅太郎
(併)菱谷 文彦
(併)刀禰 正樹
(併)清水 充
(併)阿部 雄介
(併)矢作 将人
(併)小林 弘史
(併)南部 晋太郎
(併)佐藤 大輔
(併)高橋 太朗
(併)中田 勝己
(併)佐藤 康弘
(併)佐伯 徳彦
(併)松田 洋平
(併)金籠 史彦
(併)北岡 亮
(併)小長谷 章人
(併)坂本 隆哉
(併)松井 宏樹

（併）佐藤隆夫　（併）湯山壮一郎
（併）坪井宏徳　（併）武尾伸隆
（併）坂井志保　（併）渡眞利論
（併）北間美穂　（併）平林剛
（併）山田雅彦　（併）琴一也
（併）桝野龍太　（併）道家知優
（併）永島拓　（併）伊藤公祐
（併）大瀧洋　（併）伊藤拓
（併）石谷良男　（併）小林剛也
（併）藤野武広　（併）岡本祐典
（併）内野宏人　（併）今里和之
（併）柳瀬孝幸　（併）福田光
（併）猪股正貴　（併）渡辺政顕
（併）田邊貴紀　（併）堀信太朗
（併）渡辺顕一郎　（併）田中彰子
企画官　菅原賢
渡辺善敬　（併）古郡徹
（併）岩間良次　（併）中村充男
（併）上野裕大　（併）東泉慎治
（併）大山信幸　（併）三浦聡
（併）石川征幸　（併）宇田川徹
（併）下川徹也　（併）太田成人
（併）森次郎　（併）小坪清子

（併）香川里子　（併）齋藤康平
（併）吉田桂子　（併）髙木繁光
（併）中村希　（併）大網孝也
（併）山内洋志　（併）川上悟史
（併）福井武夫　（併）園田周
（併）井出真司　（併）宮﨑千晶
（併）尾川豊　（併）尾﨑祐子
（併）藤田和英　（併）堤啓
（併）鮫島和範　（併）岡本弘基
（併）小長井彰祐　（併）今泉宣親
（併）上野文誠　（併）青竹俊英
（併）寺坂公佑　（併）上田智一
（併）鈴木宏幸　（併）當間重光
（併）笠谷圭吾　（併）先﨑誠
（併）竹内大輔　（併）西川昌登
（併）西田光宏　（併）宮元康一
（併）黒部一隆　（併）堀江典宏
（併）西内康　（併）金坂哲哉
（併）佐藤司　（併）大磯一
（併）山田隆裕　（併）西久美子
（併）阿部幸子　（併）西川宜宏
（併）山下浩司　（併）谷澤厚志
（併）迫田英晴　（併）堀貞治
（併）宮野光一郎　（併）横森裕紀

（併）網野尚子　（併）西田真啓
（併）原田佳典　（併）古長秀明
（併）鬼塚貴子　（併）小髙篤志
（併）中村香織　（併）鈴木智晴
（併）佐々木将宣　（併）中村真太郎
（併）土岐太郎　（併）添島里美
（併）富原早夏　（併）及川景太
（併）川瀬仁志　（併）曽根哲郎
（併）岩谷卓　（併）田中桜

（空港・港湾水際危機管理チーム）

参事官　（併）三盃晃
（併）上原修二　（併）田島聖一
（併）中島寛　（併）鈴木長之
（併）東郷康弘　（併）上手研治
（併）池田真亮　（併）仲信祐
（併）矢作将人　（併）江原千晶
（併）道家知優
空港危機管理官　（併）小林淳一
同　（併）和田邦雄
港湾危機管理官　（併）千田亨
（併）三柳裕二　（併）中田光昭
（併）松川勝紀　（併）宮本勝通
（併）大河内克朗　（併）宮﨑勉

中央省庁

(アイヌ総合政策室)
室長 (併)松浦克巳
室長代理 (併)合田哲雄
同 (併)柿崎恒美
次長 (併)田村公一
同 (併)西山英将
参事官 (併)金原辰夫
(併)麓裕樹 (併)新田正樹
(併)齊藤雄一 (併)藤田望
(併)吉田賢司 (併)寺本恒昌
(併)高澤令則
企画官 (併)中村希
同 (併)宮元康一

(アイヌ総合政策室北海道分室)
分室長 (併)小林力
室員 (併)前田宗一郎

(郵政民営化推進室)
室長 藤野克
副室長 (併)石村幸三
同 (併)岡本成男
参事官 (併)三島由佳
(併)小林知也 (併)折笠史典
(併)伊藤公祐
企画官 (併)横森裕紀

(沖縄連絡室)
室長(内閣官房副長官) 栗生俊一
室長代理(内閣官房副長官補) 阪田渉
室員 (併)田中聖也
(併)松下美帆 (併)齋藤敦
(併)村尾崇 (併)和田雅晴
(併)猪口隼人 (併)南部晋太郎
(併)吉田誠 (併)北岡亮
(併)湯本淳

(沖縄連絡室沖縄分室)
分室長 (併)三浦健太郎
室員 (併)櫻井淳
同 (併)黒石亮

(原子力発電所事故による経済被害対応室)
室長 (併)辻本圭助
参事官 (併)武藤寿彦
同 (併)上田光幸

(国土強靱化推進室)
室長(内閣官房副長官) 栗生俊一
次長 丹羽克彦
審議官 (併)笠尾卓朗
同 (併)河合宏一
参事官 (併)塩井直彦
(併)村山直康 (併)奥田誠子
(併)森久保司 (併)吉田和史
企画官 (併)高木繁光
(併)堤啓 (併)鮫島和範
(併)岡本弘基

(拉致問題対策本部事務局)
局長 福本茂伸
審議官 (併)鯰博行
(併)平井康夫 (併)石川泰三
総務・拉致被害者等支援室長 奥田隆則
政策企画室長 (併)井関至康
情報室長 (併)松下徹
参事官 (併)前田修司
(併)高岩直樹 (併)永島拓
総務・拉致被害者等支援室企画官 (併)吉田桂
政策企画室企画官 (併)佐藤司
情報室企画官 (併)東泉慎治

(行政改革推進本部事務局)
局長 武藤真郷
次長 山口最丈
同 (併)柴田智樹
参事官 (併)金井誠
(併)山田正人 (併)高橋秀幸
(併)黒田忠司 (併)中里吉孝
(併)奥村徳仁 (併)植松良和

(併)関口訓央　(併)山田雅彦
(併)藤野武広
企画官　(併)小長井彰祐
(併)川瀬仁志　(併)和田光太郎

(領土・主権対策企画調整室)

室長　岡朋史
審議官　(併)原典久
参事官　上村秀紀
同　(併)小林明生
企画官　(併)長田賢一
同　(併)齋藤康平

(健康・医療戦略室)

室長(内閣官房副長官補)　阪田渉
室長代理　(併)迫井正深
次長　(併)城克文
(併)中石斉孝　(併)塩見みづ枝
(併)黒田秀郎　(併)内山博之
(併)中村和彦　(併)森光敬子
(併)竹林経治　(併)針田哲
(併)茂木正　(併)森田健太郎
(併)仙波秀志　(併)森真弘
(併)佐々木昌弘　(併)井上肇
(併)大坪寛子
参事官　(併)臼井暁子
(併)三木清香　(併)水野良彦

(併)渡辺顕一郎　(併)日野力
(併)吉田慎　(併)江副聡
企画官　(併)三浦聡
(併)笠谷圭吾　(併)竹内大輔
(併)網野尚子　(併)遠坂佳将

(TPP(環太平洋パートナーシップ)等政府対策本部)

本部長(経済再生担当大臣)　新藤義孝
首席交渉官　滝崎成樹
国内調整統括官　江島一彦
企画・推進審議官　田島浩志
審議官　(併)常葉光郎
同　(併)桐山伸夫
交渉官　(併)古郡徹
(併)上野裕大　(併)河南健
(併)小坪清子　(併)香川里子
(併)近藤信　(併)加藤淳
(併)園田周　(併)藤田和英
(併)上野文誠　(併)青竹俊英
(併)石谷良男　(併)先崎誠
(併)内野宏人　(併)岡本祐典
部員　松本加代
(併)高村泰夫　(併)森重樹
(併)中村充男　(併)坂勝浩
(併)荒井勝喜　(併)片平聡
(併)井田直樹　(併)中澤正彦

(併)小林出　(併)石川征幸
(併)柏原恭子　(併)佐藤大輔
(併)鈴木大造

(水循環政策本部事務局)

局長　(併)齋藤博之
審議官　(併)片貝敏雄
参事官　(併)市川紀幸
(併)森本輝　(併)瀧川拓哉
(併)田中敬也　(併)吉川圭子
(併)二俣芳美
企画官　(併)山内洋志

(産業遺産の世界遺産登録推進室)

室長　(併)石坂聡
次長　(併)小林万里子
(併)岸田里佳子　(併)金子万里子
参事官　(併)真田晃宏
(併)枝慶　(併)吉田正則
(併)八木貴弘　(併)佐伯徳彦
企画官　(併)森山昌人
(併)福井武夫　(併)中嶋義全

(観光立国推進室)

室長(内閣官房副長官)　栗生俊一
室長代理(内閣官房副長官補)　阪田渉
室長代理　(充)秋川直也
室長代理補　(併)泉恒有

中央省庁

次長 (併)平嶋隆司
同 (併)西山英将
審議官 (併)星野芳隆
(併)堀本善雄 (併)望月明雄
(併)中原裕彦 (併)渕上孝
(併)中野岳史 (併)長﨑敏志
(併)鈴木貴典 (併)真鍋英樹
(併)松家新治 (併)井上誠一郎
参事官 齋藤敦
村尾崇 (併)小野浩司
(併)橋本憲次郎 (併)安部勝也
(併)鈴木章一郎 (併)石川靖
(併)吉村直泰 (併)坂本弘毅
(併)小熊弘明 (併)諏訪克之
(併)河田敦弥 (併)轟渉
(併)飯田修章 (併)渡邉敬
(併)高橋泰史 (併)羽矢憲史
(併)本村龍平 (併)北間美穂
(併)濵本健司 (併)湯本淳
(併)伊藤拓 (併)柳瀬孝幸
企画官 (併)堀貞治
室員 (併)古井拓郎

（特定複合観光施設区域整備推進室）

室長 (併)秡川直也
次長 (併)平嶋隆司
参事官 (併)山本要
(併)上島大輔 (併)阿部雄介
(併)形岡拓文 (併)坂井志保

（地理空間情報活用推進室）

室長 (併)小善真司
室長代理 (併)今村敬
(併)渡邉淳 (併)玉原雅史
参事官 (併)長谷川裕之
(併)髙嶺研一 (併)三上建治
(併)奥田晃久 (併)嶋崎政一
(併)轟渉 (併)矢吹周平
(併)吉田誠
企画官 (併)井出真司
同 (併)髙濵航

（ギャンブル等依存症対策推進本部事務局）

局長（内閣官房副長官） 栗生俊一
局長代行（内閣官房副長官補） 阪田渉
ギャンブル等依存症対策総括官 (併)吉岡秀弥
審議官 (併)田中聖也
(併)中山隆介 (併)江浪武志
参事官 (併)森川世紀
(併)髙田公生 (併)松下美帆
(併)山本要 (併)小林秀幸
(併)赤井久宣 (併)宮腰奏子
(併)姫野崇範 (併)岸本堅太郎
(併)野中祥子 (併)永山貴大
(併)永井孝治 (併)中園和貴
(併)桝野龍太
企画官 (併)須藤義治
(併)羽野嘉朗 (併)宮部大輝

（就職氷河期世代支援推進室）

室長（内閣官房副長官補） 阪田渉
室長代理 (併)朝川知昭
同 (併)木村聡
次長 (併)廣瀬健司
(併)河野恭子 (併)吉沢浩二郎
参事官 (併)橋本憲次郎
(併)黒澤朗 (併)金澤直樹
(併)尾室幸子 (併)山口高志
(併)宇野禎晃 (併)溝口進
(併)高藤喜史 (併)遠藤幹夫
(併)柴山豊樹 (併)片山健太郎
(併)中安史明 (併)清野晃平
(併)伊藤拓 (併)今里和之
企画官 (併)添島里美

（デジタル市場競争本部事務局）

局長（内閣官房副長官補） 阪田渉
局長代理 (併)岩成博夫
次長 (併)佐久間正哉
(併)大村真一 (併)成田達治

（併）坂本里和
参事官 （併）小室尚彦
（併）鮎澤良史 （併）井田俊輔
（併）吉屋拓之 （併）刀禰正樹
（併）小長谷章人
企画官 （併）稲葉僚太
（併）宮野光一郎 （併）鈴木智晴
（併）岩谷卓

（国際博覧会推進本部事務局）
局長 （併）新原浩朗
局長代理 （併）茂木正
次長 西海重和
北尾昌也 （併）井上学
（併）小林出
参事官 （併）内田博文
（併）越智健吾 （併）川上敏寛
（併）江碕智三郎 （併）池谷巌
（併）奥田修司 （併）稲垣吉博
（併）伊藤拓
企画官 （併）曽根哲郎

（新しい資本主義実現本部事務局）
局長（内閣官房副長官） 村井英樹
局長代行（同） 森屋宏
同（同） 栗生俊一
局長代理（内閣官房副長官補） 阪田渉
局長代理 新原浩朗
同 （併）井上裕之
局長代理補 （併）河西康之
局長補 （併）泉恒有
次長 （併）林幸宏
（併）野村裕 （併）馬場健
（併）堀本善雄 （併）木村聡
（併）阿久澤孝 （併）黒田秀郎
（併）淵上孝 （併）大隈俊弥
（併）吉沢浩二郎 （併）西山英将
（併）坂本里和
参事官 （併）松瀬貴裕
（併）水野正人 （併）小室尚彦
（併）野村政樹 （併）中原直人
（併）神山弘 （併）佐藤鐘太
（併）石ケ休剛志 （併）阿部一郎
（併）田中茂樹 （併）篠崎拓也
（併）宮下雅行 （併）大熊規義
（併）小熊弘明 （併）吉田暁郎
（併）立石祐子 （併）松野大輔
（併）淺井洋介 （併）岡貴子
（併）鮫島大幸 （併）佐藤大輔
（併）高橋太朗 （併）中安史明
（併）金籠史彦 （併）伊藤拓
（併）今里和之 （併）福田光
（併）田邊貴紀
企画官 （併）川上悟史
（併）今泉宣親 （併）金坂哲哉
（併）阿部幸子 （併）迫田英晴
（併）古長秀明 （併）中村香織
（併）日髙圭悟 （併）及川景太

（新しい資本主義実現本部事務局私的独占禁止法特例法担当室）
室長 （併）新原浩朗
次長 （併）堀本善雄
参事官 （併）小室尚彦
同 （併）墳﨑正俊

（新しい資本主義実現本部事務局フリーランス取引適正化法制準備室）
室長 （併）品川武
室長代理 （併）田中佐智子
（併）飯田健太 （併）坂本里和
次長 （併）大隈俊弥
（併）山本和徳 （併）向井康二
参事官 （併）鮫島大幸
（併）宮下雅行 （併）立石祐子
（併）今里和之 （併）田邊貴紀

（デジタル田園都市国家構想実現会議事務局）
局長 海老原論
次長 望月一範
石原大 （併）村上敬亮
審議官 塩崎正晴
岸田里佳子 （併）阿久澤孝
（併）髙橋宏治 （併）岩間浩

中央省庁

(併)西垣敦子　(併)淵上孝
(併)青山桂子　(併)大森一顕
(併)北尾昌也　(併)藤吉尚之
(併)山澄克　(併)松家新治
参事官　(併)福岡洋志
(併)西尾利哉　(併)曽宮和夫
(併)伊佐寛　(併)赤羽元
(併)林誠　(併)塩田剛志
(併)塩川達大　(併)吉田充志
(併)下世古光可　(併)小松雅人
(併)鈴木健二　(併)吉田暁郎
(併)河田敦弥　(併)木村順治
(併)藤井信英　(併)菱谷文彦
(併)竹永祥久　(併)坂井元興
(併)墳﨑正俊　(併)中原茂仁
(併)平林剛　(併)大瀧洋
(併)小林剛也　(併)柳瀬孝幸
企画官　(併)野田直生
(併)木村剛　(併)西内康
(併)堀貞治　(併)角田憲亮

(経済安全保障法制準備室)

室長　(併)飯田陽一
次長　(併)泉恒有
(併)股野元貞　(併)佐々木啓介
(併)西山英将　(併)米山栄一
参事官　垣見直彦

後藤武志　(併)井上哲郎
(併)田中伸彦　(併)早田豪
(併)三宅保次郎　(併)有田純
(併)髙井良浩　(併)佐々木明彦
(併)髙橋文武　(併)大塚航
企画官　(併)上田智一
(併)山下浩司　(併)原田佳典
室員　(併)熱田尊

(令和5年経済対策物価高対応支援、令和4年物価・賃金・生活総合対策世帯給付金及び令和3年経済対策世帯給付金等事業企画室)

室長　(併)林幸宏
次長　(併)木村聡
同　(併)寺岡光博
審議官　(併)岡本直樹
(併)須藤明裕　(併)源河真規子
参事官　(併)田中茂樹
(併)和田雅晴　(併)山本庸介
(併)小長谷章人　(併)伊藤拓
(併)渡辺政顕
企画官　(併)宮崎千晶
(併)尾﨑祐子　(併)西川昌登

(教育未来創造会議担当室)

室長　(併)池田貴城
次長　(併)寺門成真
参事官　(併)神山弘
(併)尾室幸子　(併)松井正幸

(併)菱田泰弘　(併)川口俊徳
(併)渡邉敬　(併)今里和之
企画官　(併)岩間良次
(併)川上悟史　(併)鈴木宏幸
(併)黒部一隆　(併)西久美子
(併)中村真太郎

(全世代型社会保障構築本部事務局)

局長　(併)朝川知昭
審議官　伊澤知法
(併)髙橋宏治　(併)宮本直樹
(併)須藤明裕　(併)吉野維一郎
(併)熊木正人　(併)源河真規子
(併)河野恭子　(併)吉沢浩二郎
参事官　(併)稲川武宣
(併)西岡隆　(併)森田博道
(併)安藤公一　(併)宇野禎晃
(併)梶元伸　(併)宮本貴章
(併)大来志郎　(併)末光大毅
(併)原田朋弘　(併)永原伯武
(併)佐藤隆夫　(併)湯山壮一郎
(併)伊藤拓
企画官　(併)尾﨑美弥子
(併)伊藤涼子　(併)土岐太郎

(GX実行推進室)

総括室長　(併)飯田祐二
室長　(併)畠山陽二郎

次長 (併)土居健太郎
(併)村瀬佳史 (併)寺岡光博
(併)龍崎孝嗣
参事官 (併)佐藤夏人
(併)大井通博 (併)池田賢志
(併)宇野禎晃 (併)井上和也
(併)吉村直泰 (併)吉野議章
(併)大貫繁樹 (併)中原廣道
(併)平尾禎秀 (併)若林伸佳
(併)清水充 (併)高橋太朗
(併)松井宏樹 (併)湯本淳
(併)伊藤拓
企画官 (併)西田光宏
(併)鬼塚貴子 (併)小高篤志

(海外ビジネス投資支援室)

室長 泉恒有
次長 (併)田中一成
参事官 胡雅明
奈良弘之 (併)近藤嘉智
(併)奥山剛 (併)山崎文夫
企画官 (併)大山信幸
同 (併)下川徹也

(グローバル・スタートアップ・キャンパス構想推進室)

室長 濱野幸一
次長 渡邊昇治
同 (併)柿田恭良

室長補佐 (併)泉恒有
審議官 今村敬
(併)塩崎正晴 (併)田中哲也
(併)高谷浩樹 (併)藤吉尚之
(併)菊川人吾
参事官 野口久
(併)渡邊倫子 (併)有賀理
(併)岩渕秀樹 (併)奥篤史
(併)西村文彦 (併)池田一郎
企画官 (併)宇田川徹
(併)森次郎 (併)川上悟史
(併)寺坂公佑 (併)當間重光
(併)富原早夏

(技能実習制度及び特定技能制度の在り方に関する検討室)

室長 (併)杉山徳明
次長 (併)吉沢浩二郎
審議官 (併)高橋秀誠
同 (併)加藤経将
参事官 (併)本針和幸
(併)菱田泰弘 (併)川口俊徳
(併)堀泰雄 (併)南部晋太郎
(併)清野晃平

(サイバー安全保障体制整備準備室)

室長 小柳誠二
室長代理 (併)木村公彦
同 (併)安藤敦史

次長 飯島秀俊
(併)佐野朋毅 (併)門松貴
(併)中溝和孝
参事官 (併)高村信
(併)雲田陽一 (併)稲盛久人
(併)酒井雅之 (併)横田一磨
(併)竹内肇 (併)村田健太郎
(併)長谷部潤 (併)水廣佳典
(併)金柿正志 (併)高田裕介
(併)河野太 (併)西前幸則
(併)本多祐樹 (併)谷井義正
(併)間仁田裕美 (併)杉本貴之
(併)中山卓映 (併)武尾伸隆
(併)荻野剛 (併)積田北辰
(併)猪股正貴 (併)谷雅彰
企画官 (併)大網孝也
(併)尾川豊 (併)山田隆裕
(併)大磯一 (併)谷澤厚志
(併)谷口智哉 (併)西田真啓
(併)小西洋平 (併)佐々木将宣
室員 (併)室田幸靖

(デジタル行財政改革会議事務局)

局長代理 小川康則
局長補佐 (併)村上敬亮
同 (併)武藤真郷
審議官 (併)石原大

(併)岸田里佳子
(併)渡辺公徳
(併)神谷隆
参事官
(併)坂内啓二
(併)松田洋平
(併)折田裕幸
(併)小林剛也
企画官
(併)中野芳崇
局員
(併)河村直樹
(併)金井誠
(併)岩間浩
(併)望月一範
(併)後藤一也
(併)大森一顕
(併)麻山健太郎
(併)北尾昌也
(併)高橋秀幸
(併)黒田忠司
(併)奥村徳仁
(併)木尾修文
(併)関口訓央
(併)神田哲也
(併)竹永祥久
(併)吉田宏平
(併)山澄克
(併)飯嶋威夫
(併)浦上哲朗
(併)齋藤喬
(併)坪井宏徳
(併)楠目聖
(併)吉田泰己
(併)野村裕
(併)海老原諭
(併)阿久澤孝
(併)山田正人
(併)三浦明
(併)山口最丈
(併)蓮井智哉
(併)稲熊克紀
(併)柴田智樹
(併)坂内俊洋
(併)中里吉孝
(併)塩田剛志
(併)吉中孝
(併)上田尚弘
(併)藤井信英
(併)坂井元興

(併)山田雅彦
(併)小長井彰祐
(併)大平利幸
(併)久芳全晴
(併)西内康
(併)和田光太郎

（船舶活用医療推進室）

室長
次長
(併)河合宏一
参事官
(併)小幡章博
(併)小林弘史
企画官

（「昭和一〇〇年」関連施策推進室）

室長
参事官
(併)野口久
(併)松下美帆
(併)琴一也

（アジア・ゼロエミッション共同体（AZEC）推進室）

室長代理
同
次長
(併)土谷晃浩
(併)森重樹
(併)宮本賢一
(併)根本深
(併)藤野武広
(併)加藤博之
(併)川瀬仁志
倉野泰行
(併)伊藤哲也
(併)森真弘
(併)田中登
(併)藤原俊之
(併)中田勝己
(併)田中桜
橋本泰宏
瀧川聡史
(併)坂本眞一
(併)中島薫
(併)中村和彦
(併)畠山陽二郎
(併)堀本善雄
(併)土居健太郎
(併)村瀬佳史

(併)田中由紀
(併)荒井勝喜
(併)泉恒有
(併)西山英将
参事官
(併)行木美弥
(併)齋藤敦
(併)吉村直泰
(併)松井宏樹
企画官

内閣広報室

内閣広報官
内閣審議官
内閣副広報官
内閣参事官
佐藤勇輔
田村響
(併)杉本昌英
(併)永原伯武
企画官
(併)齋藤康平
(併)後藤篤志
調査官

（国際広報室）

室長
室員
(併)石月英雄
(併)中村亮
(併)龍崎孝嗣
(併)佐藤夏人
(併)池田賢志
(併)富山未来仁
(併)白井俊行
(併)胡雅明
(併)前田洋志
小林麻紀
(併)畠山貴晃
(併)三角崇人
福地真美
栗原弥生
(併)鎌田修弘
(併)中島薫
桑畑朋子
(併)矢部慎也
(併)日坂実
大部俊
(併)三角崇人
桑畑朋子

中央省庁

同　栗原弥生
（総理大臣官邸報道室）
室長　田村響
調査官　大部俊

内閣情報調査室

内閣情報官　原和也
次長（内閣審議官）　七澤淳
内閣審議官　河野真
立崎正夫　山田好孝
大槻耕太郎　（併）西永知史
（併）岡素彦
（内閣情報分析官（内閣審議官））　加藤達也
（内閣情報分析官（内閣参事官））　島倉善広
高坂久夫　梅田直嗣
竹端昌宏　高瀬光将
（併）佐藤隆司　（併）水戸雄司
（総務部門）
内閣参事官　鈴木朗尋
野田哲之　岡本亜理博
保坂啓介　柳川浩介
（併）吉野成一朗　（併）山内恭子
（併）林裕二郎　（併）安田貴司
調査官　鈴木智文
鈴木亮作　大野克巳
三野元靖　（併）横山弘泰

（併）原納翔
（国内部門）
内閣参事官　松原剛史
（併）鶴代隆造　（併）知花宏樹
調査官　（併）花岡一央
（国際部門）
内閣参事官　本多祐樹
大西英司　（併）大山和伸
（併）松田光央　（併）蔵原智行
（併）寺口直樹　（併）永島透
（併）吉田知明　（併）鈴木宏典
調査官　佐藤義実
田中啓介　（併）高橋真仁
（併）斎藤智子　（併）松原優介
（経済部門）
内閣参事官　山田修
海野敦史　寺内彩子
西野健　（併）降井寮治
（内閣情報集約センター）
内閣参事官　門井誠
（併）舟橋清次　（併）高橋裕昌
（併）大嶋文彦
（カウンターインテリジェンス・センター）
センター長（内閣情報官）　原和也
副センター長　山田好孝

同　（併）岡素彦
参事官　本多祐樹
保坂啓介　柳川浩介
（併）吉野成一朗　（併）金柿正志
（併）間仁田裕美
（国際テロ情報集約室）
室長（内閣官房副長官）　栗生俊一
室長代理（内閣情報官）　原和也
情報収集統括官　河野真
次長　立崎正夫
山田好孝　七澤淳
大槻耕太郎　（併）彼末浩明
（併）油布志行　（併）高村泰夫
（併）加藤進　（併）大和太郎
（併）迫田裕治　（併）岩本桂一
（併）福永哲郎　（併）石瀬素行
（併）西永知史　（併）平光信隆
（併）杉山徳明
参事官　島倉善広
鈴木朗尋　野田哲之
保坂啓介　（併）林裕二郎
（併）山田哲也
調査官　鈴木亮作
荒木征司　（併）原納翔
（併）奥史織

中央省庁

（国際テロ対策・経済安全保障等情報共有センター）
センター長（併）林　裕二郎
副センター長（併）原納　翔

（内閣衛星情報センター）
所長　納冨　中
次長　安田浩己
管理部長　市川道夫
調査官（併）三野元靖
総務課長　坂田奈津子
会計課長　角田哲也
運用情報管理課長　安田貴司
調査官（併）横山弘泰
分析部長　中村耕一郎
管理課長　鈴木雄一郎
主任分析官　秀島剛明
佐藤卓也　安藤暁史
小野理沙　波多野伸俊
宮田憲介
技術部長　木村賢二
企画課長　木村裕明
管制課長　大井勝義
主任開発官　齋藤康裕
多賀谷朋宏　野呂真悦
総括開発官　山城瑞樹
副センター所長　近藤　剛
北受信管制局長　梅津明志
南受信管制局長　岡田健次
内閣参事官（併）吉野成一朗

内閣サイバーセキュリティセンター

センター長（内閣官房副長官補）　鈴木敦夫
センター長代理（内閣審議官）（併）飯田陽一
総括副センター長（内閣審議官）　木村公彦
（同）　安藤敦史
（同）（併）小柳誠二
副センター長（内閣審議官）　佐野朋毅
中溝和孝　関口祐司
門松貴（併）飯島秀俊
内閣参事官　村田健太郎
田村亮平　水廣佳典
金柿正志　杉本貴之
荻野剛　鴨下誠
積田北辰　谷雅彰
（併）仙﨑達治（併）雲田陽一
（併）酒井雅之（併）横田一磨
（併）竹内肇（併）本多祐樹
（併）間仁田裕美
企画官　中川和信
（併）松本崇（併）尾川豊
（併）佐々木淳一（併）山田隆裕
（併）谷澤厚志（併）谷口智哉
（併）小西洋平

内閣人事局

局長（内閣官房副長官）　栗生俊一
人事政策統括官　阪本克彦
松本敦司（併）須藤明夫
内閣審議官　野村謙一郎
横田美香（併）砂山裕
（併）風早正毅
内閣参事官　臼井伸幸
辻寛起　辻恭介
白水伸英　宮﨑孝一
渡邉顕太郎　荒木太郎
谷中謙一　植松利紗
髙松忠介　菅潤一郎
田上陽也　小島美涼
松本浩典　篠田和哉
（併）富永健嗣（併）松隈健一
（併）川口真友美
企画官　山本隆之
今井由紀子　木曽希
前原寛年　田中智史
新家研介　山本裕一
内田陽介　菊地信果夫
玉井淳平（併）市川のり恵
（併）日坂実
人事企画官　守谷敦子
調査官　長野浩二

洲藤訓之　石田勝士
祝　彰吾

特定複合観光施設区域整備推進本部事務局

局長 (併)秋川直也
次長 (併)平嶋隆司
参事官 (併)上島大輔
(併)阿部雄介 (併)形岡拓文
(併)坂井志保 (併)山本要

郵政民営化委員会事務局

局長 (併)藤野克
次長 (併)石村幸三
同 (併)岡本成男
参事官 (併)三島由佳
(併)小林知也 (併)伊藤公祐
企画官 (併)横森裕紀

船舶活用医療推進本部事務局

局長 (併)倉野泰行
次長 (併)伊藤哲也
同 (併)河合宏一
同 (併)森真弘
参事官 (併)田中登
(併)小幡章博 (併)藤原俊之
(併)小林弘史 (併)中田勝己
企画官 (併)田中桜

内閣法制局

〒100-0013 千代田区霞が関三ノ一ノ一
中央合同庁舎第四号館
03(3581)7271

内閣法制局長官 近藤正春
内閣法制次長 岩尾信行
長官秘書官 小泉雅洋

第一部長 木村陽一
参事官 畑佳秀
古渡善幸 中澤吉博
山田勝士 中井孝一
法令調査官 鴨居秀樹
憲法資料調査室長 事務取扱 山影雅良
参事官(兼) 中井孝一

第二部長 栗原秀忠
参事官 長谷浩之
大野敬 門元政治
家原尚秀 吉田誠
廣畑健次

第三部長 佐藤則夫
参事官 中田響
伊藤直人 野田恒平
高橋慶太 永田将一
藤井延之

第四部長 嶋一哉

参事官 高鹿秀明
森大輔 堀和匡
久野克人 松本将明
総務主幹 山影雅良
総務課長 久下富雄
会計課長 宇田川利夫
調査官 北村茂
公文書監理官(兼) 北村茂

国家安全保障会議

〒100-0014 千代田区永田町二ノ四ノ一二
03(5253)2111

議長(内閣総理大臣) 岸田文雄
議員(外務大臣) 上川陽子
同(防衛大臣) 木原稔
同(内閣官房長官) 林芳正
(以上、四大臣会合出席者)
同(財務大臣) 鈴木俊一
同(総務大臣) 松本剛明
同(経済産業大臣) 齋藤健
同(国土交通大臣) 斉藤鉄夫
同(国家公安委員長) 松村祥史
(以上、九大臣会合出席者)

中央省庁

人事院

〒100-8913 千代田区霞が関一ノ二ノ三 中央合同庁舎第五号館別館
03(3581)5311

総裁 川本裕子
人事官 伊藤かつら
同 土生栄二
総裁秘書官 小川純子

事務総局

事務総長 柴﨑澄哉
総括審議官 役田平
審議官 植村隆生
同(研修・国際担当) 鈴木秀雄
公文書監理官(併) 長谷川一也
サイバーセキュリティ・情報化審議官 長谷川一也
政策立案参事官 宮川豊治
総務課長 野口孝宏
企画法制課長 神宮司英弘
人事課長 森川武
会計課長 奈良間貴洋
国際課長 矢島恵理子
国際課国際人事行政専門官 徳山淳記

職員福祉局

局長 荻野剛
次長 荒竹宏之
職員団体審議官 木村秀崇
職員福祉課長 西桜子
審査課長 田中玄弥
補償課長 工藤哲郎
補償課上席災害補償専門官 野原朋子
職員団体審議官付参事官 早乙女潤一

人材局

局長 荒井仁志
審議官 堀内斉
試験審議官 府川陽子
参事官 髙田悠二
企画課長 澤田晃一
試験課長 住吉威彦
研修推進課長 藤原知朗
首席試験専門官 秋庭能久
井上勉 池田藺樹
川村竜児

給与局

局長 佐々木雅之
次長 箕浦正人
参事官 本間あゆみ
給与第一課長 森谷明浩
給与第二課長 中西佳子
給与第三課長 井手亮
生涯設計課長 上月拓也

公平審査局

局長 練合聡
審議官 髙尾憲司
調整課長 前田聡子
職員相談課長 山本朗
首席審理官 村山大介
酒井元康 山田将武

公務員研修所

〒358-0014 入間市宮寺三一三一
04(2934)1291

所長 岩崎敏
副所長 岸本康雄
同 (併)堀内斉

国家公務員倫理審査会

会長 秋吉淳一郎
委員 あおい有紀
山下良則 山田久
伊藤かつら
事務局長 米村猛
首席参事官 浅尾久美子
参事官 原田佳澄

内閣府

〒100-8914 千代田区永田町一ノ六ノ一
03（5253）2111

内閣総理大臣 岸田文雄
内閣官房長官 林芳正
内閣府特命担当大臣（金融） 鈴木俊一
同（原子力損害賠償・廃炉等支援機構） 齋藤健
同（原子力防災） 伊藤信太郎
同（規制改革） 河野太郎
同（防災、海洋政策） 松村祥史
同（こども政策、少子化対策、若者活躍、男女共同参画、孤独・孤立対策） 加藤鮎子
同（経済財政政策） 新藤義孝
同（クールジャパン戦略、知的財産戦略、科学技術政策、宇宙政策、経済安全保障） 高市早苗
同（沖縄及び北方対策、消費者及び食品安全、地方創生、アイヌ施策） 自見はなこ
内閣府副大臣 井林辰憲
同 工藤彰三
同 古賀篤
内閣府大臣政務官 神田潤一
同 古賀友一郎
同 平沼正二郎
内閣府事務次官 井上裕之
内閣府審議官 原宏彰
同 林幸宏

大臣官房

官房長 松田浩樹
官房政策立案総括審議官 岡本直樹
官房公文書監理官（併） 原典久
官房サイバーセキュリティ・情報化審議官 伊藤誠一
官房審議官（官房担当） 矢作修己
同（同）（併）笹川武
同（同）（併）岡本直樹
同（同）（併）坂本里和
同（同）（併）小八木大成
同（同）（併）松多秀一
同（同）（併）原典久
同（同）（併）堤雅彦
同（公文書監察担当） 矢作修己
同（拉致被害者等支援担当）（併）平井康夫
同（遺棄化学兵器処理担当）（併）伊藤茂樹
同（原子力損害賠償・廃炉等支援機器担当）（併）徳増伸二
総務課長 南順子
参事官（総務課）（併）冨岡勇哉
（併）真弓智也 （併）田中茂樹
（併）村山直和 （併）前川紘一郎
（併）泉吉顕 （併）小川敦之
（併）古川淳永 （併）小林明生
齋藤国務大臣秘書官事務取扱（命）能村幸輝
伊藤国務大臣秘書官事務取扱（命）清水延彦
同（命）松井一記
林国務大臣秘書官事務取扱（命）吉田真晃

河野国務大臣秘書官事務取扱（命）岩谷邦明
同（命）柳生正毅
同（命）梅城崇師
松村国務大臣秘書官事務取扱（命）本間優子
加藤国務大臣秘書官 両角真之介
加藤国務大臣秘書官事務取扱（命）田原知世
同（命）小澤幸生
同（命）萩原啓
新藤国務大臣秘書官 小仁熊旬
新藤国務大臣秘書官事務取扱（命）中尻恒光
同（命）内藤景一朗
同（命）髙島章好
同（命）小柳聡志
高市国務大臣秘書官 髙市知嗣
高市国務大臣秘書官事務取扱（命）有田純
同（命）山下浩司
同（命）竹上信也
自見国務大臣秘書官 江頭清輝
自見国務大臣秘書官事務取扱（命）中野浩二
同（命）松本欣也
同（命）谷口雄介
同（命）爲藤里英子
人事課長 水田豊
参事官（人事課） 杉田和暁
会計課長 田中駒子
参事官（会計課） 北村実
企画調整課長 小川敦之

参事官（企画調整課） 酒巻達浩
（併）佐々木明 （併）斎藤一夫
（併）古矢一郎 （併）阿部寿郎
（併）高橋敏明 （併）武藤昌彦
（併）山之内裕哉 （併）乃田昌幸
同（拉致被害者等支援担当） （併）奥田隆則
同（遺棄化学兵器処理担当） 園田庸
同（同） 大塚孝道
合理的根拠政策立案推進室長 （併）小川敦之
政策評価広報課長 永山寛理
参事官（政策評価広報課担当） （併）田中茂樹
同（同） （併）古川淳永
公文書管理課長 坂本眞一
参事官（公文書管理課担当） （併）泉聡子
政府広報室長 畠山貴晃
参事官（政府広報室担当） 中島薫
鎌田修弘 （併）杉本昌英
（併）永原伯武 （併）佐藤勇輔
（併）上村秀紀 （併）三角崇人
（併）栗原弥生
厚生管理官 中里正明
拉致被害者等支援担当室長 （併）奥田隆則
サイバーセキュリティ・情報化推進室長 （併）高橋敏明
遺棄化学兵器処理担当室長 （併）伊藤茂樹
同参事官 （併）園田庸
同 （併）大塚孝道
同事務代理 （命）沼舘建

原子力損害賠償・廃炉等支援機構担当室長 （併）柿田恭良
同次長 （併）徳増伸二
同 （併）清浦隆
同 （併）畠山陽二郎
同 （併）辻本圭助
同参事官 （併）武藤寿彦
同 （併）山之内裕哉
同 （併）乃田昌幸
政策統括官（経済財政運営担当） 木村聡
官房審議官（経済財政運営担当） 廣瀬健司
同（同） 江浪武志
同（同） 茂呂賢吾
同（同） （併）新田一郎
同（同） （併）福田毅
同（同） （併）明珍充
同（同） （併）坂越健一
参事官（総括担当） 田中茂樹
（併）高橋洋明 （併）遠藤幹夫
（併）渡辺政顕 （併）小長谷章人
（併）和田雅晴 （併）伊藤拓
（併）山本庸介 （併）田代毅
同（経済対策・金融担当） 加藤卓生
同（企画担当） （併）吉中孝
同（経済見通し担当） 岡野武司
同（産業・雇用担当） 遠藤幹夫
（併）淺井洋介 （併）高橋洋明
（併）原田朋弘 （併）酒巻浩

同（予算編成基本方針担当） 高橋洋明
同（国際経済担当） （併）木村順治
同（地域経済活性化支援機構担当） （併）高橋洋明
同（同） （併）加藤光伸
政府調達苦情処理対策室室長 （併）茂呂賢吾
同次長 （併）高橋洋明
対日直接投資推進室室長 （併）明珍充
同次長 （併）遠藤幹夫
経済財政国際室長 （併）明珍充
同参事官 （併）篠崎敏明
同 （併）木村順治
道州制特区担当室長 （併）坂越健一
同参事官 （併）高橋洋明
地域経済活性化支援機構担当室室長 （併）野崎英司
同次長 （併）小野浩司
同参事官 （併）加藤光伸
（併）高橋洋明 （併）橋本憲治郎
地域就職氷河期世代支援加速化事業推進室長 （併）木村聡
同次長 （併）廣瀬健司
（併）中井雅之 （併）福田毅
同参事官 （併）遠藤幹夫
（併）原田朋弘 （併）高橋洋明
（併）酒巻浩
令和4年物価・賃金・生活総合対策世帯給付金及び令和3年経済対策世帯給付金等事業担当室長 （併）木村聡
同審議官 （併）源河真規子
同 （併）岡本直樹
同 （併）須藤明裕

中央省庁

同参事官　(併)渡辺政顕
(併)伊藤拓　(併)山本庸介
(併)小長谷章人　(併)和田雅晴
(併)田中茂樹
政策統括官（経済社会システム担当）　野村裕
官房審議官（経済社会システム担当）　笠尾卓朗
同（同）　福田毅
同（同）　江浪武志
同（同）　阿久澤孝
同（同）　(併)後藤一也
同（同）　(併)渡辺公徳
同（同）　(併)坂越健一
同（同）　(併)新田一郎
参事官（総括担当）　佐藤鐘太郎
同（同）　(併)大塚久司
同（企画担当）　鈴木智之
同（同）　(併)福田光
同（社会システム担当）　森田博通
同（同）　(併)新木聡
同（社会基盤担当）　山田正人
同（同）　(併)小松雅人
同（市場システム担当）　木尾修文
(併)大平利幸　(併)神田哲也
(併)新木聡　(併)宮本賢一
(併)山田正人　(併)坂内俊洋
同（財政運営基本担当）　高橋太朗
参事官　(併)寺本久幸
(併)越尾淳　(併)平沢克俊
(併)平賀剛　(併)佐伯美穂

(併)野村知宏　(併)坂本隆哉
(併)辻恭介　(併)西澤能之
(併)平林剛
民間資金等活用事業推進室長　(併)笠尾卓朗
同参事官　(併)大塚久司
規制改革推進室長　(併)野村裕
同次長　(併)稲熊克紀
(併)渡辺公徳　(併)河村直樹
(併)後藤一也　(併)阿久澤孝
同参事官　(併)大平利幸
(併)木尾修文　(併)神田哲也
(併)宮本賢一　(併)山田正人
(併)坂内俊洋
成果連動型事業推進室長　(併)笠尾卓朗
大臣官房審議官（地方分権改革担当）地方分権改革推進室長　(併)坂越健一
同（同）同次長　(併)新田一郎
同（同）同　(併)福田毅
同参事官　(併)寺本久幸
(併)越尾淳　(併)平沢克俊
(併)辻恭介　(併)西澤能之
(併)佐伯美穂　(併)野村知宏
(併)平賀剛　(併)坂本隆哉
(併)平林剛
同事務代理　(命)齋藤修
同　(命)多田聡
政策統括官（経済財政分析担当）　林伴子
官房審議官（経済財政分析担当）　堤雅彦

同（同）　(併)河村直樹
同（同）　中澤信吾
参事官（総括担当）　多田洋介
同（企画担当）　吉中孝
同（同）　(併)多田洋介
同（地域担当）　木村順治
同（海外担当）　篠崎敏明
計量分析室長　(併)中澤信吾
同参事官　(併)鈴木智之
地方創生推進室長　(併)石坂聡
同室長代理　(併)河村直樹
同次長　(併)石原大
(併)安楽岡武　(併)岩間浩
(併)井上博雄　(併)松家新治
(併)渡辺公徳　(併)堀上勝
(併)大森一顕　(併)山澄克
(併)望月一範　(併)西垣淳子
(併)北尾昌也　(併)羽白淳
(併)岸田里佳子　(併)淵上孝
(併)今村敬
同参事官　(併)竹永祥久
(併)川越久史　(併)山下智也
(併)松平健輔　(併)谷浩
(併)八木貴弘　(併)須藤明宏
(併)鈴木健二　(併)佐久間寛道
(併)北村洋二　(併)伊佐寛
(併)水野正人　(併)大塚久司
(併)大瀧洋　(併)枝慶
(併)坂井元興　(併)塩田剛志
(併)塩川健大　(併)西尾利哉

中央省庁

(併)真田晃宏　(併)墳崎正俊
(併)河田敦弥　(併)赤羽元
(併)福岡洋志　(併)藤井信英
(併)平林剛　(併)小林剛也
政策統括官（防災担当）　高橋謙司
官房審議官（防災担当）　河合宏一
同（同）　貫名功二
同（同）　(併)瀧澤謙
参事官（総括担当）　鈴木毅
同（災害緊急事態対処担当）　小林弘史
同（調査・企画担当）　森久保司
同（防災計画担当）　吉田和史
同（普及啓発・連携担当）　(併)喜多功彦
同（防災デジタル・物資支援担当）　松本真太郎
同（避難生活担当）　水野忠幸
同（復旧・復興担当）　土屋恒久
同　飯沼宏規
(併)末満章悟　(併)後藤隆昭
(併)藤原俊之　(併)立岩里生太
(併)鎌田一郎
広域避難・計画推進室長　(併)倉野泰行
同　参事官　(併)飯沼宏規
(併)水野忠幸　(併)後藤隆昭
(併)立岩里生太　(併)藤原俊之
(併)吉田和史
政策統括官（原子力防災担当）　松下整
官房審議官（原子力防災担当）　(併)福島健彦
同（同）　(併)伯野春彦
同（同）　(併)佐野究一郎

同（同）　(併)西垣淳子
同（同）　(併)新居泰人
同（同）　(併)川合現
同（同）　(併)鈴木啓之
参事官（総括担当）　(併)木野修宏
同（同）　児玉智
同（企画・国際担当）　吉田大
同（地域防災担当）　(併)長谷弘道
同（総合調整・訓練担当）　(併)児玉智
政策統括官（沖縄政策担当）　水野敦
官房審議官（沖縄政策担当）　中嶋護
参事官（総括担当）　真弓智也
同（政策調整担当）　(併)國武正大
同（企画担当）　岡田芳和
同（産業振興担当）　(併)中島義人
政策統括官（共生・共助担当）　黒瀬敏文
官房審議官（共生・共助担当）　滝澤幹滋
同（同）　(併)石田晋也
同（同）　由布和嘉子
同（同）　江浪武志
同（同）　福田毅
参事官（総括担当）　久保大輔
同（総合調整担当）　(併)須藤圭亮
同（青年国際交流担当）　(併)藤森俊輔
同（共助社会づくり推進担当）　中村明恵
同（高齢社会対策担当）　(併)須藤圭亮
同（障害者施策担当）　(併)古屋勝史
同（交通安全対策担当）　児玉克敏

同（性的指向・ジェンダーアイデンティティ理解増進担当）　萩原玲子
同（金融担当）　(併)池田賢志
同　(併)松木秀彰
同　(併)藤森俊輔
孤独・孤立対策推進室長　(併)江浪武志
同　代理　(併)滝澤幹滋
同　参事官　(併)松木秀彰
同　事務代理　(命)堀江典宏
休眠預金等活用担当室室長　(併)福田毅
同　参事官　(併)中村明恵
青年国際交流担当室室長　(併)由布和嘉子
同　参事官　(併)藤森俊輔
政策統括官（重要土地担当）　山野徹
官房審議官（重要土地担当）　岸川仁和
参事官（総括担当）　(併)小松克行
同（防衛施設担当）　(併)小松克行
同（生活関連施設等担当）　市山卓己
同（国境離島等担当）　(併)鈴木俊朗
同（調査分析担当）　(併)市山卓己
同　(併)槙島爲朗
政策統括官（経済安全保障担当）　(併)飯田陽一
官房審議官（経済安全保障担当）　(併)彦谷直克
同（同）　(併)米山栄一
同（同）　(併)股野元貞
同（同）　(併)佐々木啓介
同（同）　(併)泉恒有
同（同）　(併)西山英将
参事官（総括・企画担当）　(併)後藤武志

中央省庁

(併)早田豪　(併)髙井良浩
(命)有田純　(併)大塚航
(併)髙橋文武
同(特定重要物資担当)　(併)三宅保次郎
同(特定社会基盤役務担当)　佐々木明彦
同(特定重要技術担当)　(併)田中伸彦
(併)垣見直彦　(併)宮本拓人
(併)亀井遵児
同(特許出願非公開担当)　(併)井上哲郎
同(重要経済安保情報保護活用担当)　(併)髙井良浩
同(同)　(併)大塚航

独立公文書管理監

独立公文書管理監　(併)藤本治彦
同管理監付　(併)矢作修己
同参事官　阿部正興
(併)折原茂晴　(併)坂本眞一
公文書監察室長　(併)藤本治彦
同次長　(併)矢作修己
同参事官　(併)坂本眞一
情報保全監察室長　(併)藤本治彦
同参事官　(併)阿部正興
同　(併)折原茂晴

賞勲局

局長　笹川武
官房審議官(賞勲局担当)　(併)原典久
総務課長　馬場純郎

審査官(賞勲局)　千葉均
同(同)　(併)本田啓一郎
同(同)　菅豪

男女共同参画局

局長　岡田恵子
官房審議官(男女共同参画局担当)　小八木大成
同(同)　瀧澤幹滋
総務課長　大森崇利
推進課長　上田真由美
男女間暴力対策課長　田中宏和
仕事と生活の調和推進室長　(併)岡田恵子
同参事官　(併)上田真由美

沖縄振興局

局長　齊藤馨
官房審議官(沖縄科学技術大学院大学担当)　中嶋護
同(同)　(併)藤吉尚之
総務課長　藤嶋正信
参事官(振興第一担当)　小泉誠
同(振興第二担当)　小林清史
同(振興第三担当)　山本大志
同(調査金融担当)　鈴木啓嗣

経済財政諮問会議

議長　岸田文雄
議員　林芳正
新藤義孝　鈴木俊一　植田和男　中空麻奈
松本剛明　齋藤健　十倉雅和　新浪剛史

柳川範之

総合科学技術・イノベーション会議

議長　岸田文雄
議員　林芳正
高市早苗　鈴木俊一　齋藤健　伊藤公平　佐藤康博　菅裕明　光石衛
松本剛明　盛山正仁　上山隆大　梶原ゆみ子　篠原弘道　波多野睦子

国家戦略特別区域諮問会議

議長　岸田文雄
議員　自見はなこ
林芳正　河野太郎　大槻奈那　越塚登　中川雅之
鈴木俊一　新藤義孝　垣内俊哉　菅原晶子

中央防災会議

会長　岸田文雄
委員　松村祥史
松本剛明　上川陽子　盛山正仁　坂本哲志　斉藤鉄夫　木原稔　河野太郎
小泉龍司　鈴木俊一　武見敬三　齋藤健　伊藤信太郎　林芳正　土屋品子

中央省庁

加藤鮎子 新藤義孝
高市早苗 自見はなこ
小島裕史 植田和男
清家篤 稲葉延雄
大西佐知子 大原美保
小室広佐子 黒岩祐治
延近敬弘 松本吉郎

男女共同参画会議

議長 林芳正
議員 松本剛明
小泉龍司 上川陽子
鈴木俊一 盛山正仁
武見敬三 坂本哲志
齋藤健 斉藤鉄夫
伊藤信太郎 松村祥史
加藤鮎子 桑原悠
小西聖子 佐々木かをり
清水博 白波瀬佐和子
鈴木準 納米恵美子
細川珠生 山口慎太郎
山田昌弘 山本隆司
芳野友子

食品安全委員会

〒107-6122 港区赤坂五ノ二ノ二〇
赤坂パークビル22F
03(6234)1166
委員長 山本茂貴
委員長代理 浅野哲
祖父江友孝 頭金正博

委員 小島登貴子
杉山久仁子 松永和紀
事務局長 中川裕伸
次長 及川仁
総務課長 藤田一郎
評価第一課長 井本昌克
評価第二課長 古田暁人
情報・勧告広報課長 浜谷直史

国会等移転審議会

〒100-8926 千代田区霞が関二ノ一ノ二
中央合同庁舎第二号館
03(3501)5480
事務局次長(併) 黒田昌義
参事官(併) 天野正治

公益認定等委員会

〒105-0001 港区虎ノ門三ノ五ノ一
虎ノ門37森ビル12F
03(5403)9555
委員長 佐久間総一郎
委員長代理 湯浅信好
委員 生野考司
今泉邦子 片岡麻紀
黒田かをり 佐藤彰紘
事務局長兼大臣官房公益法人行政担当室長 高角健志
事務局次長兼大臣官房公益法人行政担当室次長 大野卓
総務課長兼大臣官房公益法人行政担当室参事官 魚井宏泰

再就職等監視委員会

〒100-0004 千代田区大手町一ノ三ノ三
大手町合同庁舎第三号館
03(6268)7657
委員長 若園敦雄
委員 西村美香
橋爪隆 原田久
木野綾子
事務局長 吉田徳幸
参事官 佐藤昌博
再就職等監察官 瀧聞香織
同(併) 植月良典

消費者委員会

〒100-8970 千代田区霞が関三ノ一ノ一
中央合同庁舎第四号館8F
03(5253)2111
委員長 鹿野菜穂子
委員 今村知明
大澤彩 小野由美子
柿沼由佳 黒木和彰
中田華寿子 原田大樹
星野崇宏 山本龍彦
事務局長(併) 小林真一郎
官房審議官(消費者委員会担当)(併) 岡本直樹
同(同)(併) 後藤一也
参事官 友行啓子

経済社会総合研究所

〒100-8914 千代田区永田町一ノ六ノ一
中央合同庁舎第八号館
03(6257)1599

所長 村山裕
次長 松多秀一
総括政策研究官 河村直樹
後藤一也 菱山大
明珍充 林田雅秀
稲熊克紀 松尾浩道
総務部長 (併)林田雅秀
上席主任研究官 出口恭子
斎藤達夫 谷本信賢
小島宗一郎 藤森俊輔
情報研究交流部長 田村裕昭
景気統計部長 石井達也
国民経済計算部長 尾﨑真美子
経済研修所総務部長 小林真一郎

迎賓館

〒107-0051 港区元赤坂二ノ一ノ一
03(3478)1111

館長 伊藤信
次長 古矢一郎
総務課長 佐々木明
接遇課長 本田誠
運営課長 高妻博之
京都事務所長 押切哲夫

地方創生推進事務局

〒100-0014 千代田区永田町一ノ一一ノ三九
永田町合同庁舎6F・7F・8F
03(5510)2151

局長 石坂聡
次長 河村直樹 (併)
審議官 (併)松家新治
(併)岩間浩 (併)井上博雄
(併)渡辺公徳 (併)堀上勝
(併)大森一顕 (併)山澄克
(併)西垣淳子 (併)安楽岡武
(併)北尾昌也 (併)岸田里佳子
(併)淵上孝
参事官 (併)羽白淳
同(総括担当) (併)水野正人
(併)八木貴弘 (併)北村洋二
(併)大塚久司 (併)塩田剛志
同(中心市街地活性化担当) (併)谷浩
同(同) (併)北村洋二
同(都市再生担当) (併)須藤明彦
同(同) (併)真田晃宏
同(構造改革特別区域担当) (併)佐藤弘毅
(併)鷹合一真 (併)松平健輔
(併)坂本弘毅 (併)水野正人
(併)元木要
同(地域再生担当) (併)竹永祥久
(併)西垣淳子 (併)下世古光可
(併)山下智也 (併)須藤明彦
(併)廣川正英 (併)佐久間寛道
(併)北村洋二 (併)伊佐寛
(併)大瀧洋 (併)坂井元興
(併)赤羽元 (併)寺田雅一
(併)山本恵太 (併)片山壮二
(併)柳瀬孝幸 (併)則久雅司
(併)塩川健大 (併)西尾利哉
(併)川越久史 (併)田中禎彦
(併)藤井信英 (併)平林剛
(併)小林剛也 (併)吉田暁郎
(併)安藤公一
同(総合特別区域担当) (併)佐藤弘毅
(併)鷹合一真 (併)松平健輔
(併)坂本弘毅 (併)水野正人
(併)元木要
同(国家戦略特別区域担当) (併)佐藤弘毅
(併)鷹合一真 (併)松平健輔
(併)坂本弘毅 (併)水野正人
(併)元木要
同(産業遺産担当) (併)吉田正則
(併)八木貴弘 (併)佐伯徳彦
(併)枝慶 (併)真田晃宏
同(地方大学・産業創生担当) (併)塩田剛志

知的財産戦略推進事務局

〒100-8914 千代田区永田町一ノ六ノ一
内閣府本府庁舎3F
03(3581)0324

局長 奈須野太

中央省庁

次長 (併)小林万里子
同 (併)守山宏道
同 (併)斎須朋之
参事官（総括担当） (併)渡邊佳奈子
同（産業競争力強化担当） (併)山本英一
同（コンテンツ振興担当） (併)白鳥綱重
同（クールジャパン戦略推進担当） (併)白鳥綱重
同（国際標準化戦略推進担当） (併)小川祥直
(併)山本英一
(併)平尾禎秀
(併)福井俊英
(併)有馬伸明
(併)中里学
(併)奥田晃久
(併)井上剛
(併)斉藤永

科学技術・イノベーション推進事務局

〒100-8914 千代田区永田町一ノ六ノ一
中央合同庁舎第八号館
03（5253）2111

局長 濱野幸一
統括官 柿田恭良
審議官 徳増伸二
(併)川上大輔
(併)畠山陽二郎
(併)渡邊昇治
(併)渡邉淳
(併)高谷浩樹
(併)菊川人吾
参事官（総括担当） 岩渕秀樹
同（統合戦略担当） (併)永澤剛
(併)菅田洋一
(併)神崎忠彦
(併)藤吉尚之
(併)塩崎正晴
(併)守山宏道
(併)清浦隆
(併)木原晋一
(併)泉恒有
(併)先﨑卓歩
(併)白鳥綱重

(併)猪俣明彦
(併)眞鍋馨
(併)奥田晃久
(併)松田和子
(併)宅間裕子
(併)国分政秀
(併)林誠
梅原徹也
(併)松井正幸
(併)今野聡
(併)森幸子
(併)藤原志保
(併)下田裕和
(併)馬場大輔
(併)中野剛志
参事官（イノベーション推進担当） (併)池田一郎
同（同） 有賀理
同（同） (併)西村文彦
同（研究環境担当） (併)白井俊
(併)井上睦子
同（教育・人材担当） (併)有賀理
同（大学改革・ファンド担当） (併)渡邉倫子
(併)西平賢哉
(併)白井俊
同（重要課題担当） (併)菅田洋一
(併)中越一彰
(併)高嶺研一
(併)松田和久
(併)梅原徹也
(併)倉田佳奈江
(併)西川和見
(併)垣見直彦
(併)宮本拓人
同（事業推進総括担当） (併)菅田洋一
(併)梅原徹也
同（未来革新研究推進担当） 熊田純子
(併)高橋憲一郎
(併)有賀理
(併)眞鍋馨
(併)森幸子
(併)黒羽真吾
(併)森久保司
(併)宅間裕子
(併)亀井遵児
(併)笠間太介
(併)宮本拓人

同（同） (併)服部正
同（原子力担当） (併)山之内裕哉
同（同） (併)武藤寿彦
同 (併)北神裕
(併)三木清香
(併)渡邊佳奈子
(併)谷口礼史
原子力政策担当室長 (併)柿田恭良
同次長 (併)徳増伸二
同 (併)清浦隆
同参事官 (併)山之内裕哉
同 (併)武藤寿彦
大学改革・ファンド担当室長 (併)柿田恭良
同次長 (併)塩崎正晴
同 (併)藤吉尚之
同参事官 (併)渡邉倫子
(併)西平賢哉
(併)白井俊
日本医療研究開発機構担当室長 (併)中石斉孝
同次長 (併)仙波秀志
(併)竹林経治
(併)森田健太郎
同参事官 (併)三木清香
(併)水野良彦
(併)渡辺顕一郎
標準活用推進室長 (併)奈須野太
同次長 (併)守山宏道
同参事官 (併)渡邊佳奈子
(併)山本英一
(併)水野良彦
(併)松本英登
(併)有賀理
(併)内山博之
(併)臼井暁子
(併)小川祥直

中央省庁

健康・医療戦略推進事務局

〒100-0014 千代田区永田町一ノ一ノ三九 永田町合同庁舎4F
03(3539)2560

局長 中石斉孝
次長 (併)仙波秀志
(併)竹林経治 (併)内山博之
(併)森田健太郎
参事官 (併)三木清香
(併)水野良彦 (併)渡辺顕一郎
(併)日野力 (併)臼井暁子

宇宙開発戦略推進事務局

〒100-0013 千代田区霞が関三ノ七ノ一 霞が関東急ビル16F
03(6205)7036

局長 風木淳
審議官 (併)渡邉淳
参事官 松本英登
(併)猪俣明彦 (併)西野聰
(併)三上建治 (併)山口真吾
(併)髙橋杉雄 (併)長谷日出海
(併)嶋崎政一 (併)村山綾介
(併)吉田邦伸
準天頂衛星システム戦略室長 (併)三上建治
同室長代理 (併)長谷日出海

北方対策本部

〒100-8914 千代田区永田町一ノ六ノ一 中央合同庁舎第八号館
03(5253)2111

審議官 原典久
参事官 小林明生

総合海洋政策推進事務局

〒100-0013 千代田区霞が関三ノ七ノ一 霞が関東急ビル16F
03(6257)1767

局長 髙杉典弘
次長 (併)木原晋一
同 (併)藤田昌邦
参事官(総括担当) (併)谷口礼史
同(安全保障・国際担当) (併)本城浩
同(資源・エネルギー担当) (併)小林和昭
同(研究開発・人材育成担当) (併)金子忠利
同(大陸棚・海洋調査担当) (併)山尾理
同(水産・環境保全担当) (併)横山純
同(離島(保全・管理)・沿岸域管理担当) (併)鈴木俊朗
同(離島(地域社会維持)担当) (併)鮎澤良史
同 (併)中林茂
(併)水谷好洋 (併)白井正興
(併)靏田将範 (併)日暮正毅
(併)粕谷直樹 (併)符川公平
有人国境離島政策推進室長 (併)藤田昌邦
同参事官 (併)鮎澤良史
(併)鈴木俊朗 (併)符川公平

国際平和協力本部

〒100-8970 千代田区霞が関三ノ一ノ一 中央合同庁舎第四号館8F
03(3581)2550

事務局長 齋田伸一
次長 吉田孝弘
参事官 植草泰彦
同 日高麻理絵

日本学術会議

〒106-8555 港区六本木七ノ二二ノ三四
03(3403)3793

事務局長 相川哲也
次長 熊谷勝美
企画課長 水本圭祐
管理課長 大久保敦
参事官(審議第一担当) 根来恭子
同(審議第二担当) 新田浩史
同(国際業務担当) 大沼和善

官民人材交流センター

〒100-0004 千代田区大手町一ノ三ノ三 大手町合同庁舎第三号館
03（6268）7675

- 副センター長 砂山裕
- 審議官 坂本雅彦
- 総務課長 野竹司郎

沖縄総合事務局

〒900-0006 那覇市おもろまち二ノ一ノ一 那覇第二地方合同庁舎二号館
098（866）0031

- 局長 三浦健太郎
- 事務局次長（総務等担当） 難波康修
- 次長 山田哲也
- 総務部長 中村敏昭
- 財務部長 村上勝彦
- 農林水産部長 渡邉泰輔
- 経済産業部長 長嶺さおり
- 開発建設部長 中原正顕
- 運輸部長 星明彦

宮内庁

〒100-8111 千代田区千代田一ノ一 03（3213）1111

- 長官 西村泰彦
- 次長 黒田武一郎
- 長官秘書官 下遠武宏

長官官房

- 審議官 五嶋青也
- 宮務主管 諸橋省明
- 皇室経済主管 古賀浩史
- 皇室医務主管 永井良三
- 参事官 金子雄樹彦
- 同 西野博之
- 秘書課長 藤田雅史
- 調査企画室長 川路利治
- 総務課長 鈴木敏夫
- 広報室長 藤原麻衣子
- 報道室長 中村克祥
- 宮務課長 荻野修司
- 主計課長 木村藍子
- 用度課長 小林勝也

侍従職

- 侍従長 別所浩郎
- 侍従次長 坂根工博
- 侍従（侍従職事務主管） 松永賢誕
- 侍医長 井上暁
- 女官長 西宮幸子

上皇職

- 上皇侍従長 河相周夫
- 上皇侍従次長 高橋美佐男
- 上皇侍従（上皇職事務主管） 岩井一郎
- 上皇侍医長 市倉隆
- 上皇女官長 伊東典子

皇嗣職

- 皇嗣職大夫 吉田尚正
- 皇嗣職宮務官長 小山永樹
- 皇嗣職宮務官（皇嗣職事務主管） 河野太郎
- 皇嗣職侍医長 山本晃太

式部職

- 式部官長 伊原純一
- 式部副長（儀式） 櫛田泰宏
- 同（外事） 飯島俊郎
- 式部官（儀式） 武田誠司
- 同（外事） 宮澤保貴
- 同（同） 犬飼明美

書陵部

- 部長 藤田穣
- 図書課長 梶ヶ谷洋一
- 編修課長 髙田義人
- 陵墓課長 小野美佐子

管理部

- 部長 野村護
- 管理課長 久我直樹
- 工務課長 西澤一憲

中央省庁

庭園課長　関根達郎
大膳課長　伊藤良治
車馬課長　西尾招久
宮殿管理官　野村元一

皇室会議

宮内庁長官官房秘書課内
03（3213）1111

議長（内閣総理大臣）　岸田文雄
議　員　皇嗣文仁親王殿下
同　正仁親王妃華子殿下
同（衆議院議長）　額賀福志郎
同（衆議院副議長）　海江田万里
同（参議院議長）　尾辻秀久
同（参議院副議長）　長浜博行
同（宮内庁長官）　西村泰彦
同（最高裁判所長官）　戸倉三郎
同（最高裁判所判事）　深山卓也

皇室経済会議

宮内庁長官官房主計課内
03（3213）1111

議長（内閣総理大臣）　岸田文雄
議員（衆議院議長）　額賀福志郎
同（衆議院副議長）　海江田万里
同（参議院議長）　尾辻秀久
同（参議院副議長）　長浜博行
同（財務大臣）　鈴木俊一
同（宮内庁長官）　西村泰彦
同（会計検査院長）　田中弥生

公正取引委員会

〒100-8987 千代田区霞が関一ノ一ノ一
中央合同庁舎第六号館B棟
03（3581）5471

委員長　古谷一之
委員　三村晶子
同　青木玲子
同　吉田安志
同　泉水文雄

事務総局

事務総長　藤本哲也
審判官　西川康一
同　荻原惇
同　黒木美帆
官房総括審議官　藤井宣明
官房政策立案総括審議官　品川武
官房審議官（国際）　深町正徳
同（企業結合）　佐久間正哉
同（取引適正化）　向井康二
官房サイバーセキュリティ・情報化参事官　西川康一
官房参事官　田邊貴紀
官房総務課長　南雅晴
訟務研究官　石谷直久
経済研究官　菱沼功
人事課長　天田弘人
国際課長　河野琢次郎
経済取引局長　岩成博夫
経済取引局総務課長　小室尚彦
調整課長　福田誠
企業結合課長　五十嵐俊子
取引部長　真渕博
取引企画課長　松本博明
企業取引課長　亀井明紀
審査局長　大胡勝
審査管理官　原一弘
同　塚田益徳
管理企画課長　堀内悟
第一審査長　遠藤光
第二審査長　奥村豪
第三審査長　横手哲二
第四審査長　岡田博己
第五審査長　池田卓郎
訟務官　岩下生知
犯則審査部長　大元慎二
第一特別審査長　山口正行
第二特別審査長　垣内晋治

国家公安委員会

〒100-8974 千代田区霞が関二ノ一ノ二
中央合同庁舎第二号館
03（3581）0141

委員長　松村祥史
委員　横畠裕介
同　宮崎緑
同　竹部幸夫
同　野村裕知
同　櫻井敬子

警察庁

〒100-8974 千代田区霞が関二ノ一ノ二
中央合同庁舎第二号館
03（3581）0141

長官 露木康浩
次長 楠芳伸

長官官房

官房長 太刀川浩一
総括審議官 谷滋行
技術総括審議官 堀内雄人
政策立案総括審議官兼公文書監理官 飯利雄彦
審議官（国際担当） （兼）青山彩子
同（犯罪被害者等施策・調整担当） 若田英子
同（生活安全局担当） （兼）和田薫
同（刑事局・犯罪収益対策担当） 親家和仁
同（交通局担当） 阿部竜矢
同（警備局担当） 千代延晃平
同（サイバー警察局担当） 阿部文彦
参事官（総合調整・刑事手続のIT化・統計総括担当） 岩田康弘
同（情報化及び技術革新に関する総合調整担当） 小鷲達也
同（犯罪被害者等施策担当） （兼）関口真美
同（特殊詐欺対策及び匿名・流動型犯罪グループ対策担当） 石井啓介
同（高度道路交通政策担当） 池内久晃
同（拉致問題対策担当） 高岩直樹
同（サイバー情報担当） 飯崎準

同（教養・厚生・国際担当） 櫻井美香
首席監察官 片倉秀樹
総務課長 早川剛史
広報室長 重成浩司
情報公開・個人情報保護室長 有馬健二
留置管理室長 畠山雅英
企画課長 小堀龍一郎
国際協力室長 山田道昭
技術企画課長 森田正敏
先端技術導入企画室長 尾崎浩一
情報処理センター所長 沖田誠
情報セキュリティ対策室長 根本農史
情報セキュリティ監査官 飯田晋一
人事課長 遠藤剛
人事総括企画官 森国浩輔
人材戦略企画室長
厚生管理室長 高野裕之
教養企画室長
監察官 渡辺幸次
同 伊藤健一
会計課長 吉越清人
会計企画官 重成麻利
監査室長 遠藤健二
装備室長 土橋喜巳治
犯罪被害者等施策推進課長 藤田有祐
通信基盤課長 高尾健一
通信運用室長 古川英晴
国家公安委員会会務官 玉川達也

生活安全局

局長 檜垣重臣
生活安全企画課長 阿波拓洋
生活安全企画官 関口澄夫
犯罪抑止対策室長 前田浩一郎
地域警察指導室長 宮関真由美
人身安全・少年課長 事務取扱 和田薫
人身安全対策室長 壱岐恭秀
少年保護対策室長 前澤綾子
保安課長 永山貴大
風俗環境対策室長
生活経済対策管理官 前田勇太

刑事局

局長 渡邊国佳
刑事企画課長 松田哲也
刑事指導室長 児玉誠司
捜査第一課長 佐藤昭一
検視指導室長 引地信郎
特殊事件捜査室長 新倉秀也
捜査第二課長 宮島広成
捜査支援分析管理官 事務取扱 親家和仁
犯罪鑑識官 小栗宏之
指紋鑑定指導官 佐藤勝彦
DNA型鑑定指導官 （兼）水野なつ子
資料鑑定指導官 薗田治永
組織犯罪対策部長 江口有隣
組織犯罪対策第一課長 宇田川佳宏
犯罪組織情報官 高塚洋志
暴力団排除対策官 （兼）澁谷正樹

国際連携対策官 小野田博通
組織犯罪対策第二課長 森下元雄
国際捜査管理官 安枝亮

交通局

局長 早川智之
交通企画課長 日下真一
交通安全企画官 牧 丈二
自動運転企画室長 成富則宏
交通指導課長 磯 丈男
交通規制課長 岩瀬 聡
交通管制技術室長 渋谷秀悦
特別交通対策室長 野﨑美仁
運転免許課長 今井宗雄
高齢運転者等支援室長

警備局

局長 迫田裕治
警備企画課長 工藤陽代
公安課長 小林 稔
公安対策企画官
外事情報部長 筒井洋樹
外事課長 秋本泰志
外事情報調整室長 竹本佳史
経済安全保障室長 山田雅史
国際テロリズム対策課長 貝沼 諭
国際テロリズム情報官 永井幹久
警備運用部長 今村 剛
警備第一課長 中島 寛
警備第二課長 増田美希子
警衛指導室長 田﨑仁史
警護指導室長 宮川恵三
警備第三課長 山本将之
事態対処調整官
災害対策室長 黒川清彦

サイバー警察局

局長 大橋一夫
サイバー企画課長 阿久津正好
重大サイバー事案対策企画官 坂本俊介
サイバー事案防止対策室長 根木まろか
サイバー捜査課長 棚瀬 誠
国際サイバー捜査指導官（兼） 坂本俊介
情報技術解析課長 塚本雅人
高度情報技術解析センター所長 髙橋正樹

個人情報保護委員会

〒100-0013 千代田区霞が関三ノ二ノ一 霞が関コモンゲート西館32F
03（6457）9680

委員長 藤原靜雄
委員 小川克彦
大島周平 浅井祐二
清水涼子 加藤久和
梶田恵美子 高村 浩
小笠原奈菜

事務局

局長 佐脇紀代志
次長 西中 隆
審議官 小川久仁子
同 大槻大輔
総務課長 佐々木克之
参事官 香月健太郎
吉屋拓之 澤田源司
山口隆久
政策立案参事官 片岡秀実

カジノ管理委員会

〒105-6090 港区虎ノ門四ノ三ノ一 城山トラストタワー12F・13F
03（6453）0201

委員長 北村道夫
委員 氏兼裕之
北村博文
渡 路子
石川恵子

事務局

局長 坂口拓也
次長 嶋田俊之
監察官 上島大輔
総務企画部長 中山隆介
公文書監理官（併） 形岡拓文
総務課長 形岡拓文
企画課長 坂井志保
依存対策課長 山本 要
監督調査部長 原田義久
監督総括課長 河村憲明
規制監督課長 谷 直哉
調査課長 鈴木直人
財務監督課長 出口岳人

中央省庁

金融庁

〒100-8967 千代田区霞が関三ノ二ノ一
中央合同庁舎第七号館
03（3506）6000

大臣　鈴木俊一
副大臣　井林辰憲
大臣政務官　神田潤一
大臣秘書官　鈴木俊太郎
同 事務取扱　玉川英資
長官　井藤英樹
金融国際審議官　有泉秀

総合政策局

局長　屋敷利紀
総括審議官　事業性融資推進プロジェクトチーム長　㊟石田晋也
審議官　公文書監理官　㊟川崎暁
秘書課長　事業性融資推進プロジェクトチーム総括チーム長補佐　㊟島崎征夫
組織戦略監理官　情報化統括室長　㊟齊藤貴文
人事企画室長　開発研修室長　㊟反町泰貴
人事調査官　職員相談サポート室長　㊟柳原栄市
管理室長　西田勇樹
総務課長　田部真史
総括企画官　広報室長　㊟本田幸一
総括管理官　久米均
総括管理官　公文書管理室長　情報公開・個人情報保護室長　㊟箕輪哲治
法令審査室長　高橋敦子
国会連絡官　大澤清司
審判手続室長　法務支援室長　㊟宇根靖子
審判官　日浅さやか
横井真由美　城處琢也
美濃口真琴
政策立案総括審議官　堀本善雄
総合政策課長　チーフ・サステナブルファイナンス・オフィサー　㊟池田賢志
企画官　西山香織
金融経済教育推進室長　国際金融センター管理官　㊟藤岡由佳子
総合政策監理官　松田泰幸
総合政策企画室長　研究開発室長　㊟村木圭
サステナブルファイナンス推進室長　髙岡文訓
国際総括官　審議官　㊟三好敏之
審議官　長岡隆
同　川崎暁
参事官　飯塚正明
国際政策管理官　金子寿太郎
国際室長　園田周
国際資金洗浄対策室長　羽渕貴秀
審議官　柳瀬護
リスク分析総括課長　大城健司
金融犯罪対策室長　齋藤豊
健全性基準室長　青崎稔
フィンテック参事官　清水茂
イノベーション推進室長　チーフ・フィンテック・オフィサー　㊟牛田遼介
暗号資産モニタリング室長　前田茂輝
資金決済モニタリング室長　金融サービス仲介業室長　電子決済等代行業室長　㊟松島義光
コンダクト監理官　小畠貴志
コンダクト企画室長　金融トラブル解決制度推進室長　㊟髙島さや香
金融サービス利用者相談室長　森田哲次
貸金業室長　㊟小畠貴志
ITサイバー・経済安全保障監理官　サイバーセキュリティ対策企画調整室長　経済安全保障室長　㊟齊藤剛
検査監理官　事業性融資推進プロジェクトチーム長補佐　㊟山崎勝行
リスク管理検査室長　小笠原規人
大手銀行モニタリング室長　佐藤雅之
主任統括検査官　向山央
同　山田靖昭
統括検査官　小林直樹
マクロ・データ分析参事官　データ分析室長　チーフ・データ・オフィサー　気候関連リスクモニタリング室長　㊟宮本孝男
情報・分析室長　宇根賢治

企画市場局

局長　油布志行
審議官　新発田龍史
同　八幡道典
参事官　若原幸雄

総務課長　繁本賢也
調査室長
保険企画室長　（兼）赤井啓人
保険法制企画管理官　政平英雄
信用制度参事官　三浦知宏
信用法制企画調整官　宮部大輝
信用制度企画室長
事業性融資推進プロジェクトチーム長補佐　（兼）萬場大輔
信用機構企画室長　本間晶
デジタル・分散型金融企画室長　久永拓馬
市場課長　齊藤将彦
市場機能強化室長　古角壽雄
市場企画室長
資産運用改革室長　（兼）今泉宣親
市場業務監理官　和瀬幸太郎
企業開示課長　野崎彰
国際会計調整室長　倉持亘一郎
開示業務室長　犬塚誠也
企業財務調査官　大谷潤
企業統治改革推進管理官　谷口達哉

監督局

局長　伊藤豊
審議官　尾崎有
参事官　岡田大
参事官　山下正通
総務課長　木村隆
監督調査室長　石山裕二
地域金融支援室長　（兼）和田良隆
信用機構対応参事官
企画調整室長　（兼）岸本学

監督管理官　荒井伴介
資産運用参事官　永山玲奈
資産運用企画室長　鈴木善計
資産運用モニタリング室長　（兼）東原都男
郵便貯金・保険監督総括参事官　澤飯敦
郵便保険監督参事官　松島研
監督企画官　佐藤栄一
銀行第一課長　大江亨
銀行第二課長　小野浩司
地域金融企画参事官
地域金融生産性向上支援室長
地域金融企画室長
事業性融資推進プロジェクトチーム総括チーム長補佐　（兼）和田良隆
監督企画官　山崎彩
地域銀行調整官　結城邦夫
協同組織金融室長　金ヶ崎郁弘
主任統括検査官
地域金融監理官　（兼）加藤光伸
主任統括検査官　曽根康司
橋本康司　市川弘樹
黒沼進
統括検査官　中島偉全
同　坂井平典
保険課長
保険モニタリング室長　（兼）下井善博
損害保険・少額短期保険監督室長　平尾彰史
保険商品室長　佐藤欣也
主任統括検査官　清水洋一
証券課長　中川彩子
大手証券等モニタリング室長
RRP室長　（兼）中田一徳

監督企画官
市場仲介モニタリング室長　（兼）東原都男

証券取引等監視委員会

委員長　中原亮一
委員　加藤さゆり
同　橋本尚
事務局長　井上俊剛
次長　野崎英司
同　小川理津子
市場監視総括官　原田尚之
総務課長　細田均
情報解析室長
IT戦略室長　（兼）酒井和也
市場分析審査課長
市場モニタリング室長　（兼）横尾則幸
国際取引等分析室長　田中賢次
証券検査課長　野原哲也
国際証券検査室長　神田孝司
証券検査監理官　豊永康史
統括検査官　坂部一夫
市田泰博　平田聡
取引調査課長　竹内肇
統括調査官　小椋良紀
国際取引等調査室長　飛田晃一
開示検査課長　森島英之
統括調査官　守安一郎
特別調査課長　水谷剛
特別調査管理官　村本亘
統括特別調査官　渡辺朋彦
同　澤田幸利

中央省庁

公認会計士・監査審査会

会長 松井隆幸
委員 青木雅明
浅見裕子 上田亮子
古布薫 玉井裕子
千葉通子 徳賀芳弘
皆川邦仁 吉田慶太
事務局長(兼) 長岡隆
総務試験課長 中島康夫
審査検査課長 芳賀裕司
公認会計士監査検査室長 井戸田秀人
IFIAR戦略企画本部長(兼) 長岡隆
IFIAR戦略企画室長 榎本雄一朗
金融研究センター長 柳川範之
同 顧問 大庫直樹
同 吉野直行
同副センター長 池田賢志

消費者庁

〒100-8958 千代田区霞が関三ノ一ノ一
中央合同庁舎第四号館
03(3507)8800

長官 新井ゆたか
次長 吉岡秀弥
政策立案総括審議官 藤本武士
食品衛生・技術審議官 中山智紀
審議官 植田広信
同 尾原知明
同 田中久美子
同 井上計
消費者法制総括官(内閣官房内閣審議官)(内閣官房副長官補付) 黒木理恵
法務監理官 久保浩
参事官(人事・会計等担当) 平井滋
参事官 小堀厚司
参事官事務代理(デジタル・業務改革等担当) 大友伸幸
総務課長 安東高徳
消費者政策課長 鮎澤良史
消費者制度課長 古川剛
消費者教育推進課長 黒田啓太
地方協力課長 赤井久宣
消費者安全課長 阪口理司

食品衛生基準審査課長 紀平哲也
取引対策課長 伊藤正雄
表示対策課長 高居良平
食品表示課長 清水正雄
参事官(調査研究・国際担当) 柳沢信高
同(公益通報・協働担当) 浪越祐介

こども家庭庁

〒100-6090 千代田区霞が関三ノ二ノ五
霞が関ビルディング14F・20F・21F・22F
03（6771）8030

特命担当大臣	加藤鮎子
副大臣	工藤彰三
大臣政務官	古賀友一郎
長官	渡辺由美子
官房長	中村英正
審議官（成育局担当）	竹林悟史
同（支援局担当）	源河真規子
同（総合政策等担当）	高橋宏治
支援金制度等準備室長	伊澤知法
総務課長	林俊宏
参事官（会計担当）	湯山壮一郎
同（総合政策担当）	中原茂仁
同（支援金制度等担当）	田中義高
成育局長	藤原朋子
総務課長	髙田行紀
保育政策課長	栗原正明
成育基盤企画課長	齋藤潔
成育環境課長	安里賀奈子
母子保健課長	木庭愛
安全対策課長	近藤裕行
参事官（事業調整担当）	久保倉修
支援局長	吉住啓作
総務課長	山下護
虐待防止対策課長	野中祥子
家庭福祉課長	小松秀夫
障害児支援課長	小野雄大

デジタル庁

〒102-0094 千代田区紀尾井町一ノ三
東京ガーデンテラス紀尾井町19F・20F
03（4477）6775

大臣	河野太郎
副大臣	石川昭政
大臣政務官	土田慎
デジタル監	浅沼尚
審議官	二宮清治
顧問	村井純
参与	遠藤紘一
同	向井治紀
同	伊藤伸
同	其田真理
同	上野山勝也
Chief Architect	本丸達也
Chief Cloud Officer	山本教仁
Chief Information Security Officer	坂明
Chief Product Officer Chief Strategy Officer	水島壮太
Chief Public Relations Officer	林史子
Chief Technology Officer	藤本真樹
シニアエキスパート（カスタマーサクセス戦略）	住田智子
同（シビックテック）	関治之
同（デジタルエデュケーション）	中室牧子
同（防災DX）	櫻井美穂子
戦略・組織グループ グループ長	冨安泰一郎
同 次長	奥田直彦
同	蓮井智哉
同	早瀬千善
デジタル社会共通機能グループ グループ長	楠正憲
同 次長	三橋一彦
国民向けサービスグループ グループ長	村上敬亮
同	座間敏如
同 次長	三浦明生
省庁業務サービスグループ グループ長	布施田英生
同 次長	井幡晃三
統括官付参事官	麻山健太郎
	上仮屋尚
	内海隆明
	片桐義博
	川野真稔
	北間俊秀
	白井宏幸
	須﨑和馬
	杉本敬次
	古川易史
	松田昇剛
	水口幸司
	森寛敬
	吉中孝
	吉村直泰
	渡辺琢也
	淺岡孝充
	石井敬千
	上田尚弘
	大塚祥央
	亀山慎之介
	北神裕
	澁谷弘一
	須賀千鶴
	枚浦維勝
	武馬慎
	帆足雅史
	松田洋平
	簑原哲弘
	吉川泰宇
	吉浜隆雄
	若月一泰
	渡邊英夫

復興庁

〒100-0013 千代田区霞が関三ノ一ノ一
中央合同庁舎第四号館
03（6328）1111

大臣　土屋品子
副大臣　高木宏壽
同　平木大作
同　(兼)堂故茂
大臣政務官　(兼)平沼正二郎
同　(兼)本田顕子
同　(兼)吉田宣弘
同　(兼)尾崎正直
事務次官　宇野善昌
統括官　山野謙
同　桜町道雄
統括官付審議官　牛尾則文
同　瀧澤謙
同　大沢元一
同　(併)山下正通
岩手復興局長　保科太志
宮城復興局長　佐々木政彦
福島復興局長　志田文毅
統括官付参事官　大場寛之
鹿嶋弘律　鎌田一郎
児玉泰明　中田和幸

山崎光輝　山田哲也
山田哲也　(併)市川康雄
(併)井上圭介　(併)江原一太朗
(併)大木雅文　(併)金谷雅也
(併)木村公一　(併)河野通治
(併)後藤隆昭　(併)佐藤将年
(併)末満章悟　(併)館圭輔
(併)中西賢也　(併)増田久和
(併)光安達也　(併)宮原光穂
(併)矢澤祐一　(併)山上俊行
(併)芳田直樹　(併)渡辺裕子
岩手復興局次長　神田忠士
宮城復興局次長　宮川賢治
福島復興局次長　塩手能景
(併)上野山智也　(併)小野寺晃宏
(併)樋本諭　(併)長尾勝昭

中央省庁

総務省

〒100-8926 千代田区霞が関二ノ一ノ二
中央合同庁舎第二号館
03(5253)5111

大臣 松本剛明
副大臣 渡辺孝一
同 馬場成志
大臣政務官 船橋利実
同 西田昭二
同 長谷川淳二
事務次官 竹内芳明
総務審議官 横田信孝
同 原邦彰
同 今川拓郎
大臣秘書官 梅津徳之
同 事務取扱 鈴木優一
同 事務取扱 山口研悟
同 事務取扱 西村邦太

大臣官房

官房長 出口和宏
官房総括審議官(地方DX推進、政策企画(副)担当) 恩田馨
同(広報、政策企画(主)担当) 山碕良志
同(情報通信担当) 玉田康人
官房政策立案総括審議官 北川修

官房地域力創造審議官 望月明雄
官房サイバーセキュリティ・情報化審議官 七條浩二
官房審議官(大臣官房調整部門、行政管理局担当) 佐藤紀明
秘書課長 山村和也
官房参事官 原昌史
同 柴山佳徳
総務課長 稲原浩
官房参事官 山田協
同 黛孝次
同 田中良斉
同 伊藤勲
会計課長 阿南哲也
企画課長 金澤直樹
政策評価広報課長 渡邉浩之
広報室長 村上仰志
官房審議官(行政評価局担当) 河合暁
官房付 大森一顕
同 坂越健一
同 井幡晃三
官房付 西潟暢央
同 徳大寺祥宏
同 北神裕
同 枕浦維勝
同 内海隆明
同 古川易史
同 岡本成男
同 小林知也
同 野村政樹

同 中里吉孝
同 金井誠
同 大瀧洋
同 藤井信英
同 黒田忠司
同 高村信
同 高田裕介
同 折田裕幸
同 浦上哲朗
同 飯嶋威夫
同 大平利幸
同 菅田洋一
同 羽白淳
同 平沢克俊
同 野村知宏
同 坂本隆哉
同 佐伯美穂
同 中越一彰
同 山口真吾
同 館圭輔
同 市川康雄

行政管理局

局長 平池栄一
業務改革特別研究官 大西一禎
企画調整課長 西澤能之
調査法制課長 津村晃
管理官(行政運営イノベーション)(併) 伊藤勲
同(独法制度総括・特殊法人総括、デジタル)(併) 髙松忠介
同(独法評価総括) 谷口謙治

同（内閣（デジタル及び復興を除く）・内閣府本府・金融・総務・公調委・財務）（併）宮崎孝一
同（消費者・経済産業・環境・国公委・法務）（併）渡邉顕太郎
同（文部科学・農水・防衛・公取委・個人情報保護委員会）川口真友美
同（国土交通・復興・カジノ管理委員会）（併）荒木太郎
同（外務・厚生労働・宮内・こども家庭）松隈健一

行政評価局

局長　菅原希
官房審議官（行政評価局担当）　阿向泰二郎
同（同）　中井亨
総務課長　荒井陽一
企画課長　尾原淳之
政策評価課長　渡邉洋平
行政相談企画課長　徳満純一
評価監視官（内閣、総務等担当）　平野欧里絵
同（法務、外務、経済産業等担当）　山口正行
同（財務、文部科学等担当）　山本宏樹
同（厚生労働等担当）　樋渡克久
同（農水、防衛担当）　水間玲
同（復興、国土交通担当）（併）尾原淳之
同（連携調査、環境等担当）　山形成彦
行政相談管理官　中山徹

自治行政局

局長　阿部知明
地方連携総括官（併）望月明雄
官房審議官（地方行政・個人番号制度、地方公務員制度、選挙担当）　新田一郎
行政課長　植田昌也
住民制度課長　犬丸淳
市町村課長　大田泰介
地域政策課長　橋本憲次郎
地域自立応援課長　寺田雅一
参事官
公務員部長　小池信之
公務員課長　越尾淳
福利課長　宮本貴章
選挙部長　笠置隆範
選挙課長　長谷川孝
管理課長　川島正治
政治資金課長　島田勝則

自治財政局

局長　大沢博
官房審議官（財政制度・財務担当）　須藤明裕
同（公営企業担当）　清田浩史
財政課長　神門純一
調整課長　梶元伸
交付税課長　村上浩世
地方債課長　森川世紀
公営企業課長　赤岩弘智
財務調査課長　野本祐二

自治税務局

局長　寺﨑秀俊
官房審議官（税務担当）　伊藤正志
企画課長　菊地健太郎
都道府県税課長　市川靖之
市町村税課長　水野敦志
固定資産税課長　池田敬之

国際戦略局

局長　竹村晃一
次長　野村栄悟
官房審議官（国際技術、サイバーセキュリティ担当）　近藤玲子
国際戦略課長　森下信
技術政策課長　松井正幸
通信規格課長　斉藤永
宇宙通信政策課長　扇慎太郎
国際経済課長　池田満
国際展開課長　嶋田信哉
国際協力課長　寺村行生
参事官　岡本剛和

情報流通行政局

局長　豊嶋基暢
官房審議官（情報流通行政局担当）　赤阪晋介
同（同）　下仲宏卓
総務課長　飯倉主税
情報通信政策課長　田邊光男
情報流通振興課長　大澤健
情報通信作品振興課長　飯村由香理
地域通信振興課長　内藤新一
放送政策課長　佐伯宜昭
放送技術課長　村上聡
地上放送課長　坂入倫之
衛星・地域放送課長　岡井隼人
参事官　山野哲也
郵政行政部長　牛山智弘
企画課長　三島由佳
郵便課長　折笠史典
信書便事業課長　柳迫泰宏

総合通信基盤局

局長 湯本博信
総務課長 吉田恭子
電気通信事業部長 大村真一
事業政策課長 飯村博之
料金サービス課長 井上淳
データ通信課長 恩賀一
電気通信技術システム課長 五十嵐大和
安全・信頼性対策課長 大塚康裕
基盤整備促進課長 堀内隆広
利用環境課長 中村朋浩
電波部長 荻原直彦
電波政策課長 中村裕治
基幹・衛星移動通信課長 廣瀬照隆
移動通信課長 小川裕之
電波環境課長 武藤聖

統計局

〒162-8668 新宿区若松町一九ノ一
03(5273)2020

局長 岩佐哲也
総務課長 上田聖
事業所情報管理課長 東田晃拓
統計情報利用推進課長 栗原淳
統計情報システム管理官 麻山晃邦
統計調査部長 永島勝利
調査企画課長 小松聖
国勢統計課長 中村英昭
経済統計課長 (併)小松聖
消費統計課長 谷道正太郎

政策統括官

政策統括官(統計制度担当)(恩給担当) 北原久
官房審議官(統計局、統計制度、恩給担当) 山田幸夫
統計企画管理官 重里佳宏
統計審査官 森省吾
同 熊谷友成
同 植松良和
統計調整官 田村彰浩
国際統計管理官 (併)田村彰浩
恩給管理官 柿原謙一郎

サイバーセキュリティ統括官

サイバーセキュリティ統括官 山内智生
参事官(総括担当) 井田俊輔

地方財政審議会

会長 小西砂千夫
委員 西野範彦
野坂雅一 星野菜穂子
宗田友子

行政不服審査会

会長 原優
会長代理 戸谷博子
委員 野口貴公美
村田珠美 木村宏政
下井康史 吉開正治郎
佐脇敦子 中原茂樹
事務局長 (併)佐藤紀明
総務課長 柴沼雄一朗

情報公開・個人情報保護審査会

会長 合田悦三
会長代理 白井幸夫
委員 木村琢麿
中村真由美 白井玲子
太田匡彦 佐藤郁美
長屋聡 久末弥生
葭葉裕子 田村達久
野田崇 藤谷俊之
石川千晶 磯部哲
事務局長 (併)河合暁
総務課長 添田徹郎

官民競争入札等監理委員会

委員 石川恵子
石田晴美 井上久美枝
大見愛彩 岡本義朗
奥真美 小尾高史
川澤良子 近藤浩明
辻崇成 中川眞弓
中島正信 前田栄治
事務局長 後藤一也
参事官 大上明子

国地方係争処理委員会

委員長 菊池洋一
委員長代理 辻琢也
委員 小高咲
勢一智子 山田俊雄

電気通信紛争処理委員会

委員長　田村幸一
委員長代理　三尾美枝子
委員　小川賀代
小塚荘一郎　中條祐介
事務局長（併）山碕良志
参事官　小津敦

電波監理審議会

会長　笹瀬巌
会長代理　大久保哲夫
委員　長田三紀
林秀弥　矢嶋雅子
審理官　古賀康之

自治大学校

〒190-8581　立川市緑町一〇ノ一
０４２（５４０）４５００
校長　菊池善信

情報通信政策研究所

（総務・研修部）
〒185-8795　国分寺市泉町二ノ一ノ一六
０４２（３２０）５８００
（調査研究部）
〒100-8926　千代田区霞が関二ノ一ノ二
中央合同庁舎第二号館11Ｆ
０３（５２５３）５４９６
所長　安藤高明

統計研究研修所

〒185-0024　国分寺市泉町二ノ一ノ一六
０４２（３２０）５８７０
所長　栗田奈央子

中央選挙管理会

総務省自治行政局選挙部管理課内
委員長　宮里猛
委員　門山泰明
神本美恵子　西博義
橋本雅史
予備委員
阿部信吾　元宿仁
島松洋一　魚住裕一郎

政治資金適正化委員会

委員長　野々上尚
委員　杉田慶一
秋山修一郎　田口尚文
岩井奉信
事務局長　北村朋生
参事官　事務取扱　北村朋生

日本放送協会経営委員会

〒150-8001　渋谷区神南二ノ二ノ一
ＮＨＫ放送センター内
０３（３４６５）１１１１
委員長　古賀信行
委員長職務代行者　榊原一夫
委員　明石伸子
礒山誠二　大草透
尾崎裕　坂本有芳
不破泰　前田香織
水尾衣里　村田晃嗣

公害等調整委員会

〒100-0013　千代田区霞が関三ノ一ノ一
中央合同庁舎第四号館10Ｆ
０３（３５８１）９６０１
委員長　永野厚郎
委員　若生俊彦　都築政則
野中智子　北窓隆子
加藤一実　大橋洋一

事務局

局長　小原邦彦
次長　岡田輝彦
総務課長　福田勲
審査官　長澤真吾
佐藤宏昭　池田英貴
吉川和身　生田直樹
（併）鈴木雅久　（併）松川春佳
（併）高橋静子

中央省庁

消防庁

〒100-8927 千代田区霞が関二ノ一ノ二
中央合同庁舎第二号館
03（5253）5111

長官 池田達雄
次長 田辺康彦
審議官 鳥井陽一
総務課長 笹野健
消防・救急課長 畑山栄介
予防課長 渡辺剛英
国民保護・防災部長 小谷敦
防災課長 田中昇治
参事官 田村一郎

消防大学校

〒182-8508 調布市深大寺東町四ノ三五ノ三
0422（46）1711

校長 羽生雄一郎
消防研究センター所長 白石暢彦

法務省

〒100-8977 千代田区霞が関一ノ一ノ一
中央合同庁舎第六号館
03（3580）4111

大臣 小泉龍司
副大臣 門山宏哲
大臣政務官 中野英幸
事務次官 川原隆司
大臣秘書官 原田祐一郎
同（事務取扱） 松枝正宣

大臣官房

官房長 佐藤淳
政策立案総括審議官 上原龍
公文書監理官 田中秀樹
サイバーセキュリティ・情報化審議官 中村功一
官房審議官（国際・人権担当） 隄良行
同（民事局） 内野宗揮
同（刑事局） 吉田雅之
同（矯正局） 大竹宏明
同（訟務局） 松本真
同（同） 古宮久枝
官房参事官 永井孝治
同 白鳥智彦
同 笹井朋昭
同 仲戸川武人
同 今井康彰
同 大原高夫
同 小西英恵
同 水倉義貴
秘書課長 関善貴
人事課長 大原義宏
会計課長 村松秀樹
国際課長 松本剛
施設課長 細川隆夫
厚生管理官 岡本憲一
司法法制部長 松井信憲
司法法制課長 早渕宏毅
審査監督課長 沖田政人
参事官 石田佳世子
同 本田恭子

民事局

局長 竹内努
総務課長 藤田正人
民事第一課長 櫻庭倫
民事第二課長 大谷太
商事課長 田中晋
民事法制管理官 竹林俊憲
参事官 北村治樹
同 国分貴之
同 渡辺諭
同 福田敦
同 望月千広
同 齊藤恒久
同 波多野紀夫

刑事局

局長 森本宏
総務課長 是木誠

刑事課長　大塚雄毅
公安課長　山口修一郎
刑事法制管理官　玉本将之
国際刑事管理官　渡部直希
参事官　渡邉一郎
同　猪股正貴
同　小倉健太郎
同　中野浩一
同　加藤和輝

矯正局

局長　小山定明
総務課長　西岡慎介
成人矯正課長　森田裕一郎
少年矯正課長　佐伯温
更生支援管理官　吉野智
矯正医療管理官　諸冨伸夫
参事官　山本宏一
同　煙山明

保護局

局長　押切久遠
総務課長　滝田裕士
更生保護振興課長　南元英夫
観察課長　勝田聡
参事官　石川祐介

人権擁護局

局長　杉浦直紀
総務課長　江口幹太
調査救済課長　齊藤雄一
人権啓発課長　井川良

参事官　川副万代

訟務局

局長　春名茂
訟務企画課長　藤澤裕介
民事訟務課長　田辺暁志
行政訟務課長　鈴木和孝
租税訟務課長　吉田俊介
訟務支援課長　田原浩子
参事官　山本剛
同　福田敦

法務総合研究所

〒100-8977 千代田区霞が関一ノ一ノ一
03（3580）4111

所長　瀬戸毅
総務企画部長　河原誉子
研究部長　熊澤貴士
研修第一部長　渡邊ゆり
研修第二部長　鵜野澤亮
研修第三部長　鳥丸忠彦
国際連合研修協力部長　山内由光
国際協力部長　建元亮太

矯正研修所

〒196-8580 昭島市もくせいの杜二ノ一ノ二〇
042（500）5261

所長　小林祐一

検察官適格審査会

法務省大臣官房人事課内
03（3580）4111

会長　井上正仁
委員　金田勝年
稲富修二
石井浩郎
安浪亮介
川出敏裕
牧原秀樹
遠藤敬
牧山ひろえ
渕上玲子
大野恒太郎

中央更生保護審査会

法務省保護局総務課内
03（3580）4111

委員長　小川秀樹
委員　小野正弘
伊藤冨士江
山脇晴子
岡田幸之

出入国在留管理庁

〒100-8973 千代田区霞が関一ノ一ノ一
中央合同庁舎第六号館
03（3580）4111

長官　丸山秀治
次長　杉山徳明
審議官　加藤経将
同　清水洋樹
出入国管理部長　君塚宏
在留管理支援部長　福原申子

中央省庁

総務課長 白井美果
政策課長 本針和幸
出入国管理部 出入国管理課長 東郷康弘
同 審判課長 堀越健二
同 警備課長 廉内友之
在留管理支援部 在留管理課長 菱田泰弘
在留管理支援部 在留支援課長 平岡宏一
在留管理支援部 情報分析官 松野弘明
参事官 伊藤純史
同 中西恭祐
同 稲垣貴裕

公安審査委員会

〒100-8977 千代田区霞が関一ノ一ノ一
中央合同庁舎第六号館
03（3580）4111

委員長 貝阿彌誠
委員 外井浩志
鵜瀞恵子 遠藤みどり
小松夏樹 秋山信将
西村篤子
事務局長 山田純

公安調査庁

〒100-0013 千代田区霞が関一ノ一ノ一
中央合同庁舎第六号館
03（3592）5711

長官 浦田啓一

次長 平光信隆
総務部長 霜田仁
総務課長 森田秀人
人事課長 武田雅之
参事官・公文書監理官 菊地真二
調査第一部長 友井昌宏
第一課長 小野寺聡
第二課長 北村裕介
公安調査管理官 吉倉粒太
同 工藤寛顕
調査第二部長 平石積明
第一課長 神保玲子
第二課長 今井正
公安調査管理官 近智徳
原塚勝洋 小川哲兵

公安調査庁研修所

〒196-0035 昭島市もくせいの杜二ノ一ノ四
国際法務総合センター内
042（500）6131

所長 宍倉崇夫

最高検察庁

〒100-0013 千代田区霞が関一ノ一ノ一
中央合同庁舎第六号館
03（3592）5611

検事総長 畝本直美
次長検事 山元裕史
総務部長 西山卓爾

監察指導部長 飯島泰
刑事部長 松下裕子
公安部長 田野尻猛
公判部長 鈴木眞理子
検事 工藤恭裕
森本加奈 安藤浄人
鎌田隆志 松井洋
吉田克久 菊池和史
岸毅 佐久間佳枝
柴田真 内藤晋太郎
内藤惣一郎 濱克彦
菱沼洋 保坂和人
宮地佐都季 山下裕之
横井智朗 井上一朗
今村智仁 佐藤剛
鈴木慎二郎 民野健治
伊吹栄治
検事総長秘書官 中嶋靖夫
事務局長 江平博
総務課長 山谷淳
会計課長 杉山史
企画調査課長 山科悟幸
検務課長 金原勝淳
情報システム管理室長 濵﨑満
監察指導課長 木下弘康
刑事事務課長 佐藤之彦
公安事務課長 山田美子
公判事務課長 安藤康

外務省

〒100-8919 千代田区霞が関二ノ二ノ一
03（3580）3311

大臣 上川 陽子
副大臣 辻 清人
同 柘植 芳文
大臣政務官 高村 正大
同 穂坂 泰
同 深澤 陽一
事務次官 岡野 正敬
大臣秘書官 西谷 康祐
外務審議官（政務） 船越 健裕
同（経済） 赤堀 毅
2025年日本国際博覧会政府代表 羽田 浩二
2027年国際園芸博覧会政府委員 越川 和彦
特命全権大使（沖縄担当） 宮川 学
同（関西担当） 姫野 勉
同（アフリカ開発会議(TICAD)担当兼アフリカの角地域関連担当、国連安保理改革担当、安保理非常任理事国選挙担当、国際貿易・経済担当） 清水 信介
同（広報外交担当兼国際保健担当、メコン協力担当） 鈴木 秀生
同（国際テロ対策・組織犯罪対策協力担当） 南 博之
同（北極担当兼国際貿易・経済担当） 竹若 敬三
同（人権担当兼国際平和貢献担当） 堤 尚広
同（国際貿易・経済担当） 小林 賢一

大臣官房

官房長 志水 史雄
公文書監理官 （兼）今福 孝男
監察査察官 東山 太郎
官房審議官（総括担当） 今福 孝男
同 杉浦 正俊
同（危機管理担当） （兼）池上 正喜
同（同） （兼）大河内 昭博
官房政策立案参事官 （兼）金子 万里子
サイバーセキュリティ・情報化参事官 （兼）松尾 裕敬
官房参事官（危機管理担当） （兼）高橋 美佐子
同（同） （兼）長徳 英晶
同 （兼）濱本 幸也
大臣秘書官 事務取扱 古平 充
総務課長 髙羽 陽
危機管理調整室長 （兼）玉浦 周
監察査察室長 中島 英登
公文書監理室長 石井 賢輔
外交史料館長 山本 英昭
人事課長 深堀 亮
調査官 横田 賢司
情報通信課長 森田 光枝
デジタル化推進室長 （兼）森田 光枝
会計課長 大西 一義
福利厚生室長 上田 晋
在外公館課長 吉田 昌弘

儀典

儀典長 宮下 匡之
儀典総括官 石川 勇

外務報道官・広報文化組織

外務報道官 北村 俊博
国際文化交流審議官 金井 正彰
政策立案参事官／外務副報道官 金子 万里子
広報文化外交戦略課長 石井 秀明
国内広報室長 越智 友佳子
戦略的対外発信拠点室長 江草 恵子
報道課長 武田 善憲
文化交流・海外広報課長 鈴木 律子
国際文化協力室長 畠山 健太郎
人物交流室長 岩間 良次
国際報道官 溝渕 将史

総合外交政策局

局長 河邉 賢裕
審議官 熊谷 直樹
参事官 松尾 裕敬
総務課長 柏原 裕

政策企画室長 権田 藍
安全保障政策課長 長野 将光
国際安全・治安対策協力室長 割澤 広一
宇宙・海洋安全保障政策室長 塚田 淳
経済安全保障政策室長 望月 千洋
安全保障協力課長 井上 隼一
国際平和協力室長 (兼)梶田 拓磨
国連企画調整課長 梶田 拓磨
国連政策課長 安藤 重実
国連制裁室長 徳 聡子
人権人道課長 髙澤 令則

軍縮不拡散・科学部

部長 北川 克郎
審議官 林 美都子
同 (兼)中村 仁威
軍備管理軍縮課長 清水 知足
生物・化学兵器禁止条約室長 清水 翔太
不拡散・科学原子力課長 横田 直文
国際科学協力室長 石川 勝利
国際原子力協力室長 南 健太郎

アジア大洋州局

局長 鯰 博行
審議官 大河内 昭博
政策立案参事官 (兼)金子 万里子

参事官 宮本 新吾
同 門脇 仁一
地域政策参事官 富山 未来仁
北東アジア第一課長 吉廣 朋子
北東アジア第二課長 前田 修司
中国・モンゴル第一課長 大平 真嗣
中国・モンゴル第二課長 石飛 節
大洋州課長 神保 諭

南部アジア部

部長 中村 亮
審議官 (兼)岡野 結城子
同 (兼)大河内 昭博
同 (兼)小林 出
参事官 (兼)宮本 新吾
同 (兼)門脇 仁一
南東アジア第一課長 久賀 百合子
南東アジア第二課長 中井 裕一
南西アジア課長 堤 太郎

北米局

局長 有馬 裕
参事官 貝原 健太郎
北米第一課長 太田 学
北米第二課長 村上 学
日米安全保障条約課長 網谷 耕介
日米地位協定室長 高尾 直

中南米局

局長 野口 泰
参事官 山田 欣幸
同 (兼)長徳 英晶
中米カリブ課長 佐藤 慎市
南米課長 塚本 康弘

欧州局

局長 中込 正志
審議官 池上 正喜
同 中村 仁威
参事官 田口 精一郎
政策課長 柿原 基男
西欧課長 杉浦 雅俊
中・東欧課長 石川 亘
ロシア課長 小野 健
中央アジア・コーカサス室長 市場 裕昭

中東アフリカ局

局長 安藤 俊英
参事官 高橋 美佐子
同 (兼)今西 靖治
中東第一課長 小長谷 英揚
中東第二課長 舟津 龍一

アフリカ部

部長 堀内 俊彦

参事官（兼）高橋美佐子
同（兼）今西靖治
同 斉田幸雄
アフリカ第一課長 西野修一
アフリカ第二課長 林達郎

経済局

局長 片平聡
審議官（兼）日下部英紀
同 小林出
同 林誠
参事官（兼）山田欣幸
政策課長 江碕智三郎
官民連携推進室長 大山信幸
資源安全保障室長 西村泰子
国際経済課長 尾﨑壮太郎
欧州連合経済室長 小山武
経済協力開発機構室長 井谷哲也
国際貿易課長 豊田尚吾
サービス貿易室長 青竹俊英
経済連携課長 加藤淳

国際協力局

局長 石月英雄
審議官 日下部英紀
同 岡野結城子
参事官（兼）斉田幸雄
同 今西靖治
政策課長 菅原清行
開発協力企画室長 横林直樹
事業管理室長 北川裕久
開発協力連携室長 松浦直子
NGO協力推進室長 岩上憲三
緊急・人道支援課長 田口一穂
国別開発協力第一課長 榎下健司
国別開発協力第二課長 時田裕士
国別開発協力第三課長 井土和志
開発協力総括官 原田貴

地球規模課題審議官組織

地球規模課題審議官 中村和彦
地球規模課題総括課長 有馬孝典
専門機関室長 佐藤仁美
国際保健戦略官 江副聡
地球環境課長 布施吉章
気候変動課長 松井宏樹

国際法局

局長 御巫智洋
参事官 濱本幸也
国際法課長 長谷部潤
海洋法室長 篠原亮子
国際裁判対策室長 水野光明
条約課長 馬場隆治
経済条約課長 間瀬博幸
経済紛争処理課長 神田鉄平
経済紛争対策官 渡邊真知子
社会条約官 細野淳一

領事局

局長 岩本桂一
審議官（兼）熊谷直樹
参事官 長徳英晶
政策課長 長尾成敏
領事サービス室長 小林秀彦
ハーグ条約室長 谷垣博保
領事デジタル化推進室長（兼）廣渡活幸
海外邦人安全課長 菅谷正道
邦人テロ対策室長 栗本知彦
旅券課長 廣瀬愛子
外国人課長 池田真亮

国際情報統括官組織

国際情報統括官 石瀬素行

外務省研修所

〒252-0303 相模原市南区相模大野四ノ二ノ一
042(766)8101

所長 田村政美
統括指導官 渡邊貴和

中央省庁

財務省

〒100-8940 千代田区霞が関三ノ一ノ一
03(3581)4111

大臣　鈴木俊一
副大臣　赤澤亮正
同　矢倉克夫
大臣政務官　瀬戸隆一
同　進藤金日子
事務次官　新川浩嗣
財務官　三村淳
大臣秘書官　鈴木俊太郎
同　事務取扱　佐藤栄一郎
同　事務取扱　春木哲洋

大臣官房

官房長　坂本基
政策立案総括審議官兼企画調整総括官　渡邊輝
公文書監理官兼企画調整総括官　奈良井功
サイバーセキュリティ・情報化審議官　深澤良光
審議官(大臣官房担当)　藤﨑雄二郎
同(同)　弓信幸
同(同)　阿向泰二郎
同(同)　上田淳二
副財務官　藤井大輔
同　渡邉和紀
秘書課長　佐藤大
人事調整室長　神野貴史

人事企画室長兼首席監察官　染谷浩史
人事調査官　岡田芳明
財務官室長　村口和人
文書課長　端本秀夫
調査室長　濵田秀明
法令審査室長　飯田薫
企画調整室長兼業務企画室長　坂本智章
情報公開・個人情報保護室長兼公文書監理室長　北條敬貴
広報室長　岩﨑浩太郎
政策評価室長兼政策分析調整室長　佐藤浩一
情報管理室長　鈴木準一
国会連絡調整官　中村錠治
国会連絡室長　(兼)鈴木準一
会計課長事務取扱　(兼)奈良井功
調整室長　老月梓
監査室長　征録宏司
管理室長　阿部正
厚生管理官　藤田誠司
地方課長事務取扱　(兼)渡邉輝
総務調整企画室長　下高原徹
人事調整企画室長　北村明仁
業務調整室長　三ツ本晃代
地方連携推進官　村上浩三
総括審議官　寺岡光博
総合政策課長事務取扱　(兼)藤﨑雄二郎
経済財政政策調整官事務取扱　(兼)藤﨑雄二郎
企画室長　山田耕太朗
政策調整室長兼国際経済室長　山﨑丈史

安全保障政策室長　(兼)恵﨑恵
データ分析調整室長　鶴岡将司
政策推進室長　坂東慶隆
政策金融課長　大江賢造
信用機構課長　田中耕太郎
機構業務室長　(兼)田中耕太郎
安全保障政策統括制作室長　(兼)三村淳
同　代理　(兼)高村泰夫
同　(兼)土谷晃浩

主計局

局長　宇波弘貴
次長　前田努
次長兼企画調整総括官　吉野維一郎
次長　中島朗洋
総務課長　有利浩一郎
予算企画室長　山下直樹
主計事務管理室長　大野隆幸
主計企画官(調整担当)　馬場啓明
司計課長　山岸徹
主計企画官兼予算執行企画室長　山本信幸
会計監査調整室長　(兼)副島茂
法規課長　小澤研也
主計企画官　黒坂仁
企画官兼公会計室長　小田切慎一
給与共済課長　山本庸介
給与調査官　寺本康司
調査課長　片山健太郎
主計企画官(財政分析担当)　(兼)片山健太郎
主計官(総務課)　松本圭介

同（　　）　石田　茂
同（内閣、デジタル、復興、外務、経済協力係担当）　松本千城
同（司法・警察、経済産業、環境係担当）　寺崎寛之
同（総務、地方財政、財務係担当）　今野　治
同（文部科学係担当）　河本光博
参事官　八木瑞枝
主計官（厚生労働、こども家庭係、社会保障総括担当）　大来志郎
社会保障企画室長　森田茂伸
主計官（厚生労働係担当）　末光大毅
同（農林水産係担当）　山川清徳
同（国土交通、公共事業総括係担当）　菅野裕人
公共事業企画調整室長　竹内雅彦
主計官（防衛係担当）　横山好古
主計監査官　副島　茂

主税局

局長　青木孝徳
審議官　田原芳幸
同　植松利夫
総務課長　坂本成範
税制企画室長　島谷和孝
企画官　渡辺政顕
主税企画官　境　吉隆
調査課長　浅賀　崇
税制調査室長　古村典洋
税制第一課長　藤山智博
法令企画室長　粂野侑大

主税企画官　寺崎瑞枝
企画官　竹内　啓
同　吉田拓野
税制第二課長　田中勇人
企画調整室長　田中　透
主税企画官　小岩徹郎
税制第三課長　宮下賢章
審査室長　鳥崎容平
国際租税総括官　細田修一
主税局参事官（国際租税総合調整官）　小多章裕
国際租税企画室長　冨田まゆみ
主税企画官　原田浩気

関税局

局長　高村泰夫
審議官　内野洋次郎
同　中澤正彦
総務課長　吉田英一郎
政策推進室長　西畠万季人
事務管理室長　坂本賢一
管理課長　西川健士
税関考査管理室長　飯野真五
関税課長　大関由美子
関税企画調整室長　籠島敬幸
特殊関税調査室長　藤岡達也
税関調査室長　近田春実
原産地規則室長　平田哲也
参事官　石谷良男
関税地域協力室長　男澤直孝

経済連携室長　香川里子
参事官　志賀佐保子
監視課長　仲　信祐
業務課長　藤中康生
知的財産調査室長　金山茂明
調査課長　酒井健太郎
企画官　岡崎洋太郎

理財局

局長　窪田　修
次長　辻　貴博
同　石田　清
審議官　森田　稔
総務課長　坂口和家男
政策調整室長　佐藤智紀
調査室長　荒瀬　塁
たばこ塩事業室長　菊地　要
国庫課長　津田夏樹
通貨企画調整室長　梅村知巳
国庫企画官　原田秀樹
デジタル通貨企画官　（兼）津田夏樹
国債企画課長　佐藤伸樹
国債政策情報室長　（兼）荒瀬　塁
国債企画官　駒木誠司
国債業務課長　佐野美波
財政投融資総括課長　吉住秀夫
企画調整室長　冨永剛晴
資金企画室長　村松功一
財政投融資企画官兼産業投資室長　天井健太郎

国有財産企画課長 尾崎輝宏
企画推進室長 佐藤寿彦
国有財産企画官 (兼)鈴木賢太郎
政府出資室長 中島隆行
国有財産調整課長 梅野雄一朗
国有財産有効活用室長 髙木悠子
国有財産監査室長 鈴木賢太郎
国有財産業務課長 川路智
国有財産審理室長 中野利隆
管理課長 原井英一
国有財産情報室長 上乗弘樹
電算システム室長 河邊健司
計画官(内閣・財務、農林水産・環境、経済産業・海外投資係担当) 横山玄
同(厚生労働・文部科学、国土交通、地方企画、地方財務審査、地方運用係担当) 伊藤大輔

国際局

局長 土谷晃浩
次長 渡部康人
審議官 緒方健太郎
同 梶川光俊
総務課長 陣田直也
国際企画調整室長 乾慶一郎
調査課長 西方建一
国際調査室長 石黒真理
外国為替室長 土生健一
対外取引管理室長 山下弘史
投資企画審査室長 恵﨑恵
国際投資企画官 高橋大介
為替実査室長 舟橋聡
国際機構課長 池田洋一郎
資金移転対策室長 奥愛
企画官 山﨑貴弘
同 鶴野浩之
地域協力課長 城田郁子
地域協力調整室長 鳥羽建
地域協力企画官 竹中俊一
国際調整室長 石田良
為替市場課長 徳岡喜一
資金管理室長 宮地和明
開発政策課長 木原大策
開発政策調整室長 日向寺裕芽子
参事官 鳩間正也
開発機関課長 津田尊弘
開発機関調整室長 長谷川実
開発企画官 氷海剛

財務総合政策研究所

〒100-8940 千代田区霞が関三ノ一ノ一
中央合同庁舎第四号館2F
03(3581)4111

所長 (兼)小宮義之
副所長 (兼)渡邊輝
同 松岡裕之
同 鈴木孝介
総務研究部長 (兼)上田淳二
総務課長 川本敦
資料情報部長 米倉洋成
調査統計部長 山川潤一
研修部長 増尾秀樹

会計センター

〒102-8486 千代田区九段南一ノ二ノ一
九段第三合同庁舎21F
03(3265)9141(総務室)

所長 小宮義之
次長 横矢寿彦
同 (兼)山岸徹
管理運用部長 辻雅彦
会計管理部長 小野寺史典
研修部長 三谷孝治

関税中央分析所

〒277-0882 柏市柏の葉六ノ三ノ五
04(7135)0160(総務課)

所長 山岡時生

税関研修所

〒277-0882 柏市柏の葉六ノ四ノ二
04(7133)9611

所長 (兼)高村泰夫
副所長 井尻哲也
研修・研究部長 川中祥徳

国税庁

〒100-8978 千代田区霞が関三ノ一ノ一 財務省内
03（3581）4161

長官 奥 達雄
次長 小宮 敦史

長官官房

審議官 中村 稔
同 斎須 朋之
参事官 櫻井 淳
同 陰山 英隆
総務課長 原田 一寿
情報公開・個人情報保護室長・税理士監理室長・公文書監理室長 首藤 好明
広報広聴室長 佐藤 哲也
調整室長（兼） 首藤 好明
監督評価官室長 松代 孝廣
人事課長 漆畑 有浩
会計課長 小平 武史
企画課長 山下 和博
国税企画官 後藤 善行
同 津田 啓二
デジタル化・業務改革室長 菅沼 哲矢
データ活用推進室長 松井 めぐみ
国際業務課長 磯見 竜太
国際企画官 萩原 成
同 廣瀬 大
同 細田 千草
同 鴇 彰博
同 佐藤 一輝
国際課税分析官 関上 一郎
相互協議室長 比田勝 隆博
相互協議支援官 水野 雅史
厚生管理官（兼） 松代 孝廣
主任税務相談官（兼） 菅沼 哲矢
首席国税庁監察官 齋地 義孝

課税部

部長 高橋 俊一
課税総括課長 菅 哲人
課税企画官 山崎 大介
国際課税企画官 船木 英人
消費税室長 渡辺 隆
軽減税率・インボイス制度対応室長 濱田 正義
審理室長 望月 千春
主任訟務専門官 川端 裕子
個人課税課長 大柳 久幸
資産課税課長 細野 道誉
法人課税課長 秦 幹雄
酒税課長 三浦 隆
酒類業振興・輸出促進室長 遠山 秀治
資産評価企画官 門脇 瞬有
財産評価手法研究官 藤田 英理子
鑑定企画官 岩田 知子
酒類国際技術情報分析官 江村 隆幸
分析鑑定技術支援官 倉光 潤一

徴収部

部長 田島 伸二
管理運営課長 本田 康昭
徴収課長 山本 学

調査査察部

部長 武田 一彦
調査課長 劔持 敏幸
国際調査管理官 戸谷 淳哉
査察課長 大野 由希

国税不服審判所

〒100-8978 千代田区霞が関三ノ一ノ一 財務省内
03（3581）4101

所長（兼） 清野 正彦
次長 髙野 寿也
部長審判官 中川 吉之
管理室長 松香 圭美

文部科学省

〒100-8959 千代田区霞が関三ノ二ノ二
03(5253)4111

大臣	盛山正仁
副大臣	あべ俊子
同	今枝宗一郎
大臣政務官	本田顕子
同	安江伸夫
事務次官	藤原章夫
文部科学審議官	増子宏
同	矢野和彦
大臣秘書官	西口卓司
同	事務取扱 鈴木宏幸
同	事務取扱 阿部陽一

大臣官房

官房長	西條正明
総括審議官	淵上孝
サイバーセキュリティ・政策立案総括審議官	坂本修一
学習基盤審議官	森孝之
審議官（総合教育政策局担当）	江﨑典宏
同（初等中等教育局担当）	日向信和
同（高等教育局担当）	森友浩史
同（高等教育局及び科学技術政策連携担当）	奥野真
同（科学技術・学術政策局担当）	高谷浩樹
同（研究振興局及び高等教育政策連携担当）	松浦重和
同（研究開発局担当）	清浦隆
同（同）	橋爪淳
文部科学戦略官（文化戦略官）	中原裕彦
同	豊岡宏規
同	松坂浩史
参事官	大土井智
人事課長	伊藤史恵
総務課長	坂下鈴鹿
会計課長	堀野晶三
政策課長	福井俊英
国際課長	北山浩士
広報室長（文部科学広報官）	小野賢志
総務調整官（国会担当）	草野純一
同（同）	中村真太郎
文教施設企画・防災部長	笠原隆
技術参事官	金光謙一郎
施設企画課長	瀬戸信太郎
施設助成課長	福島崇
計画課長	後藤勝
参事官（施設防災担当）	西村文彦

総合教育政策局

局長	茂里毅
社会教育振興総括官	平野誠
政策課長	神山弘
教育人材政策課長	後藤教至
国際教育課長	中野理美
生涯学習推進課長	中安史明
地域学習推進課長	高木秀人
男女共同参画共生社会学習・安全課長	中園和貴
日本語教育課長	今村聡子
参事官（調査企画担当）	木村敬子

初等中等教育局

局長	望月禎
教育課程総括官	神山弘
初等中等教育企画課長	常盤木祐一
財務課長	安井順一郎
教育課程課長	武藤久慶
児童生徒課長	千々岩良英
幼児教育課長	前田幸宣
特別支援教育課長	生方裕
学校情報基盤・教材課長	寺島史朗
教科書課長	黄地吉隆
健康教育・食育課長	郷家康徳
参事官（高等学校担当）	田中義恭

高等教育局

局長	伊藤学司
高等教育企画課長	吉田光成
大学教育・入試課長	石橋晶
専門教育課長	梅原弘史
医学教育課長	俵幸嗣
学生支援課長	桐生崇
国立大学法人支援課長	井上睦子
参事官（国際担当）	佐藤邦明
私学部長	浅野敦行

中央省庁

私学行政課長 三木　忠一
私学助成課長 板倉　寛司
参事官（学校法人担当） 錦　泰司

科学技術・学術政策局

局長 井上　諭一
科学技術・学術総括官 先崎　卓歩
政策課長 先崎　卓歩
研究開発戦略課長 藤原　志保
人材政策課長 奥　篤史
研究環境課長 野田　浩絵
産業連携・地域振興課長 池田　一郎
参事官（国際戦略担当） 倉田佳奈江
科学技術・学術戦略官（制度改革・調査担当） 髙橋憲一郎

研究振興局

局長 塩見みづ枝
振興企画課長 生田　知子
基礎・基盤研究課長 中澤　恵太
大学研究基盤整備課長 柳澤　好治
学術研究推進課長 田畑　磨
ライフサイエンス課長 釜井　宏行
参事官（情報担当） 国分　政秀
同（ナノテクノロジー・物質・材料担当） 宅間　裕子
研究振興戦略官 大月　光康

研究開発局

局長 堀内　義規

もんじゅ・ふげん廃止措置対策監 二村　英介
開発企画課長 上田　光幸
地震火山防災研究課長 梅田　裕介
海洋地球課長 中川　尚志
環境エネルギー課長 山口　顕
宇宙開発利用課長 嶋崎　政一
原子力課長 有林　浩二
参事官（原子力損害賠償担当） 堀　清一郎
研究開発戦略官（核融合・原子力国際協力担当） 馬場　大輔
同（核燃料サイクル・廃止措置担当） 井出　太郎

国際統括官

国際統括官 渡辺その子

国立教育政策研究所

〒100-8951 千代田区霞が関三ノ二ノ二 中央合同庁舎第七号館東館5～6F
03（6733）6833

所長 池田　貴城
所長代理 萬谷　宏之
総務部長 大内　克紀
研究企画開発部長 齋藤憲一郎
教育政策・評価研究部長 （併）藤原　文雄
生涯学習政策研究部長 銀島　文
初等中等教育研究部長 藤原　文雄
高等教育研究部長 濱中　義隆

国際研究・協力部長 （併）大野　彰子
教育データサイエンスセンター長 大野　彰子
教育課程研究センター長 大金　伸光
同（基礎研究部長） （併）大内　克紀
同（研究開発部長） 竹下　勝
生徒指導・進路指導研究センター長 （命）齋藤憲一郎
幼児教育研究センター長 （併）深堀　直人
社会教育実践研究センター長 （命）佐藤　貴大
文教施設研究センター長 深堀　直人

科学技術・学術政策研究所

〒100-0013 千代田区霞が関三ノ二ノ二 中央合同庁舎第七号館東館16F
03（3581）2391

所長 千原　由幸
総務研究官 末広　峰政
総務課長 信田　努
企画課長 岡部佑紀子

日本学士院

〒110-0007 台東区上野公園七ノ三二
03（3822）2101

院長 佐々木　毅
幹事 野依　良治
第一部部長 菅野　和夫
第二部部長 森　重文

地震調査研究推進本部

文部科学省研究開発局地震火山防災研究課内

本部長 盛山正仁
本部長代理 藤原章夫
本部員 阪田渉
鈴木敦夫 井上裕之
竹内芳明 飯田祐二
吉岡幹夫
常時出席者 森隆志
同 山本悟司
政策委員長 福和伸夫
地震調査委員長 平田直

日本ユネスコ国内委員会

文部科学省内
03（5253）4111

会長 濵口道成
副会長 角南篤
同 田代桂子
委員 石橋通宏
大家敏志 斎藤洋明
坂本祐之輔 谷川とむ
丸川珠代 三木川圭恵
（国会議員のみ収録）

スポーツ庁

〒100-8959 千代田区霞が関三ノ二ノ二
03（5253）4111

長官 室伏広治
次長 寺門成真
審議官 橋場健
スポーツ総括官 大杉住子
政策課長 大杉住子
健康スポーツ課長 中村宇一
地域スポーツ課長 橋田裕
競技スポーツ課長 日比謙一郎
参事官（国際担当） 柿澤雄二
同（地域振興担当） 廣田美香
同（民間スポーツ担当） 桃井謙祐

文化庁

〒100-8959 千代田区霞が関三ノ二ノ二
03（5253）4111

長官 都倉俊一
次長 森田正信
同 合田哲雄
審議官 小林万里子
同 今泉柔剛
文化財鑑査官 山下信一郎
文化戦略官（総合調整担当） 今井裕一
政策課長（文化戦略官） 横井理夫
企画調整課長 寺本恒昌
文化経済・国際課長 春山浩康
国語課長 村瀬剛太
著作権課長 籾井圭子
文化資源活用課長 塩川達大
文化財第一課長 三輪善英
文化財第二課長 田中禎彦
宗務課長 山田泰造
参事官（芸術文化担当） 圓入由美
同（生活文化創造担当） 児玉大輔
同（文化拠点担当） 磯野哲也
同（生活文化連携担当） 髙橋一成

厚生労働省

〒100-8916 千代田区霞が関一ノ二ノ二
中央合同庁舎第五号館
03(5253)1111

大臣 武見敬三
副大臣 濵地雅一
同 宮崎政久
大臣政務官 三浦靖
同 塩崎彰久
事務次官 伊原和人
厚生労働審議官 田中誠二
医務技監 迫井正深
大臣秘書官 田中真一
同 (事務取扱) 草野哲也
同 (事務取扱) 南孝徳

大臣官房

官房長 村山誠
総括審議官 宮崎敦文
同(国際担当) (事務代理) 井上肇
危機管理・医務技術総括審議官 佐々木昌弘
公文書監理官 中井雅之
審議官(医政、口腔健康管理、精神保健医療、災害対策担当) 森真弘
同(健康、生活衛生、アルコール健康障害対策、社会、援護、地域共生・自殺対策、人道調査、福祉連携担当) 岡本利久
同(医薬担当) 佐藤大作
同(労働条件政策、働き方改革担当) 尾田進
同(労災、賃金担当) 田中仁志
同(職業安定、労働市場政策担当) 青山桂子
同(雇用環境、均等担当) 大隈俊弥
同(老健、障害保健福祉担当) 吉田修
同(医療保険担当) 榊原毅
同(医療介護連携、データヘルス改革担当) 神ノ田昌博
同(年金担当) 武藤憲真
同(人材開発、外国人雇用、都道府県労働局担当) 高橋秀誠
同(総合政策担当) 熊木正人
地域保健福祉施策特別分析官 駒木賢司
国際保健福祉交渉官 井上肇
国際労働交渉官 秋山伸一
人事課長 矢田貝泰之
参事官(人事担当) 長良健二
総務課長 成松英範
参事官(法務担当) 福島悠子
会計課長 尾崎守正
統括調整官(命) 尾崎守正
会計管理官 河村のり子
厚生管理企画官 筧田和三
地方課長 石津克己
参事官(地方担当) 菊池育也
業務改善分析官 野田幸裕
国際課長 平嶋壮州
国際企画・戦略官 乃村久代
厚生科学課長 眞鍋馨
参事官(総括調整、障害者雇用担当) 松下和生
同(自殺対策担当) 前田奈歩子
同(感染症対策、医政、総括調整、行政改革担当) 古川弘剛
同(救急・周産期・災害医療等、医療提供体制改革担当) 高宮裕介
同(雇用環境政策担当) 立石祐子
同(情報化担当) 岡部史哉

医政局

局長 森光敬子
総務課長 梶野友樹
地域医療計画課長 中田勝己
医療経営支援課長 和田昌弘
医事課長 西嶋康浩
医療基盤情報分析官 山田英樹
歯科保健課長 小嶺祐子
看護課長 習田由美子
医薬産業振興・医療情報審議官 内山博之
医薬産業振興・医療情報企画課長 水谷忠由
研究開発政策課長 長谷川学
参事官(特定医薬品開発支援・医療情報担当) 田中彰子

中央省庁

健康・生活衛生局

局長 大坪寛子
総務課長 吉田一生
健康課長 松岡輝昌
がん・疾病対策課長 鶴田真也
難病対策課長 山本博之
生活衛生課長 諏訪克之
食品監視安全課長 森田剛史
食品監視分析官 三木朗
感染症対策部長 鷲見学
企画・検疫課長 笹子宗一郎
感染症対策課長 荒木裕人
予防接種課長 前田彰久

医薬局

局長 城克文
総務課長 重元博道
医薬品審査管理課長 中井清人
医療機器審査管理課長 高江慎一
医薬安全対策課長 野村由美子
監視指導・麻薬対策課長 小園英俊
血液対策課長 岩崎容子

労働基準局

局長 岸本武史
総務課長 佐々木菜々子
労働条件政策課長 澁谷秀行
監督課長 村野伸介
労働関係法課長 五百簱頭千奈美
賃金課長 篠崎拓也
最低賃金制度研究官 松淵厚樹
労災管理課長 松永久
労働保険徴収課長 宿里明弘
補償課長 児屋野文男
労災保険業務課長 田中勝之
安全衛生部長 井内努
計画課長 佐藤俊
安全課長 安井省侍郎
安全対策指導業務分析官 久野聡
労働衛生課長 佐々木孝治
職業性疾病分析官 佐々木邦臣
化学物質対策課長 土井智史

職業安定局

局長 山田雅彦
総務課長 黒澤朗
職業指導技法研究官 渡邉浩司
職業情報研究官 竹内聡
雇用政策課長 吉田暁郎
労働市場分析官 新田峰雄
雇用保険課長 岡英範
需給調整事業課長 中嶋章浩
外国人雇用対策課長 川口俊徳
労働市場センター業務室長 伊藤浩之
高齢・障害者雇用開発審議官 藤川眞行
雇用開発企画課長 渡辺正道
高齢者雇用対策課長 武田康祐
障害者雇用対策課長 西澤栄晃
地域雇用対策課長 福岡洋志

雇用環境・均等局

局長 田中佐智子
総務課長 山田敏充
雇用機会均等課長 岡野智晃
有期・短時間労働課長 竹野佑喜
職業生活両立課長 菱谷文彦
在宅労働課長 千葉裕子
勤労者生活課長 小林淳

社会・援護局

局長 日原知己
総務課長 山口高志
保護課長 竹内尚也
地域福祉課長 金原辰夫
福祉基盤課長 田中規倫
援護企画課長 石塚哲朗
援護・業務課長 阿部一貴
事業課長 浅見高嗣
障害保健福祉部長 野村知司
企画課長 本後健
障害福祉課長 伊藤洋平
精神・障害保健課長 小林秀幸

老健局

局長 黒田秀郎
総務課長 江口満
介護保険計画課長 大竹雄二
高齢者支援課長 峰村浩司
認知症施策・地域介護推進課長 吉田慎
老人保健課長 堀裕行

保険局

局長 鹿沼均
総務課長 姫野泰啓
保険課長 佐藤康弘
国民健康保険課長 唐木啓介
高齢者医療課長 安中健
医療介護連携政策課長 山田章平
医療課長 林修一郎
医療指導監査室長 町田宗仁
調査課長 鈴木健二

年金局

局長 間隆一郎
総務課長 小野俊樹
首席年金数理官 村田祐美子
年金課長 若林健吾
国際年金課長 花咲恵乃
資金運用課長・企業年金・個人年金課長 西平賢哉
海老敬子
数理課長 佐藤裕亮

年金管理審議官 巽慎一
事業企画課長 樋口俊宏
事業管理課長 重永将志

人材開発統括官

人材開発統括官 堀井奈津子
参事官 溝口進
同 松瀬貴裕
同 今野憲太郎
同 安達佳弘
同 堀泰雄

政策統括官

政策統括官(総合政策担当) 朝川知昭
審議官(同) 熊木正人
政策立案総括審議官(統計、総合政策、政策評価担当) 河野恭子
参事官(総合政策統括担当) 安藤公一
同(同) 宇野禎晃
同(調査分析・評価担当) 三村国雄
政策統括官(統計・情報システム管理、労使関係担当) 森川善樹
政策立案総括審議官(統計、総合政策、政策評価担当) 河野恭子
参事官(企画調整担当) 古瀬陽子
統計管理官 鎌田真隆
世帯統計官 藤井義弘
統計管理官 角井伸一
統計技法研究官 野口智明

参事官 大塚弘満
サイバーセキュリティ・情報化審議官・ 林弘郷
参事官(サイバーセキュリティ・情報システム管理担当) 和田訓

労働保険審査会

〒105-0011 港区芝公園一ノ五ノ三二
労働委員会会館8F
03(5403)2211

会長 甲斐哲彦
会長代理 室井純子
委員 植木敬介
菅野淑子 比佐和枝
廣尚典 金岡京子
嵩さやか 塚田弥生

中央社会保険医療協議会

厚生労働省保険局医療課内

会長 小塩隆士
委員(公益を代表する) 飯塚敏晃
笠木映里 永瀬伸子
本田文子 安川文朗

社会保険審査会

〒105-0003 港区西新橋一ノ一ノ一
日比谷フォートタワー8F
03(5253)1111

委員長 高橋譲

委員 石丸順子
遠藤真澄 大谷すみれ
鈴木ひろみ 中森正二

国立医薬品食品衛生研究所

〒210-9501 川崎市川崎区殿町三ノ二五ノ二六
044（270）6600
所長 本間正充

国立保健医療科学院

〒351-0197 和光市南二ノ三ノ六
048（458）6111
院長 曽根智史

国立社会保障・人口問題研究所

〒100-0011 千代田区内幸町二ノ二ノ三
日比谷国際ビル6F
03（3595）2984
所長 林玲子

国立感染症研究所

〒162-8640 新宿区戸山一ノ二三ノ一
03（5285）1111
所長 脇田隆字

中央労働委員会

〒105-0011 港区芝公園一ノ五ノ三二
労働委員会会館内
03（5403）2111

会長 岩村正彦
会長代理 山川隆一
同 石井浩
同 鹿野菜穂子
委員 鹿士眞由美
小西康之 松下淳一
守島基博 磯部哲
小圷淳子 深道祐子
小畑史子 久保田安彦
原恵美 安西明子
小俣利通 竹井京二
宮本礼一 山本和代
髙橋洋子 北口明代
六本木清子 中島徹
冨永雄一 池之谷潤
岡本吉洋 新井行夫
桂惠子 野中孝泰
井上久美枝 田中恭代
柳井秀朗 坂田甲一
長野正史 小野寺敦子
宮近清文 井上龍子

小倉基弘 小林洋子
小山茂 高山靖子
布山祐子 池上僚一
久能木慶治 萩原靖

事務局

局長 奈尾基弘
審議官（審査担当） 宮本悦子
同（調整、企画広報担当） 原口剛
総務課長 田村雅
審査課長 田尻智幸
審査情報分析官 大隈由加里
和解手法分析官 藤澤美穂
審査総括官 六本佳代
奈須川伸一 川又修司
調整第一課長 境伸栄
調整第二課長 渡辺聡

農林水産省

〒100-8950 千代田区霞が関一ノ二ノ一
中央合同庁舎第一号館
03（3502）8111

大臣 坂本哲志
副大臣 武村展英
同 鈴木憲和
大臣政務官 舞立昇治
同 高橋光男
事務次官 渡邉毅
農林水産審議官 渡邉洋一
大臣秘書官 山室絢
同（事務取扱） 三上善之

大臣官房

官房長 長井俊彦
総括審議官 山口靖
同（新事業・食品産業） 宮浦浩司
技術総括審議官 堺田輝也
危機管理・政策立案総括審議官 谷村栄二
公文書監理官 三野敏克
サイバーセキュリティ・情報化審議官 三野敏克
輸出促進審議官（兼輸出・国際局） 高山成年
生産振興審議官（兼農産局） 佐藤紳
審議官（技術・環境） 西経子
同（兼消費・安全局） 坂田進
同（兼消費・安全局兼輸出・国際局） 郷達也
同（兼輸出・国際局・交渉総括） 坂勝浩
同（兼輸出・国際局・新事業・食品産業） 笹路健
同（兼畜産局） 関村静雄
同（兼経営局） 勝野美江
同（同） 押切光弘
同（兼農村振興局） 山本泰司
参事官（環境・兼輸出・国際局） 萩原英樹
同（兼消費・安全局兼輸出・国際局） 平中隆司
国際食料情報特別分析官（兼輸出・国際局） 窪田修
報道官 小峰賢哉
秘書課長 川本登
文書課長 望月健司
予算課長 高橋一郎
政策課長 河村仁
技術政策室長 齊賀大昌
食料安全保障室長 武部真也
国民運動グループ長 小宮恵理子
広報評価課長 八百屋市男
広報室長 澤田昌利
報道室長 濱中康人
情報管理室長 白江啓治
情報分析室長 植杉紀子
地方課長 福島一
災害総合対策室長 川島秀樹
環境バイオマス政策課長 佐藤夏人
再生可能エネルギー室長 栗田徹
みどりの食料システム戦略グループ長 久保牧衣子
地球環境対策室長 坂下誠
参事官 大坂浩之
同 牛田正克
同 梅下幸弘
デジタル戦略グループ長 澤瀬正明
参事官 澤瀬正明
新事業・国際グループ長 飯田明子
参事官（兼大臣官房新事業・食品産業部） 飯田明子
同（兼消費・安全局付） 横山博一
規制対策グループ長 蟹江誠
参事官（兼輸出・国際局） 蟹江誠
新興地域グループ長 諸永裕一
参事官（兼輸出・国際局） 諸永裕一
検査・監察部長 大島英彦
調整・監察課長 上口直紀
審査室長 曽田明
行政監察室長 塩原裕之
会計監査室長 奥村賢一
検査課長 谷口和彦

統計部

部長 深水秀介
管理課長 玉置賢
統計品質向上室長 三橋良至
経営・構造統計課長 道菅稔
センサス統計室長 坂井一夫
生産流通消費統計課長 橋本陽子
消費統計室長 都田幸伸
統計企画管理官 藤井将邦

新事業・食品産業部

部長 小林大樹

新事業・食品産業政策課長　石田　大喜
ファイナンス室長　溝口　武志
企画グループ長　木村　崇之
商品取引グループ長　宮長　郁夫
商品取引室長　宮長　郁夫
食品流通課長　藏谷　恵大
物流生産性向上推進室長　丸田　聡
卸売市場室長　戎井　靖貴
食品製造課長　野添　剛司
原材料調達・品質管理改善室長　阿辺　一郎
基準認証室長　進藤　友寛
外食・食文化課長　五十嵐　麻衣子
食品ロス・リサイクル対策室長　鈴木　学
食文化室長　牧之瀬　泰志

消費・安全局

局長　安岡　澄人
総務課長　尾﨑　道
消費者行政・食育課長　小坂　伸行
米穀流通・食品表示監視室長　綾戸　隆英
食品安全政策課長　新川　俊一
リスク分析管理グループ長　浮穴　学宗
食品安全科学室長　浮穴　学宗
国際基準室長　小坪　清子
農産安全管理課長　石岡　知洋
農薬対策室長　楠川　雅史
畜水産安全管理課長　星野　和久
飼料安全・薬事室長　古川　明
水産安全室長　芳之内　一美
植物防疫課長　小宮　英稔
防疫対策室長　春日井　健司
国際室長　海老原　康仁
動物衛生課長　沖田　賢治
家畜防疫対策室長　大倉　達洋
国際衛生対策室長　松尾　和俊

輸出・国際局

局長　森　重樹
輸出・国際局付（兼内閣審議官）　常葉　光郎
総務課長　三嶋　英一
国際政策室長　仁科　春香
輸出企画課長　吉松　亨
輸出支援課長　望月　光顕
輸出産地形成室長　大橋　聡
輸出環境整備室長　春名　竜也
国際地域課長　国枝　玄
海外連携グループ長　西浦　博之
参事官　西浦　博之
海外連携推進室長　大川　幸樹
国際経済課長　近藤　信
国際戦略グループ長　米田　立子
知的財産課長　松本　修一
地理的表示保護推進室長　神谷　幸男
種苗室長　田中　弘幸

農産局

局長　松尾　浩則
総務課長　三上　卓矢
生産推進室長　坂田　尚史
国際室長　清水　美佳子
会計室長　酒井　利成
穀物課長　尾室　義典
米麦流通加工対策室長　葛原　祐介
経営安定対策室長　渡邉　浩史
園芸作物課長　長峰　徹昭
園芸流通加工対策室長　宇井　伸一
花き産業・施設園芸振興室長　大塚　裕一
地域作物課長　参鍋　健一
果樹・茶グループ長　羽石　洋平
農産政策部長　山口　潤一郎
企画課長　武田　裕紀
米穀貿易企画室長　石丸　浩太郎
水田農業対策室長　笠原　健
貿易業務課長　平野　賢一
米麦品質保証室長　奥平　謙二
技術普及課長　吉田　剛
生産資材対策室長　土佐　竜一
農業環境対策課長　松本　賢英

畜産局

局長　松本　平
総務課長　木下　雅由
畜産総合推進室長　新井　健一
企画課長　廣岡　亮介
畜産経営安定対策室長　丹菊　直子
畜産振興課長　冨澤　宗高
畜産技術室長　和田　剛

- 家畜遺伝資源管理保護室長 飯野昌朗
- 飼料課長 金澤正尚
- 流通飼料対策室長 蓼沼宏晃
- 牛乳乳製品課長 須永新平
- 食肉鶏卵課長 伊藤大介
- 食肉需給対策室長 上田泰史
- 競馬監督課長 姫野崇範

経営局

- 局長 杉中淳
- 総務課長 日向彰
- 調整室長 浅野勝正
- 経営政策課長 上野昌文
- 担い手総合対策室長 藤田裕一
- 農地政策課長 峯村英児
- 農地集積・集約化促進室長 前川光春
- 就農・女性課長 尾室幸子
- 女性活躍推進室長 伊藤里香子
- 協同組織課長 新川元康
- 経営・組織対策室長 菊地護
- 金融調整課長 宮田龍栄
- 保険課長 白石知隆
- 農業経営収入保険室長 御村吉伸
- 保険監理官 宮本亮

農村振興局

- 局長 前島明成
- 次長 青山健治
- 総務課長 山里直志
- 農村政策部長 神田宜宏

- 農村計画課長 藤田晋吾
- 農村活性化推進室長 朝日健介
- 都市農業室長 高橋正智
- 地域振興課長 山本恵太
- 中山間地域・日本型直接支払室長 藤田覚
- 都市農村交流課長 廣川正英
- 農泊推進室長 東崇史
- 農福連携推進室長 渡邉桃代
- 鳥獣対策・農村環境課長 仙波徹
- 鳥獣対策室長 阿部尚人
- 農村環境対策室長 佐藤誠
- 整備部長 緒方和之
- 設計課長 石川英一
- 計画調整室長 中西滋樹
- 施工企画調整室長 鈴木光明
- 海外土地改良技術室長 鷲野健二
- 土地改良企画課長 福島央
- 水資源課長 瀧川拓哉
- 農業用水対策室長 鈴木豊志
- 施設保全管理室長 志村和信
- 農地資源課長 登り俊也
- 経営体育成基盤整備推進室長 渡辺一行
- 多面的機能支払推進室長 村瀬勝洋
- 地域整備課長 武井一郎
- 防災課長 石井克欣
- 防災・減災対策室長 志田麻由子
- 災害対策室長 能見智人

農林水産研修所

〒193-0843 八王子市廿里町三六ノ一 042(661)0511

- 所長 山下雅幸

農林水産政策研究所

〒100-0013 千代田区霞が関三ノ一ノ一 中央合同庁舎第四号館 03(6737)9000

- 所長 内田幸雄
- 次長 植村悌明

農林水産技術会議

〒100-8950 千代田区霞が関一ノ二ノ一 中央合同庁舎第一号館 03(3502)8111

- 会長 本川一善
- 委員 北岡康夫
- 瀧澤美奈子
- 二宮正士
- 小松宏光
- 内藤裕二
- 松田早苗

事務局

- 局長 堺田輝也
- 研究総務官 信夫隆生
- 同 東野昭浩
- 研究調整課長 今野聡
- 研究企画課長 羽子田知子
- イノベーション戦略室長 下岡豊
- 研究推進課長 小林保幸
- 産学連携室長 大熊武
- 国際研究官 猪上誠介
- 研究統括官 草場新之助

研究開発官 森 幸子
（研究調整官 兼農産局） 大潟 直樹
同（同） 今西 俊介
同（同） 福本 泰之
同（兼農村振興局農村整備部） 北川 巖
同 中井 康裕
同（兼大臣官房） 内田 真司

林野庁

〒100-8952 千代田区霞が関一ノ二ノ一
中央合同庁舎第一号館
03（3502）8111

林野庁長官 青山 豊久
林野庁次長 小坂 善太郎
林政部長 清水 浩太郎
林政課長 小島 裕章
監査室長 河野 裕之
企画課長 上杉 和貴
経営課長 谷口 正範
林業労働・経営対策室長 岡村 篤憲
特用林産対策室長 竹内 学
木材産業課長 福田 淳
木材製品技術室長 武藤 信之
木材利用課長 難波 良多
木材貿易対策室長 髙畑 啓一
森林整備部長 長﨑屋 圭太
計画課長 齋藤 健一
施工企画調整室長 有山 隆史
海外林業協力室長 谷本 哲朗
森林利用課長 石井 洋
森林集積推進室長 城 風人
山村振興・緑化推進室長 諏訪 幹夫
整備課長 土居 隆行
造林間伐対策室長 天田 慎一
治山課長 河合 正宏
山地災害対策室長 德留 善幸
保安林・盛土対策室長 谷 秀治
研究指導課長 安髙 志穂
技術開発推進室長 塚田 直子
森林保護対策室長 門脇 裕樹
国有林野部長 眞城 英一
管理課長 山田 裕典
福利厚生室長 石塚 洋介
経営企画課長 石田 良行
国有林野総合利用推進室長 尾前 幸太郎
国有林野生態系保全室長 森山 昌人
業務課長 宇山 雄一
国有林野管理室長 善行 宏

水産庁

〒100-8907 千代田区霞が関一ノ二ノ一
中央合同庁舎第一号館
03（3502）8111

水産庁長官 森 健
水産庁次長 藤田 仁司
漁政部長 河南 健
漁政課長 水野 秀信
船舶管理室長 塩手 宏一
企画課長 河嶋 正敏
水産業体質強化推進室長 山下 信
水産経営課長 永田 祥久
指導室長 澤田 龍治
加工流通課長 中平 英典
水産流通適正化推進室長 古川 智香子
水産物貿易対策室長 三輪 剛志
漁業保険管理官 原口 大志
資源管理部長 魚谷 敏紀
審議官 福田 工
管理調整課長 水川 明大
資源管理推進室長 赤塚 祐史朗
沿岸・遊漁室長 城崎 和義
国際課長 松尾 龍志
捕鯨室長 坂本 孝明
かつお・まぐろ漁業室長 鈴木 信一
海外漁業協力室長 竹田 紗也子
漁業取締課長 南 克洋
外国漁船対策室長 槇 隆人
漁獲監理官 福井 真吾
参事官 川島 哲哉
増殖推進部長 髙橋 広道
研究指導課長 長谷川 裕康
海洋技術室長 武田 行生
漁場資源課長 新村 耕太
生態系保全室長 大森 亮
栽培養殖課長 柿沼 忠秋
内水面漁業振興室長 生駒 潔
参事官 釜石 隆
漁港漁場整備部長 田中 郁也
計画課長 中村 隆
整備課長 渡邉 浩二
防災漁村課長 櫻井 政和
水産施設災害対策室長 高原 裕一

中央省庁

経済産業省

〒100-8901 千代田区霞が関一ノ三ノ一
03（3501）1511

大臣 齋藤 健
副大臣 岩田 和親
同 上月 良祐
大臣政務官 吉田 宣弘
同 石井 拓
事務次官 飯田 祐二
経済産業審議官 松尾 剛彦
大臣秘書官 清水 道郎
同 （事務取扱） 能村 幸輝

大臣官房

官房長 （併）公文書監理官 片岡 宏一郎
総括審議官 （併）経済安全保障政策統括調整官 成田 達治
政策立案総括審議官 （併）首席国際博覧会統括調整官 茂木 正
技術総括・保安審議官 湯本 啓市
審議官（政策総合調整担当） 服部 桂治
政策統括調整官（経済産業局担当） 西垣 淳子
政策統括調整官（重点政策高度化担当） （併） 香山 弘文
秘書課長 小林 大和

人事企画官 宮下 誠一
人事審査官 中嶋 重光
企画調査官（労務担当） （併） 中嶋 重光
企画官 上田 圭一郎
企画調査官 廣瀬 浩三
参事官（技術・高度人材戦略担当）・危機管理・災害対策室長 （併） 畑田 浩之
総務課長 山崎 琢矢
国会業務室長 阿部 康幸
国会連絡室長・国会事務連絡調整官 （併） 山本 剛
業務管理官 天野 博之
文書室長 迫田 章平
公文書監理室長 田守 光洋
文書管理者 高橋 徹
広報室長 折居 直
地方調整室長 桑原 靖雄
政策審議室長 片山 弘士
会計課長・監査室長 （併） 大貫 繁樹
経理審査官 細谷 賢二
企画官（会計担当） 島田 肇
監査官 伊藤 栄二
厚生企画室長 北村 敦司
厚生審査官 加部 寿之
業務改革課長・政策立案推進室長・組織経営改革統括調整官 （併） 清水 淳太郎

情報システム室長 酒井 崇行
統括情報セキュリティ対策官 中山 和泉
デジタル・トランスフォーメーション室長 （併） 酒井 崇行
情報公開推進室長 （併） 迫田 章平
個人情報保護室長 （併） 迫田 章平
EBPM推進総括企画調整官 橋本 淳二郎
調査統計グループ長 （併） 殿木 文明
参事官（調査統計グループ総合調整担当） 竹田 憲
統計利活用推進研究官 中村 浩一郎
統計企画室長 渡邉 幹夫
統計情報システム室長 飯島 勇
データマネジメント推進室長 杵渕 敦子
業務管理室長 皆川 幸夫
経済解析室長 相田 政志
統括統計官 鈴木 実
同 菅原 浩志
構造・企業統計室長 田邉 敬一
鉱工業動態統計室長 田村 秀一
サービス動態統計室長 馬場 勝
福島原子力事故処理調整総括官・廃炉・汚染水・処理水特別対策監 （併） 新居 泰人
福島復興推進グループ長・廃炉・汚染水・処理水特別対策監・処理水損害対応支援室長 （併） 辻本 圭助
原子力事故災害対処審議官 宮崎 貴哉

廃炉・汚染水・処理水対策室現地事務所長　鈴木啓之
審議官（原子力防災担当）福島復興推進政策統括調整官　(併)川合　現
原子力被災者生活支援チーム審議官福島復興推進グループ付　(併)佐野究一郎
資源エネルギー庁長官官房国際原子力技術特別研究官 資源エネルギー庁長官官房国際資源エネルギー技術戦略調整官 廃炉・汚染水・処理水特別対策監　(併)八木雅浩
政策調整官総合調整室長　(併)松井拓郎
政策調整官（地域振興担当）福島新エネ社会構想推進室長　(併)遠藤量太
企画調査官（福島復興推進担当）　小町僚明
業務管理室長　小倉聡美
福島広報戦略・風評被害対応室長，　(併)三牧純一郎
福島新産業・雇用創出推進室長　今泉　亮
企画官　平塚智章
福島事業・なりわい再建支援室長　大星光弘
原子力被災者生活支援チーム参事官 福島芸術文化推進室長　(併)三牧純一郎
原子力損害対応総合調整官 原子力損害対応室長　(併)乃田昌幸
原子力損害対応企画調整官　山本　茂
原子力発電所事故収束対応室長　加賀義弘

東京電力福島第一原子力発電所事故廃炉・汚染水・処理水対策官　宮嶋秀一
参事官　筋野晃司
企画官　堤　理仁
原子力発電所事故収束対応調整官　植松　健
産業保安・安全グループ長　(併)湯本啓市
審議官（産業保全・安全、電力・ガス取引監視等委員会事務局担当）　殿木文明
業務管理室長　大野亜希子
保安政策課長　細川成己
業務改革推進室長　(併)細川成己
高圧ガス保安室長　牟田　徹
ガス安全室長　山下宜範
産業保安企画室長 制度審議室長　(併)岡田直也
電力安全課長　前田　了
電気保安室長　樫福錠治
鉱山・火薬類監理官　大川龍郎
火薬専門職　小池勝則
石炭保安室長　(併)大川龍郎
製品安全課長　佐藤猛行
製品事故対策室長　望月知子
化学物質管理課長 化学物質リスク評価室長　(併)大本治康
化学物質安全室長　内野絵里香
化学兵器・麻薬原料等規制対策室長　宮地佳子

オゾン層保護等推進室長　畑下　潔
化学物質管理企画官　石津さおり
化学物質リスク評価企画官　(併)内野絵里香

経済産業政策局

局長　藤木俊光
審議官（経済産業政策局担当）　井上誠一郎
同（同）　河野太志
地域経済産業政策統括調整官　(併)宮本岩男
業務管理官室長　平松克啓
総務課長　松野大輔
政策企画官　日高圭悟
調査課長 企業財務室長　(併)田代　毅
産業構造課長　梶　直弘
経済社会政策室長　相馬知子
産業組織課長　中西友昭
競争環境整備室長　池田陽子
知的財産政策室長　中山英子
産業創造課長　日野由香里
産業資金課長 投資機構室長　(併)河原　圭
産業人材課長　今里和之
未来人材戦略室長　高木悠一
企業行動課長　添田隆秀

企業会計室長（併）日野由香里
投資促進課長
対日投資総合相談室長（併）淺井洋介
投資交流調整官 天野富士子
地域経済産業政策課長 下世古光可
統括地域活性化企画官 岩崎純一
地域産業基盤整備課長
沖縄振興室長（併）市川紀幸
工業用水道計画官 湯村宏祐

通商政策局

局長
首席ビジネス・人権政策統括調整官（併）荒井勝喜
審議官（通商政策局担当）小見山康二
同（同　）（併）田中一成
同（通商戦略担当）辻阪高子
同（通商政策局・農林水産品輸出担当）依田学
特別通商交渉官（併）田中一成
同（併）田村英康
同（併）寺西規子
通商交渉官 八山幸司
同（併）奥山剛
業務管理官室長 井澤俊和
総務課長 山口仁
デジタル通商ルール室長（併）寺西規子
ビジネス・人権政策調整室長・小川幹子

通商渉外調整官 小林健一
国際知財制度調整官 藤田和英
戦略輸出交渉官 奥山剛
通商金融国際交渉官 中村正大
通商戦略課長 東哲也
企画官 桑波田啓之
企画調査室長 森井一成
貿易振興課長 吉川尚文
貿易研究官 折山光俊
参事官（海外展開支援担当）久染徹
貿易振興企画調整官 今泉博史
技術・人材協力室長 下川徹也
通商金融課長
国際金融交渉室長（併）加来芳郎
資金協力室長 山田聡
貿易保険監理官 鈴木愛
米州課長 藤井亮輔
中南米室長 中山保宏
欧州課長 藤田健
ロシア・中央アジア・コーカサス室長・
通商政策企画調整官（併）石井秀彦
中東アフリカ課長 渡邉雅士
アフリカ室長 名倉和子
アジア大洋州課長 羽田由美子
企画官 続橋亮

同 朝倉大輔
東アジア経済統合推進室長 谷査恵子
南西アジア室長 島野敏行
北東アジア課長 福永佳史
韓国室長 蓮沼佳和
国際経済部長
ビジネス・人権政策統括調整官（併）柏原恭子
参事官（総括）田村英康
企画官
デジタル通商交渉官（併）岡本祐典
国際経済紛争対策室長 寺西規子
国際法務室長 清水茉莉
通商交渉調整官 西村祥平
高嵜直子（併）谷査恵子
経済連携課長 内野宏人
経済連携交渉官 長田稔秋
同（併）岡本祐典
アジア太平洋地域協力推進室長 宮崎拓夫

貿易経済安全保障局

局長 福永哲郎
首席経済安全保障政策統括調整官（併）福永哲郎
経済安全保障政策統括調整官（併）成田達治
同（併）香山弘文

中央省庁

審議官（貿易経済安全保障局・国際技術戦略担当）	鋤先幸浩
業務管理官室長	星　幸彦
総務課長	西川和見
経済安全保障政策調整官（技術担当）	田中伸彦
参事官（国際担当）	田邊英介
経済安全保障政策課長	杉江一浩
情報調査室長	相川祐太
企画官（経済安全保障戦略情報分析担当）	椛島伸也
技術調査室長	笠間太介
貿易管理部長	猪狩克朗
貿易管理課長 電子化・効率化推進室長	(併)横田純一
原産地証明室長	白川　遼
貿易審査課長 野生動植物 貿易審査室長	(併)中尾圭介
農水産室長 野生動植物貿易 審査企画調整官	(併)相原史典
特殊関税等調査室長	信田哲宏
安全保障貿易管理課長 制度審議室長	(併)末森洋紀
国際投資管理室長	門野　勉
安全保障貿易国際室長	荒木英輔
安全保障貿易検査官室長	溝田健志
安全保障貿易審査課長	安倍暢宏
統括安全保障貿易審査官	臺　則彦

イノベーション・環境局

局長	菊川人吾
審議官（イノベーション・環境局担当）	今村　亘
イノベーション政策統括調整官	福本拓也
業務管理官室長	藤山優子
総務課長	安田　篤
イノベーション調査官	濱口千絵
イノベーション推進政策企画室長	上原健一
成果普及・連携推進室長	(併)上原健一
産業技術法人室長	大出真理子
国際室長	上嶋裕樹
イノベーション政策課長	武田伸二郎
フロンティア推進室長	吉田修一郎
大学連携推進室長	川上悟史
イノベーション創出新事業推進課長	桑原智隆
スタートアップ推進室長	富原早夏
スタートアップ国際連携企画調整官	澤田佳世子
スタートアップ推進室総括企画調整官	南　知果
研究開発課長	大隅一聡
研究開発調整官	田中真人
重要技術研究統括戦略官	磯福朋之
研究開発企画調査官	(併)大出真理子
基準認証政策課長	有馬伸明
産業分析研究官 基準認証専門官	(併)竹之内修
国際標準化交渉官	猿橋淳子
国際連携担当調整官	(併)上嶋裕樹
知的基盤整備推進官	(併)大出真理子
基準認証調査広報室長	小嶋　誠
計量行政室長	仁科孝幸
国際標準課長	西川奈緒
国際電気標準課長	小太刀慶明
脱炭素成長型経済構造移行推進審議官	龍崎孝嗣
GXグループ長	(併)龍崎孝嗣
審議官（脱炭素成長型経済構造移行推進担当）	田尻貴裕
業務管理官室長	竹内祐二
環境政策課長	中原廣道
GX推進企画室長	荻野洋平
地球環境対策室長	前田洋志
参事官 環境経済室長	(併)若林伸佳
環境金融室長	鬼塚貴子
環境金融企画調整官	小沼健一
脱炭素成長型経済構造移行投資促進課長	西田光宏
エネルギー・環境イノベーション戦略室長	金井隆幸

資源循環経済課長 田中将吾
環境管理推進室長 濱坂隆

製造産業局

局長 伊吹英明
審議官（製造産業局担当） 浦田秀行
同（同） 田中一成
同（同） 香山弘文
業務管理官室長 西沢正剛
総務課長 稲邑拓馬
企画官（サプライチェーン強靱化担当）（併）サプライチェーン強靱化政策室長 眞柳秀人
製造産業戦略企画室長 川村美穂
製造産業GX政策室長（併） 鍋島学
通商室長（併） 稲邑拓馬
金属課長 鍋島学
金属技術室長 川村伸弥
金属課企画官（国際担当） 高橋幸二
鉱物課長 山口雄三
採石対策官（併） 山口雄三
素材産業課長 土屋博史
革新素材室長 山田純市
アルコール室長（併） 土屋博史
企画調査官 菊池孝憲

生活製品課長 髙木重孝
企画官（地場産品担当） 伊藤裕美
住宅産業室長 潮崎雄治
産業機械課長（併）製造産業DX政策企画調整官 須賀千鶴
ロボット政策室長 石曽根智昭
素形材産業室長 星野昌志
国際プラント・インフラシステム・水ビジネス推進室長 粂田香
自動車課長 伊藤政道
企画官（自動車担当）（併）自動車戦略企画室長 田邉国治
企画調査官（自動車通商政策担当） 細沼慶介
企画官（自動車リサイクル担当） 原充
モビリティDX室長 伊藤建
車両室長 須藤義治
航空機武器産業課長 呉村益生
企画官（防衛産業担当）（併） 滝澤慶典
企画官（防衛担当） 古市茂
航空機部品・素材産業室長 西山正
次世代空モビリティ政策室長 滝澤慶典
宇宙産業室長 髙濵航

商務情報政策局

局長 野原諭
審議官（商務情報政策局担当） 奥家敏和

同（IT戦略担当） 渋谷闘志彦
サイバーセキュリティ・情報化審議官 西村秀隆
サイバー国際経済政策統括調整官（併） 西村秀隆
情報政策統括調整官（併） 西村秀隆
業務管理官室長 吉田悦子
総務課長 神﨑忠彦
国際戦略企画調整官 津田麻紀子
国際室長 立石裕則
デジタル戦略室長（併） 立石裕則
情報経済課長 守谷学
デジタル取引環境整備室長 岩谷卓
情報政策企画調整官 船越亮
アーキテクチャ戦略企画室長 緒方淳
サイバーセキュリティ課長 武尾伸隆
参事官（サイバーセキュリティ制度担当） 見次正樹
サイバーセキュリティ制度企画室長（併） 見次正樹
国際サイバーセキュリティ企画官 金田祐加子
サイバーセキュリティ戦略専門官 山田剛人
情報技術利用促進課長 内田了司
デジタル高度化推進室長 河﨑幸徳
デジタル経済安全保障企画調整官（併） 内田了司
地域情報化人材育成推進室長（併） 河﨑幸徳

情報産業課長 金指　壽
情報処理基盤産業室長 渡辺琢也
デバイス・半導体戦略室長 清水英路
高度情報通信技術産業戦略室長 (併)金指　壽
電池産業課長 青木洋紀
商務・サービス審議官商務・サービスグループ長 (併)南　亮
審議官(商務・サービス担当) 真鍋英樹
同(国際博覧会担当) 浦上健一朗
商務・サービス政策統括調整官 森田健太郎
同 島上聖司
同 江澤正名
大阪・関西万博統括調整官 (併)田中一成
同 (併)森田健太郎
参事官(商務・サービスグループ担当) 中野剛志
商務・サービス政策調整官 池谷　巌
業務管理官室長 中尾直子
消費・流通政策課長 平林孝之
消費者政策研究官 境　真良
消費者相談室長 (併)豊田　原
大規模小売店舗立地法相談室長 (併)平林孝之

消費経済企画室長 (併)平林孝之
物流企画室長 (併)平林孝之
キャッシュレス推進室長 (併)平林孝之
商品市場整備室長 商品先物市場整備監視室長 商取引監督官 (併)笛木知之
商取引監督課長 商取引監督官 (併)豊田　原
商取引検査室長 福岡浩二
サービス政策課長 太田三音子
サービス産業室長 関　日路美
教育産業室長 五十棲浩二
スポーツ産業室長 (併)太田三音子
文化創造産業課長 佐伯徳彦
海外需要開拓室長 野田直史
アート・ファッション政策室長 (併)佐伯徳彦
デザイン政策室長 (併)佐伯徳彦
伝統的工芸品産業室長 山口徳彦
博覧会推進室長 (併)奥田修司
参事官
大阪・関西万博国際室長 菅野将史
大阪・関西万博企画室長 伊万里全生
ヘルスケア産業課長国際展開推進室長 (併)橋本泰輔

企画官(ヘルスケア産業担当) 小野聡志
医療・福祉機器産業室長 渡辺信彦
生物化学産業課長 下田裕和
生物多様性・生物兵器対策室長 小林正寿

経済産業研修所

〒189-0024 東村山市富士見町五ノ四ノ三六
042(393)2521

所長

資源エネルギー庁

〒100-8931 千代田区霞が関一ノ三ノ一
経済産業省別館
03（3501）1511

長官　村瀬佳史
次長　畠山陽二郎
首席最終処分政策統括調整官　(併)畠山陽二郎
首席GX推進戦略統括調整官　(併)畠山陽二郎
首席エネルギー・地域政策統括調整官　(併)畠山陽二郎
資源エネルギー政策統括調整官　山田仁
同　(併)木原晋一
エネルギー・地域政策統括調整官　佐々木雅人
同　吉村一元
国際資源エネルギー戦略統括調整官　靏田将範

長官官房

総務課長　曳野潔
エネルギー制度改革推進総合調整官　(併)小川要
同　(併)村上貴将
エネルギー制度改革推進企画調整官　(併)佐久秀弥
会計室長　滝沢正直
予算管理官　濵崎勝
戦略企画室長　小髙篤志
需給政策室長
調査広報室長　(併)植田一全
業務管理官　木根昌広
国際資源エネルギー戦略調整官　粕谷直樹

国際課長　白井俊行
海外エネルギーインフラ室長
企画官（国際カーボンニュートラル政策担当）　(併)吉野欣臣
省エネルギー・新エネルギー部長　井上博雄
政策課長
熱電併給推進室長（コジェネ推進室）　(併)村上貴将
再生可能エネルギー主力電源化戦略調整官　(併)筑紫正宏
系統整備・利用推進室長・　(併)古川雄一
新エネルギーシステム課長　山田努
省エネルギー課長　木村拓也
新エネルギー課長　日暮正毅
再生可能エネルギー推進室長　菊島淳治
風力政策室長　古川雄一
風力事業推進室長　福岡功慶
水素・アンモニア課長　廣田大輔
水素・燃料電池戦略室長　宇田川法也
資源・燃料部長　和久田肇
政策課長
海洋政策企画室長　(併)那須良
国際資源戦略室長
企画官（石油政策担当）　(併)矢口麻衣
地熱資源開発室長　小林貴成
国際資源戦略交渉官　猪口相
鉱業管理官　松田達哉
資源開発課長　長谷川裕也
石炭政策室長　斎藤秀幸
燃料供給基盤整備課長　永井岳彦
燃料流通政策室長　日置純子

企画官（石油・液化石油ガス備蓄政策担当）　乾隆一
燃料環境適合利用推進課長　刀禰正樹
CCS政策室長
企画官（CCS政策担当）　(併)慶野吉則
電力・ガス事業部長　久米孝
政策課長　小川要
制度企画調整官　長窪芳史
(併)佐久秀弥　荒川洋
政策企画官（立地総合調整担当）
電源地域整備室長　(併)森本要
電力産業・市場室長　(併)筑紫正宏
ガス市場整備室長　福田光紀
電力基盤整備課長　筑紫正宏
電力供給室長　中富大輔
電力流通室長　佐久秀弥
原子力政策課長　吉瀬周作
原子力国際協力推進室長　(併)靏田将範
原子力基盤室長
革新炉推進室長
原子力技術室長　(併)多田克行
廃炉産業室長　(併)横手広樹
原子力立地・核燃料サイクル産業課長　皆川重治
核燃料サイクル産業立地対策室長　勝見哲
原子力立地政策室長
原子力広報室長　(併)前田博貴
原子力政策企画調査官　和田啓之
放射性廃棄物対策課長
放射性廃棄物対策技術室長
放射性廃棄物対策広報室長　(併)横手広樹

中央省庁

特許庁

〒100-8915 千代田区霞が関三ノ四ノ三
03（3581）1101

長官　小野洋太
特許技監　安田太
総務部長　滝澤豪
秘書課長　西森雅樹
総務課長　田岡卓晃
会計課長　北廣雅之
企画調査課長　柳澤智也
普及支援課長　加藤和昭
国際政策課長　松下公一
国際協力課長　吉野幸代
審査業務部長　師田晃彦
審査業務課長　高橋憲夫
出願課長　諏訪修
商標課長　根岸克弘
商標審査長（化学・食品）　小林正和
同（機械）　山田和彦
同（雑貨繊維）　瀬戸俊晶
同（上席・産業役務・一般役務・国際商標登録出願）　高橋幸志
審査第一部長　野仲松男
調整課長　中野宏和
審査長（首席・計測・応用物理）　福田聡
同（上席・分析診断）　小林英司
同（上席・応用光学・光デバイス）　笹野秀生

同（事務機器）　横井巨人
同（上席・自然資源・アミューズメント）　池谷香次郎
同（ユーザーエクスペリエンス）　清藤弘晃
意匠課長　久保田大輔
意匠審査長（上席・情報・交通意匠、環境・基盤意匠）　下村圭子
同（生活・流通意匠）　綿貫浩一
審査第二部長　諸岡健一
審査長（首席・自動制御・動力機械）　内山隆史
同（上席・運輸）　岡崎克彦
同（上席・生産機械・一般機械）　小野孝朗
同（搬送）　一ノ瀬薫
同（繊維包装機械）　永石哲也
同（上席・生活機器・熱機器）　原泰造
同（医療機器）　佐々木訓
審査第三部長　北村弘樹
審査長（首席・無機化学・電池）　松田成正
同（上席・環境化学）　田名部拓也
同（上席・医療・食品）　本間友孝
同（生命工学）　植原克典
同（上席・有機化学・化学応用）　平井裕彰
同（高分子）　田中則充
同（樹脂）　岩田行剛
審査第四部長　油科壮一
審査長（首席・電子商取引・経営システム）　仁科雅弘
同（上席・情報処理）　宮田繁仁
同（上席・伝送システム）　梅本達雄

同（電力システム）　遠山敬彦
同（デジタル通信）　浜岸広明
同（上席・映像システム・電気機器）　津幡貴生
同（電子デバイス）　木村貴俊
審判部長　田村聖子
首席審判長　森藤淳志
審判課長　小松竜一
第1部門長　岡田吉美
審判長　中塚直樹
同　濵野隆
第2上席部門長　榎本吉孝
審判長　加々美一恵
同　三崎仁
第3部門長　渋谷知子
審判長　濱本禎広
櫃本英吾　吉川康史
第4部門長　長井真一
審判長　小林俊久
藤田年彦　樋口宗彦
第5上席部門長　居島一仁
審判長　有家秀郎
同　古屋野浩志
第6部門長　里村利光
審判長　神谷健一
第7部門長　川俣洋史
審判長　道祖土新吾
同　殿川雅也
第8部門長　山村浩
審判長　波多江進
同　秋田将行
第9部門長　柿崎拓

審判長　窪田治彦
同　北村英隆
第10上席部門長　山本信平
審判長　八木誠
同　河端賢
第11部門長　草野顕子
審判長　一ノ瀬覚
同　筑波茂樹
第12部門長　平城俊雅
審判長　小川恭司
同　中屋裕一郎
第13上席部門長　本庄亮太郎
審判長　刈間宏信
同　鈴木貴雄
第14部門長　岩谷一臣
審判長　金丸治之
田口傑　神山茂樹
第15部門長　佐々木正章
審判長　井上哲男
同　平瀬知明
第16上席部門長　間中耕治
審判長　鈴木充
同　水野治彦
第17部門長　深草祐一
審判長　宮澤尚之
同　原賢一
第18部門長　粟野正明
審判長　井上猛
第19上席部門長　近野光知

審判長　吉澤英一
同　細井龍史
第20部門長　淺野美奈
審判長　柴田昌弘
同　加藤友也
第21部門長　光本美奈子
審判長　村守宏文
同　門前浩一
第22部門長　阪野誠司
審判長　瀬良聡機
木村敏康　井上典之
第23上席部門長　原田隆興
審判長　藤原浩子
前田佳与子　磯貝香苗
第24部門長　松波由美子
審判長　冨永みどり
同　吉田佳代子
第25部門長　福井悟
審判長　長井啓子
光本美奈子　上條肇
第26上席部門長　伏本正典
審判長　佐藤智康
松田直也　相崎裕恒
第27部門長　山澤宏
審判長　篠塚隆
第28部門長　吉田美彦
審判長　林毅
同　須田勝巳
第29部門長　小宮慎司

審判長　恩田春香
河本充雄　関根裕
第30部門長　髙橋宣博
審判長　伊藤隆夫
千葉輝久　畑中高行
第31部門長　河合弘明
審判長　中木努
同　廣川浩
第32上席部門長　篠原功一
審判長　井上信一
植前充司　岩間直純
第33部門長　土居仁士
審判長　馬場慎
同　高野洋
第34上席部門長　前畑さおり
審判長　富永亘
内藤弘樹　北代真一
第35上席部門長　髙野和行
審判長　大森友子
同　豊瀬京太郎
第36部門長　冨澤武志
審判長　大橋良成
同　山田啓之
第37部門長　鈴木雅也
審判長　板谷玲子
第38部門長　旦克昌
審判長　大島康浩
同　大島勉

中央省庁

中小企業庁

〒100-8912 千代田区霞が関一ノ三ノ一
経済産業省別館
03（3501）1511

長官	山下隆一
次長	飯田健太

長官官房

首席能登復興担当政策統括調整官	（併）新居泰人
中小企業政策統括調整官（DX・EBPM担当）	（併）西垣淳子
中小企業政策統括調整官	吉野潤
同	都築直史
中小企業政策調整官	宮本岩男
総務課長	貴田仁郎
企画調整室長	赤松寛明
企画官（給付金制度管理担当）訟務・債権管理室長	（併）杉山春男
企画官（給付金不正対応等担当）	太田成人
同（中小企業基盤整備機構担当）	芦立勝博
中小企業金融検査室長	岡田実成
業務管理官	高橋隆
広報相談室長	山崎孝志
デジタル・トランスフォーメーション企画調整官	小松俊吾
事業環境部長	山本和徳
企画課長	宮部勝弘
調査室長	岡田陽
事業環境地域分析室長	（併）岡田陽
金融課長	野澤泰志
企画官（資金供給・企業法制担当）	三谷景一
財務課長	笠井康広
取引課長	鮫島大幸
統括官公需対策官	原健太郎
取引調査室長	福田一博
統括下請代金検査官	安田正一
中小企業取引研究官	山下善太郎
経営支援部長	岡田智裕
経営支援課長	柴山豊樹
経営力再構築伴走支援推進室長	二宮健晴
海外展開支援室長	梅田英幸
参事官（技術・経営革新担当）技術・経営革新室長	（併）森喜彦
生産性向上支援室長	山本慎一郎
小規模企業振興課長	黒田浩司
創業・新事業促進室長	掛川昌子
経営安定対策室長	太刀川徹
商業課長	伊奈友子
中心市街地活性化室長	（併）伊奈友子

国土交通省

〒100-8918 千代田区霞が関二ノ一ノ三
中央合同庁舎第三号館
03（5253）8111

大臣	斉藤鉄夫
副大臣	國場幸之助
同	堂故茂
大臣政務官	こやり隆史
同	石橋林太郎
同	尾崎正直
事務次官	吉岡幹夫
技監	廣瀬昌由
国土交通審議官	水嶋智
同	天河宏文
同	寺田吉道
大臣秘書官	城戸一興

大臣官房

官房長	村田茂樹
総括審議官	（兼）佐々木正士郎
同	坂巻健太
技術総括審議官	中崎剛
政策立案総括審議官	岡本裕豪
公共交通政策審議官	池光崇
土地政策審議官	中田裕人
危機管理・運輸安全政策審議官	加藤進

中央省庁

海外プロジェクト審議官　小笠原憲一
上下水道審議官　松原　誠
公文書監理官　多田治樹
政策評価審議官（兼）英　浩道
サイバーセキュリティ・情報化審議官　山下雄史
官房審議官（技術）（兼）橋本雅道
同（危機管理）（兼）堀　真之助
技術審議官　沓掛敏夫
秘書室長（兼）英　浩道
人事課長　田口芳郎
総務課長　中尾晃史
広報課長　菅昌徹治
会計課長　千葉信義
地方室長（兼）佐々木正士郎
福利厚生課長　押田　悟
技術調査課長　奥田晃久
参事官（人事）　鈴木章一郎
同（会計）　黒須　卓
同（労務管理）　醍醐琢也
同（イノベーション）　森下博之
同（運輸安全防災）　小幡章博
調査官　森川泰敬
総括監察官　内田浩平
危機管理官　江原千晶
運輸安全監理官　山﨑孝章
官庁営繕部長　佐藤由美
官房審議官（官庁営繕）　増田昌樹
管理課長　長町大輔
計画課長　松尾　徹
整備課長　末兼徹也
設備・環境課長　村上幸司

総合政策局

局長　塩見英之
次長　大野　達
官房審議官（総合政策）　後藤慎一
同（公共交通政策）（兼）小林太郎
官房参事官（交通プロジェクト）　佐瀬浩市
同（地域戦略）　太田奈緒美
同（税制）　森　哲也
同（グローバル戦略）　石川　亨
同（交通産業）　山﨑雅生
総務課長　田中賢二
政策課長　高藤喜史
社会資本整備政策課長　西山茂樹
バリアフリー政策課長　瀬井威公
環境政策課長　清水　充
海洋政策課長　竹内智仁
交通政策課長　小熊弘明
地域交通課長　墳﨑正俊
モビリティサービス推進課長　土田宏道
公共事業企画調整課長　池口正晃
技術政策課長　井上　剛
国際政策課長　岩川　勝
海外プロジェクト推進課長　八尾光洋
国際建設管理官　舘　健一郎
情報政策課長　中山泰宏
行政情報化推進課長　伊藤昌弘
統計政策特別研究官　長嶺行信
社会資本経済分析特別研究官　小林正典

国土政策局

局長　黒田昌義
官房審議官（国土政策）　藤田昌邦
同（同）　天野正治
同（同）（兼）鈴木貴典
総務課長　渡邉勝大
総合計画課長　倉石誠司
地方政策課長　日下雄介
地域振興課長　谷山拓也
離島振興課長　駒田義誌
計画官　山岸圭輔
特別地域振興官　遠山英子

不動産・建設経済局

局長　平田　研
次長　玉原雅史
官房審議官（不動産・建設経済）　堤　洋介
同（同）　蒔苗浩司
同（同）（兼）田村公一
官房参事官（土地利用）　中西貴子
同（建設人材・資材）　宮沢正知
総務課長　宮木一寛
国際市場課長　山岸浩一
地理空間情報課長　矢吹周平

土地政策課長 髙山泰
地価調査課長 村上威夫
不動産業課長 川合紀子
不動産市場整備課長 二井俊充
建設業課長 渡邊哲至
建設振興課長 城麻実
参事官（不動産管理業） 中野晶子

都市局

局長 内田欽也
官房審議官（都市） 鎌原宜文
同（都市生活環境・国際園芸博覧会） 勝又正秀
官房審議官（都市）（兼） 三浦逸広
官房技術審議官（都市） 服部卓也
官房参事官（宅地・盛土防災） 田村央
総務課長 井浦義典
都市環境課長 江口大暁
国際・デジタル政策課長 武藤祥郎
都市安全課長 小川博之
まちづくり推進課長 須藤明彦
都市計画課長 齋藤良太
市街地整備課長 筒井祐治
街路交通施設課長 青柳太
公園緑地・景観課長 片山壮二
参事官 湯澤将憲

水管理・国土保全局

局長 藤巻浩之
次長 井﨑信也
官房審議官（上下水道） 松原英憲
同（水管理・国土保全）（兼） 片貝敏雄
同（同） 石川伸
官房参事官（上下水道技術） 石井宏幸
総務課長 中井淳一
水政課長 磯貝敬智
河川計画課長 森本輝
河川環境課長 小島優
治水課長 笠井雅広
上下水道企画課長 岡良介
水道事業課長 筒井誠二
下水道事業課長 吉澤正宏
防災課長 西澤賢太郎
水資源部長 齋藤博之
水資源政策課長 二俣芳美
水資源計画課長 田中敬也
砂防部長 草野愼一
砂防計画課長 國友優
保全課長 椎葉秀作

道路局

局長 山本巧
次長 佐々木俊一
官房審議官（道路）（兼） 橋本雅道
総務課長 石和田二郎
路政課長 菅原晋也
道路交通管理課長 大井裕子
企画課長 小林賢太郎
国道・技術課長 西川昌宏
環境安全・防災課長 水野宏治
高速道路課長 松本健
参事官（有料道路管理・活用） 手塚寛之
同（自転車活用推進） 直原史明

住宅局

局長 楠田幹人
官房審議官（住宅） 横山征成
同（同） 宿本尚吾
同（同）（兼） 三浦逸広
総務課長 福永真一
住宅経済・法制課長 神谷将広
住宅総合整備課長 浦口恭直
安心居住推進課長 津曲共和
住宅生産課長 松野秀生
建築指導課長 豊嶋太朗
市街地建築課長 下村哲也
参事官（マンション・賃貸住宅） 杉田昌嗣
同（建築企画） 前田亮
同（住宅瑕疵担保対策） 横田僚子
住宅戦略官 家田健一郎

鉄道局

局長 五十嵐徹人
次長 岡野まさ子
官房審議官（鉄道） 足立基成
官房技術審議官（鉄道） 岸谷克己
官房参事官（新幹線建設） 東平伸
同（海外高速鉄道プロジェクト） 石原洋
同（地域調整） 宇佐美智康
総務課長 早船文久
幹線鉄道課長 北村朝一

都市鉄道政策課長 児玉和久
鉄道事業課長 輕部努
国際課長 小林伸行
技術企画課長 中野智行
施設課長 北出徹也
安全監理官 竹島晃

物流・自動車局

局長 鶴田浩久
次長 久保田秀暢
官房審議官（物流・自動車） 住友一仁
同（同） 木村大
同（同）（兼） 小林太郎
官房参事官（企画・電動化・自動運転） 髙本仁
同（自動車（保障）） 忍海邊智子
総務課長 大辻統
物流政策課長 紺野博行
貨物流通事業課長 三輪田優子
安全政策課長 永井啓文
技術・環境政策課長 猪股博之
自動車情報課長 谷合隆
旅客課長 重田裕彦
車両基準・国際課長 杉﨑友信
審査・リコール課長 小磯和子
自動車整備課長 多田善隆

海事局

局長 宮武宜史
次長 舟本浩

官房審議官（海事）（兼） 堀真之助
官房技術審議官（海事） 今井新
総務課長 高田公生
安全政策課長 鈴木長之
海洋・環境政策課長 河合崇
船員政策課長 角野浩之
外航課長 指田徹
内航課長 伊勢尚史
船舶産業課長 吉田正則
検査測度課長 池田隆之
海技課長 後藤章文
安全技術調査官 桶谷光洋

港湾局

局長 稲田雅裕
官房審議官（港湾）（兼） 堀真之助
官房技術参事官（港湾） 安部賢
官房参事官（港湾情報化） 原田卓三
総務課長 奈良和美
港湾経済課長 澤田孝秋
計画課長 森橋真
産業港湾課長 中川研造
技術企画課長 久田成昭
海洋・環境課長 白井正興
海岸・防災課長 上原修二

航空局

局長 平岡成哲
次長 蔵持京治
官房審議官（航空） 中山理映子
官房技術審議官（航空） 田中知足

官房参事官（航空予算） 折原英人
同（航空戦略） 大田圭
同（安全企画） 古屋孝祥
同（航空安全推進） 木内宏一
総務課長 田島聖一
航空ネットワーク部長 秋田未樹
航空ネットワーク企画課長 廣田健久
国際航空課長 高橋泰史
航空事業課長 庄司郁
空港計画課長 楠山哲弘
空港技術課長 木本仁
首都圏空港課長 川島雄一郎
近畿圏・中部圏空港課長 太田大吾
安全部長 北澤歩
安全政策課長 梅澤大輔
無人航空機安全課長 齋藤賢一
航空機安全課長 千葉英樹
交通管制部長 石崎憲寛
交通管制企画課長 大坪弘敏
管制課長 石川誠
運用課長 柳澤裕司
管制技術課長 今村純

北海道局

局長 柿崎恒美
官房審議官（北海道）（兼） 石川伸
同（同）（兼） 田村公一
総務課長 麓裕樹
予算課長 後沢彰宏
地政課長 富山英範

水政課長 井田泰蔵
港政課長 正岡孝
農林水産課長 影山義人
参事官 遠藤達哉

政策統括官

政策統括官 松浦克巳
同 小善真司
政策評価官 波々伯部信彦

国際統括官

国際統括官 田中由紀
国際交通特別交渉官 高橋徹

国土審議会

国土交通省国土政策局総務課内
03(5253)8350

会長 永野毅
会長代理 増田寛也
委員 遠藤敬
梶山弘志 小宮山泰子
佐藤勉 高木陽介
林幹雄 石井準一
谷合正明 辻元清美
福岡資麿 (国会議員のみ収録)

運輸審議会

国土交通省総合政策局運輸審議会審理室内
03(5253)8810

会長 堀川義弘
会長代理 白石敏男
委員(非常勤) 二村真理子
三浦大介 大石美奈子
吉田可保里

土地鑑定委員会

国土交通省不動産・建設経済局地価調査課内
03(5253)8377

委員長 横山美夏
委員 浅見裕子
川添義弘 河端瑞貴
坂本圭 杉浦綾子
永山篤史

国土開発幹線自動車道建設会議

国土交通省道路局総務課内
03(5253)8473

委員 石井啓一
渡海紀三朗 馬場伸幸
茂木敏充 森山裕
谷田川元 磯崎仁彦
岡田直樹 斎藤嘉隆
西田実仁 (国会議員のみ収録)

国土交通政策研究所

〒160-0004 新宿区四谷一ノ六ノ一
四谷タワー15F
03(5369)6002

所長 吉田幸三

国土技術政策総合研究所

〒305-0804 つくば市旭一番地
029(864)2211

所長 福田敬大

国土交通大学校

〒187-8520 小平市喜平町二ノ二ノ一
042(321)1541

校長 山田哲也

航空保安大学校

〒598-0047 泉佐野市りんくう往来南三ノ一
072(458)3010

校長 島津達行

国土地理院

〒305-0811 つくば市北郷一番
029(864)1111

院長 山本悟司

小笠原総合事務所

〒100-2101 小笠原村父島字東町
04998(2)2245

所長 木本光彌

海難審判所

〒102-0083 千代田区麴町二ノ一
PMO半蔵門4F
03(6893)2400

所長 廣畠貫治

観光庁

〒100-8918 千代田区霞が関二ノ一ノ二
中央合同庁舎第二号館15F
03（5253）8111

長官 秡川直也
次長 平嶋隆司
観光政策統括調整官（兼）平嶋隆司
審議官（兼）鈴木貴典
国際観光部長 中野岳史
観光地域振興部長 長﨑敏志
観光政策調整官（兼）柳瀬孝幸
総務課長 多田浩人
観光戦略課長 河田敦弥
観光産業課長 羽矢憲史
参事官 本村龍平
同 渡邉敬
同（兼）石川靖
国際観光部国際観光課長 飯田修章
国際観光部参事官 濵本健司
同 阿部雄介
観光地域振興部観光地域振興課長 安部勝也
観光地域振興部観光資源課長 柳瀬孝幸

気象庁

〒105-8431 港区虎ノ門三ノ六ノ九
03（6758）3900

長官 森隆志
次長 吉永隆博
気象防災監 野村竜一
総務部長 小林豊
参事官 石田純一
同（気象・地震火山防災）鎌谷紀子
総務課長 樋口浩
人事課長 米満義弘
企画課長 酒井喜敏
経理管理官 中井智洋
国際・航空気象管理官 山腰裕一
情報基盤部長 横田寛伸
情報政策課長 水野孝則
情報利用推進課長 西潟政宣
数値予報課長 佐藤芳昭
情報通信基盤課長 栗原茂久
気象衛星課長 別所康太郎
大気海洋部長 室井ちあし
業務課長 濱田修
気象リスク対策課長 佐藤豊
予報課長 杉本悟史
観測整備計画課長 入船修一
気候情報課長 吉松和義
環境・海洋気象課長 平石直孝
地震火山部長 青木元
管理課長 中辻剛
地震津波監視課長 原田智史
火山監視課長 菅野智之
地震火山技術・調査課長 束田進也

運輸安全委員会

〒160-0004 新宿区四谷一ノ六ノ一
四谷タワー15F
03（5367）5025

委員長 武田展雄
委員 早田久子
島村淳 丸井祐一
奥村文直 石田弘明
伊藤裕康 上野道雄
中西美和 津田宏果
鈴木美緒 新妻実保子
岡本満喜子

事務局

事務局長 藤原威一郎
審議官 飯塚秋成
総務課長 渋武容
参事官 佐野裕一
首席航空事故調査官 湊孝一
首席鉄道事故調査官 平石正嗣
首席船舶事故調査官 水間貴勝

海上保安庁

〒100-8976 千代田区霞が関二ノ一ノ三
中央合同庁舎第三号館
03(3591)6361

長官 瀬口良夫
次長 宮澤康一
海上保安監 彼末浩明
総務部長 服部真樹
参事官 白﨑俊介
同 増田直樹
同 川越功一
政務課長 浅井俊隆
秘書課長 安達貴弘
人事課長 古川大輔
情報通信課長 荒川直秀
教育訓練管理官 倉本明
主計管理官 内海雄介
国際戦略官 中川哲宏
危機管理官 石井龍
海上保安試験研究センター所長 久木正則
危機管理調整官 小山勇治
職員相談室長 時森康雄
装備技術部長 矢頭康彦
管理課長 下矢浩介
施設補給課長 小堀靖弘
船舶課長 梶田智弘
航空機課長 久保田昌行
警備救難部長 山戸義勝
管理課長 佐々木渉
刑事課長 春藤光
国際刑事課長 野本英伸
警備課長 三盃晃
警備情報課長 丹野博信
救難課長 上野春一郎
環境防災課長 平井洋次
交通部長 石塚智之
企画課長 森髙龍平
航行安全課長 本位田拓
安全対策課長 大井良司
整備課長 冨田英利
首席監察官 天辰弘二
監察官 長谷川真琴

海洋情報部

〒100-8932 千代田区霞が関三ノ一ノ一
中央合同庁舎第四号館
03(3595)3601

部長 藤田雅之
企画課長 川村朋哉
技術・国際課長 冨山新一
沿岸調査課長 森下泰成
大洋調査課長 吉田剛
情報管理課長 中林茂
情報利用推進課長 小森達雄

海上保安大学校

〒737-8512 呉市若葉町五ノ一
0823(21)4961

校長 筒井直樹

環境省

〒100-8975 千代田区霞が関一ノ二ノ二
中央合同庁舎第五号館
03(3581)3351

大臣 伊藤信太郎
副大臣 八木哲也
同 滝沢求
大臣政務官 朝日健太郎
同 国定勇人
事務次官 鑓水洋
地球環境審議官 松澤裕
大臣秘書官 熊谷守広
同 事務取扱 清水延彦
同 事務取扱 松井一記

大臣官房

官房長 上田康治
政策立案総括審議官 中尾豊
審議官 飯田博文
同 堀上勝
同 (充)伯野春彦
同 小田原雄一
公文書監理官 (充)熊谷和哉
サイバーセキュリティ・情報化審議官 熊谷和哉
秘書課長 西村治彦
調査官 中野剛

企画官 増田直文
地方環境室長 小口馨
人材育成・業務改革推進室長 一井里映
総務課長 小笠原靖
広報室長 浜島直子
企画官 岡﨑雄太
公文書監理室長 清武正孝
国会連絡室長 (併)増田直文
環境情報室長 明石健吾
危機管理・災害対策室長 (併)岡﨑雄太
会計課長 成田浩司
監査指導室長 金子浩二
庁舎管理室長 藤田佳久
総合環境政策統括官 秦康之
大臣官房審議官 飯田博文
総合政策課長 井上和也
調査官 井樋世一郎
企画評価・政策プロモーション室長 平塚二朗
環境研究技術室長 奥村暢夫
環境教育推進室長 黒部一隆
環境計画室長 (併)黒部一隆
民間活動支援室長 (併)石川拓哉
環境統計分析官
原子力規制組織等改革担当室長 木野修宏
環境経済課長 平尾禎秀
市場メカニズム室長 (併)平尾禎秀
環境影響評価課長 川越久史
環境影響審査室長 加藤聖

地球環境局

局長 土居健太郎
大臣官房審議官 堀上勝
特別国際交渉官 小川眞佐子
総務課長 大井通博
脱炭素社会移行推進室長 伊藤史雄
気候変動科学・適応室長 羽井佐幸宏
地球温暖化対策事業監理室長 (併)種瀬治良
気候変動観測研究戦略室長 岡野祥平
国際会議等業務室長 大竹敦
地球温暖化対策課長 吉野議章
地球温暖化対策事業室長 塚田源一郎
脱炭素ビジネス推進室長 杉井威夫
フロン対策室長 香具輝男
事業監理官 種瀬治良
脱炭素ライフスタイル推進室長 島田智寛
住宅・建築物脱炭素化事業推進室長 寺井徹
国際連携課長 内藤冬美
気候変動国際交渉室長 小沼信之
地球環境情報分析官 中野正博
中国環境情報分析官
国際脱炭素移行推進・環境インフラ担当参事官 行木美弥
JCM推進室長 飯野暁

水・大気環境局

局長 松本啓朗

大臣官房審議官（充） 伯野春彦
総務課長 名倉良雄
環境管理課長 吉川圭子
環境管理情報分析官 辻原浩
環境汚染対策室長 鈴木清彦
水道水質・衛生管理室長 柳田貴広
農薬環境管理室長 吉尾綾子
有機フッ素化合物対策室長 吉崎仁志
モビリティ環境対策課長 平澤崇裕
脱炭素モビリティ事業室長 中村真紀
海洋環境課長 水谷好洋
企画官 谷口和之
海域環境管理室長（併） 水谷好洋
海洋プラスチック汚染対策室長 中山直樹

自然環境局

局長 植田明浩
大臣官房審議官 飯田博文
総務課長 松下雄介
調査官 東岡礼治
国民公園室長 田中英二
動物愛護管理室長 立田理一郎
自然環境計画課長 番匠克二
自然環境情報分析官
生態系情報分析官
生物多様性センター長 高橋啓介
生物多様性戦略推進室長 鈴木渉
生物多様性主流化室長 永田綾
国立公園課長 西村学

国立公園利用推進室長 佐々木真二郎
自然環境整備課長 中原敏正
温泉地保護利用推進室長 坂口隆一
野生生物課長 中澤圭一
鳥獣保護管理室長 宇賀神知則
希少種保全推進室長 荒牧まりさ
外来生物対策室長 松本英昭
皇居外苑管理事務所長 黒川ひとみ
京都御苑管理事務所長 小口陽介
新宿御苑管理事務所長 柴田泰邦
千鳥ケ淵戦没者墓苑管理事務所長 石関延之

環境再生・資源循環局

局長 白石隆夫
次長 角倉一郎
大臣官房審議官 小田原雄一
総務課長 波戸本尚
総務課企画官 長谷部智久
循環指標情報分析官 外山洋一
循環型社会推進室長（充） 近藤亮太
循環型社会推進企画官（併） 岡野隆宏
リサイクル推進室長 近藤亮太
制度企画室長（併） 岡崎雄太
容器包装・プラスチック資源循環室長 井上雄祐
資源循環ビジネス推進室長 河田陽平
廃棄物適正処理推進課長 松崎裕司
浄化槽推進室長 沼田正樹
放射性物質汚染廃棄物対策室長 鈴木克彦
廃棄物規制課長 松田尚之

越境移動情報分析官
参事官（総括） 原田昌直
同（特定廃棄物） 長田啓
同（除染） 中野哲哉
同（中間貯蔵） 山本泰生
企画官 戸ケ崎康
調査官 井樋世一郎
不法投棄原状回復事業対策室長（併） 松田尚之
災害廃棄物対策室長（併） 松崎裕司
福島再生・未来志向プロジェクト推進室長（併） 長田啓
ポリ塩化ビフェニル廃棄物処理推進室長（併） 松田尚之
環境保健部長 前田光哉
大臣官房政策立案総括審議官 中尾豊
企画課長 鮎川智一
保健業務室長 堀内直哉
特殊疾病対策室長 森桂
石綿健康被害対策室長 辰巳秀爾
熱中症対策室長 永田翔
公害補償審査室長 宇田川弘康
化学物質安全課長（併） 鮎川智一
化学物質安全企画官（併） 清丸勝正
化学物質審査室長 清丸勝正
環境リスク評価室長 市村崇
水銀・化学物質国際室長 高木恒輝
環境リスク情報分析官
放射線健康管理担当参事官 海老名英治
大臣官房地域脱炭素推進審議官 大森恵子
大臣官房審議官 堀上勝

中央省庁

地域政策課長 近藤貴幸
地域循環共生圏推進室長 石川拓哉
地域脱炭素事業監理室長（併）種瀬治良
地域脱炭素事業推進課長 冨安健一郎
地域脱炭素政策調整担当参事官 大倉紀彰

公害健康被害補償不服審査会

大臣官房環境保健部企画課公害補償審査室内
03（5521）8264

会長 山崎まさよ
委員 志田原信三
星景子
奥村二郎
山下直美
武田克彦

環境調査研修所

〒359-0042 所沢市並木三ノ三
04（2994）9303

所長（充）秦康之
次長 堀内洋

原子力規制委員会

〒106-8450 港区六本木一ノ九ノ九
六本木ファーストビル内
03（3581）3352

委員長 山中伸介
委員 田中知
杉山智之
伴信彦
石渡明

原子力規制庁

長官 片山啓
次長 金子修一
原子力規制技監 市村知也
長官官房 緊急事態対策監 古金谷敏之
同 核物質・放射線総括審議官 児嶋洋平
同 審議官 福島健彦
長官官房審議官（内閣府大臣官房審議官（原子力防災担当））（併）福島健彦
同 森下泰
同 金城慎司
原子力規制部長 大島俊之
総務課長 吉野亜文
公文書監理官（併）足立敏通
政策立案参事官 新田晃
サイバーセキュリティ・情報化参事官 足立敏通
総務課監査・業務改善推進室長 成田達治
同広報室長 中桐裕子
同国際室長 船田晃代
同事故対処室長 山口道夫
同法令審査室長 九反田悠妃
同情報システム室長（併）足立敏通
人事課長 田口達也
参事官（会計担当）小林雅彦
同（法務担当）新井吐夢
緊急事案対策室長（併）杉本孝信
委員会運営支援室長 関口直人
技術基盤課長 神谷考司

安全技術管理官（システム安全担当）北野剛司
同（シビアアクシデント担当）青野健二郎
同（放射線・廃棄物担当）萩沼真之
同（地震・津波担当）杉野英治
放射線防護企画課長 黒川陽一郎
同保障措置室長 寺崎智宏
監視情報課長 川口悦生
同放射線環境対策室長 久保善哉
安全規制管理官（核セキュリティ担当）敦澤洋司
同（放射線規制担当）吉川元浩
原子力規制企画課長 竹内淳
同火災対策室長 鳥枝浩彰
東京電力福島第一原子力発電所事故対策室長 岩永宏平
安全規制管理官（実用炉審査担当）渡邉桂一
同（高経年化審査担当）西崎崇徳
同（研究炉等審査担当）小山田巧
同（核燃料施設審査担当）長谷川清光
同（地震・津波審査担当）内藤浩行
検査監督総括課長 杉本孝信
同検査評価室長 村上玄
安全規制管理官（実用炉監視担当）志間正和
同（核燃料施設等監視担当）村田真一
同（専門検査担当）髙須洋司
原子力安全人材育成センター所長（兼）金子修一
同副所長 竹本亮

防衛省

〒162-8801 新宿区市谷本村町五ノ一
03（3268）3111

大臣 木原稔
副大臣 鬼木誠
大臣政務官 三宅伸吾
同 松本尚
事務次官 増田和夫
防衛審議官 中嶋浩一郎
大臣秘書官 篠田了
同 事務取扱 黒木康介

大臣官房

官房長 加野幸司
政策立案総括審議官 廣瀬律子
衛生監 針田哲
施設監 茂籠勇人
報道官 安居院公仁
公文書監理官 前田清人
サイバーセキュリティ・情報化審議官 家護谷昌徳
審議官 伊藤哲也
同 井上主勇
同 寺田広紀
同 中西礎之
同 中村晃之
同 弓削州司
同（併） 中田滋明
参事官 奥野健
同 加藤勝俊
同 日下良太
同 関兼文
同 花井剛
同 吉田楼蘭
秘書課長 中間秀彦
文書課長 鈴木雄智
企画評価課長 原大輔
広報課長 島晴子
会計課長 河口健児
監査課長 松山理然
訟務管理官 鶴岡俊樹

防衛政策局

局長 大和太郎
次長 三浦潤
同 吉野幸治
防衛政策課長 松尾友彦
日米防衛協力課長 芦塚修
国際政策課長 西野洋志
運用政策課長 菊池哲史
運用基盤課長 勝谷大輔
調査課長 安藤誠
戦略企画参事官 高橋杉雄
運用調整参事官 森田健司
インド太平洋地域参事官 森川直哉

整備計画局

局長 青柳肇
防衛計画課長 中野憲幸
サイバー整備課長 荒心平
施設計画課長 保坂益貴
建設制度官 上谷康晴
施設整備官 丸山幹夫
提供施設計画官 高橋哲也

人事教育局

局長 青木健至
人事計画・補任課長 玉越崇志
給与課長 齋藤敏幸
人材育成課長 瀬川篤史
厚生課長 錦織誠
服務管理官 五木田利一
衛生官 高城亮

地方協力局

局長 田中利則
次長 森田治男
総務課長 村井勝
地域社会協力総括課長 掛水雅俊

東日本協力課長　深和岳人
西日本協力課長　原田道明
沖縄協力課長　川上直人
環境政策課長　石川真由美
在日米軍協力課長　松浦紀光
労務管理課長　生形良隆

統合幕僚監部

幕僚長　吉田圭秀
幕僚副長　南雲憲一郎
統幕最先任　甲斐修
総括官　小野功雄
総務部長　高石景太郎
総務課長　小野一也
人事教育課長　井上利光
運用部長　川村伸一
副部長　浅賀政宏
運用第一課長　渡邉正人
運用第二課長　中本能久
運用第三課長　濱野寛美
防衛計画部長　南川信隆
副部長　藤原直哉
防衛課長　角亜希仁
計画課長　福井謙

指揮通信システム部長　加藤康博
指揮通信システム企画課長　坪倉大吾
指揮通信システム運用課長　谷川修
首席参事官　宮本康宏
参事官　田中登
報道官　坂田裕樹
首席法務官　品川淳二
首席後方補給官　今井俊夫

陸上幕僚監部

幕僚長　森下泰臣
幕僚副長　上田和幹
監理部長　牧野雄三
総務課長　遠藤智明
会計課長　木屋正博
人事教育部長　柳裕樹
人事教育計画課長　天内明弘
補任課長　三浦英彦
募集・援護課長　巻口公輔
厚生課長　大崎香織
運用支援・訓練部長　垂水達雄
運用支援課長　富永將文
訓練課長　佐藤徹

防衛部長　白川訓通
防衛課長　伊達俊之
防衛協力課長　奥和昌
施設課長　建部広喜
装備計画部長　池田孝一
装備計画課長　今井健太
武器・化学課長　古賀信之
通信電子課長　弥頭陽子
航空機課長　深水秀任
指揮通信システム・情報部長　濵崎芳夫
指揮通信システム課長　黒木孝太郎
情報課長　東峰昌生
衛生部長　菊池勇一
監察官　満井英昭
法務官　恵谷昇平
警務管理官　河野保之

海上幕僚監部

幕僚長　齋藤聡
幕僚副長　八木浩二
総務部長　小杉正博
総務部副部長　櫻井真啓
総務課長　藤井健一
経理課長　齋藤淳師

人事教育部長 羽渕博行
人事計画課長 佐瀬智之
補任課長 増田信之
厚生課長 小関昌彦
援護業務課長 田光智行
教育課長 尺田隆一
防衛部長 平田利幸
防衛課長 小林卓雄
装備体系課長 竹嶋広明
運用支援課長 安永崇
施設課長 垣内勉
指揮通信情報部長 吉岡猛
指揮通信課長 澁谷芳洋
情報課長 小河邦生
装備計画部長 星直也
装備需品課長 門野政明
艦船・武器課長 浅見智宏
航空機課長 森岡信也
監察官 貴田幸典
首席会計監査官 宮崎孝彦
首席法務官 加治勇
首席衛生官 澤村岳人

航空幕僚監部

幕僚長 内倉浩昭
幕僚副長 小笠原卓人

総務部長 田崎剛広
総務課長 栗田智哉
会計課長 澤田裕之
人事教育部長 白井亮次
人事教育計画課長 唯野昌孝
補任課長 鈴木大
厚生課長 聖徳麻未
募集・援護課長 杉谷康征
防衛部長 坂梨弘明
防衛課長 富岡慶充
事業計画第一課長 小黒正隆
事業計画第二課長 南賢司
施設課長 松井俊暁
運用支援・情報部長 高石景太郎
運用支援課長 野村信一
情報課長 斎藤和典
装備計画部長 藤永国博
装備課長 稲村健吾
整備・補給課長 日高ふみ
科学技術官 政金浩治
監理監察官 寺崎隆行
首席法務官 右田竜治
首席衛生官 辻本哲也

情報本部

本部長 尾崎義典
副本部長（併） 弓削州司
情報官 本村信悟
同 折戸栄介
同 前野明
同 石田広記
同 黒田賢俊
情報保全官 鈴木伸
総務部長 野口泰志
計画部長 佐藤裕史
分析部長 宇野茂行
統合情報部長 新田洋
画像・地理部長 福田裕子
電波部長 重久真毅

防衛監察本部

防衛監察監 小川新二
副監察監 水田裕滋
総務課長 佐藤耕平
統括監察官 多田拓一郎
監察官 仲西勝典
同 大塚裕孝
同 熊谷三郎

防衛装備庁

〒162－8870 新宿区市谷本村町五ノ一
03（3268）3111

長官 石川　武
防衛技監 堀江和宏
審議官 西脇　修
装備官（統合装備担当） 海老根　巧
同（陸上担当） 大橋　智
同（海上担当） 今吉真一
同（航空担当） 坂梨弘明
参事官 府川秀樹
総務官 山口　剛
人事官 井ノ口哲也
会計官 大塚英司
監察監査・評価官 伊輪徹哉
装備開発官（統合装備担当） 二宮　勉
同（陸上装備担当） 佐々木秀明
同（艦船装備担当） 月森利直
同（航空装備担当） 及部朋紀
艦船設計官 山野太資
装備政策部長 坂本大祐
装備政策課長 伊藤和己
国際装備課長 洲桃紗矢子

装備保全管理課長 熊野有文
プロジェクト管理部長 片山泰介
プロジェクト管理総括官（陸上担当） 藤田達也
同（海上担当） 佐々木透史
同（航空担当） 南　賢司
事業計画官 恒吉雄一
事業監理官（誘導武器・統合装備担当） 米倉和也
同（宇宙・地上装備担当） 菊田逸平
同（艦船担当） 西村浩二
同（航空機担当） 射場隆昌
同（次期戦闘機担当） 川﨑　泰
装備技術官（陸上担当） 土肥直人
同（海上担当） 猪森聡彦
同（航空担当） 木下拓也
技術戦略部長 松本恭典
革新技術戦略官 木村和仙
技術戦略課長 藤井圭介
技術計画官 萩原祐史
技術振興官 手島哲郎
技術連携推進官 南　亜樹
調達管理部長 藤重敦彦
調達企画課長 杉山裕一
原価管理官 飯島延高
調達事業部長 鈴木信丈

調達総括官 河合寿士
総括装備調達官（電子音響・艦船担当） 山口宜久
同（航空機・輸入担当） 小川貴也
需品調達官 鍋田竜光
武器調達官 久保晃一
電子音響調達官 熊井邦善
艦船調達官 長通伸幸
航空機調達官 河野　学
輸入調達官 遠藤敦志

会計検査院

〒100-8941 千代田区霞が関三ノ二ノ二
中央合同庁舎第七号館
03(3581)3251

検査官会議

院長・検査官　田中弥生
検査官　原田祐平
同　挽文子
院長秘書官　室井崇

事務総局

事務総長　篠原栄作
次長　宮川尚博

事務総長官房

総括審議官　岩城利明
サイバーセキュリティ・情報化審議官・公文書監理官(併)　栗島正彦
審議官(事務総長官房担当)　山崎淳也
同(同)　山本敏生
同(第一局担当)　山崎健
同(同)　長森浩一郎
同(第二局担当)　鷹箸博史
同(同)　中尾英樹
同(第三局担当)　星野博
同(同)　佐藤稔久
同(第四局担当)　白川哲也
同(同)　柳瀬太郎
同(第五局担当)　山岸和永
同(同)　豊岡利昌
同(同)　風間義久
総務課長　富澤秀充
人事課長　篠﨑智宏
調査課長　楢崎義憲
会計課長　坂本周大
法規課長　池谷哲
上席検定調査官　伊東雅子
上席企画調査官　安部公崇
厚生管理官　鈴木賢志
上席情報システム調査官　依田英之
能力開発官　梶田憲一
技術参事官　伊藤誠恭
同　服部司
同　稲垣克芳

第一局

局長　佐々木規人
監理官　植田恵史
財務検査第一課長　奈良岡憲治
財務検査第二課長　野村秀実
司法検査課長　加藤秀一
総務検査課長　小島敏之
外務検査課長　石井雅人
租税検査第一課長　滝口修央
租税検査第二課長　花立敦

第二局

局長　長岡尚志
監理官　小林誠樹
厚生労働検査第一課長　西村孝子
厚生労働検査第二課長　石川彰
厚生労働検査第三課長　倉島義孝
厚生労働検査第四課長　上野謙二
上席調査官(医療機関担当)　桜井順
防衛検査第一課長　藤井秀樹
防衛検査第二課長　袴田秀人
防衛検査第三課長　酒井健芳

第三局

局長　中川浩
監理官　山下健
国土交通検査第一課長　小池昌明
国土交通検査第二課長　日野成人
国土交通検査第三課長　山野隆司
国土交通検査第四課長　伊東誠
国土交通検査第五課長　池田康孝
環境検査課長　川邉桂太
上席調査官(道路担当)　倉澤正和

第四局

局長 遠藤厚志
監理官 坂口登
文部科学検査第一課長 島﨑栄治
文部科学検査第二課長 鹿野智洋
上席調査官（文部科学担当） 青柳太
農林水産検査第一課長 長井剛彦
農林水産検査第二課長 本多正勝
農林水産検査第三課長 高野雅司
農林水産検査第四課長 見砂哲弥

第五局

局長 片桐聡
監理官 佐々木修
デジタル検査課長 牛木克也
上席調査官（情報通信・郵政担当） 金津成彦
経済産業検査第一課長 坂本斉子
経済産業検査第二課長 木村正人
上席調査官（融資機関担当） 佐々木壮勇
特別検査課長 鈴木慶太
上席調査官（特別検査担当） 前川猛

会計検査院情報公開・個人情報保護審査会

会計検査院内
会長 杉山治樹
会長代理 堀江正之
委員 飯島淳子

最高裁判所

〒102-8651 千代田区隼町四ノ二
03（3264）8111

最高裁判所長官 戸倉三郎
最高裁判所判事 深山卓也
同 三浦守
同 草野耕一
同 宇賀克也
同 林道晴
同 岡村和美
同 安浪亮介
同 渡辺惠理子
同 岡正晶
同 堺徹
同 今崎幸彦
同 尾島明
同 宮川美津子
同 石兼公博
最高裁判所長官秘書官 冨澤めぐみ
宮川美津子判事付秘書官 本瀬淳子
深山卓也判事付秘書官 早川大介
三浦守判事付秘書官 沼田昌男
草野耕一判事付秘書官 山中美和
宇賀克也判事付秘書官 山科政則
林道晴判事付秘書官 中原弘貴
岡村和美判事付秘書官 福島法昭
石兼公博判事付秘書官 飯塚誠
安浪亮介判事付秘書官 本田裕紀
渡辺惠理子判事付秘書官 土橋康世
岡正晶判事付秘書官 柏木扶美
堺徹判事付秘書官 沼澤秀年
今崎幸彦判事付秘書官 堀崎真二
尾島明判事付秘書官 石川正史

事務総局

事務総長 堀田眞哉
デジタル審議官 清藤健一
審議官 後藤尚樹
家庭審議官 西川裕巳
参事官 馬場俊宏
同 榎本光宏
同 内田曉
同（兼） 世森亮次
同 内田哲也
同 草野克也
同 塚田智大
同 野澤秀和
同 田川実
サイバーセキュリティ管理官 世森亮次

中央省庁

デジタル基盤管理官（兼）世森亮次
秘書課長 福島直之
参事官 佐藤彩香
同 高櫻慎平
同 佐藤奈緒美
広報課長（兼）福島直之

総務局

局長 小野寺真也
第一課長 長田雅之
第二課長 遠藤謙太郎
第三課長 永井英雄
参事官（兼）榎本光宏
同 南宏幸
同 木村匡彦

人事局

局長 徳岡治
総務課長 富澤賢一郎
任用課長 高田公輝
能率課長 荒川和良
調査課長（兼）高田公輝
公平課長（兼）荒川和良
職員管理官 平泉信次
参事官 中村修輔
同 松本茂一
同 立花将寛

経理局

局長 染谷武宣
総務課長 松川充康
主計課長 西岡慶記
営繕課長 伊藤肇
用度課長 光田和秀
監査課長 田嶋直哉
管理課長 市川陽一
厚生課長 吉岡幸治
参事官 増子政惠

民事局

局長 福田千恵子
第一課長 棈松晴子
第二課長 松原経正
第三課長（兼）棈松晴子
参事官 橋爪信
同（兼）内田哲也
同（兼）不破大輔
同 大武浩

刑事局

局長 吉崎佳弥
第一課長 横山浩典
第二課長 近藤和久
第三課長（兼）横山浩典
参事官（兼）内田曉

行政局

局長（兼）福田千恵子

第一課長 渡邉達之輔
第二課長 不破大輔
参事官（兼）内田哲也

家庭局

局長 馬渡直史
第一課長 宇田川公輔
第二課長 向井宣人
第三課長 石倉慎太郎
参事官（兼）内田曉
同（兼）内田哲也

司法研修所

〒351-0194 和光市南二ノ三ノ八
048(460)2000

所長 矢尾和子
事務局長 石井芳明
事務局次長 小池美智子

裁判所職員総合研修所

〒351-0196 和光市南二ノ三ノ五
048(452)5000

所長 江原健志
事務局長 青柳年泰
事務局次長 須栗克史

中央省庁

日本私立学校振興・共済事業団

〒102-8145 千代田区富士見一ノ一〇ノ一二
03（3230）1321
（共済事業本部）
〒113-8441 文京区湯島一ノ七ノ五
03（3813）5321

理事長 福原紀彦
理事 串田俊巳
同 吉田博之
同 菊池裕明
同 松尾勝
同 白井秀樹
同（非常勤） 小野祥子
同（同） 川並弘純
同（同） 近藤彰郎
同（同） 坂本篤裕
監事 永和田隆一
同（非常勤） 廣岡康久
企画室長 廣田聖志
総務部長 吉田秀樹
審議役 田代雅之
監査室長 荒谷泉
財務部長 酒井浩二
システム管理室長 浅野佳朗
私学経営情報センター長 小林一之
融資部長 岡田綾子
助成部長 野田文克
数理統計室長 佐藤武彦
資産運用部長 廣田浩一
業務部長 臼井麻理子
年金部長 小川泰正
福祉部長 大須賀哲也
施設部長 陣場章
広報相談センター長 波形寿英

沖縄振興開発金融公庫

〒900-8520 那覇市おもろまち一ノ二ノ二六
098（941）1700
〒105-0003 港区西新橋二ノ一ノ一
興和西新橋ビル10F
03（3581）3241

理事長 新垣尚之
副理事長 井口裕之
理事 西崎寿美
同 外間聡
監事（非常勤） 酒巻弘
総務部長 崎山美香
経理部長 星野弘幸
監査室長 中村あやの
秘書役 外間守起
審査役 西平純子
庶務部長 前泊辰哉
業務統括部長 慶田康成
調査部長 大西公一郎
融資第一部長 前村司
融資第二部長 仙野健
融資第三部長 渡真利克久
事業管理部長 嶺井忍
情報システム統括室長 久場兼修
信用リスク管理統括室長（兼） 西平純子
産業振興出資室長 池添昭二

日本銀行

〒103-0021 中央区日本橋本石町二ノ一ノ一
03(3279)1111

総裁 植田和男
副総裁 内田眞一
同 氷見野良三
審議委員 安達誠司
中村豊明 野口旭
中川順子 高田創
田村直樹
監事 坂本哲也
谷口文一 市川健太
理事 貝塚正彦
高口博英 加藤毅
清水誠一 中島健至
神山一成
参与 松本正義
飯島彰己 井阪隆一
十倉雅和 森田敏夫
秋池玲子 嶋尾正
小林健 吉川洋
福留朗裕

政策委員会室
室長 播本慶子

秘書役 峯岸誠
審議役(国会・経済団体渉外) 植田リサ
同(組織運営調整) 上條俊昭

検査室
室長 中村毅史
検査役 谷本英行
同 吉濱久悦
同 勝浦大達

企画局
局長 正木一博
審議役 服部良太

金融機構局
局長 鈴木公一郎
審議役 アベ松裕司
審議役兼上席考査役 齋藤克仁
審議役 田村健太郎

決済機構局
局長 武田直己
審議役(デジタル通貨総括) 臼井智博

金融市場局
局長 藤田研二
審議役 鹿島みかり

調査統計局
局長 中村康治

国際局
局長 近田健
審議役 中山智裕
同(気候連携ハブ総括) 川本卓司

発券局
局長 東善明
審議役 村國聡

業務局
局長 上口洋司
審議役 森毅

システム情報局
局長 福田英司
審議役 三木徹

情報サービス局
局長 小牧義弘

総務人事局
局長 奥野聡雄
審議役(人事運用担当) 飯島浩太

文書局
局長 花尻哲郎

金融研究所
所長 渡辺真吾

特殊法人

地方庁

東京都

〒163-8001 新宿区西新宿二ノ八ノ一
０３（５３２１）１１１１

議長　宇田川聡史
副議長　増子ひろき
知事　小池百合子
副知事　潮田勉
同　宮坂学
同　中村倫治
同　栗岡祥一

警視庁

〒100-8929 千代田区霞が関二ノ一ノ一
０３（３５８１）４３２１

警視総監　緒方禎己
副総監　森元良幸

北海道

〒060-8588 札幌市中央区北三条西六丁目
０１１（２３１）４１１１
〒100-0014 千代田区永田町二ノ一七ノ一七
永田町ほっかいどうスクエア１F
０３（３５８１）３４１１

議長　冨原亮
副議長　稲村久男
知事　鈴木直道
副知事　浦本元人
同　濱坂真一
同　三橋剛
東京事務所長　上田晃弘

青森県

〒030-8570 青森市長島一ノ一ノ一
０１７（７２２）１１１１
〒102-0093 千代田区平河町二ノ六ノ三
都道府県会館７F
０３（５２１２）９１１３

議長　丸井裕
副議長　寺田達也
知事　宮下宗一郎
副知事　小谷知也
同　奥田忠雄
東京事務所長　簗田潮

岩手県

〒020-8570 盛岡市内丸一〇ノ一
０１９（６５１）３１１１
〒104-0061 中央区銀座五ノ一五ノ一
南海東京ビル２F
０３（３５２４）８３１６

議長　工藤大輔
副議長　飯澤匡
知事　達増拓也
副知事　八重樫幸治
同　佐々木淳
東京事務所長　高橋孝政

宮城県

〒980-8570 仙台市青葉区本町三ノ八ノ一
０２２（２１１）２１１１（番号案内）
〒102-0093 千代田区平河町二ノ六ノ三
都道府県会館12F
０３（５２１２）９０４５

議長　高橋伸二
副議長　本木忠一
知事　村井嘉浩
副知事　伊藤哲也
同　小林徳光
東京事務所長　末永仁一

秋田県

〒010-8570 秋田市山王四ノ一ノ一
018(860)1032(秘書課)
〒102-0093 千代田区平河町二ノ六ノ三
都道府県会館7F
03(5212)9115

議長 北林丈正
副議長 鈴木健太
知事 佐竹敬久
副知事 神部秀行
同 猿田和三
東京事務所長 坂本雅和

山形県

〒990-8570 山形市松波二ノ八ノ一
023(630)2211
〒102-0093 千代田区平河町二ノ六ノ三
都道府県会館13F
03(5212)9026

議長 森田廣
副議長 矢吹栄修
知事 吉村美栄子
副知事 平山雅之
東京事務所長 黒田あゆ美

福島県

〒960-8670 福島市杉妻町二ノ一六
024(521)1111
〒102-0093 千代田区平河町二ノ六ノ三
都道府県会館12F
03(5212)9050

議長 西山尚利
副議長 山田平四郎
知事 内堀雅雄
副知事 鈴木正晃
同 佐藤宏隆
東京事務所長 鈴木晶

茨城県

〒310-8555 水戸市笠原町九七八ノ六
029(301)1111
〒102-0093 千代田区平河町二ノ六ノ三
都道府県会館9F
03(5212)9088

議長 半村登
副議長 西野一
知事 大井川和彦
副知事 飯塚博之
同 岩下泰善
理事兼東京渉外局長 澤幡博子

栃木県

〒320-8501 宇都宮市塙田一ノ一ノ二〇
028(623)2004(秘書室)
〒102-0093 千代田区平河町二ノ六ノ三
都道府県会館11F
03(5212)9064

議長 日向野義幸
副議長 中島宏
知事 福田富一
副知事 北村一郎
同 天利和紀
東京事務所長 岡本栄二

群馬県

〒371-8570 前橋市大手町一ノ一ノ一
027(223)1111
〒102-0093 千代田区平河町二ノ六ノ三
都道府県会館8F
03(5212)9102

議長 須藤和臣
副議長 金井康夫
知事 山本一太
副知事 津久井治男
同 宇留賀敬一
東京事務所長 富澤孝史

埼玉県

〒330-9301 さいたま市浦和区高砂三ノ一五ノ一
048(824)2111
〒102-0093 千代田区平河町二ノ六ノ三
都道府県会館8F
03(5212)9104

議長 齊藤邦明
副議長 松澤正
知事 大野元裕
副知事 堀光敦史
同 山﨑達也
同 伊藤高
東京事務所長 野尻一敏

千葉県

〒260-8667 千葉市中央区市場町一ノ一
043(223)2110
〒102-0093 千代田区平河町二ノ六ノ三
都道府県会館14F
03(5212)9013

議長 瀧田敏幸
副議長 實川隆
知事 熊谷俊人
副知事 穴澤幸男
同 黒野嘉之
東京事務所長 飯塚光昭

神奈川県

〒231-8588 横浜市中区日本大通一
045(210)1111
〒102-0093 千代田区平河町二ノ六ノ三
都道府県会館9F
03(5212)9090

議長 柳下剛
副議長 近藤大輔
知事 黒岩祐治
副知事 平田良徳
橋本和也 首藤健治
東京事務所長 水町友治

新潟県

〒950-8570 新潟市中央区新光町四ノ一
025(285)5511
〒102-0093 千代田区平河町二ノ六ノ三
都道府県会館15F
03(5212)9002

議長 皆川雄二
副議長 小島義徳
知事 花角英世
副知事 笠鳥公一
同 鈴木康之
東京事務所長 渡辺慎一

富山県

〒930-8501 富山市新総曲輪一ノ七
076(431)4111
〒102-0093 千代田区平河町二ノ六ノ三
都道府県会館13F
03(5212)9030

議長 山本徹
副議長 井上学
知事 新田八朗
副知事 蔵堀祐一
同 佐藤一絵
首都圏本部長 飯田裕

石川県

〒920-8580 金沢市鞍月一ノ一
076(225)1111
〒102-0093 千代田区平河町二ノ六ノ三
都道府県会館14F
03(5212)9016

議長 善田善彦
副議長 室谷弘幸
知事 馳浩
副知事 徳田博
同 浅野大介
東京事務所長 中谷安孝

福井県

〒910-8580 福井市大手三ノ一七ノ一
0776(21)1111

〒102-0093 千代田区平河町二ノ六ノ三
都道府県会館10F
03(5212)9074

議長 宮本俊
副議長 清水智信
知事 杉本達治
副知事 中村保博
同 鷲頭美央
東京事務所長 萩原雅広

山梨県

〒400-8501 甲府市丸の内一ノ六ノ一
055(237)1111

〒102-0093 千代田区平河町二ノ六ノ三
都道府県会館13F
03(5212)9033

議長 卯月政人
副議長 清水喜美男
知事 長崎幸太郎
副知事 長田公
同 大久保雅直
東京事務所長 小泉嘉透

長野県

〒380-8570 長野市大字南長野字幅下六九二ノ二
026(232)0111

〒102-0093 千代田区平河町二ノ六ノ三
都道府県会館12F
03(5212)9055

議長 山岸喜昭
副議長 続木幹夫
知事 阿部守一
副知事 関昇一郎
東京事務所長 出川広昭

岐阜県

〒500-8570 岐阜市薮田南二ノ一ノ一
058(272)1111

〒102-0093 千代田区平河町二ノ六ノ三
都道府県会館14F
03(5212)9020

議長 水野正敏
副議長 伊藤秀光
知事 古田肇
副知事 大森康宏
同 河合孝憲
東京事務所長 山田育康

静岡県

〒420-8601 静岡市葵区追手町九ノ六
054(221)2455

〒102-0093 千代田区平河町二ノ六ノ三
都道府県会館13F
03(5212)9035

議長 落合慎悟
副議長 鳥澤由克
知事 鈴木康友
副知事 森貴志
同 増井浩二
東京事務所長 内藤信一

愛知県

〒460-8501 名古屋市中区三の丸三ノ一ノ二
052(961)2111

〒102-0093 千代田区平河町二ノ六ノ三
都道府県会館9F
03(5212)9092

議長 直江弘文
副議長 新海正春
知事 大村秀章
副知事 古本伸一郎
同 牧野利香
同 林全宏
同 江口幸雄
東京事務所長 片桐靖幸

三重県

〒514-8570 津市広明町一三
059(224)3070(受付台)
〒102-0093 千代田区平河町二ノ六ノ三
都道府県会館11F
03(5212)9065

議長　稲垣昭義
副議長　小林正人
知事　一見勝之
副知事　服部浩
同　野呂幸利
東京事務所長　山本秀典

滋賀県

〒520-8577 大津市京町四ノ一ノ一
077(528)3993(県庁総合案内)
〒102-0093 千代田区平河町二ノ六ノ三
都道府県会館8F
03(5212)9107

議長　有村國俊
副議長　目片信悟
知事　三日月大造
副知事　江島宏治
同　岸本織江
東京本部長　中村守

京都府

〒602-8570 京都市上京区下立売通新町西入薮ノ内町
075(451)8111
〒102-0093 千代田区平河町二ノ六ノ三
都道府県会館8F
03(5212)9109

議長　石田宗久
副議長　林正樹
知事　西脇隆俊
副知事　古川博規
鈴木一弥　武田一寧
東京事務所長　嶋津誉子

大阪府

〒540-8570 大阪市中央区大手前二ノ一ノ二二
06(6941)0351
〒102-0093 千代田区平河町二ノ六ノ三
都道府県会館7F
03(5212)9118

議長　中谷恭典
副議長　中井もとき
知事　吉村洋文
副知事　山口信彦
森岡武一　渡邉繁樹
東京事務所長　黒田一人

兵庫県

〒650-8567 神戸市中央区下山手通五ノ一〇ノ一
078(341)7711
〒102-0093 千代田区平河町二ノ六ノ三
都道府県会館13F
03(5212)9040

議長　浜田知昭
副議長　谷井いさお
知事　齋藤元彦
副知事　服部洋平
東京事務所長　今後元彦

奈良県

〒630-8501 奈良市登大路町三〇
0742(22)1101
〒102-0093 千代田区平河町二ノ六ノ三
都道府県会館9F
03(5212)9096

議長　中野雅史
副議長　川口延良
知事　山下真
副知事　福谷健夫
西村高則　清水将之
東京事務所長　箕輪成記

和歌山県

〒640-8585 和歌山市小松原通一ノ一
073(432)4111
〒102-0093 千代田区平河町二ノ六ノ三
都道府県会館12F
03(5212)9057

議長 鈴木太雄
副議長 堀龍雄
知事 岸本周平
副知事 下宏
東京事務所長 湯川学

鳥取県

〒680-8570 鳥取市東町一ノ二二〇
0857(26)7111
〒102-0093 千代田区平河町二ノ六ノ三
都道府県会館10F
03(5212)9077

議長 浜崎晋一
副議長 野坂道明
知事 平井伸治
副知事 亀井一賀
東京本部長 堀田晶子

島根県

〒690-8501 松江市殿町一
0852(22)5111
〒102-0093 千代田区平河町二ノ六ノ三
都道府県会館11F
03(5212)9070

議長 中島謙二
副議長 生越俊一
知事 丸山達也
副知事 石原恵利子
東京事務所長 大谷幸生

岡山県

〒700-8570 岡山市北区内山下二ノ四ノ六
086(224)2111
〒102-0093 千代田区平河町二ノ六ノ三
都道府県会館10F
03(5212)9080

議長 久徳大輔
副議長 中塚周一
知事 伊原木隆太
副知事 笠原和男
同 上坊勝則
東京事務所長 浜原敬

広島県

〒730-8511 広島市中区基町一〇ノ五二
082(228)2111
〒105-0001 港区虎ノ門一ノ二ノ八
虎ノ門琴平タワー22F
03(3580)0851

議長 中本隆志
副議長 沖井純
知事 湯﨑英彦
副知事 玉井優子
同 山根健嗣
東京事務所長 弓場久司

山口県

〒753-8501 山口市滝町一ノ一
083(922)3111
〒100-0013 千代田区霞が関三ノ三ノ一
尚友会館4F
03(3502)3355

議長 柳居俊学
副議長 島田教明
知事 村岡嗣政
副知事 平屋隆之
東京事務所長 清水久洋

徳島県

〒770-8570 徳島市万代町一ノ一
088(621)2500(代表)
〒102-0093 千代田区平河町二ノ六ノ三
都道府県会館14F
03(5212)9022

議長 元木章生
副議長 山西国朗
知事 後藤田正純
副知事 志田敏郎
同 村上耕司
東京本部長 森吉雅史

香川県

〒760-8570 高松市番町四ノ一ノ一〇
087(831)1111
〒102-0093 千代田区平河町二ノ六ノ三
都道府県会館9F
03(5212)9100

議長 松原哲也
副議長 谷久浩一
知事 池田豊人
副知事 大山智
東京事務所長 森岡英司

愛媛県

〒790-8570 松山市一番町四ノ四ノ二
089(941)2111
〒102-0093 千代田区平河町二ノ六ノ三
都道府県会館11F
03(5212)9071

議長 三宅浩正
副議長 松尾和久
知事 中村時広
副知事 菅規行
同 濱里要
東京事務所長 河上芳一

高知県

〒780-8570 高知市丸ノ内一ノ二ノ二〇
088(823)1111
〒100-0011 千代田区内幸町一ノ三ノ三
内幸町ダイビル7F
03(3501)5541

議長 加藤漠
副議長 金岡佳時
知事 濵田省司
副知事 井上浩之
理事・東京事務所長 前田和彦

福岡県

〒812-8577 福岡市博多区東公園七ノ七
092(651)1111
〒102-0083 千代田区麹町一ノ一二ノ一
住友不動産ふくおか半蔵門ビル2F
03(3261)9861

議長 香原勝司
副議長 江口善明
知事 服部誠太郎
副知事 江口勝
大曲昭恵 生嶋亮介
東京事務所長 光永雅哉

佐賀県

〒840-8570 佐賀市城内一ノ一ノ五九
0952(24)2111
〒102-0093 千代田区平河町二ノ六ノ三
都道府県会館11F
03(5212)9073

議長 大場芳博
副議長 西久保弘克
知事 山口祥義
副知事 落合裕二
同 南里隆
首都圏事務所長 井崎和也

長崎県

〒850-8570 長崎市尾上町三ノ一
095(824)1111
〒102-0093 千代田区平河町二ノ六ノ三
都道府県会館14F
03(5212)9025

議長 徳永達也
副議長 吉村洋
知事 大石賢吾
副知事 浦真樹
同 馬場裕子
東京事務所長 永峯裕一

熊本県

〒862-8570 熊本市中央区水前寺六ノ一八ノ一
096(383)1111
〒102-0093 千代田区平河町二ノ六ノ三
都道府県会館10F
03(5212)9084

議長 山口裕
副議長 髙木健次
知事 木村敬
副知事 竹内信義
同 亀崎直隆
東京事務所長 内藤美恵

大分県

〒870-8501 大分市大手町三ノ一ノ一
097(536)1111
〒102-0093 千代田区平河町二ノ六ノ三
都道府県会館4F
03(6771)7011

議長 元吉俊博
副議長 井上明夫
知事 佐藤樹一郎
副知事 尾野賢治
同 桑田龍太郎
東京事務所長 平川暢教

宮崎県

〒880-8501 宮崎市橘通東二ノ一〇ノ一
0985(26)7111
〒102-0093 千代田区平河町二ノ六ノ三
都道府県会館15F
03(5212)9007

議長 濵砂守
副議長 野﨑幸士
知事 河野俊嗣
副知事 日隈俊郎
同 佐藤弘之
東京事務所長 長谷川武

鹿児島県

〒890-8577 鹿児島市鴨池新町一〇ノ一
099(286)2111
〒102-0093 千代田区平河町二ノ六ノ三
都道府県会館12F
03(5212)9060

議長 松里保廣
副議長 永井章義
知事 塩田康一
副知事 藤本徳昭
同 大塚大輔
東京事務所長 伊地知芳浩

沖縄県

〒900-8570 那覇市泉崎一ノ二ノ二
098(866)2074(総務私学課)
〒102-0093 千代田区平河町二ノ六ノ三
都道府県会館10F
03(5212)9087

議長 中川京貴
副議長 上原章
知事 玉城デニー
副知事 照屋義実
同 池田竹州
東京事務所長 新城和久

全国都道府県議会議長会

〒102-0093 千代田区平河町二ノ六ノ三
都道府県会館5F
03(5212)9155

会長 山本徹
副会長 冨原亮
丸井裕 齊藤邦明
宮本俊 有村國俊
久徳大輔 松原哲也
中川京貴
理事 西山尚利
瀧田敏幸 水野正敏
中谷恭典 浜崎晋一
三宅浩正 徳永達也
監事 山岸喜昭
中野雅史 加藤漠
事務総長 髙原剛
次長 飯山尚人
議事調査部長 下田正幸
調査部長心得 今関安弘
議員共済会業務部長心得 吉原淳

全国知事会

〒102-0093 千代田区平河町二ノ六ノ三
都道府県会館6F
03(5212)9127

会長 村井嘉浩
副会長 達増拓也
阿部守一 古田肇
三日月大造 平井伸治
伊原木隆太 山口祥義
理事 吉村美栄子
小池百合子 大村秀章
西脇隆俊 丸山達也
後藤田正純 河野俊嗣
監事 黒岩祐治
新田八朗 池田豊人
事務総長 中島正信
事務局次長 多田健一郎
総務部長 (兼)多田健一郎
調査第一部長 鈴木健一
調査第二部長 仙田康博
調査第三部長 大野貴史
事務局部長 神林真美香
同 坂隆次郎

全国市議会議長会

〒102-0093 千代田区平河町二ノ四ノ二
全国都市会館6F
03(3262)5234

会長 坊恭寿
副会長 畑中優周
松野久郎 小島正泰
竹山聡 垣内廣明
平田文彦
事務総長 宮地毅
次長 小谷克志
総務部長 事務取扱 小谷克志
総務部特命担当部長 福田将己
政務第一部長 本橋謙治
政務第二部長 見原出
企画議事部長 目黒宏康
共済会事務局長 宮地毅

全国市長会

〒102-8635 千代田区平河町二ノ四ノ二 全国都市会館4F
03(3262)2313

会長 松井一實
副会長 加藤剛士
木幡浩 花岡利夫
吉田信解 井崎義治
染谷絹代 中野弘道
東川裕 神出政巳
伊東香織 桑名龍吾
赤間幸弘
事務総長 稲山博司
事務局次長 横山忠弘
企画調整室長(事務取扱) 事務局次長
総務部長 木村成仁
行政部長 向山秀昭
財政部長 伊藤章司
社会文教部長 山本宏明
経済部長 植竹徹
調査広報部長 高橋英俊
共済保険部長 井村真弓

指定都市市長会

〒102-0012 千代田区日比谷公園一ノ三 市政会館6F
03(3591)4772

会長 久元喜造
副会長 清水勇人
高島宗一郎 大森雅夫
福田紀彦 大西一史
秋元克広
事務局長 習田嘉章
事務局次長 稲山輝
同 辻下光晴
同 渡邊好隆

全国町村議会議長会

〒102-0082 千代田区一番町二五 全国町村議員会館4F
03(3264)8181

会長 渡部孝樹
副会長 寺本清春
同 畠田勝廣
事務総長 赤松俊彦
総務部長 松浦貞治
企画調整部長 鈴木毅
議事調査部長 飯田厚
共済会業務部長 堀内恵

全国町村会

〒100-0014 千代田区永田町一ノ一一ノ三五
03(3581)0482

会長 吉田隆行
会長代行 棚野孝夫
同 矢田富郎
同 田島健一
副会長 鈴木重男
松田知己 古口達也
岩田利雄 金子政則
岡本章 山崎親男
玉井孝治 高岡秀規
事務総長 横田真二
次長(総務・事業・災害共済・生協担当) 坂中理人
同(政務担当) 角田秀夫
総務部長 澤端義之
行政部長 河野功
財政部長 小野寺則博
経済農林部長 小野文明
広報部長 田名網眞基
災害共済部長 佐川浩幸
保険部長(兼) 坂中理人
事業部長 後藤広美
生協事務局長 飯田光彦

衆議院選挙区割一覧

小選挙区（289）

【北海道】

第1区
札幌市（中央区、北区（本庁管内（北六条西一～九丁目、北七条西一～一〇丁目、北八条西一～一一丁目、北九条西一～一一丁目、北十条西一～一一丁目、北十一条西一～一一丁目、北十二条西五～一一丁目、北十三条西五～一一丁目、北十四条西五～一三丁目、北十五条西六～一三丁目、北十六条西六～一三丁目、北十七条西七～一三丁目））、南区、西区（山の手一条一～一三丁目、山の手二条一～一二丁目、山の手三条一～一二丁目、山の手四条一～一一丁目、山の手五条一～一〇丁目、山の手六条一～九丁目、山の手七条五～八丁目、山の手、二十四軒一条一～七丁目、二十四軒二条一～七丁目、二十四軒三条一～七丁目、二十四軒四条一～七丁目、琴似一条一～七丁目、琴似二条一～七丁目、琴似三条一～七丁目、琴似四条一～七丁目、発寒六条一四丁目、発寒七条一四丁目、発寒八条一三丁目（一四番）、発寒八条一四丁目、発寒九条一三丁目（五～七番）、発寒九条一四丁目、小別沢、宮の沢一条一～五丁目、宮の沢二条一～五丁目、宮の沢三条二～五丁目、宮の沢四条三～五丁目、宮の沢、西町南一～二二丁目、西町北一～二〇丁目、西野一条一～九丁目、西野二条一～一〇丁目、西野三条一～一〇丁目、西野四条一～一〇丁目、西野五条一～一〇丁目、西野六条一～一〇丁目、西野七条一～一〇丁目、西野八条一～一〇丁目、西野九条三～九丁目、西野十条六～九丁目、西野十一条七～九丁目、西野十二条八丁目、西野十三条八丁目、西野十四条八丁目、西野、福井一～一〇丁目、福井、平和一条二～一二丁目、平和二条一～一一丁目、平和三条四～一〇丁目、平和））

第2区
札幌市（北区（第1区に属しない区域）、東区）

第3区
札幌市（白石・豊平・清田区）

第4区
札幌市（西区（第1区に属しない区域）、手稲区）、小樽市、後志総合振興局管内

第5区
札幌市（厚別区）、江別市、千歳市、恵庭市、北広島市、石狩市、石狩振興局管内

第6区
旭川市、士別市、名寄市、富良野市、上川総合振興局管内

第7区
釧路市、根室市、釧路総合振興局管内、根室振興局管内

第8区
函館市、北斗市、渡島総合振興局管内、檜山振興局管内

第9区
室蘭市、苫小牧市、登別市、伊達市、胆振総合振興局管内、日高振興局管内

第10区
夕張市、岩見沢市、留萌市、美唄市、芦別市、赤平市、三笠市、滝川市、砂川市、歌志内市、深川市、空知総合振興局管内、留萌振興局管内

第11区
帯広市、十勝総合振興局管内

第12区
北見市、網走市、稚内市、紋別市、宗谷・オホーツク総合振興局管内

【青森県】

第1区
青森市、むつ市、東津軽郡、上北郡（野辺地町、横浜町、六ケ所村）、下北郡

第2区
八戸市、十和田市、三沢市、上北郡（七戸町、六戸町、東北町、おいらせ町）、三戸郡

第3区
弘前市、黒石市、五所川原市、つがる市、平川市、西津軽郡、中津軽郡、南津軽郡、北津軽郡

【岩手県】

第1区
盛岡市、紫波郡

第2区
宮古市、大船渡市、久慈市、遠野市、陸前高田市、釜石市、二戸市、八幡平市、滝沢市、岩手郡、気仙郡、上閉伊郡、下閉伊郡、九戸郡、二戸郡

第3区
花巻市、北上市、一関市、奥州市、和賀郡、胆沢郡、西磐井郡

【宮城県】

第1区
仙台市（青葉区、太白区（本庁管内））

第2区
仙台市（宮城野・若林・泉区）

第3区
仙台市（太白区（第1区に属しない区域））、白石市、名取市、角田市、岩沼市、刈田郡、柴田郡、伊具郡、亘理郡

第4区
塩竈市、多賀城市、富谷市、宮城郡（七ヶ浜町、利府町）、黒川郡（大和町、大衡村）、加美郡

第5区
石巻市、東松島市、大崎市（松山・三本木・鹿島台・田尻総合支所管内）、宮城郡（松島町）、黒川郡（大郷町）、遠田郡、牡鹿郡、本吉郡

第6区
気仙沼市、登米市、栗原市、大崎市（第5区に属しない区域）

【秋田県】

第1区
秋田市

第2区
能代市、大館市、男鹿市、鹿角市、潟上市、北秋田市、鹿角郡、北秋田郡、山本郡、南秋田郡

第3区
横手市、湯沢市、由利本荘市、大仙市、にかほ市、仙北市、仙北郡、雄勝郡

【山形県】

第1区
山形市、上山市、天童市、東村山郡

第2区
米沢市、寒河江市、村山市、長井市、東根市、尾花沢市、南陽市、西村山郡、北村山郡、東置賜郡、西置賜郡

第3区
鶴岡市、酒田市、新庄市、最上郡、東田川郡、飽海郡

【福島県】

第1区
福島市、相馬市、南相馬市、伊達市、伊達郡、相馬郡

第2区
郡山市、二本松市、本宮市、安達郡

第3区
白河市、須賀川市、田村市、岩瀬郡、西白河郡（泉崎村、中島村、矢吹町）、東白川郡、石川郡、田村郡

第4区
会津若松市、喜多方市、南会津郡、耶麻郡、河沼郡、大沼郡、西白河郡（西郷村）

第5区
いわき市、双葉郡

【茨城県】

第1区
水戸市（本庁管内、赤塚・常澄出張所管内）、下妻市（下妻、長塚、砂沼新田、坂本新田、大木新田、石の宮、堀篭、坂井、比毛、横根、平川戸、北大宝、大宝、大串、平沼、福田、下木戸、神明、若柳、下宮、数須、筑波島、下田、中郷、黒駒、江、平方、尻手、渋井、桐ケ瀬、前河原、赤須、柴、半谷、大木、南原、上野、関本下、袋畑、古沢、小島、二本紀、今泉、中居指、新堀、加養、亀崎、樋橋、肘谷、山尻、谷田部、柳原、安食、高道祖、本城町一～三丁目、小野子町一～二丁目、本宿町一～二丁目、田町一～二丁目）、笠間市（笠間支所管内）、常陸大宮市（御前山支所管内）、筑西市、桜川市、東茨城郡（城里町）

第2区
水戸市（第1区に属しない区域）、笠間市（第1区に属しない区域）、鹿嶋市、潮来市、神栖市、行方市、鉾田市、小美玉市（本庁管内、小川総合支所管内）、東茨城郡（茨城・大洗町）

第3区
龍ケ崎市、取手市、牛久市、守谷市、稲敷市、稲敷郡、北相馬郡

第4区
常陸太田市、ひたちなか市、常陸大宮市（第1区に属しない区域）、那珂市、久慈郡

第5区
日立市、高萩市、北茨城市、那珂郡

第6区
土浦市、石岡市、つくば市、かすみがうら市、つくばみらい市、小美玉市（第2区に属しない区域）

第7区
古河市、結城市、下妻市（第1区に属しない区域）、常総市、坂東市、結城郡、猿島郡

【栃木県】

第1区
宇都宮市（本庁管内、平石・清原・横川・瑞穂野・城山・国本・富屋・豊郷・篠井・姿川・雀宮地区市民センター管内、宝木・陽南出張所管内）、下野市（薬師寺、成田、町田、谷地賀、下文狭、田中、仁良川、本吉田、別当河原、下吉田、磯部、中川島、上川島、上吉田、三王山、絹板、花田、下坪山、上坪山、東根、祇園一～五丁目、緑一～六丁目）、河内郡

第2区
宇都宮市（第1区に属しない区域）、栃木市（西方総合支所管内）、鹿沼市、日光市、さくら市、塩谷郡

第3区
大田原市、矢板市、那須塩原市、那須烏山市、那須郡

第4区
栃木市（大平・藤岡・都賀・岩舟総合支所管内）、小山市、真岡市、下野市（第1区に属しない区域）、芳賀郡、下都賀郡

第5区
足利市、栃木市（第2・4区に属しない区域）、佐野市

【群馬県】

第1区
前橋市、桐生市（新里・黒保根支所管内）、沼田市、渋川市（赤城・北橘行政センター管内）、みどり市（東支所管内）、利根郡

第2区
桐生市（第1区に属しない区域）、伊勢崎市、太田市（藪塚町、山之神町、寄合町、大原町、六千石町、大久保町）、みどり市（第1区に属しない区域）、佐波郡

第3区
太田市（第2区に属しない区域）、館林市、邑楽郡

第4区
高崎市（本庁管内、新町・吉井支所管内）、藤岡市、多野郡

第5区
高崎市（第4区に属しない区域）、渋川市（第1区に属しない区域）、富岡市、安中市、北群馬郡、甘楽郡、吾妻郡

【埼玉県】

第1区
さいたま市（見沼区（大字砂、砂町二丁目、東大宮二丁目、東大宮三～四丁目に属する区域を除く）、浦和・緑・岩槻区）

第2区
川口市（本庁管内、新郷・神根支所管内、芝支所管内（芝中田一～二丁目、芝宮根町、芝高木一～二丁目、芝東町、芝一～四丁目、芝下一～三丁目、大字芝（三一〇二～三一九八番地を除く）、芝西一丁目（一～一一番を除く）、芝西二丁目、芝塚原一丁目（一・四番を除く）、芝塚原二丁目、大字伊刈、大字小谷場、柳崎一～五丁目、北園町、柳根町）、安行・戸塚・鳩ケ谷支所管内）

第3区
草加市、越谷市（赤山町一～五丁目、赤山本町、東町一～六丁目、伊原一～二丁目、大字大里、大沢、大沢一～四丁目、大字大杉、大字大泊、大字大林、大字大房、大字大松、大間野町一～五丁目、大字大吉、大字小曽川、大字上間久里（九七六～一〇七五番地を除く）、大字蒲生、蒲生一～四丁目、蒲生茜町、蒲生旭町、蒲生愛宕町、蒲生寿町、蒲生西町一～二丁目、蒲生東町、蒲生本町、蒲生南町、川柳町一～六丁目、瓦曽根一～三丁目、大字北後谷、大字北川崎、北越谷一～五丁目、越ケ谷、越ケ谷一～五丁目、越ケ谷本町、御殿町、相模町一～七丁目、七左町一・四～八丁目、大字下間久里、新川町一～二丁目、新越谷一～二丁目、神明町一～三丁目、大字砂原、千間台東一～四丁目、大成町一～八丁目、大字中島、中島一～三丁目、大字長島、中町、大字西新井、大字西方、西方一～二丁目、大字野島、登戸町、大字花田、花田一～七丁目、東大沢一～五丁目、東越谷一～一〇丁目、東柳田町、大字平方、平方南町、大字袋山（六七一～六七九番地、六八一～六八七番地、六九六～六九九番地、七〇四番地、七二八～七五三番地、七六一～八〇五番地、八一一～八三七番地、八四三番地、八五六～八八八番地、

八九九～九五二番地、九七八～一〇二二番地、一〇八一～一一六二番地、一一六四～一一八七番地、一一九一～一二一八番地、一六七七番地、一七一七番地、一七一八番地、一七五六番地、一七五七番地、一八五一～二〇〇一番地、二〇〇四～二〇六〇番地）、大字船渡、大字増林、増林一～三丁目、大字増森、増森一～二丁目、大字南荻島（一～四〇一三番地、四〇九五番地、四〇九六番地、四一三一～四一三五番地）、南越谷一～五丁目、南町一～三丁目、宮前一丁目、宮本町一～五丁目、大字向畑、元柳田町、弥栄町一～四丁目、大字弥十郎、谷中町一～四丁目、柳町、弥生町、流通団地一～四丁目、レイクタウン一～九丁目）

第4区
朝霞市、志木市、和光市、新座市

第5区
さいたま市（西・北・大宮区、見沼区（第1区に属しない区域）、中央区）

第6区
鴻巣市（本庁管内、吹上支所管内）、上尾市、桶川市、北本市、北足立郡

第7区
川越市、富士見市、ふじみ野市（本庁管内）

第8区
所沢市、ふじみ野市（第7区に属しない区域）、入間郡（三芳町）

第9区
飯能市、狭山市、入間市、日高市、入間郡（毛呂山・越生町）

第10区
東松山市、坂戸市、鶴ヶ島市、比企郡

第11区
熊谷市（江南行政センター管内）、秩父市、本庄市、深谷市、秩父郡、児玉郡、大里郡

第12区
熊谷市（第11区に属しない区域）、行田市、加須市、羽生市、鴻巣市（第6区に属しない区域）

第13区
春日部市（赤沼、一ノ割、一ノ割一～四丁目、牛島、内牧、梅田、梅田一～三丁目、梅田本町一～二丁目、大枝、大沼一～七丁目、大場、大畑、粕壁、粕壁一～四丁目、粕壁東一～六丁目、上大増新田、上蛭田、小渕、栄町一～三丁目、下大増新田、下蛭田、新川、薄谷、千間一丁目、中央一～八丁目、銚子口、道口蛭田、道順川戸、豊野町一～三丁目、武里中野、新方袋、西八木崎一～三丁目、八丁目、花積、浜川戸一～二丁目、樋堀、樋籠、備後西一～五丁目、備後東一～八丁目、藤塚、不動院野、本田町一～二丁目、増富、増戸、増田新田、緑町一～六丁目、南一～五丁目、南栄町、南中曽根、八木崎町、谷原一～三丁目、谷原新田、豊町一～六丁目、六軒町）、越谷市（第3区に属しない区域）、久喜市（本庁管内、菖蒲総合支所管内）、蓮田市、白岡市、宮代町

第14区
春日部市（第13区に属しない区域）、久喜市（第13区に属しない区域）、八潮市、三郷市、幸手市、吉川市、北葛飾郡

第15区
さいたま市（桜・南区）、川口市（第2区に属しない区域）、蕨市、戸田市

【千葉県】

第1区
千葉市（中央・稲毛・美浜区）

第2区
千葉市（花見川区）、習志野市、八千代市

第3区
千葉市（緑区）、市原市

第4区
船橋市（本庁管内、二宮・芝山・高根台・習志野台・西船橋出張所管内、船橋駅前総合窓口センター管内（丸山一～五丁目に属する区域を除く））

第5区
市川市（本庁管内（市川一～三丁目、市川南一～五丁目、真間一～三丁目、大洲一～四丁目、大和田一～五丁目、東大和田一～二丁目、稲荷木一～三丁目、八幡一～六丁目、南八幡一～五丁目、菅野一～六丁目、東菅野一～三丁目、鬼越一～二丁目、鬼高一～四丁目、高石神、中山一～四丁目、若宮一～三丁目、北方一～三丁目、本北方一～三丁目、北方町四丁目、東浜一丁目、田尻、田尻一～五丁目、高谷、高谷一～三丁目、高谷新町、原木、原木一～四丁目、二俣、二俣一～二丁目、二俣新町、上妙典）、行徳支所管内）、浦安市

第6区
市川市（第5区に属しない区域）、松戸市（本庁管内、常盤平・六実・矢切・東部支所管内）

第7区
松戸市（第6区に属しない区域）、

野田市、流山市

第8区

柏市（本庁管内、田中・増尾・富勢・光ケ丘・豊四季台・南部・西原・松葉・藤心出張所管内、柏駅前行政サービスセンター管内）、我孫子市

第9区

千葉市（若葉区）、佐倉市、四街道市、八街市

第10区

銚子市、成田市、旭市、匝瑳市、香取市、香取郡、山武郡（横芝光町（篠本、新井、宝米、市野原、二又、小川台、台、傍示戸、富下、虫生、小田部、母子、芝崎、芝崎南、宮川、谷中、目篠、上原、原方、木戸、尾垂イ、尾垂ロ、篠本根切））

第11区

茂原市、東金市、勝浦市、山武市、いすみ市、大網白里市、山武郡（九十九里・芝山町、横芝光町（第10区に属しない区域））、長生郡、夷隅郡

第12区

館山市、木更津市、鴨川市、君津市、富津市、袖ケ浦市、南房総市、安房郡

第13区

船橋市（第4区に属しない区域）、柏市（第8区に属しない区域）、鎌ケ谷市、印西市、白井市、富里市、印旛郡

【東京都】

第1区

千代田区、港区（芝地区総合支所管内（芝五丁目、三田一～三丁目）、麻布地区・赤坂地区・高輪地区総合支所管内、芝浦港南地区総合支所管内（芝浦四丁目、海岸三丁目（四～一三番、二〇～二一番、三一～三三番）、港南一～五丁目、台場一～二丁目））、新宿区（本庁管内、四谷・箪笥町・榎町・若松町・大久保・戸塚特別出張所管内、落合第一特別出張所管内（下落合一～四丁目、中落合二丁目、高田馬場三丁目）、柏木・角筈特別出張所管内）

第2区

中央区、港区（第1区に属しない区域）、文京区、台東区（台東一～四丁目、柳橋一～二丁目、浅草橋一～五丁目、鳥越一～二丁目、蔵前一～四丁目、小島一～二丁目、三筋一～二丁目、秋葉原、上野一～七丁目、東上野一～五丁目、元浅草一～四丁目、寿一～四丁目、駒形一～二丁目、北上野一～二丁目、下谷一丁目、下谷二丁目（一～一二番、一三番六～一三号、一六～二三番）、下谷三丁目、根岸一～五丁目、入谷一丁目（四～八番、一五～二〇番、二九～三二番）、入谷二丁目（三四～三九番）、竜泉一～三丁目、西浅草一丁目、雷門一～二丁目、浅草一丁目、浅草二丁目（一～一二番、二八～三五番）、花川戸一～二丁目、千束二丁目（三三～三六番）、日本堤二丁目（三六～三九番）、三ノ輪一～二丁目、池之端一～四丁目、上野公園、上野桜木一～二丁目、谷中一～七丁目）

第3区

品川区（品川第一～第二地域センター管内、大崎第一地域センター管内（東五反田一～三丁目、西五反田一丁目、西五反田二丁目（一～二一番）、西五反田八丁目（四番一～一三号、五番、六番一〇～二三号、七～八番）、小山台一丁目、小山一丁目、荏原一丁目）、大崎第二地域センター管内（西五反田六～七丁目に属する区域を除く）、大井第一～第三地域・荏原第一～第五地域・八潮地域センター管内）、大田区（嶺町・田園調布特別出張所管内、鵜の木特別出張所管内（鵜の木二～三丁目に属する区域に限る）、久が原特別出張所管内（千鳥二丁目、池上三丁目に属する区域を除く）、雪谷・千束特別出張所管内）、大島支庁管内、三宅支庁管内、八丈支庁管内、小笠原支庁管内

第4区

大田区（第3区に属しない区域）

第5区

目黒区（北部地区サービス事務所管内（上目黒二丁目（四七～四九番）に属する区域に限る）、東部地区サービス事務所管内（中目黒五丁目、下目黒四丁目（二一～二三番）、下目黒五丁目（八～三七番）、下目黒六丁目、目黒本町一丁目に属する区域に限る）、中央地区サービス事務所管内（目黒四丁目（六～一一番）に属する区域を除く）、南部地区・西部地区サービス事務所管内）、世田谷区（池尻・太子堂・下馬・上馬・代沢・奥沢・九品仏・等々力・上野毛・用賀・深沢まちづくりセンター管内）

第6区

世田谷区（第5区に属しない区域）

第7区

品川区（第3区に属しない区域）、目黒区（第5区に属しない区域）、渋谷区、中野区（南台一～五丁目、

弥生町一～六丁目、本町一～六丁目、中央一～五丁目、東中野一～二丁目、東中野四～五丁目、中野一～四丁目、中野五丁目（一〇～六八番）、新井一丁目（一～三五番）、新井二～三丁目、野方一丁目、野方二丁目（一～三二番、四一～六二番））、杉並区（方南一～二丁目に属する区域に限る）

第8区

杉並区（第7区に属しない区域）

第9区

練馬区（豊玉上二丁目、豊玉中一～四丁目、豊玉南一～三丁目、豊玉北三～六丁目、中村一～三丁目、中村南一～三丁目、中村北一～四丁目、練馬一～四丁目、向山一～四丁目、貫井一～五丁目、春日町一～六丁目、高松一～六丁目、田柄三丁目（二四～三〇番までを除く）、田柄五丁目（二一～二八番までを除く）、光が丘二～七丁目、旭町一～三丁目、土支田一～四丁目、富士見台一～四丁目、南田中一～五丁目、高野台一～五丁目、谷原一～六丁目、三原台一～三丁目、石神井町一～八丁目、石神井台一～八丁目、下石神井一～六丁目、東大泉一～七丁目、西大泉町、西大泉一～六丁目、南大泉一～六丁目、大泉町一～六丁目、大泉学園町一～九丁目、関町北一～五丁目、関町南一～四丁目、上石神井南町、立野町、上石神井一～四丁目、関町東一～二丁目）

第10区

新宿区（第1区に属しない区域）、中野区（第7区に属しない区域）、豊島区（本庁管内（東池袋一～五丁目、南池袋一～四丁目、西池袋一～五丁目、池袋一～四丁目、池袋本町一～四丁目、雑司が谷一～三丁目、高田一～三丁目、目白一～四丁目）、東部区民事務所管内（南大塚三丁目、東池袋五丁目に属する区域に限る）、西部区民事務所管内）、練馬区（旭丘一～二丁目、小竹町一～二丁目、栄町、羽沢一～三丁目、豊玉上一丁目、豊玉北一～二丁目、桜台一～六丁目、錦一～二丁目、氷川台一～四丁目、平和台一～四丁目、早宮一～四丁目、北町一～八丁目、田柄一～二丁目、田柄三丁目（一四～三〇番）、田柄四丁目、田柄五丁目（二一～二八番）、光が丘一丁目）

第11区

板橋区（本庁管内（板橋一～四丁目、加賀一～二丁目、大山東町、大山金井町、熊野町、中丸町、南町、稲荷台、仲宿、氷川町、栄町、大山町、大山西町、幸町、中板橋、仲町、弥生町、本町、大和町、双葉町、富士見町、大谷口上町、大谷口北町、大谷口一～二丁目、向原一～三丁目、小茂根一～五丁目、常盤台一～四丁目、南常盤台一～二丁目、東新町一～二丁目、上板橋一～三丁目、清水町、蓮沼町、大原町、泉町、宮本町、志村一～三丁目、坂下一～三丁目、東坂下一～二丁目、小豆沢一～四丁目、西台一～四丁目、中台一～三丁目、若木一～三丁目、蓮根一～三丁目、相生町、前野町一～六丁目、三園二丁目、東山町、桜川一～三丁目、高島平一～九丁目、新河岸三丁目）、赤塚支所管内

第12区

豊島区（第10区に属しない区域）、北区、板橋区（第11区に属しない区域）、足立区（入谷町、入谷一～九丁目、扇二丁目、小台一～二丁目、加賀一～二丁目、江北一～七丁目、皿沼一～三丁目、鹿浜一～八丁目、新田一～三丁目、椿一～二丁目、舎人公園、舎人町、舎人一～六丁目、堀之内一～二丁目、宮城一～二丁目、谷在家一～三丁目）

第13区

足立区（第12区に属しない区域）

第14区

台東区（第2区に属しない区域）、墨田区、荒川区

第15区

江東区

第16区

江戸川区（本庁管内（中央一～四丁目、松島一～四丁目、松江一～七丁目、東小松川一～四丁目、西小松川町、大杉一～五丁目、西一之江一～四丁目、春江町四丁目、一之江一～八丁目、西瑞江四丁目、江戸川四丁目、松本一～二丁目）、小松川・葛西・東部・鹿骨事務所管内）

第17区

葛飾区、江戸川区（第16区に属しない区域）

第18区

武蔵野市、府中市、小金井市

第19区

小平市、国分寺市、西東京市

第20区

東村山市、東大和市、清瀬市、東久留米市、武蔵村山市

第21区

八王子市（東中野、大塚に属する区域に限る）、立川市、日野市、国立市、多摩市（関戸、関戸一～四丁目、関戸五丁目（一～八番、一三～三二番）、連光寺、連光寺一～六

丁目、東寺方一丁目、一ノ宮、一ノ宮一～四丁目、聖ケ丘一丁目（一～二四番、三五番、四四番）、聖ケ丘二～五丁目）、稲城市（坂浜、平尾、平尾一～三丁目、長峰一～三丁目、若葉台一～四丁目）

第22区
三鷹市、調布市、狛江市、稲城市（第21区に属しない区域）

第23区
町田市、多摩市（第21区に属しない区域）

第24区
八王子市（第21区に属しない区域）

第25区
青梅市、昭島市、福生市、羽村市、あきる野市、西多摩郡

【神奈川県】

第1区
横浜市（中・磯子・金沢区）

第2区
横浜市（西・南・港南区）

第3区
横浜市（鶴見・神奈川区）

第4区
横浜市（栄区）、鎌倉市、逗子市、三浦郡

第5区
横浜市（戸塚・泉・瀬谷区）

第6区
横浜市（保土ケ谷・旭区）

第7区
横浜市（港北区、都筑区（あゆみが丘、池辺町、牛久保町、牛久保一～三丁目、牛久保西一～四丁目、牛久保東一～三丁目、大熊町、大棚町、大棚西、折本町、加賀原一～二丁目、勝田町、勝田南一～二丁目、川向町、川和台、川和町、北山田一～七丁目、葛が谷、佐江戸町、桜並木、新栄町、すみれが丘、高山、茅ケ崎町、茅ケ崎中央、茅ケ崎東一～五丁目、茅ケ崎南一～五丁目、中川一～八丁目、中川中央一～二丁目、長坂、仲町台一～五丁目、二の丸、早渕一～三丁目、東方町、東山田町、東山田一～四丁目、平台、富士見が丘、南山田町、南山田一～三丁目、見花山））

第8区
横浜市（緑・青葉区・都筑区（第7区に属しない区域））

第9区
川崎市（多摩区、宮前区（向丘出張所管内（神木本町一～五丁目に属する区域に限る））、麻生区）

第10区
川崎市（川崎・幸区、中原区（新丸子町、新丸子東一～三丁目、丸子通一～二丁目、上丸子山王町一～二丁目、上丸子八幡町、上丸子天神町、小杉町一～三丁目、小杉御殿町一～二丁目、小杉陣屋町一～二丁目、等々力、木月一～四丁目、西加瀬、木月祇園町、木月伊勢町、木月大町、木月住吉町、苅宿、大倉町、市ノ坪、今井上町、今井仲町、今井南町、今井西町、井田一～三丁目、井田中ノ町、上平間、田尻町、北谷町、中丸子、下沼部、上丸子、小杉））

第11区
横須賀市、三浦市

第12区
藤沢市、高座郡

第13区
大和市、海老名市、座間市（入谷一～五丁目、栗原、栗原中央一～六丁目、小松原一～二丁目、さがみ野一～三丁目、座間、座間一～二丁目、座間入谷、新田宿、相武台一～四丁目、立野台一～三丁目、西栗原一～二丁目、東原一～五丁目、ひばりが丘一～五丁目、広野台一～二丁目、緑ケ丘一～六丁目、南栗原一～六丁目、明王、四ツ谷）、綾瀬市

第14区
相模原市（緑区（相原、相原一～六丁目、大島、大山町、上九沢、下九沢、田名、西橋本一～五丁目、二本松一～四丁目、橋本一～八丁目、橋本台一～四丁目、東橋本一～四丁目、元橋本町）、中央区、南区（旭町、鵜野森一～三丁目、大野台一～八丁目、上鶴間一～八丁目、上鶴間本町一～九丁目、古淵一～六丁目、栄町、相模大野一～九丁目、相南一丁目（一～一八番）、相南二丁目（一～一二番、一七番、二五～二八番）、相南三丁目（一～二六、三四～四七番）、西大沼一～五丁目、東大沼一～四丁目、東林間一～八丁目、文京一～二丁目、御園一～三丁目、豊町、若松一～六丁目））

第15区
平塚市、茅ケ崎市、中郡

第16区
相模原市（緑区（第14区に属しない区域）、南区（第14区に属しない区域））、厚木市、伊勢原市、座間市（第13区に属しない区域）、愛甲郡

第17区
小田原市、秦野市、南足柄市、足柄上郡、足柄下郡

第18区
川崎市（中原区（第10区に属しな

選挙区割

い区域)、高津区、宮前区(第9区に属しない区域))

【新潟県】

第1区
新潟市(北区(本庁管内(細山に属する区域に限る)、北出張所管内(すみれ野四丁目に属する区域を除く))、東区(本庁管内、石山出張所管内(亀田中島四丁目に属する区域を除く))、中央区(本庁管内、東出張所管内、南出張所管内(鵜ノ子、亀田早通に属する区域を除く))、江南区(本庁管内 (天野、天野一～三丁目、粟山、姥ケ山、江口、大淵、祖父興野、嘉木、嘉瀬、上和田、北山、久蔵興野、蔵岡、酒屋町、笹山、三百地、鐘木、清五郎、曽川、楚川、曽野木一～二丁目、太右エ門新田、俵柳、直り山、長潟、中野山、鍋潟新田、西野、西山、花ノ牧、平賀、細山、舞潟、松山、丸潟新田、丸山、丸山ノ内善之丞組、茗荷谷、山二ツ、両川一～二丁目、和田、割野))、南区(本庁管内(天野に属する区域に限る))、西区(本庁管内、西出張所管内(四ツ郷屋、与兵衛野新田に属する区域を除く)、黒埼出張所管内))

第2区
新潟市(南区(味方・月潟出張所管内)、西区(第1区に属しない区域)、西蒲区)、長岡市(本庁管内(西津町に属する区域のうち、平成17年3月31日において三島郡越路町の区域であった区域に限る)、越路・三島・小国・和島・寺泊・与板支所管内)、柏崎市、燕市、佐渡市、西蒲原郡、三島郡、刈羽郡

第3区
新潟市(北区(本庁管内(細山、小杉、十二前、横越に属する区域を除く)、北出張所管内(すみれ野四丁目に属する区域に限る)))、新発田市、村上市、五泉市、阿賀野市、胎内市、北蒲原郡、東蒲原郡、岩船郡

第4区
新潟市(北区(第1・3区に属しない区域)、東区(第1区に属しない区域)、中央区(第1区に属しない区域)、江南区(第1区に属しない区域)、秋葉区、南区(第1・2区に属しない区域))、長岡市(中之島支所管内(押切川原町に属する区域のうち、平成17年3月31日において長岡市の区域であった区域を除く)、栃尾支所管内)、三条市、加茂市、見附市、南蒲原郡

第5区
長岡市(第2・4区に属しない区域)、小千谷市、魚沼市、南魚沼市、南魚沼郡

第6区
十日町市、糸魚川市、妙高市、上越市、中魚沼郡

【富山県】

第1区
富山市 (本庁管内)

第2区
富山市(第1区に属しない区域)、魚津市、滑川市、黒部市、中新川郡、下新川郡

第3区
高岡市、氷見市、砺波市、小矢部市、南砺市、射水市

【石川県】

第1区
金沢市

第2区
小松市、加賀市、白山市、能美市、野々市市、能美郡

第3区
七尾市、輪島市、珠洲市、羽咋市、かほく市、河北郡、羽咋郡、鹿島郡、鳳珠郡

【福井県】

第1区
福井市、大野市、勝山市、あわら市、坂井市、吉田郡

第2区
敦賀市、小浜市、鯖江市、越前市、今立郡、南条郡、丹生郡、三方郡、大飯郡、三方上中郡

【山梨県】

第1区
甲府市、韮崎市、南アルプス市、北杜市、甲斐市、中央市、西八代郡、南巨摩郡、中巨摩郡

第2区
富士吉田市、都留市、山梨市、大月市、笛吹市、上野原市、甲州市、南都留郡、北都留郡

【長野県】

第1区
長野市(本庁管内、篠ノ井・松代・若穂・川中島・更北・七二会・信更・古里・柳原・浅川・大豆島・朝陽・

若槻・長沼・安茂里・小田切・芋井・芹田・古牧・三輪・吉田支所管内）、須坂市、中野市、飯山市、上高井郡、下高井郡、下水内郡

第2区
長野市（第1区に属しない区域）、松本市、大町市、安曇野市、東筑摩郡、北安曇郡、上水内郡

第3区
上田市、小諸市、佐久市、千曲市、東御市、南佐久郡、北佐久郡、小県郡、埴科郡

第4区
岡谷市、諏訪市、茅野市、塩尻市、諏訪郡、木曽郡

第5区
飯田市、伊那市、駒ヶ根市、上伊那郡、下伊那郡

【岐阜県】

第1区
岐阜市（本庁管内、西部・東部・北部・南部東・南部西・日光事務所管内）

第2区
大垣市、海津市、養老郡、不破郡、安八郡、揖斐郡

第3区
岐阜市（第1区に属しない区域）、関市、美濃市、羽島市、各務原市、山県市、瑞穂市、本巣市、羽島郡、本巣郡

第4区
高山市、美濃加茂市、可児市、飛騨市、郡上市、下呂市、加茂郡、可児郡、大野郡

第5区
多治見市、中津川市、瑞浪市、恵那市、土岐市

【静岡県】

第1区
静岡市（葵区（本庁管内（瀬名川三丁目（五番二五号、五番五〇～五九号）に属する区域を除く）、井川支所管内）、駿河区（本庁管内（谷田に属する区域のうち、平成15年3月31日において清水市の区域であった区域を除く）、長田支所管内）、清水区（本庁管内（楠（六九四番地一、六九四番地三）に属する区域に限る）））

第2区
島田市、焼津市、藤枝市、御前崎市（御前崎支所管内）、牧之原市、榛原郡

第3区
浜松市（天竜区（春野町領家、春野町堀之内、春野町胡桃平、春野町和泉平、春野町砂川、春野町大時、春野町長蔵寺、春野町石打松下、春野町田黒、春野町筏戸大上、春野町五和、春野町越木平、春野町田河内、春野町牧野、春野町花島、春野町杉、春野町川上、春野町宮川、春野町気田、春野町豊岡、春野町石切、春野町小俣京丸））、磐田市、掛川市、袋井市、御前崎市（第2区に属しない区域）、菊川市、周智郡

第4区
静岡市（葵区（第1区に属しない区域）、駿河区（第1区に属しない区域）、清水区（第1区に属しない区域））、富士宮市、富士市（木島、岩淵、中之郷、南松野、北松野、中野台一～二丁目）

第5区
三島市、富士市（第4区に属しない区域）、御殿場市、裾野市、伊豆の国市（本庁管内）、田方郡、駿東郡（小山町）

第6区
沼津市、熱海市、伊東市、下田市、伊豆市、伊豆の国市（第5区に属しない区域）、賀茂郡、駿東郡（清水・長泉町）

第7区
浜松市（中区（西丘町、花川町に属する区域に限る）、西区、南区（高塚町、増楽町、若林町、東若林町に属する区域に限る）、北区、浜北区、天竜区（第3区に属しない区域））、湖西市

第8区
浜松市（中区（第7区に属しない区域）、東区、南区（第7区に属しない区域））

【愛知県】

第1区
名古屋市（東・北・西・中区）

第2区
名古屋市（千種・守山・名東区）

第3区
名古屋市（昭和・緑・天白区）

第4区
名古屋市（瑞穂・熱田・港・南区）

第5区
名古屋市（中村・中川区）、清須市、北名古屋市、西春日井郡

第6区
瀬戸市（川平町、本郷町（一〇～一〇四八番）、十軒町、鹿乗町、内田町一～二丁目、北みずの坂一～三丁目）、春日井市、犬山市、小牧市

第7区
瀬戸市（第6区に属しない区域）、大府市、尾張旭市、豊明市、日進市、長久手市、愛知郡
第8区
半田市、常滑市、東海市、知多市、知多郡
第9区
一宮市（本庁管内（起、開明、上祖父江、北今、小信中島、三条、玉野、冨田、西五城、西中野、西中野番外、西萩原、蓮池、東五城、東加賀野井、明地、祐久、篭屋一～五丁目））、津島市、稲沢市、愛西市、弥富市、あま市、海部郡
第10区
一宮市（第9区に属しない区域）、江南市、岩倉市、丹羽郡
第11区
豊田市（旭・足助・小原・上郷・挙母・猿投・下山・高岡・高橋・藤岡・松平地域自治区）、みよし市
第12区
岡崎市、西尾市
第13区
碧南市、刈谷市、安城市、知立市、高浜市
第14区
豊川市、豊田市（第11区に属しない区域）、蒲郡市、新城市、額田郡、北設楽郡
第15区
豊橋市、田原市

【三重県】

第1区
津市、松阪市
第2区
四日市市（日永地区・四郷地区・内部地区・塩浜地区・小山田地区・河原田地区・水沢地区・楠地区市民センター管内）、鈴鹿市、名張市、亀山市、伊賀市
第3区
四日市市（第2区に属しない区域）、桑名市、いなべ市、桑名郡、員弁郡、三重郡
第4区
多気郡、伊勢市、尾鷲市、鳥羽市、熊野市、志摩市、度会郡、北牟婁郡、南牟婁郡

【滋賀県】

第1区
大津市、高島市
第2区
彦根市、長浜市、東近江市（愛東・湖東支所管内）、米原市、愛知郡、犬上郡
第3区
草津市、守山市、栗東市、野洲市
第4区
近江八幡市、甲賀市、湖南市、東近江市（第2区に属しない区域）、蒲生郡

【京都府】

第1区
京都市（北・上京・中京・下京・南区）
第2区
京都市（左京・東山・山科区）
第3区
京都市（伏見区）、向日市、長岡京市、乙訓郡
第4区
京都市（右京・西京区）、亀岡市、南丹市、船井郡
第5区
福知山市、舞鶴市、綾部市、宮津市、京丹後市、与謝郡
第6区
宇治市、城陽市、八幡市、京田辺市、木津川市、久世郡、綴喜郡、相楽郡

【大阪府】

第1区
大阪市（中央・西・港・天王寺・浪速・東成区）
第2区
大阪市（生野区・阿倍野・東住吉・平野区）
第3区
大阪市（大正・住之江・住吉・西成区）
第4区
大阪市（北・都島・福島・城東区）
第5区
大阪市（此花・西淀川・淀川・東淀川区）
第6区
大阪市（旭・鶴見区）、守口市、門真市
第7区
吹田市、摂津市
第8区
豊中市
第9区
池田市、茨木市、箕面市、豊能郡
第10区
高槻市、三島郡
第11区
枚方市、交野市

第12区
寝屋川市、大東市、四條畷市
第13区
東大阪市
第14区
八尾市、柏原市、羽曳野市、藤井寺市
第15区
堺市（美原区）、富田林市、河内長野市、松原市、大阪狭山市、南河内郡
第16区
堺市（堺・東・北区）
第17区
堺市（中・西・南区）
第18区
岸和田市、泉大津市、和泉市、高石市、泉北郡
第19区
貝塚市、泉佐野市、泉南市、阪南市、泉南郡

【兵庫県】

第1区
神戸市（東灘・灘・中央区）
第2区
神戸市（兵庫・北・長田区）、西宮市（塩瀬・山口支所管内）
第3区
神戸市（須磨・垂水区）
第4区
神戸市（西区）、西脇市、三木市、小野市、加西市、加東市、多可郡
第5区
豊岡市、三田市、丹波篠山市、養父市、丹波市、朝来市、川辺郡、美方郡、川西市（平野（字カキヲジ原）、西畦野（字丸山・字東通りを除く）、一庫、国崎、黒川、横路、大和東一～五丁目、大和西一～五丁目、美山台一～三丁目、丸山台一～三丁目、見野一～三丁目、東畦野、東畦野一～六丁目、東畦野山手一～二丁目、長尾町、西畦野一～二丁目、山原、山原一～二丁目、緑が丘一～二丁目、山下町、山下、笹部一～三丁目、笹部、下財町、一庫一～三丁目）
第6区
伊丹市、宝塚市、川西市（第5区に属しない区域）
第7区
西宮市（第2区に属しない区域）、芦屋市
第8区
尼崎市
第9区
明石市、洲本市、南あわじ市、淡路市
第10区
加古川市、高砂市、加古郡
第11区
姫路市（相野、青山、青山一～六丁目、青山北一～三丁目、青山西一～五丁目、青山南一～四丁目、朝日町、阿保、網干区網干浜、網干区大江島、網干区大江島寺前町、網干区大江島古川町、網干区興浜、網干区垣内北町、網干区垣内中町、網干区垣内西町、網干区垣内東町、網干区垣内本町、網干区垣内南町、網干区北新在家、網干区坂出、網干区坂上、網干区新在家、網干区田井、網干区高田、網干区津市場、網干区浜田、網干区福井、網干区宮内、網干区余子浜、網干区和久、嵐山町、飯田、飯田一～三丁目、生野町、石倉、市川台一～三丁目、市川橋通一～二丁目、市之郷、市之郷町一～四丁目、伊伝居、威徳寺町、井ノ口、今宿、岩端町、魚町、打越、梅ケ枝町、梅ケ谷町、駅前町、太市中、大塩町、大塩町汐咲一～三丁目、大塩町宮前、大津区恵美酒町一～二丁目、大津区大津町一～四丁目、大津区勘兵衛町一～五丁目、大津区北天満町、大津区吉美、大津区新町一～二丁目、大津区天神町一～二丁目、大津区天満、大津区長松、大津区西土井、大津区平松、大津区真砂町、大野町、岡田、岡町、奥山、鍵町、柿山伏、鍛治町、片田町、刀出、刀出栄立町、勝原区朝日谷、勝原区大谷、勝原区勝原町、勝原区勝山町、勝原区熊見、勝原区下太田、勝原区宮田、勝原区山戸、勝原区丁、金屋町、兼田、上大野一～七丁目、上片町、上手野、神屋町、神屋町一～六丁目、亀井町、亀山、亀山一～二丁目、川西、川西台、神田町一～四丁目、北今宿一～三丁目、北新在家一～三丁目、北原、北平野一～六丁目、北平野奥垣内、北平野台町、北平野南の町、北八代一～二丁目、北夢前台一～二丁目、木場、木場十八反町、木場前中町、木場前七反町、京口町、京町一～三丁目、楠町、久保町、栗山町、車崎一～三丁目、景福寺前、国府寺町、五軒邸一～四丁目、小姓町、琴岡町、古二階町、河間町、呉服町、米屋町、小利木町、五郎右衛門邸、紺屋町、西庄、材木町、幸町、堺町、坂田町、坂元町、定元町、三左衛門堀西の町、三左衛門堀東の町、三条町一～二丁目、塩町、飾磨区英賀、飾磨区英賀春日町一～二丁目、飾磨区英賀清水町一～三丁目、飾磨区英賀西

町一〜三丁目、飾磨区英賀東町一〜二丁目、飾磨区英賀保駅前町、飾磨区英賀宮台、飾磨区英賀宮町一〜二丁目、飾磨区阿成、飾磨区阿成植木、飾磨区阿成鹿古、飾磨区阿成下垣内、飾磨区阿成中垣内、飾磨区阿成渡場、飾磨区今在家、飾磨区今在家一〜七丁目、飾磨区今在家北一〜三丁目、飾磨区入船町、飾磨区恵美酒、飾磨区大浜、飾磨区粕谷新町、飾磨区構、飾磨区構一〜五丁目、飾磨区鎌倉町、飾磨区上野田一〜六丁目、飾磨区亀山、飾磨区加茂、飾磨区加茂北、飾磨区加茂東、飾磨区加茂南、飾磨区御幸、飾磨区栄町、飾磨区三和町、飾磨区思案橋、飾磨区清水、飾磨区清水一〜三丁目、飾磨区下野田一〜四丁目、飾磨区城南町一〜三丁目、飾磨区須加、飾磨区高町、飾磨区高町一〜二丁目、飾磨区蓼野町、飾磨区玉地、飾磨区玉地一丁目、飾磨区付城、飾磨区付城一〜二丁目、飾磨区天神、飾磨区都倉一〜三丁目、飾磨区中島、飾磨区中島一〜三丁目、飾磨区中野田一〜四丁目、飾磨区中浜町一〜三丁目、飾磨区西浜町一〜三丁目、飾磨区野田町、飾磨区東堀、飾磨区富士見ケ丘町、飾磨区細江、飾磨区堀川町、飾磨区宮、飾磨区三宅一〜三丁目、飾磨区妻鹿、飾磨区妻鹿東海町、飾磨区妻鹿常盤町、飾磨区妻鹿日田町、飾磨区矢倉町一〜二丁目、飾磨区山崎、飾磨区山崎台、飾磨区若宮町、飾西、飾西台、飾東町大釜、飾東町大釜新、飾東町小原、飾東町小原新、飾東町唐端新、飾東町北野、飾東町北山、飾東町清住、飾東町佐良和、飾東町塩崎、飾東町志吹、飾東町庄、飾東町豊国、飾東町八重畑、飾東町山崎、飾東町夕陽ケ丘、四郷町明田、四郷町上鈴、四郷町坂元、四郷町中鈴、四郷町東阿保、四郷町本郷、四郷町見野、四郷町山脇、東雲町一〜六丁目、忍町、実法寺、下手野一〜六丁目、下寺町、十二所前町、庄田、城東町、城東町京口台、城東町五軒屋、城東町清水、城東町竹之門、城東町中河原、城東町野田、城東町毘沙門、城北新町一〜三丁目、城北本町、書写、書写台一〜三丁目、白国、白国一〜五丁目、白浜町、白浜町宇佐崎北一〜三丁目、白浜町宇佐崎中一〜三丁目、白浜町宇佐崎南一〜二丁目、白浜町神田一〜二丁目、白浜町寺家一〜二丁目、白浜町灘浜、白銀町、城見台一〜四丁目、城見町、新在家、新在家一〜四丁目、新在家中の町、新在家本町一〜六丁目、神和町、菅生台、総社本町、大黒壱丁町、大寿台一〜二丁目、大善町、田井台、高岡新町、高尾町、鷹匠町、竹田町、龍野町一〜六丁目、立町、田寺一〜八丁目、田寺東一〜四丁目、田寺山手町、玉手、玉手一〜四丁目、地内町、中地、中地南町、町田、町坪、町坪南町、千代田町、継、佃町、辻井一〜九丁目、土山一〜七丁目、土山東の町、手柄、手柄一〜二丁目、天神町、東郷町、同心町、豆腐町、砥堀、苫編、苫編南一〜二丁目、豊沢町、豊富町甲丘一〜四丁目、豊富町神谷、豊富町豊富、豊富町御蔭、名古山町、南条、南条一〜三丁目、二階町、西今宿一〜八丁目、西駅前町、西新在家一〜三丁目、西新町、西大寿台、西中島、西二階町、西延末、西八代町、西夢前台一〜三丁目、西脇、仁豊野、農人町、南畝町、南畝町一〜二丁目、野里、野里上野町一〜二丁目、野里慶雲寺前町、野里新町、野里月丘町、野里寺町、野里中町、野里東同心町、野里東町、野里堀留町、野里大和町、延末、延末一丁目、白鳥台一〜三丁目、博労町、橋之町、花影町一〜四丁目、花田町一本松、花田町小川、花田町加納原田、花田町上原田、花田町高木、花田町勅旨、林田町大堤、林田町奥佐見、林田町上伊勢、林田町上構、林田町口佐見、林田町久保、林田町下伊勢、林田町下構、林田町新町、林田町中構、林田町中山下、林田町林田、林田町林谷、林田町松山、林田町六九谷、林田町八幡、林田町山田、東今宿一〜六丁目、東駅前町、東辻井一〜四丁目、東延末、東延末一〜五丁目、東山、東夢前台一〜三丁目、日出町一〜三丁目、平野町、広畑区吾妻町一〜三丁目、広畑区大町一〜三丁目、広畑区蒲田、広畑区蒲田一〜五丁目、広畑区北河原町、広畑区北野町一〜二丁目、広畑区京見町、広畑区小坂、広畑区小松町一〜四丁目、広畑区才、広畑区清水町一〜三丁目、広畑区城山町、広畑区末広町一〜三丁目、広畑区正門通一〜四丁目、広畑区高浜町一〜四丁目、広畑区鶴町一〜二丁目、広畑区長町一〜二丁目、広畑区西蒲田、広畑区西夢前台四〜八丁目、広畑区則直、広畑区早瀬町一〜三丁目、広畑区東新町一〜三丁目、広畑区東夢前台四丁目、広畑区富士町、広畑区本町一～六丁目、広畑区夢前町一～四丁目、広峰一～二丁目、広嶺山、福居町、福沢町、福中町、福本町、藤ケ台、双葉町、船丘町、船津町、船橋町二～六丁目、別所町家具町、別所町北宿、別所町小林、別所町佐土、別所町佐土一～三丁目、別所町佐土新、別所町別所、別所町別所一～五丁目、北条、北条一丁目、北条梅原町、北条口一～五丁目、北条永良町、北条宮の町、保城、坊主町、峰南町、本町、増位新町一～二丁目、増位本町一～二丁目、的形町福泊、的形町的形、丸尾町、御国野町国分寺、御国野町御着、御国野町西御着、御国野町深志野、神子岡前一～四丁目、御立北一～四丁目、御立中一～八丁目、御立西一～六丁目、御立東一～六丁目、緑台一～二丁目、南今宿、南駅前町、南車崎一～二丁目、南新在家、南町、南八代町、宮上町一～二丁目、宮西町一～四丁目、睦町、元塩町、元町、八家、八木町、八代、八代東光寺町、八代本町一～二丁目、八代緑ケ丘町、八代宮前町、安田一～四丁目、柳町、山田町北山田、山田町多田、山田町西山田、山田町牧野、山田町南山田、山野井町、山畑新田、山吹一～二丁目、吉田町、米田町、余部区上川原、余部区上余部、余部区下余部、六角、若菜町一～二丁目、綿町)

第12区

姫路市(第11区に属しない区域)、相生市、赤穂市、宍粟市、たつの市、神崎郡、揖保郡、赤穂郡、佐用郡

【奈良県】

第1区

奈良市(本庁管内、西部・北部・東部出張所管内、月ケ瀬行政センター管内)、生駒市

第2区

奈良市(奈良市都祁行政センター管内)、大和郡山市、天理市、山辺郡、生駒郡、香芝市、磯城郡、北葛城郡

第3区

大和高田市、御所市、葛城市、橿原市、桜井市、五條市、宇陀市、宇陀郡、高市郡、吉野郡

【和歌山県】

第1区

和歌山市

第2区

海南市、橋本市、有田市、紀の川市、岩出市、海草郡、伊都郡

第3区

御坊市、田辺市、新宮市、有田郡、日高郡、西牟婁郡、東牟婁郡

【鳥取県】

第1区

鳥取市、倉吉市、岩美郡、八頭郡、東伯郡(三朝町)

第2区

米子市、境港市、東伯郡(湯梨浜・琴浦・北栄町)、西伯郡、日野郡

【島根県】

第1区

松江市、出雲市(平田支所管内)、安来市、雲南市(大東・加茂・木次総合センター管内)、仁多郡、隠岐郡

第2区

浜田市、出雲市(第1区に属しない区域)、益田市、大田市、江津市、雲南市(第1区に属しない区域)、飯石郡、邑智郡、鹿足郡

【岡山県】

第1区

岡山市(北区(本庁管内(祇園、後楽園、中原、牟佐に属する区域を除く)、御津・建部支所管内)、南区(本庁管内(青江六丁目、あけぼの町、泉田、泉田一～五丁目、内尾、浦安西町、浦安本町、浦安南町、大福、海岸通一～二丁目、古新田、市場一～二丁目、下中野、新福一～二丁目、新保、洲崎一～三丁目、妹尾、妹尾崎、曽根、立川町、築港栄町、築港新町一～二丁目、築港ひかり町、築港緑町一～三丁目、築港元町、千鳥町、当新田、富浜町、豊成一～三丁目、豊浜町、中畦、並木町一～二丁目、南輝一～三丁目、西市、西畦、浜野一～四丁目、東畦、平福一～二丁目、福島一～四丁目、福田、福富中一～二丁目、福富西一～三丁目、福富東一～二丁目、福成一～三丁目、福浜町、福浜西町、福吉町、藤田、芳泉一～四丁目、松浜町、万倍、箕島、三浜町一～二丁目、山田、米倉、若葉町)))、加賀郡(吉備中央町(本庁管内(広面、上加茂、下加茂、美原、加茂市場、高谷、平岡、上野、竹部、上田東、細田、三納谷、上田西、円城、案田、

高富、神瀬、船津、小森）、井原出張所管内））

第2区

岡山市（北区（第1区に属しない区域）、中区、東区（本庁管内）、南区（第1区に属しない区域））、玉野市、瀬戸内市

第3区

岡山市（東区（第2区に属しない区域））、津山市、備前市、赤磐市、真庭市（本庁管内、蒜山・落合・勝山・美甘・湯原振興局管内）、美作市、和気郡、真庭郡、苫田郡、勝田郡、英田郡、久米郡

第4区

倉敷市（本庁管内、児島・玉島・水島・庄・茶屋町支所管内）、都窪郡

第5区

倉敷市（第4区に属しない区域）、笠岡市、井原市、総社市、高梁市、新見市、真庭市（第3区に属しない区域）、浅口市、浅口郡、小田郡、加賀郡（吉備中央町（第1区に属しない区域））

【広島県】

第1区

広島市（中・東・南区）

第2区

広島市（西・佐伯区）、大竹市、廿日市市、江田島市（本庁管内、能美・沖美支所管内、深江・柿浦連絡所管内）

第3区

広島市（安佐南・安佐北区）、安芸高田市、山県郡

第4区

広島市（安芸区）、三原市（大和支所管内）、東広島市（本庁管内、八本松・志和・高屋出張所管内、黒瀬・福富・豊栄・河内支所管内）、安芸郡

第5区

呉市、竹原市、三原市（本郷支所管内）、尾道市（瀬戸田支所管内）、東広島市（第4区に属しない区域）、江田島市（第2区に属しない区域）、豊田郡

第6区

三原市（第4・5区に属しない区域）、尾道市（第5区に属しない区域）、府中市、三次市、庄原市、世羅郡、神石郡

第7区

福山市

【山口県】

第1区

山口市（山口・小郡・秋穂・阿知須・徳地総合支所管内）、防府市、周南市（本庁管内、新南陽・鹿野総合支所管内、櫛浜・鼓南・久米・菊川・夜市・戸田・湯野・大津島・向道・長穂・須々万・中須・須金支所管内）

第2区

下松市、岩国市、光市、柳井市、周南市（第1区に属しない区域）、大島郡、玖珂郡、熊毛郡

第3区

宇部市、山口市（第1区に属しない区域）、萩市、美祢市、山陽小野田市、阿武郡

第4区

下関市、長門市

【徳島県】

第1区

徳島市、小松島市、阿南市、勝浦郡、名東郡、名西郡、那賀郡、海部郡

第2区

鳴門市、吉野川市、阿波市、美馬市、三好市、板野郡、美馬郡、三好郡

【香川県】

第1区

高松市（本庁管内、勝賀総合センター管内、山田支所管内、鶴尾・太田・木太・古高松・屋島・前田・川添・林・三谷・仏生山・一宮・多肥・川岡・円座・檀紙・女木・男木出張所管内）、小豆郡、香川郡

第2区

高松市（第1区に属しない区域）、丸亀市（綾歌・飯山市民総合センター管内）、坂出市、さぬき市、東かがわ市、木田郡、綾歌郡

第3区

丸亀市（第2区に属しない区域）、善通寺市、観音寺市、三豊市、仲多度郡

【愛媛県】

第1区

松山市（本庁管内、桑原・道後・味生・生石・垣生・三津浜・久枝・潮見・和気・堀江・余土・興居島・久米・湯山・伊台・五明・小野支所管内、浮穴支所管内（北井門二丁目に属する区域に限る）、石井支所管内）

第2区

松山市（第1区に属しない区域）、今治市、東温市、越智郡、伊予郡

第3区

新居浜市、西条市、四国中央市

第4区
宇和島市、八幡浜市、大洲市、伊予市、西予市、喜多郡、西宇和郡、北宇和郡、南宇和郡、上浮穴郡

【高知県】

第1区
高知市（上町一～五丁目、本丁筋、水通町、通町、唐人町、与力町、鷹匠町一～二丁目、本町一～五丁目、升形、帯屋町一～二丁目、追手筋一～二丁目、廿代町、永国寺町、丸ノ内一～二丁目、中の島、九反田、菜園場町、農人町、城見町、堺町、南はりまや町一～二丁目、弘化台、桜井町一～二丁目、はりまや町一～三丁目、宝永町、弥生町、丸池町、小倉町、東雲町、日の出町、知寄町一～三丁目、青柳町、稲荷町、若松町、高埇、杉井流、北金田、南金田、札場、南御座、北御座、南川添、北川添、北久保、南久保、海老ノ丸、中宝永町、南宝永町、二葉町、入明町、洞ヶ島町、寿町、中水道、幸町、伊勢崎町、相模町、吉田町、愛宕町一～四丁目、大川筋一～二丁目、駅前町、相生町、江陽町、北本町一～四丁目、新本町一～二丁目、昭和町、和泉町、塩田町、比島町一～四丁目、栄田町一～三丁目、井口町、平和町、三ノ丸、宮前町、西町、大膳町、山ノ端町、桜馬場、城北町、北八反町、宝町、小津町、越前町一～二丁目、新屋敷一～二丁目、八反町一～二丁目、東城山町、城山町、東石立町、石立町、玉水町、縄手町、鏡川町、下島町、旭町一～三丁目、赤石町、中須賀町、旭駅前町、元町、南元町、旭上町、水源町、本宮町、上本宮町、大谷、岩ヶ淵、鳥越、塚ノ原、西塚ノ原、長尾山町、旭天神町、佐々木町、北端町、山手町、横内、口細山、尾立、蓮台、福井町、福井扇町、福井東町、池、仁井田、種崎、十津一～六丁目、吸江、五台山、屋頭、高須、葛島一～四丁目、高須新町一～四丁目、高須砂地、高須本町、高須新木、高須一～三丁目、高須東町、高須西町、高須絶海、高須大谷、高須大島、布師田、一宮、薊野、重倉、久礼野、薊野西町一～三丁目、薊野北町一～四丁目、薊野東町、薊野中町、薊野南町、一宮西町一～四丁目、一宮しなね一～二丁目、一宮南町一～二丁目、一宮中町一～三丁目、一宮東町一～五丁目、一宮徳谷、愛宕山、前里、東秦泉寺、中秦泉寺、三園町、西秦泉寺、北秦泉寺、宇津野、三谷、七ツ淵、加賀野井一～二丁目、愛宕山南町、秦南町一～二丁目、東久万、中久万、西久万、南久万、万々、中万々、南万々、柴巻、円行寺、一ツ橋町一～二丁目、みづき一～三丁目、みづき山、大津甲、大津乙、介良甲、介良乙、介良丙、介良、潮見台一～三丁目、鏡大河内、鏡小浜、鏡大利、鏡今井、鏡草峰、鏡白岩、鏡狩山、鏡吉原、鏡的渕、鏡去坂、鏡竹奈路、鏡敷ノ山、鏡柿ノ又、鏡横矢、鏡増原、鏡葛山、鏡梅ノ木、鏡小山、土佐山菖蒲、土佐山西川、土佐山梶谷、土佐山、土佐山高川、土佐山桑尾、土佐山都網、土佐山弘瀬、土佐山東川、土佐山中切）、室戸市、安芸市、南国市、香南市、香美市、安芸郡、長岡郡、土佐郡

第2区
高知市（第1区に属しない区域）、土佐市、須崎市、宿毛市、土佐清水市、四万十市、吾川郡、高岡郡、幡多郡

【福岡県】

第1区
福岡市（東・博多区）

第2区
福岡市（中央区、南区（那の川一丁目、那の川二丁目（一～四番）、大楠一～三丁目、清水一～四丁目、玉川町、塩原一～四丁目、大橋団地、大橋一～三丁目、五十川一～二丁目、高木一～三丁目、井尻一～五丁目、折立町、横手一～四丁目、横手南町、的場一～二丁目、曰佐一～二丁目、曰佐四～五丁目、向新町一～二丁目、高宮一～五丁目、多賀一～二丁目、向野一～二丁目、筑紫丘一～二丁目、野間一～四丁目、若久団地、若久一～六丁目、三宅一～三丁目、南大橋一～二丁目、和田一～四丁目、野多目一～三丁目、野多目四丁目（一～一三番、一八番一～一四号、一八番六一～八二号、一九～三〇番）、野多目五丁目、老司一丁目（一番一～一七号、一番二六～四八号、二～四番、五番一八～三六号、六番、七番九～二八号）、市崎一～二丁目、大池一～二丁目、平和一～二丁目、平和四丁目、寺塚一～二丁目、柳河内一～二丁目、皿山一～四丁目、中尾一～三丁目、花畑一～四丁目、屋形原一～五丁目、鶴田四丁目（一番一～八号、一番四四～四七号、三番五～二四号、三番三八～五四号）、長丘一～五丁目、長住一～七丁目、西長住一～三丁目、大字桧原、桧原一～七丁目、大平寺一～二丁目、大字柏原、柏原一丁目（一～二五番、二七～五三番）、柏原三～七丁目）、城南区（鳥飼四～

七丁目、別府団地、別府一～七丁目、城西団地、荒江団地、荒江一丁目、飯倉一丁目、田島一～六丁目、茶山一～六丁目、金山団地、七隈一～二丁目、七隈三丁目（一～五番、八番二四号、八番三一～四四号、一五～一九番、二〇番一～四号、二〇番二五～六七号）、松山一～二丁目、友丘一～六丁目、友泉亭、長尾一～五丁目、樋井川一～七丁目、宝台団地、堤団地、堤一～二丁目、東油山一～六丁目、大字東油山、大字片江、片江一～五丁目、南片江一～六丁目、西片江一～二丁目、神松寺一丁目～三丁目））

第3区
福岡市（城南区（第2区に属しない区域）、早良・西区）、糸島市

第4区
宗像市、古賀市、福津市、糟屋郡

第5区
福岡市（南区（第2区に属しない区域））、筑紫野市、春日市、大野城市、太宰府市、朝倉市、那珂川市、朝倉郡

第6区
久留米市、大川市、小郡市、うきは市、三井郡、三潴郡

第7区
大牟田市、柳川市、八女市、筑後市、みやま市、八女郡

第8区
直方市、飯塚市、中間市、宮若市、嘉麻市、遠賀郡、鞍手郡、嘉穂郡

第9区
北九州市（若松・八幡東・八幡西・戸畑区）

第10区
北九州市（門司・小倉北・小倉南区）

第11区
田川市、行橋市、豊前市、田川郡、京都郡、築上郡

【佐賀県】

第1区
佐賀市、鳥栖市、神埼市、神埼郡、三養基郡

第2区
唐津市、多久市、伊万里市、武雄市、鹿島市、小城市、嬉野市、東松浦郡、西松浦郡、杵島郡、藤津郡

【長崎県】

第1区
長崎市（本庁管内、小ケ倉・土井首・小榊・西浦上・滑石・福田・深堀・日見・茂木・式見・東長崎・三重支所管内、香焼・伊王島・高島・野母崎・三和行政センター管内）

第2区
長崎市（第1区に属しない区域）、島原市、諫早市、雲仙市、南島原市、西彼杵郡

第3区
佐世保市（早岐・三川内・宮支所管内）、大村市、対馬市、壱岐市、五島市、東彼杵郡、南松浦郡、北松浦郡（小値賀町）

第4区
西海市、佐世保市（第3区に属しない区域）、平戸市、松浦市、北松浦郡（佐々町）

【熊本県】

第1区
熊本市（中央・東・北区）

第2区
熊本市（西・南区）、荒尾市、玉名市、玉名郡

第3区
山鹿市、菊池市、阿蘇市、合志市、菊池郡、阿蘇郡、上益城郡

第4区
八代市、人吉市、水俣市、天草市、宇土市、上天草市、宇城市、下益城郡、八代郡、葦北郡、球磨郡、天草郡

【大分県】

第1区
大分市（本庁管内、鶴崎・大南支所管内、稙田支所管内（大字廻栖野（六一八～七四七番地二、八三〇～八三二番地一、八三三番地一、八三三番地三～八三六番地三、八三八番地一～二、八四一番地、一五八七番地、一五九一～一六一八番地、一六二〇番地）に属する区域を除く）、大在・坂ノ市・明野支所管内）

第2区
大分市（第1区に属しない区域）、日田市、佐伯市、臼杵市、津久見市、竹田市、豊後大野市、由布市、玖珠郡

第3区
別府市、中津市、豊後高田市、杵築市、宇佐市、国東市、東国東郡、速見郡

選挙区割

【宮崎県】

第1区
宮崎市、東諸県郡

第2区
延岡市、日向市、西都市、児湯郡、東臼杵郡、西臼杵郡

第3区
都城市、日南市、小林市、串間市、えびの市、北諸県郡、西諸県郡

【鹿児島県】

第1区
鹿児島市（本庁管内、伊敷・東桜島・吉野・吉田・桜島・松元・郡山支所管内）、鹿児島郡

第2区
鹿児島市（谷山・喜入支所管内）、枕崎市、指宿市、南さつま市、奄美市、南九州市、大島郡

第3区
阿久根市、出水市、薩摩川内市、日置市、いちき串木野市、伊佐市、姶良市、薩摩郡、出水郡、姶良郡

第4区
鹿屋市、西之表市、垂水市、曽於市、霧島市、志布志市、曽於郡、肝属郡、熊毛郡

【沖縄県】

第1区
那覇市、島尻郡（渡嘉敷・座間味・粟国・渡名喜・南大東・北大東村、久米島町）

第2区
宜野湾市、浦添市、中頭郡

第3区
名護市、沖縄市、うるま市、国頭郡、島尻郡（伊平屋・伊是名村）

第4区
石垣市、糸満市、豊見城市、宮古島市、南城市、島尻郡（与那原・南風原・八重瀬町）、宮古郡、八重山郡

注 この表中「本庁管内」とは、市町村、区の区域のうち、支所又は出張所等の所管区域に属しない区域のこと。

比例代表（176）

北海道ブロック（8）
北海道

東北ブロック（13）
青森県・岩手県・宮城県・秋田県・山形県・福島県

北関東ブロック（19）
茨城県・栃木県・群馬県・埼玉県

南関東ブロック（22）
千葉県・神奈川県・山梨県

東京ブロック（17）
東京都

北陸信越ブロック（11）
新潟県・富山県・石川県・福井県・長野県

東海ブロック（21）
岐阜県・静岡県・愛知県・三重県

近畿ブロック（28）
滋賀県・京都府・大阪府・兵庫県・奈良県・和歌山県

中国ブロック（11）
鳥取県・島根県・岡山県・広島県・山口県

四国ブロック（6）
徳島県・香川県・愛媛県・高知県

九州ブロック（20）
福岡県・佐賀県・長崎県・熊本県・大分県・宮崎県・鹿児島県・沖縄県

議員異動【衆議院】

選挙区	異動事由	氏名	政党	年月日
比例 東京	辞職 繰上当選	山本 太郎 櫛渕 万里	れいわ れいわ	R4. 4.19 R4. 4.28
山口 4区	死去 補欠当選	安倍 晋三 吉田 真次	自 自	R4. 7. 8 R5. 4.23
和歌山 1区	辞職 補欠当選	岸本 周平 林 佑美	無 維新	R4. 9. 1 R5. 4.23
千葉 5区	辞職 補欠当選	薗浦 健太郎 英利 アルフィヤ	自 自	R4.12.21 R5. 4.23
比例 四国	辞職 繰上当選	後藤田 正純 瀬戸 隆一	自 自	R5. 1. 5 R5. 1.18
山口 2区	辞職 補欠当選	岸 信夫 岸 信千世	自 自	R5. 2. 7 R5. 4.23
長崎 4区	死去 補欠当選	北村 誠吾 金子 容三	自 自	R5. 5.20 R5.10.22
比例 近畿	辞職 繰上当選	前川 清成 中嶋 秀樹	維新 維新	R5.10. 4 R5.10.19
比例 九州	退職 繰上当選	末次 精一 屋良 朝博	立憲 立憲	R5.10.10 R5.10.19
島根 1区	死去 補欠当選	細田 博之 亀井 亜紀子	自 立憲	R5.11.10 R6. 4.28
長崎 3区	辞職 補欠当選	谷川 弥一 山田 勝彦	無 立憲	R6. 1.24 R6. 4.28
東京 15区	辞職 補欠当選	柿沢 未途 酒井 菜摘	無 立憲	R6. 2. 1 R6. 4.28
比例 九州	退職 繰上当選	山田 勝彦 川内 博史	立憲 立憲	R6. 4.16 R6. 4.25
比例 東海	辞職 繰上当選	宮澤 博行 森 由起子	無 自	R6. 4.25 R6. 5.13

注）政党：異動日時点の所属　年月日：補欠当選は選挙期日、繰上当選は当選告示日　退職：公職選挙法第90条による

補欠選挙得票表

（令和5年4月23日選挙）

山口県

4区　239,874（34.71）

	得票	(%)	氏名	党派	新元前
当	51,961	(63.48)	吉田 真次	自	新
	25,595	(31.27)	有田 芳生	立	新
	2,381	(2.91)	大野 頼子	無	新
	1,186	(1.45)	渡部 亜衣	女	新
	734	(0.90)	竹本 秀之	無	新

（令和5年4月23日選挙）

千葉県

5区　451,273（38.25）

	得票	(%)	氏名	党派	新元前
当	50,578	(30.58)	英利 アルフィヤ	自	新
	45,635	(27.59)	矢崎 堅太郎	立	新
	24,842	(15.02)	岡野 純子	国	新
	22,952	(13.88)	岸野 智康	維	新
	12,360	(7.47)	齋藤 和子	共	元
	6,562	(3.97)	星 健太郎	無	新
	2,463	(1.49)	織田 三江	女	新

（令和5年4月23日選挙）

和歌山県

1区　304,221（44.11）

	得票	(%)	氏名	党派	新元前
当	61,720	(47.47)	林 佑美	維	新
	55,657	(42.80)	門 博文	自	元
	11,178	(8.60)	国重 秀明	共	新
	1,476	(1.14)	山本 貴平	女	新

（令和5年4月23日選挙）

山口県

2区　279,203（42.41）

	得票	(%)	氏名	党派	新元前
当	61,369	(52.47)	岸 信千世	自	新
	55,601	(47.53)	平岡 秀夫	無	元

（令和5年10月22日選挙）

長崎県

4区　243,185（42.19）

	得票	(%)	氏名	党派	新元前
当	53,915	(53.48)	金子 容三	自	新
	46,899	(46.52)	末次 精一	立	前

（令和6年4月28日選挙）

長崎県

3区　231,747（35.45）

	得票	(%)	氏名	党派	新元前
当	53,381	(68.36)	山田 勝彦	立	前
	24,709	(31.64)	井上 翔一朗	維	新

（令和6年4月28日選挙）

島根県

1区　261,190（54.62）

	得票	(%)	氏名	党派	新元前
当	82,691	(58.82)	亀井 亜紀子	立	元
	57,897	(41.18)	錦織 功政	自	新

（令和6年4月28日選挙）

東京都

15区　430,285（40.70）

	得票	(%)	氏名	党派	新元前
当	49,476	(28.98)	酒井 菜摘	立	新
	29,669	(17.38)	須藤 元気	無	新
	28,461	(16.67)	金澤 結衣	維	新
	24,264	(14.21)	飯山 陽	諸	新
	19,655	(11.51)	乙武 洋匡	無	新
	8,639	(5.06)	吉川 里奈	参	新
	8,061	(4.72)	秋元 司	無	元
	1,410	(0.83)	福永 活也	諸	新
	1,110	(0.65)	根本 良輔	諸	新

議員異動【参議院】

選挙区	異動事由	氏名	政党	年月日
比例 ①	退職 繰上当選	立花孝志 浜田聡	N国 N国	R1.10.10 R1.10.23
長野 ①	死去 補欠当選	羽田雄一郎 羽田次郎	立憲 立憲	R2.12.27 R3.4.25
広島 ①	辞職 補欠当選	河井あんり 宮口治子	自 諸派	R3.2.3 R3.4.25
神奈川 ①	退職 補欠当選	松沢成文 水野素子	無 立憲	R3.8.8 R4.7.10
山口 ①	辞職 補欠当選	林芳正 北村経夫	自 自	R3.8.16 R3.10.24
比例 ①	退職 繰上当選	北村経夫 比嘉奈津美	自 自	R3.10.7 R3.10.21
石川 ①	辞職 補欠当選	山田修路 宮本周司	自 自	R3.12.24 R4.4.24
比例 ①	退職 繰上当選	宮本周司 中田宏	自 自	R4.4.7 R4.4.15
比例 ④	辞職 繰上当選	熊野正士 宮崎勝	公 公	R4.9.30 R4.10.7
比例 ①	辞職 繰上当選	三木亨 田中昌史	自 自	R5.1.13 R5.1.18
比例 ④	辞職 繰上当選	水道橋博士 大島九州男	れいわ れいわ	R5.1.16 R5.1.18
大分 ①	辞職 補欠当選	安達澄 白坂亜紀	無 自	R5.3.10 R5.4.23
比例 ④	除名 繰上当選	ガーシー 齊藤健一郎	女子 女子	R5.3.15 R5.3.24
比例 ①	辞職 繰上当選	吉田忠智 大椿ゆうこ	立憲 社民	R5.3.30 R5.4.7
徳島・高知 ①	辞職 補欠当選	高野光二郎 広田一	自 無	R5.6.22 R5.10.22
神奈川 ①	死去	島村大	自	R5.8.30
比例 ①	死去 繰上当選	室井邦彦 藤巻健史	維新 維新	R6.1.3 R6.1.19
比例 ①	退職 繰上当選	須藤元気 市井紗耶香	無 立憲	R6.4.16 R6.4.26
比例 ①	辞職 繰上当選	市井紗耶香 奥村政佳	立憲 立憲	R6.4.26 R6.5.13
東京 ④	退職	蓮舫	無	R6.6.20
岩手 ④	辞職	広瀬めぐみ	無	R6.8.15

注）政党：異動日時点の所属　年月日：補欠当選は選挙期日、繰上当選は当選告示日　退職：公職選挙法第90条による

補欠選挙得票表

（令和３年４月２５日選挙）

長野県（1）　1,732,060（44.40）

	得票	(%)	氏名	党派	
当	415,781	(54.77)	羽田　次郎	立	新
	325,826	(42.92)	小松　裕	自	新
	17,559	(2.31)	神谷　幸太郎	N	新

（令和３年４月２５日選挙）

広島県（1）　2,327,323（33.61）

	得票	(%)	氏名	党派	
当	370,860	(48.36)	宮口　治子	諸	新
	336,924	(43.93)	西田　英範	自	新
	20,848	(2.72)	佐藤　周一	無	新
	16,114	(2.10)	山本　貴平	N	新
	13,363	(1.74)	大山　宏	無	新
	8,806	(1.15)	玉田　憲勲	無	新

（令和３年10月２４日選挙）

山口県（1）　1,141,890（36.54）

	得票	(%)	氏名	党派	
当	307,894	(75.61)	北村　経夫	自	前
	92,532	(22.72)	河合　喜代	共	新
	6,809	(1.67)	へずまりゅう	N	新

（令和４年４月２４日選挙）

石川県（1）　943,001（29.93）

	得票	(%)	氏名	党派	
当	189,503	(68.41)	宮本　周司	自	前
	59,906	(21.63)	小山田　経子	立	新
	18,158	(6.56)	西村　祐士	共	新
	9,430	(3.40)	齊藤　健一郎	N	新

（令和５年４月２３日選挙）

大分県（1）　943,477（42.48）

	得票	(%)	氏名	党派	
当	196,122	(50.04)	白坂　亜紀	自	新
	195,781	(49.96)	吉田　忠智	立	前

（令和５年10月２２日選挙）

徳島県及び高知県（1）　1,193,275（32.16）

	得票	(%)	氏名	党派	
当	233,250	(62.15)	広田　一	無	元
	142,036	(37.85)	西内　健	自	新

注）得票率については、政党ごとに端数処理しているため、合計が100にならない場合がある

㉓ 出口慎太郎 新
㉔ 大川 富洋 新
㉕ 川西 義人 新
小① 堤 かなめ 新
小① 城井 崇 前
小① 原口 一博 前
小① 大串 博志 前
小① 渡辺 創 新
小① 野間 健 元

公明党（4）

当① 濵地 雅一 前1
当② 吉田 宣弘 前2
当③ 金城 泰邦 新3
当④ 吉田久美子 新4
⑤ 窪田 哲也 新
⑥ 中山 英一 新

日本維新の会（2）

当① 阿部 弘樹 新1
当① 山本 剛正 元2
① 外山 斎 新
① 西田 主税 新
① 新開 崇司 新
① 山川 泰博 新×

日本共産党（1）

当② 田村 貴昭 前1
③ 真島 省三 元
④ 松崎 真琴 新
小① 赤嶺 政賢 前

国民民主党（1）

当① 長友 慎治 新1
③ 前野真実子 新
小① 西岡 秀子 前

れいわ新選組（0）

① 大島九州男 新

社会民主党（0）

① 米永 淳子 新
① 馬場 功世 新
① 志岐 玲子 新
① 竹内 信昭 新×
小① 新垣 邦男 新

ＮＨＫと裁判してる党弁護士法７２条違反で（0）

① 斉藤健一郎 新

衆議院新勢力分野

令和3年11月16日 現在

	新勢力	小選挙区 計	前	元	新	比例代表 計	前	元	新	公示前勢力
自由民主党	263	191	167	1	23	72	60	1	11	276
立憲民主党	96	57	46	4	7	39	27	3	9	109
日本維新の会	41	16	7	2	7	25	1	4	20	11
公明党	32	9	9	0	0	23	11	3	9	29
国民民主党	11	6	6	0	0	5	0	1	4	8
日本共産党	10	1	1	0	0	9	8	1	0	12
有志の会	5	5	1	4	0	0	0	0	0	−
れいわ新選組	3	0	0	0	0	3	0	0	3	1
社会民主党	1	1	0	0	1	0	0	0	0	1
NHK党	0	0	0	0	0	0	0	0	0	1
諸派	0	0	0	0	0	0	0	0	0	1
無所属	3	3	0	0	3	−	−	−	−	12 （欠員4）
合計	465	289	237	11	41	176	107	13	56	461

注）自由民主党は追加公認を含む

四国ブロック

定　数：6人

徳島県・香川県
愛媛県・高知県

政党等名	得票数	得票率
自由民主党	664,805	39.14
立憲民主党	291,871	17.18
公明党	233,407	13.74
日本維新の会	173,826	10.23
国民民主党	122,082	7.19
日本共産党	108,021	6.36
れいわ新選組	52,941	3.12
社会民主党	30,249	1.78
NHKと裁判してる党弁護士法72条違反で	21,285	1.25
得票総数	1,698,487	100(%)

注）得票率については、政党ごとに端数処理しているため、合計が100にならない場合がある

自由民主党(3)
当① 山本　有二　前1
当② 平井　卓也　前2
当② 後藤田正純　前3
　② 瀬戸　隆一　元
　⑬ 福山　　守　前
　⑭ 福井　　照　前
　⑮ 二川　弘康　新
　⑯ 井桜　康司　新
小② 山口　俊一　前
小② 大野敬太郎　前
小② 塩崎　彰久　新
小② 村上誠一郎　前
小② 井原　　巧　新
小② 長谷川淳二　新
小② 中谷　　元　前
小② 尾﨑　正直　新

立憲民主党(1)
当① 白石　洋一　前1
　① 友近　聡朗　新
　① 中野真由美　新
　① 武内　則男　前
　① 広田　　一　前
　⑦ 長山　雅一　新
　⑧ 小山田経子　新
小① 小川　淳也　前

公明党(1)
当① 山崎　正恭　新1
　② 坂本　道応　新

日本維新の会(1)
当① 吉田とも代　新1
　① 町川　順子　新×
　③ 佐藤　　暁　新

国民民主党(0)
　① 石井　智恵　新
小① 玉木雄一郎　前

日本共産党(0)
　① 白川　容子　新
　② 中根　耕作　新

れいわ新選組(0)
　① 小泉　　敦　新

社会民主党(0)
　① 三野ハル子　新

NHKと裁判してる党弁護士法72条違反で(0)
　① 中島　康治　新×

九州ブロック

定　数：20人

福岡県・佐賀県・長崎県
熊本県・大分県・宮崎県
鹿児島県・沖縄県

政党等名	得票数	得票率
自由民主党	2,250,966	35.69
立憲民主党	1,266,801	20.09
公明党	1,040,756	16.50
日本維新の会	540,338	8.57
日本共産党	365,658	5.80
国民民主党	279,509	4.43
れいわ新選組	243,284	3.86
社会民主党	221,221	3.51
NHKと裁判してる党弁護士法72条違反で	98,506	1.56
得票総数	6,307,040	100(%)

自由民主党(8)
当① 今村　雅弘　前1
当② 保岡　宏武　新2
当③ 岩田　和親　前3
当③ 武井　俊輔　前4
当③ 古川　　康　前5
当③ 国場幸之助　前6
当③ 宮﨑　政久　前7
当③ 小里　泰弘　前8
　③ 高橋　舞子　新
　③ 初村滝一郎　新
　㉘ 河野　正美　元
　㉙ 新　　義明　新
　㉚ 田畑　隆治　新
小③ 井上　貴博　前
小③ 鬼木　　誠　前
小③ 古賀　　篤　前
小③ 宮内　秀樹　前
小③ 鳩山　二郎　前
小③ 藤丸　　敏　前
小③ 武田　良太　前
小③ 加藤　竜祥　新
小③ 木原　　稔　前
小③ 坂本　哲志　前
小③ 金子　恭之　前
小③ 岩屋　　毅　前
小③ 江藤　　拓　前
小③ 古川　禎久　前
小③ 宮路　拓馬　前
小③ 島尻安伊子　前
小③ 西銘恒三郎　前

立憲民主党(4)
当① 末次　精一　新1
当① 吉川　　元　前2
当① 山田　勝彦　新3
当① 稲富　修二　前4
　① 屋良　朝博　前
　① 川内　博史　前
　① 金城　　徹　新
　① 山内　康一　前
　① 松平　浩一　前
　① 横光　克彦　前
　① 濱田　大造　新
　① 青木　剛志　新
　① 坪田　　晋　新
　① 森本慎太郎　新
　① 矢上　雅義　前
　① 田辺　　徹　新

（衆）得票表

① 村上 賀厚 新
① 酒井 孝典 新
① 乃木 涼介 新
① 川戸 康嗣 新
① 宇都宮優子 新×
㉚ 笹田 能美 新
㉛ 豊田潤多郎 元
小① 泉 健太 前
小① 山井 和則 前
小① 井坂 信彦 元
小① 馬淵 澄夫 前

日本共産党（2）
当① 穀田 恵二 前1
当② 宮本 岳志 元2
③ 清水 忠史 前
④ 小村 潤 新
⑤ 武山 彩子 新
⑥ 西田佐枝子 新

国民民主党（1）
当① 斎藤アレックス 新1
① 佐藤 泰樹 新
小① 岸本 周平 前
小① 前原 誠司 前

れいわ新選組（1）
当① 大石 晃子 新1
① 辻 恵 元
① 高井 崇志 前×
① 中 辰哉 新×
① 西川 弘城 新×
⑥ 八幡 愛 新

ＮＨＫと裁判してる党弁護士法７２条違反で（0）
① 日高 千穂 新×

社会民主党（0）
① 大椿 裕子 新

中国ブロック

定　数：**11**人

鳥取県・島根県・岡山県
広島県・山口県

政党等名	得票数	得票率
自由民主党	1,352,723	43.36
立憲民主党	573,324	18.38
公明党	436,220	13.98
日本維新の会	286,302	9.18
日本共産党	173,117	5.55
国民民主党	113,899	3.65
れいわ新選組	94,446	3.03
社会民主党	52,638	1.69
ＮＨＫと裁判してる党弁護士法７２条違反で	36,758	1.18
得票総数	3,119,427	100(%)

自由民主党（6）
当① 石橋林太郎 新1
当② 小島 敏文 前2
当② あべ 俊子 前3
当⑱ 高階恵美子 新4
当⑲ 杉田 水脈 前5
当⑳ 畦元 将吾 前6
㉑ 小林孝一郎 新
㉒ 徳村純一郎 新
小② 石破 茂 前
小② 赤沢 亮正 前
小② 高見 康裕 新
小② 逢沢 一郎 前
小② 山下 貴司 前
小② 橋本 岳 前
小② 加藤 勝信 前
小② 新谷 正義 前
小② 寺田 稔 前
小② 小林 史明 前
小② 高村 正大 前
小② 岸 信夫 前
小② 林 芳正 前
小② 安倍 晋三 前

立憲民主党（2）
当① 柚木 道義 前1
当① 湯原 俊二 元2
① 津村 啓介 前
① 亀井亜紀子 前
① 原田 謙介 新
① ライアン真由美 新
① 大井 赤亥 新
① 野村功次郎 新
① 山本 誉 新
① 上野 寛治 新
① 大内 一也 新
① 佐藤 広典 新
① 森本 栄 新
① はたともこ 新
① 坂本 史子 新
⑰ 加藤 寿彦 新
⑱ 姫井由美子 新
小① 佐藤 公治 前

公明党（2）
当① 平林 晃 新1
当② 日下 正喜 新2
③ 長谷川裕輝 新

日本維新の会（1）
当① 空本 誠喜 元1
① 瀬木 寛親 新
③ 喜多 義典 新

日本共産党（0）
① 大平 喜信 元
② 住寄 聡美 新

国民民主党（0）
① 樽井 良和 元

れいわ新選組（0）
① 竹村 克司 新

社会民主党（0）
① 有田 優子 新×

ＮＨＫと裁判してる党弁護士法７２条違反で（0）
① 矢島 秀平 新×

近畿ブロック

定　数：28人

滋賀県・京都府・大阪府
兵庫県・奈良県・和歌山県

政党等名	得票数	得票率
日本維新の会	3,180,219	33.91
自由民主党	2,407,699	25.67
公明党	1,155,683	12.32
立憲民主党	1,090,666	11.63
日本共産党	736,156	7.85
国民民主党	303,480	3.24
れいわ新選組	292,483	3.12
NHKと裁判してる党弁護士法72条違反で	111,539	1.19
社会民主党	100,980	1.08
得票総数	9,378,905	100(%)

注）得票率については、政党ごとに端数処理しているため、合計が100にならない場合がある

日本維新の会(10)

	順位	氏名		
当	①	三木 圭恵	元	1
当	①	和田有一朗	新	2
当	①	住吉 寛紀	新	3
当	①	掘井 健智	新	4
当	①	堀場 幸子	新	5
当	①	遠藤 良太	新	6
当	①	一谷勇一郎	新	7
当	①	前川 清成	新	8
当	①	池畑浩太朗	新	9
当	①	赤木 正幸	新	10
	①	直山 仁	新	
	①	中嶋 秀樹	新	
	①	井上 博明	新	
	①	所 順子	新	
小	①	井上 英孝	前	
小	①	守島 正	新	
小	①	美延 映夫	前	
小	①	奥下 剛光	新	
小	①	漆間 譲司	新	
小	①	足立 康史	前	
小	①	池下 卓	新	
小	①	中司 宏	新	
小	①	藤田 文武	前	
小	①	岩谷 良平	新	
小	①	青柳 仁士	新	
小	①	浦野 靖人	前	
小	①	馬場 伸幸	前	
小	①	遠藤 敬	前	
小	①	伊東 信久	元	
小	①	市村浩一郎	元	

自由民主党(8)

	順位	氏名		
当	①	奥野 信亮	前	1
当	②	柳本 顕	新	2
当	③	大串 正樹	前	3
当	③	小林 茂樹	前	4
当	③	田中 英之	前	5
当	③	宗清 皇一	前	6
当	③	盛山 正仁	前	7
当	③	谷川 とむ	前	8
	③	渡嘉敷奈緒美	前	
	③	木村 弥生	前	
	③	中山 泰秀	前	
	③	左藤 章	前	
	③	佐藤ゆかり	前	
	③	大隈 和英	前	
	③	北川 晋平	新	
	③	大西 宏幸	前	
	③	繁本 護	前	
	③	門 博文	前	
	③	岡下 昌平	前	
	③	加納陽之助	前	
	③	長尾 敬	前	
	③	神谷 昇	前	
	③	高麗啓一郎	新	
	㊴	湯峯 理之	新	
	㊵	野村 広志	新	
小	③	大岡 敏孝	前	
小	③	上野賢一郎	前	
小	③	武村 展英	前	
小	③	小寺 裕雄	前	
小	③	勝目 康	新	
小	③	本田 太郎	前	
小	③	関 芳弘	前	
小	③	藤井比早之	前	
小	③	谷 公一	前	
小	③	山田 賢司	前	
小	③	西村 康稔	前	
小	③	松本 剛明	前	
小	③	山口 壮	前	
小	③	高市 早苗	前	
小	③	石田 真敏	前	

公明党(3)

	順位	氏名		
当	①	竹内 譲	前	1
当	②	浮島 智子	前	2
当	③	鰐淵 洋子	前	3
	④	浜村 進	前	
	⑤	田丸 義高	前	
	⑥	鷲岡 秀明	新	
	⑦	田中 博之	新	
	⑧	井上 幸作	新	

立憲民主党(3)

	順位	氏名		
当	①	桜井 周	前	1
当	①	森山 浩行	前	2
当	①	徳永 久志	新	3
	①	辻元 清美	前	
	①	田島 一成	元	
	①	安田 真理	新	
	①	梶原 康弘	元	
	①	船川 治郎	新	
	①	平野 博文	前	
	①	村上 史好	前	
	①	萩原 仁	元	
	①	隠樹 圭子	新	
	①	今泉 真緒	新	
	①	長安 豊	元	
	①	山本和嘉子	前	
	①	藤井 幹雄	新	
	①	尾辻かな子	前	
	①	猪奥 美里	新	
	①	松井 博史	新	
	①	吉田 治	元	

東海ブロック

定数：21人

岐阜県・静岡県
愛知県・三重県

政党等名	得票数	得票率
自由民主党	2,515,841	37.39
立憲民主党	1,485,947	22.08
公明党	784,976	11.67
日本維新の会	694,630	10.32
日本共産党	408,606	6.07
国民民主党	382,734	5.69
れいわ新選組	273,208	4.06
NHKと裁判してる党弁護士法72条違反で	98,238	1.46
社会民主党	84,220	1.25
得票総数	6,728,400	100(%)

注）得票率については、政党ごとに端数処理しているため、合計が100にならない場合がある

自由民主党(9)

当① 青山 周平 前1
当① 石井 拓 新2
当① 宮沢 博行 前3
当① 池田 佳隆 前4
当① 塩谷 立 前5
当① 中川 貴元 新6
当① 石原 正敬 新7
当① 吉川 赳 前8
当㉛ 山本 左近 新9
㉜ 木造 燿子 新
㉝ 森 由起子 新
㉞ 松本 忠真 新
㉟ 岡本 康宏 新
小① 野田 聖子 前
小① 棚橋 泰文 前
小① 武藤 容治 前
小① 金子 俊平 前
小① 古屋 圭司 前
小① 上川 陽子 前
小① 井林 辰憲 前
小① 深沢 陽一 前
小① 勝俣 孝明 前
小① 城内 実 前
小① 熊田 裕通 前
小① 工藤 彰三 前
小① 神田 憲次 前
小① 丹羽 秀樹 前
小① 鈴木 淳司 前
小① 伊藤 忠彦 前
小① 長坂 康正 前
小① 今枝宗一郎 前
小① 根本 幸典 前
小① 田村 憲久 前
小① 川崎ひでと 新
小① 鈴木 英敬 新

立憲民主党(5)

当① 伴野 豊 元1
当① 中川 正春 前2
当① 吉田 統彦 前3
当① 渡辺 周 前4
当① 牧 義夫 前5
① 岡本 充功 前
① 西川 厚志 新
① 今井 瑠々 新
① 今井 雅人 前
① 関 健一郎 前
① 阪口 直人 元
① 藤原 規真 新
① 森本 和義 元
① 松田 功 元
① 福村 隆 新
① 遠藤 行洋 新
① 松田 直久 元
① 田中 克典 新
① 川本 慧佑 新
① 日吉 雄太 前
① 小野 範和 新
① 坊農 秀治 新
㉘ 芳野 正英 新
㉙ 大島 もえ 新
小① 小山 展弘 元
小① 源馬謙太郎 前
小① 近藤 昭一 前
小① 重徳 和彦 前
小① 大西 健介 前

公明党(3)

当① 大口 善徳 前1
当② 伊藤 渉 前2
当③ 中川 康洋 元3
④ 国森 光信 新
⑤ 越野 優一 新

日本維新の会(2)

当① 杉本 和巳 前1
当① 岬 麻紀 新2
① 中田 千代 新
① 中村 憲一 新
① 山下 洸棋 新×
① 青山 雅幸 前×
① 佐伯 哲也 新×
① 山田 良司 元×

日本共産党(1)

当① 本村 伸子 前1
② 島津 幸広 元
③ 長内 史子 新

国民民主党(1)

当① 田中 健 新1
① 大谷由里子 新
① 高橋 美穂 元
小① 古川 元久 前

れいわ新選組(0)

① 安井美沙子 新×
① 菅谷 竜 新×

NHKと裁判してる党弁護士法72条違反で(0)

① 山田いずみ 新×

社会民主党(0)

① 平山 良平 新

④ 渡辺　照子　新

国民民主党（0）

① 佐藤　由美　新
① 円　より子　新
③ 竹内淳太郎　新

社会民主党（0）

① 朝倉　玲子　新×

ＮＨＫと裁判してる党弁護士法７２条違反で（0）

① 田中　　健　新×

日本第一党（0）

① 中村　和弘　新
② 岡村　幹雄　新

③ 堀切　笹美　新
④ 先崎　　玲　新

新党やまと（0）

① 石崎　英幸　新
② 鈴木　一郎　新
③ 吹田　英駿　新
④ 小林　明子　新

政権交代によるコロナ対策強化新党（0）

① 清水　三雄　新
② ゆっこママ　新
③ 橋本　浩二　新
④ 森岡　　匠　新

北陸信越ブロック

定　数：11人

新潟県・富山県・石川県
福井県・長野県

政党等名	得票数	得票率
自由民主党	1,468,380	41.83
立憲民主党	773,076	22.02
日本維新の会	361,476	10.30
公明党	322,535	9.19
日本共産党	225,551	6.42
国民民主党	133,600	3.81
れいわ新選組	111,281	3.17
社会民主党	71,185	2.03
ＮＨＫと裁判してる党弁護士法７２条違反で	43,529	1.24
得票総数	3,510,613	100(%)

注）得票率については、政党ごとに端数処理しているため、合計が100にならない場合がある

自由民主党（6）

当① 鷲尾英一郎　前１
当② 高鳥　修一　前２
当② 国定　勇人　新３
当② 泉田　裕彦　前４
当② 塚田　一郎　新５
当② 務台　俊介　前６
㉑ 山本　　拓　前
㉒ 佐藤　　俊　新
㉓ 工藤　昌克　新
㉔ 滝沢　圭隆　新
㉕ 近藤　真衣　新
小② 細田　健一　前
小② 斎藤　洋明　前
小② 田畑　裕明　前
小② 上田　英俊　新
小② 橘　慶一郎　前
小② 小森　卓郎　新
小② 佐々木　紀　前
小② 西田　昭二　前
小② 稲田　朋美　前
小② 髙木　　毅　前
小② 若林　健太　新
小② 井出　庸生　前
小② 後藤　茂之　前
小② 宮下　一郎　前

立憲民主党（3）

当① 近藤　和也　前１
当① 篠原　　孝　前２
当① 神津たけし　新３
① 黒岩　宇洋　前
① 斉木　武志　前
① 曽我　逸郎　新
① 荒井　淳志　新
① 野田　富久　新
① 越川　康晴　新
① 西尾　政英　新
⑮ 石本　伸二　新
小① 西村智奈美　前
小① 菊田真紀子　前
小① 梅谷　　守　新
小① 下条　みつ　前

日本維新の会（1）

当① 吉田　豊史　元１
① 小林　　誠　新
① 手塚　大輔　新
① 石崎　　徹　元×

公明党（1）

当① 中川　宏昌　新１
② 小松　　実　新

日本共産党（0）

① 藤野　保史　前
② 平　あや子　新
③ 金元　幸枝　新

国民民主党（0）

① 高倉　　栄　新

れいわ新選組（0）

① 辻村　千尋　新

社会民主党（0）

① 五十田裕子　新

ＮＨＫと裁判してる党弁護士法７２条違反で（0）

① 池　　高生　新×

日本共産党(1)
当① 志位 和夫 前1
② 畑野 君枝 前
③ 斉藤 和子 元
④ 沼上 徳光 新
⑤ 寺尾 賢 新×
国民民主党(1)
当① 鈴木 敦 新1
① 鴇田 敦 新
③ 長谷 康人 新
れいわ新選組(1)
当① たがや 亮 新1
② 木下 隼 新
社会民主党(0)
① 佐々木克己 新
NHKと裁判してる党弁護士法72条違反で(0)
① 渡辺 敏光 新

東京ブロック

定 数：17人

東京都

政党等名	得票数	得票率
自由民主党	2,000,084	31.02
立憲民主党	1,293,281	20.06
日本維新の会	858,577	13.32
公明党	715,450	11.10
日本共産党	670,340	10.40
れいわ新選組	360,387	5.59
国民民主党	306,180	4.75
社会民主党	92,995	1.44
NHKと裁判してる党弁護士法72条違反で	92,353	1.43
日本第一党	33,661	0.52
新党やまと	16,970	0.26
政権交代によるコロナ対策強化新党	6,620	0.10
得票総数	6,446,898	100(%)

注）得票率については、政党ごとに端数処理しているため、合計が100にならない場合がある

自由民主党(6)
当① 髙木 啓 前1
当② 松本 洋平 前2
当② 越智 隆雄 前3
当② 若宮 健嗣 前4
当② 長島 昭久 前5
当② 石原 宏高 前6
② 安藤 高夫 前
② 石原 伸晃 前
② 松本 文明 前
㉓ 伊藤 智加 新
㉔ 松野 未佳 新
㉕ 小松 裕 前
㉖ 西田 譲 元
㉗ 和泉 武彦 新
㉘ 崎山 知尚 新
小② 山田 美樹 前
小② 辻 清人 前
小② 平 将明 前
小② 鈴木 隼人 前
小② 下村 博文 前
小② 土田 慎 新
小② 松島みどり 前
小② 木原 誠二 前
小② 小田原 潔 前
小② 伊藤 達也 前
小② 小倉 将信 前
小② 萩生田光一 前
小② 井上 信治 前
立憲民主党(4)
当① 伊藤 俊輔 前1
当① 鈴木 庸介 新2
当① 海江田万里 前3
当① 大河原まさこ 前4
① 山花 郁夫 前
① 井戸 正枝 元
① 水野 素子 新
① 松尾 明弘 前
① 木村 剛司 元
① 阿久津幸彦 前
① 島田 幸成 新
① 北條 智彦 新
㉑ 高松 智之 新
㉒ 川島智太郎 元
㉓ 北出 美翔 新
小① 松原 仁 前
小① 手塚 仁雄 前
小① 落合 貴之 前
小① 長妻 昭 前
小① 吉田はるみ 新
小① 山岸 一生 新
小① 菅 直人 前
小① 末松 義規 前
日本維新の会(2)
当① 阿部 司 新1
当① 小野 泰輔 新2
① 金澤 結衣 新
① 碓井 梨恵 新
① 田淵 正文 新
① 林 智興 新
① 西村 恵美 新
① 中津川博郷 元
① 猪口 幸子 新
① 南 純 新
① 木内 孝胤 元
① 前田順一郎 新
① 山崎 英昭 新
① 竹田 光明 元
① 辻 健太郎 新
① 笠谷 圭司 新
① 藤川 隆史 新
公明党(2)
当① 高木 陽介 前1
当② 河西 宏一 新2
③ 藤井 伸城 新
④ 大沼 伸貴 新
日本共産党(2)
当① 笠井 亮 前1
当② 宮本 徹 前2
③ 池内 沙織 元
④ 谷川 智行 新
⑤ 坂井和歌子 新
⑥ 細野 真理 新
⑦ 小堤 東 新
れいわ新選組(1)
当① 山本 太郎 新1
② 櫛渕 万里 元
② 北村 造 新×

国民民主党（1）
当① 鈴木　義弘　元1
　① 浅野　克彦　新
小① 浅野　　哲　前

れいわ新選組（0）
　① 田島　　剛　新

社会民主党（0）
　① 池田万佐代　新

ＮＨＫと裁判してる党弁護士法72条違反で（0）
　① 黒川　敦彦　新

南関東ブロック

定　数：22人

千葉県・神奈川県・山梨県

政党等名	得票数	得票率
自由民主党	2,590,787	34.94
立憲民主党	1,651,562	22.28
日本維新の会	863,897	11.65
公明党	850,667	11.47
日本共産党	534,493	7.21
国民民主党	384,482	5.19
れいわ新選組	302,675	4.08
社会民主党	124,447	1.68
NHKと裁判してる党弁護士法72条違反で	111,298	1.50
得票総数	7,414,308	100(%)

自由民主党（9）
当① 星野　剛士　前1
当① 甘利　　明　前2
当① 秋本　真利　前3
当① 三谷　英弘　前4
当① 義家　弘介　前5
当① 中山　展宏　前6
当① 門山　宏哲　前7
当① 山本ともひろ　前8
当① 桜田　義孝　前9
　① 木村　哲也　前
　㉚ 出畑　　実　前
　㉛ 高橋　恭介　新
　㉜ 文月　　涼　新
　㉝ 望月　忠彦　新
　㉞ 高木　昭彦　新
　㉟ 及川　　博　新
小① 小林　鷹之　前
小① 松野　博一　前
小① 薗浦健太郎　前
小① 渡辺　博道　前
小① 斎藤　　健　前
小① 浜田　靖一　前
小① 松本　　尚　新
小① 菅　　義偉　前
小① 中西　健治　新
小① 坂井　　学　前
小① 古川　直季　新
小① 鈴木　馨祐　前
小① 田中　和徳　前
小① あかま二郎　前
小① 河野　太郎　前
小① 牧島かれん　前
小① 山際大志郎　前
小① 中谷　真一　前
小① 堀内　詔子　前

立憲民主党（5）
当① 中谷　一馬　前1
当① 谷田川　元　前2
当① 青柳陽一郎　前3
当① 中島　克仁　前4
当① 山崎　　誠　前5
　① 長友　克洋　新
　① 宮川　　伸　前
　① 三村　和也　元
　① 神山　洋介　元
　① 岡本　英子　元
　① 矢崎堅太郎　新
　① 岡島　一正　前
　① 小林　丈人　新
　① 竹内　千春　新
　① 樋高　　剛　元
　① 黒田　　雄　元
　① 市来　伴子　新
　㉙ 小野　次郎　元
　㉚ 金子　健一　元
小① 田嶋　　要　前
小① 野田　佳彦　前
小① 本庄　知史　新
小① 奥野総一郎　前
小① 篠原　　豪　前
小① 早稲田ゆき　前
小① 江田　憲司　前
小① 笠　　浩史　前
小① 阿部　知子　前
小① 太　　栄志　新
小① 後藤　祐一　前

日本維新の会（3）
当① 金村　龍那　新1
当① 藤巻　健太　新2
当① 浅川　義治　新3
　① 清水　聖士　新
　① 水戸　将史　元
　① 横田　光弘　新
　① 串田　誠一　前
　① 吉田　大成　新
　① 椎木　　保　元
　① 高谷　清彦　新×
　① 内山　　晃　元

公明党（2）
当① 古屋　範子　前1
当② 角田　秀穂　元2
　③ 上田　　勇　元
　④ 江端　功一　新
　⑤ 井川　泰雄　新

③ 曽根　周作　新

日本共産党（1）

当① 高橋千鶴子　前1
② 船山　由美　新
③ 藤本　友里　新

日本維新の会（1）

当① 早坂　　敦　新1
① 春藤沙弥香　新×

国民民主党（0）

① 加藤　健一　新

② 渡部　勝博　新

れいわ新選組（0）

① 渡辺　理明　新

社会民主党（0）

① 久保　孝喜　新

ＮＨＫと裁判してる党弁護士法７２条違反で（0）

① 林マリアゆき　新×

北関東ブロック

定　数：19人

茨城県・栃木県
群馬県・埼玉県

政党等名	得票数	得票率
自由民主党	2,172,065	35.19
立憲民主党	1,391,149	22.54
公明党	823,930	13.35
日本維新の会	617,531	10.01
日本共産党	444,115	7.20
国民民主党	298,056	4.83
れいわ新選組	239,592	3.88
社会民主党	97,963	1.59
ＮＨＫと裁判してる党弁護士法７２条違反で	87,702	1.42
得票総数	6,172,103	100(%)

注）得票率については、政党ごとに端数処理しているため、合計が100にならない場合がある

自由民主党（7）

当① 尾身　朝子　前1
当② 野中　　厚　前2
当② 牧原　秀樹　前3
当② 田所　嘉徳　前4
当② 石川　昭政　前5
当② 五十嵐　清　新6
当② 中根　一幸　前7
㉜ 河村　建一　新
㉝ 神山　佐市　前
㉞ 西川　鎮央　新
㉟ 上野　宏史　前
㊲ 佐藤　明男　前
㊳ 鈴木　聖二　新
㊴ 小川　雅幸　新
小② 葉梨　康弘　前
小② 梶山　弘志　前
小② 国光あやの　前
小② 永岡　桂子　前
小② 船田　　元　前
小② 簗　　和生　前
小② 佐藤　　勉　前
小② 茂木　敏充　前
小② 中曽根康隆　前
小② 井野　俊郎　前
小② 笹川　博義　前
小② 福田　達夫　前
小② 小渕　優子　前
小② 村井　英樹　前
小② 新藤　義孝　前
小② 黄川田仁志　前
小② 穂坂　　泰　前
小② 柴山　昌彦　前
小② 大塚　　拓　前
小② 山口　　晋　新
小② 小泉　龍司　前
小② 土屋　品子　前
小② 三ッ林裕巳　前
小② 田中　良生　前
小㊱ 中野　英幸　新

立憲民主党（5）

当① 藤岡　隆雄　新1
当① 中村喜四郎　前2
当① 小宮山泰子　前3
当① 坂本祐之輔　元4
当① 青山　大人　前5
① 三角　創太　新
① 山川百合子　前
① 武正　公一　元
① 長谷川嘉一　前
① 高木錬太郎　前
① 杉村　慎治　新
① 渡辺　典喜　新
① 梶岡　博樹　新
① 堀越　啓仁　前
① 藤田　幸久　元
① 角倉　邦良　新
① 伊賀　　央　新
① 島田　　誠　新
㉓ 石塚　貞通　新
㉔ 船山　幸雄　新
㉕ 高杉　　徹　新
小① 福田　昭夫　前
小① 枝野　幸男　前
小① 大島　　敦　前
小① 森田　俊和　前

公明党（3）

当① 石井　啓一　前1
当② 輿水　恵一　元2
当③ 福重　隆浩　新3
④ 村上　知己　新

日本維新の会（2）

当① 沢田　　良　新1
当① 高橋　英明　新2
① 柏倉　祐司　元
① 宮崎　岳志　元
① 伊勢田享子　新
① 岸野　智康　新
① 武藤　優子　新
① 水梨　伸晃　新×
① 吉村　豪介　新×

日本共産党（1）

当① 塩川　鉄也　前1
② 梅村早江子　元
③ 大内久美子　新

比例代表（176人）

北海道ブロック

定　数：8人

北海道

政党等名	得票数	得票率
自由民主党	863,300	33.60
立憲民主党	682,913	26.58
公明党	294,371	11.46
日本維新の会	215,344	8.38
日本共産党	207,189	8.06
れいわ新選組	102,086	3.97
国民民主党	73,621	2.87
支持政党なし	46,142	1.80
NHKと裁判してる党弁護士法72条違反で	42,916	1.67
社会民主党	41,248	1.61
得票総数	2,569,130	100(%)

自由民主党（4）
当① 鈴木　貴子　前1
当② 渡辺　孝一　前2
当③ 堀井　　学　前3
当③ 中川　郁子　元4
　③ 船橋　利実　前
　③ 前田　一男　元
　③ 高橋　祐介　新
　⑭ 鶴羽　佳子　新
　⑮ 長友　隆典　新
小③ 高木　宏寿　元
小③ 中村　裕之　前
小③ 和田　義明　前
小③ 東　　国幹　新
小③ 伊東　良孝　前
小③ 武部　　新　前

立憲民主党（3）
当① おおつき紅葉　新1
当① 荒井　　優　新2
当① 神谷　　裕　前3
　① 池田　真紀　前
　① 西川　将人　新
　① 川原田英世　新
　① 篠田奈保子　新
　⑬ 原谷　那美　新
　⑭ 秋元　恭兵　新
　⑮ 田中　勝一　新
小① 道下　大樹　前
小① 松木けんこう　前
小① 逢坂　誠二　前
小① 山岡　達丸　前
小① 石川　香織　前

公明党（1）
当① 佐藤　英道　前1
　② 荒瀬　正昭　新

日本維新の会（0）
　① 山崎　　泉　新
　① 小林　　悟　新
　① 小和田康文　新

日本共産党（0）
　① 畠山　和也　元
　② 伊藤理智子　新

れいわ新選組（0）
　① 門別　芳夫　新

国民民主党（0）
　① 山崎　摩耶　元

支持政党なし（0）
　① 佐野　秀光　新
　② 中村　　治　新

NHKと裁判してる党弁護士法72条違反で（0）
　① 斉藤　忠行　新×

社会民主党（0）
　① 豊巻　絹子　新

東北ブロック

定　数：13人

青森県・岩手県・宮城県
秋田県・山形県・福島県

政党等名	得票数	得票率
自由民主党	1,628,233	39.51
立憲民主党	991,505	24.06
公明党	456,287	11.07
日本共産党	292,830	7.11
日本維新の会	258,690	6.28
国民民主党	195,754	4.75
れいわ新選組	143,265	3.48
社会民主党	101,442	2.46
NHKと裁判してる党弁護士法72条違反で	52,664	1.28
得票総数	4,120,670	100(%)

自由民主党（6）
当① 津島　　淳　前1
当② 秋葉　賢也　前2
当② 菅家　一郎　前3
当② 亀岡　偉民　前4
当② 金田　勝年　前5
当② 上杉謙太郎　前6
　② 森下　千里　新
　② 高橋比奈子　前
　㉔ 前川　　恵　元
　㉕ 入野田　博　新
小② 江渡　聡徳　前
小② 神田　潤一　新
小② 木村　次郎　前
小② 鈴木　俊一　前
小② 藤原　　崇　前
小② 土井　　亨　前
小② 西村　明宏　前
小② 伊藤信太郎　前
小② 小野寺五典　前
小② 冨樫　博之　前
小② 御法川信英　前
小② 遠藤　利明　前
小② 鈴木　憲和　前
小② 加藤　鮎子　前
小② 根本　　匠　前

立憲民主党（4）
当① 岡本あき子　前1
当① 寺田　　学　前2
当① 小沢　一郎　前3
当① 馬場　雄基　新4
　① 升田世喜男　元
　① 原田　和広　新
　① 大野　園子　新
　① 山内　　崇　新
　① 高畑　紀子　新
　① 大林　正英　新
　⑱ 佐野　利恵　新
　⑲ 鳥居　作弥　新
　⑳ 内海　　太　新
小① 階　　　猛　前
小① 鎌田さゆり　元
小① 安住　　淳　前
小① 緑川　貴士　前
小① 金子　恵美　前
小① 玄葉光一郎　前
小① 小熊　慎司　前

公明党（1）
当① 庄子　賢一　新1
　② 佐々木雅文　新

(衆)得票表

4区 250,004 (55.08)

当 55,968 (42.06) 北村 誠吾 自前
比 55,577 (41.76) 末次 精一 立新○
16,860 (12.67) 萩原 活 無新
4,675 (3.51) 田中 隆治 無新

熊本県

1区 421,038 (52.91)

当 131,371 (61.04) 木原 稔 自前○
83,842 (38.96) 濱田 大造 立新○

2区 314,184 (58.67)

当 110,310 (60.64) 西野 太亮 無新
60,091 (33.03) 野田 毅 自前
11,521 (6.33) 橋田 芳昭 共新

3区 315,292 (57.38)

当 125,158 (71.15) 坂本 哲志 自前○
37,832 (21.51) 馬場 功世 社新○
12,909 (7.34) 本間 明子 N新

4区 404,286 (57.50)

当 155,572 (68.07) 金子 恭之 自前○
72,966 (31.93) 矢上 雅義 立前○

大分県

1区 385,469 (53.17)

当 97,117 (48.76) 吉良 州司 無前
75,932 (38.13) 高橋 舞子 自新○
15,889 (7.98) 山下 魁 共新
6,216 (3.12) 西宮 重貴 無新
4,001 (2.01) 野中 美咲 N新

2区 267,779 (60.45)

当 79,433 (50.21) 衛藤征士郎 自前
比 78,779 (49.79) 吉川 元 立前○

3区 301,700 (59.67)

当 102,807 (58.42) 岩屋 毅 自前○
73,159 (41.58) 横光 克彦 立前○

宮崎県

1区 354,691 (53.29)

当 60,719 (32.60) 渡辺 創 立新○
比 59,649 (32.02) 武井 俊輔 自前○
43,555 (23.38) 脇谷のりこ 無新
22,350 (12.00) 外山 斎 維新○

2区 273,071 (56.28)

当 94,156 (62.20) 江藤 拓 自前○
比 57,210 (37.80) 長友 慎治 国新○

3区 274,053 (51.53)

当 111,845 (80.73) 古川 禎久 自前○
20,342 (14.68) 松本 隆 共新
6,347 (4.58) 重黒木優平 N新

鹿児島県

1区 358,070 (54.10)

当 101,251 (53.15) 宮路 拓馬 自前○
89,232 (46.85) 川内 博史 立前○

2区 337,186 (58.58)

当 92,614 (47.70) 三反園 訓 無新
80,469 (41.44) 金子万寿夫 自前
21,084 (10.86) 松崎 真琴 共新○

3区 318,530 (61.39)

当 104,053 (53.87) 野間 健 立元○
比 89,110 (46.13) 小里 泰弘 自前○

4区 325,670 (57.16)

当 127,131 (69.54) 森山 裕 自前
49,077 (26.84) 米永 淳子 社新○
6,618 (3.62) 宮川 直輝 N新

沖縄県

1区 267,939 (55.89)

当 61,519 (42.17) 赤嶺 政賢 共前○
比 54,532 (37.38) 國場幸之助 自前○
29,827 (20.45) 下地 幹郎 無前

2区 294,848 (54.82)

当 74,665 (47.39) 新垣 邦男 社新○
比 64,542 (40.96) 宮﨑 政久 自前○
15,296 (9.71) 山川 泰博 維新○
3,053 (1.94) 中村 幸也 N新

3区 316,861 (54.00)

当 87,710 (52.14) 島尻安伊子 自新○
80,496 (47.86) 屋良 朝博 立前○

4区 295,455 (55.05)

当 87,671 (54.90) 西銘恒三郎 自前○
72,031 (45.10) 金城 徹 立新○

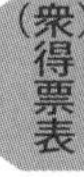

	得票数	得票率	氏名	党派	
	42,520	(33.55)	石井　智恵	国新	○
	11,358	(8.96)	片岡　朗	共新	

3区 260,288 (57.42)

	得票数	得票率	氏名	党派	
当	76,263	(51.58)	井原　巧	自新	○
比	71,600	(48.42)	白石　洋一	立前	○

4区 246,664 (59.16)

	得票数	得票率	氏名	党派	
当	81,015	(56.59)	長谷川淳二	自新	○
	47,717	(33.33)	桜内　文城	無元	
	11,555	(8.07)	西井　直人	共新	
	1,547	(1.08)	藤島　利久	無新	
	1,319	(0.92)	前田　龍夫	無新	

高知県

1区 310,468 (53.50)

	得票数	得票率	氏名	党派	
当	104,837	(64.32)	中谷　元	自前	○
	50,033	(30.70)	武内　則男	立前	○
	4,081	(2.50)	中島　康治	N新	○
	4,036	(2.48)	川田　永二	無新	

2区 287,552 (61.49)

	得票数	得票率	氏名	党派	
当	117,810	(67.25)	尾﨑　正直	自新	○
	55,214	(31.52)	広田　一	立前	○
	2,171	(1.24)	広田晋一郎	N新	

福岡県

1区 453,215 (47.56)

	得票数	得票率	氏名	党派	
当	99,430	(47.51)	井上　貴博	自前	○
	53,755	(25.69)	坪田　晋	立新	○
比	37,604	(17.97)	山本　剛正	維元	○
	18,487	(8.83)	木村　拓史	共新	

2区 449,552 (53.81)

	得票数	得票率	氏名	党派	
当	109,382	(45.97)	鬼木　誠	自前	○
比	101,258	(42.56)	稲富　修二	立前	○
	27,302	(11.47)	新開　崇司	維新	○

3区 443,603 (54.42)

	得票数	得票率	氏名	党派	
当	135,031	(57.87)	古賀　篤	自前	○
	98,304	(42.13)	山内　康一	立前	○

4区 369,215 (53.97)

	得票数	得票率	氏名	党派	
当	96,023	(49.42)	宮内　秀樹	自前	○
	49,935	(25.70)	森本慎太郎	立新	○
比	36,998	(19.04)	阿部　弘樹	維新	○
	11,338	(5.84)	竹内　信昭	社新	○

5区 454,493 (54.52)

	得票数	得票率	氏名	党派	
当	125,315	(53.09)	堤　かなめ	立新	○
	110,706	(46.91)	原田　義昭	自前	

6区 374,631 (51.19)

	得票数	得票率	氏名	党派	
当	125,366	(67.45)	鳩山　二郎	自前	○
	38,578	(20.75)	田辺　徹	立新	○
	12,565	(6.76)	河野　一弘	共新	
	5,612	(3.02)	組坂　善昭	無新	
	3,753	(2.02)	熊丸　英治	N新	

7区 288,733 (52.53)

	得票数	得票率	氏名	党派	
当	92,233	(62.30)	藤丸　敏	自前	○
	55,820	(37.70)	青木　剛志	立新	○

8区 349,058 (53.04)

	得票数	得票率	氏名	党派	
当	104,924	(59.63)	麻生　太郎	自前	
	38,083	(21.64)	河野　祥子	共新	
	32,964	(18.73)	大島九州男	れ新	○

9区 380,277 (50.95)

	得票数	得票率	氏名	党派	
当	91,591	(48.12)	緒方林太郎	無元	
	76,481	(40.18)	三原　朝彦	自前	
	22,273	(11.70)	真島　省三	共元	○

10区 408,059 (48.00)

	得票数	得票率	氏名	党派	
当	85,361	(44.48)	城井　崇	立前	○
	81,882	(42.67)	山本　幸三	自前	
	21,829	(11.37)	西田　主税	維新	○
	2,840	(1.48)	大西　啓雅	無新	

11区 256,676 (54.28)

	得票数	得票率	氏名	党派	
当	75,997	(55.76)	武田　良太	自前	○
	40,996	(30.08)	村上　智信	無新	
	19,310	(14.17)	志岐　玲子	社新	○

佐賀県

1区 333,718 (56.20)

	得票数	得票率	氏名	党派	
当	92,452	(50.04)	原口　一博	立前	○
比	92,319	(49.96)	岩田　和親	自前	○

2区 340,617 (60.80)

	得票数	得票率	氏名	党派	
当	106,608	(52.05)	大串　博志	立前	○
比	98,224	(47.95)	古川　康	自前	○

長崎県

1区 334,139 (55.25)

	得票数	得票率	氏名	党派	
当	101,877	(56.07)	西岡　秀子	国前	○
	69,053	(38.01)	初村滝一郎	自新	○
	10,754	(5.92)	安江　綾子	共新	

2区 293,298 (57.03)

	得票数	得票率	氏名	党派	
当	95,271	(58.21)	加藤　竜祥	自新	○
	68,405	(41.79)	松平　浩一	立前	○

3区 236,525 (60.93)

	得票数	得票率	氏名	党派	
当	57,223	(40.66)	谷川　弥一	自前	
比	55,189	(39.22)	山田　勝彦	立新	○
	25,566	(18.17)	山田　博司	無新	
	2,750	(1.95)	石本　啓之	諸新	

62,555 (43.61) 津村　啓介 立前○

3区 270,565 (57.97)

当 68,631 (44.38) 平沼正二郎 無新
比 54,930 (35.52) あべ　俊子 自前○
23,316 (15.08) 森本　栄 立新○
7,760 (5.02) 尾崎　宏子 共新

4区 381,828 (48.04)

当 89,052 (49.73) 橋本　岳 自前○
比 83,859 (46.83) 柚木　道義 立前○
6,146 (3.43) 中川　智晴 無新

5区 262,936 (54.33)

当 102,139 (72.61) 加藤　勝信 自前○
31,467 (22.37) はたともこ 立新○
7,067 (5.02) 美見　芳明 共新

広島県

1区 332,001 (50.81)

当 133,704 (80.67) 岸田　文雄 自前
15,904 (9.60) 有田　優子 社新○
14,508 (8.75) 大西　理 共新
1,630 (0.98) 上出　圭一 諸新

2区 404,009 (51.48)

当 133,126 (65.24) 平口　洋 自前
70,939 (34.76) 大井　赤亥 立新○

3区 360,198 (51.07)

当 97,844 (55.07) 斉藤　鉄夫 公前
53,143 (29.91) ライアン真由美 立新○
18,088 (10.18) 瀬木　寛親 維新○
3,559 (2.00) 大山　宏 無新
2,789 (1.57) 矢島　秀平 N新○
2,251 (1.27) 玉田　憲勲 無新

4区 309,781 (53.18)

当 78,253 (48.30) 新谷　正義 自前○
33,681 (20.79) 上野　寛治 立新○
比 28,966 (17.88) 空本　誠喜 維元○
21,112 (13.03) 中川　俊直 無元

5区 242,034 (54.52)

当 87,434 (67.66) 寺田　稔 自前○
41,788 (32.34) 野村功次郎 立新○

6区 294,154 (56.35)

当 83,796 (51.42) 佐藤　公治 立前○
比 79,158 (48.58) 小島　敏文 自前○

7区 382,135 (49.35)

当 123,396 (66.45) 小林　史明 自前○
45,520 (24.51) 佐藤　広典 立新○
11,580 (6.24) 村井　明美 共新

5,207 (2.80) 橋本　加代 無新

山口県

1区 356,209 (48.50)

当 118,882 (70.11) 高村　正大 自前○
50,684 (29.89) 大内　一也 立新○

2区 283,552 (51.61)

当 109,914 (76.94) 岸　信夫 自前○
32,936 (23.06) 松田　一志 共新

3区 256,039 (50.14)

当 96,983 (76.94) 林　芳正 自新○
29,073 (23.06) 坂本　史子 立新○

4区 244,858 (48.64)

当 80,448 (69.72) 安倍　晋三 自前○
19,096 (16.55) 竹村　克司 れ新○
15,836 (13.73) 大野　頼子 無新

徳島県

1区 362,130 (55.93)

当 99,474 (50.05) 仁木　博文 無元
比 77,398 (38.94) 後藤田正純 自前○
比 20,065 (10.10) 吉田とも代 維新○
1,808 (0.91) 佐藤　行俊 無新

2区 260,655 (50.99)

当 76,879 (59.50) 山口　俊一 自前○
43,473 (33.65) 中野真由美 立新○
8,851 (6.85) 久保　孝之 共新

香川県

1区 313,296 (57.52)

当 90,267 (51.00) 小川　淳也 立前○
比 70,827 (40.02) 平井　卓也 自前○
15,888 (8.98) 町川　順子 維新○

2区 258,730 (58.53)

当 94,530 (63.50) 玉木雄一郎 国前○
54,334 (36.50) 瀬戸　隆一 自元○

3区 240,033 (51.60)

当 94,437 (79.78) 大野敬太郎 自前○
23,937 (20.22) 尾崎淳一郎 共新

愛媛県

1区 385,321 (52.10)

当 119,633 (60.81) 塩崎　彰久 自新○
77,091 (39.19) 友近　聡朗 立新○

2区 249,121 (52.73)

当 72,861 (57.49) 村上誠一郎 自前○

4区	421,086	(54.69)			
当	112,810	(50.04)	藤井比早之	自前	○
比	59,143	(26.24)	赤木　正幸	維新	○
	53,476	(23.72)	今泉　真緒	立新	○

5区	368,205	(61.59)			
当	94,656	(42.49)	谷　公一	自前	○
比	65,714	(29.50)	遠藤　良太	維新	○
	62,414	(28.02)	梶原　康弘	立元	○

6区	465,210	(55.58)			
当	89,571	(35.21)	市村浩一郎	維元	○
比	87,502	(34.39)	大串　正樹	自前	○
比	77,347	(30.40)	桜井　周	立前	○

7区	441,775	(58.38)			
当	95,140	(37.52)	山田　賢司	自前	○
比	93,610	(36.92)	三木　圭恵	維元	○
	64,817	(25.56)	安田　真理	立新	○

8区	386,254	(48.83)			
当	100,313	(58.80)	中野　洋昌	公前	
	45,403	(26.61)	小村　潤	共新	○
	24,880	(14.58)	辻　恵	れ元	○

9区	363,347	(53.23)			
当	141,973	(76.27)	西村　康稔	自前	○
	44,172	(23.73)	福原由加利	共新	

10区	347,835	(51.55)			
当	79,061	(44.99)	渡海紀三朗	自前	
比	57,874	(32.94)	掘井　健智	維新	○
	38,786	(22.07)	隠樹　圭子	立新	○

11区	399,029	(48.39)			
当	92,761	(49.03)	松本　剛明	自前	○
比	78,082	(41.27)	住吉　寛紀	維新	○
	18,363	(9.71)	太田　清幸	共新	

12区	284,813	(58.90)			
当	91,099	(55.56)	山口　壯	自前	○
比	49,736	(30.33)	池畑浩太朗	維新	○
	23,137	(14.11)	酒井　孝典	立新	○

奈良県

1区	395,066	(61.30)			
当	93,050	(38.97)	馬淵　澄夫	立前	○
比	83,718	(35.06)	小林　茂樹	自前	○
比	62,000	(25.97)	前川　清成	維新	○

2区	383,875	(58.69)			
当	141,858	(64.64)	高市　早苗	自前	○
	54,326	(24.75)	猪奥　美里	立新	○
	23,285	(10.61)	宮本　次郎	共新	

3区	355,246	(57.19)			
当	114,553	(60.81)	田野瀬太道	自前	
	34,334	(18.23)	西川　正克	共新	
	32,669	(17.34)	高見　省次	無新	
	6,824	(3.62)	加藤　孝	N新	

和歌山県

1区	307,817	(55.16)			
当	103,676	(62.73)	岸本　周平	国前	○
	61,608	(37.27)	門　博文	自前	○

2区	242,858	(57.94)			
当	79,365	(57.74)	石田　真敏	自前	○
	35,654	(25.94)	藤井　幹雄	立新	○
	19,735	(14.36)	所　順子	維新	○
	2,700	(1.96)	遠西　愛美	N新	

3区	250,261	(62.32)			
当	102,834	(69.34)	二階　俊博	自前	
	20,692	(13.95)	畑野　良弘	共新	
	19,034	(12.83)	本間　奈々	諸新	
	5,745	(3.87)	根来　英樹	無新	

鳥取県

1区	230,959	(56.10)			
当	105,441	(84.07)	石破　茂	自前	○
	19,985	(15.93)	岡田　正和	共新	

2区	234,420	(60.20)			
当	75,005	(53.98)	赤沢　亮正	自前	○
比	63,947	(46.02)	湯原　俊二	立元	○

島根県

1区	268,337	(61.23)			
当	90,638	(56.02)	細田　博之	自前	
	66,847	(41.31)	亀井亜紀子	立前	○
	4,318	(2.67)	亀井　彰子	無新	

2区	291,649	(61.85)			
当	110,327	(62.44)	高見　康裕	自新	○
	52,016	(29.44)	山本　誉	立新	○
	14,361	(8.13)	向瀬　慎一	共新	

岡山県

1区	364,162	(46.73)			
当	90,939	(54.97)	逢沢　一郎	自前	○
	65,499	(39.59)	原田　謙介	立新	○
	8,990	(5.43)	余江　雪央	共新	

2区	289,071	(50.42)			
当	80,903	(56.39)	山下　貴司	自前	○

	得票	(%)	氏名	党派	
	38,170	(21.44)	渡部　結	共新	
	18,637	(10.47)	中条栄太郎	無新	

4区 408,256 (58.33)

	得票	(%)	氏名	党派	
当	107,585	(46.15)	美延　映夫	維前	○
	72,835	(31.24)	中山　泰秀	自前	○
	28,254	(12.12)	吉田　治	立元	○
	24,469	(10.50)	清水　忠史	共前	○

5区 431,558 (52.98)

	得票	(%)	氏名	党派	
当	106,508	(53.14)	国重　徹	公前	
比	48,248	(24.07)	宮本　岳志	共元	○
比	34,202	(17.07)	大石　晃子	れ新	○
	11,458	(5.72)	籠池　諄子	無新	

6区 391,045 (54.27)

	得票	(%)	氏名	党派	
当	106,878	(54.82)	伊佐　進一	公前	
	59,191	(30.36)	村上　史好	立前	○
	28,895	(14.82)	星　健太郎	無新	

7区 382,714 (60.02)

	得票	(%)	氏名	党派	
当	102,486	(45.34)	奥下　剛光	維新	○
	71,592	(31.67)	渡嘉敷奈緒美	自前	○
	24,952	(11.04)	乃木　涼介	立新	○
	20,083	(8.88)	川添　健真	共新	
	6,927	(3.06)	西川　弘城	れ新	○

8区 337,105 (59.75)

	得票	(%)	氏名	党派	
当	105,073	(53.23)	漆間　譲司	維新	○
	53,877	(27.29)	高麗啓一郎	自新	○
	38,458	(19.48)	松井　博史	立新	○

9区 456,232 (59.08)

	得票	(%)	氏名	党派	
当	133,146	(50.35)	足立　康史	維前	○
	83,776	(31.68)	原田　憲治	自前	
	42,165	(15.94)	大椿　裕子	社新	○
	5,369	(2.03)	磯部　和哉	無新	

10区 320,990 (63.32)

	得票	(%)	氏名	党派	
当	80,932	(40.32)	池下　卓	維新	○
	66,943	(33.35)	辻元　清美	立前	○
	52,843	(26.33)	大隈　和英	自前	○

11区 398,749 (60.57)

	得票	(%)	氏名	党派	
当	105,746	(44.69)	中司　宏	維新	○
	70,568	(29.83)	佐藤ゆかり	自前	○
	60,281	(25.48)	平野　博文	立前	○

12区 339,395 (55.00)

	得票	(%)	氏名	党派	
当	94,003	(51.19)	藤田　文武	維前	○
	59,304	(32.29)	北川　晋平	自新	○
	17,730	(9.65)	宇都宮優子	立新	○
	12,614	(6.87)	松尾　正利	共新	

13区 400,235 (53.43)

	得票	(%)	氏名	党派	
当	101,857	(48.47)	岩谷　良平	維新	○
比	85,321	(40.60)	宗清　皇一	自前	○
	22,982	(10.94)	神野　淳一	共新	

14区 421,826 (55.28)

	得票	(%)	氏名	党派	
当	126,307	(55.67)	青柳　仁士	維新	○
	70,029	(30.87)	長尾　敬	自前	○
	30,547	(13.46)	小松　久	共新	

15区 390,415 (55.78)

	得票	(%)	氏名	党派	
当	114,861	(54.10)	浦野　靖人	維前	○
	67,887	(31.97)	加納陽之助	自新	○
	29,570	(13.93)	為　仁史	共新	

16区 326,278 (55.50)

	得票	(%)	氏名	党派	
当	84,563	(50.81)	北側　一雄	公前	
比	72,571	(43.61)	森山　浩行	立前	○
	9,288	(5.58)	西脇　京子	N新	

17区 330,263 (54.50)

	得票	(%)	氏名	党派	
当	94,398	(53.60)	馬場　伸幸	維前	○
	56,061	(31.83)	岡下　昌平	自前	○
	25,660	(14.57)	森　流星	共新	

18区 434,309 (52.91)

	得票	(%)	氏名	党派	
当	118,421	(52.97)	遠藤　敬	維前	○
	61,597	(27.55)	神谷　昇	自前	○
	24,490	(10.95)	川戸　康嗣	立新	○
	19,075	(8.53)	望月　亮佑	共新	

19区 304,908 (53.96)

	得票	(%)	氏名	党派	
当	68,209	(42.18)	伊東　信久	維元	○
比	52,052	(32.19)	谷川　とむ	自前	○
	32,193	(19.91)	長安　豊	立元	○
	9,258	(5.72)	北村　みき	共新	

兵庫県

1区 393,494 (55.48)

	得票	(%)	氏名	党派	
当	78,657	(36.90)	井坂　信彦	立元	○
比	64,202	(30.12)	盛山　正仁	自前	○
比	53,211	(24.96)	一谷勇一郎	維新	○
	9,922	(4.65)	高橋　進吾	無新	
	7,174	(3.37)	木原功仁哉	無新	

2区 385,611 (50.97)

	得票	(%)	氏名	党派	
当	99,455	(54.21)	赤羽　一嘉	公前	
	61,884	(33.73)	船川　治郎	立新	○
	22,124	(12.06)	宮野　鶴生	共新	

3区 315,484 (54.43)

	得票	(%)	氏名	党派	
当	68,957	(40.94)	関　芳弘	自前	○
比	59,537	(35.35)	和田有一朗	維新	○
	22,765	(13.52)	佐藤　泰樹	国新	○
	17,155	(10.19)	赤田　勝紀	共新	

36,788 (16.08) 本多 信弘 共新
33,990 (14.86) 梅村 忠司 無新

12区 444,780 (61.97)
当 142,536 (52.67) 重徳 和彦 立前○
比 128,083 (47.33) 青山 周平 自前○

13区 422,731 (61.56)
当 134,033 (52.72) 大西 健介 立前○
比 120,203 (47.28) 石井 拓 自新○

14区 296,452 (62.26)
当 114,160 (62.96) 今枝宗一郎 自前○
59,462 (32.80) 田中 克典 立新○
7,689 (4.24) 野澤 康幸 共新

15区 348,761 (58.10)
当 104,204 (52.41) 根本 幸典 自前○
80,776 (40.63) 関 健一郎 立前○
13,832 (6.96) 菅谷 竜 れ新○

三重県

1区 359,419 (54.88)
当 122,772 (63.09) 田村 憲久 自前○
64,507 (33.15) 松田 直久 立元○
7,329 (3.77) 山田いずみ N新○

2区 408,281 (54.86)
当 110,155 (50.23) 川崎ひでと 自新○
比 109,165 (49.77) 中川 正春 立前○

3区 414,312 (55.31)
当 144,688 (64.05) 岡田 克也 立前
比 81,209 (35.95) 石原 正敬 自新○

4区 297,002 (60.76)
当 128,753 (72.36) 鈴木 英敬 自新○
41,311 (23.22) 坊農 秀治 立新○
7,882 (4.43) 中川 民英 共新

滋賀県

1区 324,354 (58.90)
当 97,482 (52.22) 大岡 敏孝 自前○
比 84,106 (45.05) 斎藤アレックス 国新○
5,092 (2.73) 日高 千穂 N新○

2区 263,110 (56.93)
当 83,502 (56.57) 上野賢一郎 自前○
64,119 (43.43) 田島 一成 立元○

3区 274,521 (57.43)
当 81,888 (52.79) 武村 展英 自前○
41,593 (26.81) 直山 仁 維新○
20,423 (13.17) 佐藤 耕平 共新
11,227 (7.24) 高井 崇志 れ前○

4区 291,102 (55.83)
当 86,762 (54.61) 小寺 裕雄 自前○
比 72,116 (45.39) 徳永 久志 立新○

京都府

1区 390,373 (55.90)
当 86,238 (40.40) 勝目 康 自新○
比 65,201 (30.55) 穀田 恵二 共前○
比 62,007 (29.05) 堀場 幸子 維新○

2区 264,808 (57.14)
当 72,516 (48.89) 前原 誠司 国前○
43,291 (29.19) 繁本 護 自前○
25,260 (17.03) 地坂 拓晃 共新
7,263 (4.90) 中 辰哉 れ新○

3区 353,915 (53.52)
当 89,259 (48.19) 泉 健太 立前○
61,674 (33.30) 木村 弥生 自前○
34,288 (18.51) 井上 博明 維新○

4区 396,960 (56.21)
当 96,172 (44.21) 北神 圭朗 無元
比 80,775 (37.13) 田中 英之 自前○
40,603 (18.66) 吉田 幸一 共新

5区 238,618 (59.49)
当 68,693 (49.39) 本田 太郎 自前○
32,108 (23.09) 山本和嘉子 立前○
21,904 (15.75) 井上 一徳 無前
16,375 (11.77) 山内 健 共新

6区 460,284 (56.81)
当 116,111 (45.25) 山井 和則 立前○
82,004 (31.96) 清水鴻一郎 自元
58,487 (22.79) 中嶋 秀樹 維新○

大阪府

1区 427,637 (53.27)
当 110,120 (49.40) 井上 英孝 維前○
67,145 (30.12) 大西 宏幸 自前○
28,477 (12.77) 村上 賀厚 立新○
17,194 (7.71) 竹内 祥倫 共新

2区 446,933 (56.98)
当 120,913 (48.49) 守島 正 維新○
80,937 (32.46) 左藤 章 自前○
47,487 (19.05) 尾辻かな子 立前○

3区 367,518 (53.87)
当 79,507 (44.65) 佐藤 茂樹 公前
41,737 (23.44) 萩原 仁 立元○

3,698 (2.23) 土田　正光 諸新

2区 300,608 (56.09)

当 108,755 (65.79) 棚橋　泰文 自前○
40,179 (24.31) 大谷由里子 国新○
16,374 (9.91) 三尾　圭司 共新

3区 422,993 (54.55)

当 132,357 (58.57) 武藤　容治 自前○
93,616 (41.43) 阪口　直人 立元○

4区 330,497 (66.37)

当 110,844 (51.23) 金子　俊平 自前○
91,354 (42.22) 今井　雅人 立前○
14,171 (6.55) 佐伯　哲也 維新○

5区 273,847 (62.72)

当 82,140 (48.49) 古屋　圭司 自前○
68,615 (40.50) 今井　瑠々 立新○
9,921 (5.86) 山田　良司 維元○
8,736 (5.16) 小関　祥子 共新

静岡県

1区 387,132 (50.99)

当 101,868 (52.35) 上川　陽子 自前○
53,974 (27.74) 遠藤　行洋 立新○
21,074 (10.83) 高橋　美穂 国元○
17,667 (9.08) 青山　雅幸 維前○

2区 388,436 (56.11)

当 131,082 (61.11) 井林　辰憲 自前○
71,032 (33.11) 福村　隆 立新○
12,396 (5.78) 山口　祐樹 共新

3区 371,829 (58.14)

当 112,464 (52.74) 小山　展弘 立元○
比 100,775 (47.26) 宮沢　博行 自前○

4区 320,374 (50.07)

当 84,154 (53.30) 深澤　陽一 自前○
比 49,305 (31.23) 田中　健 国新○
24,441 (15.48) 中村　憲一 維新○

5区 458,636 (54.39)

当 127,580 (51.81) 細野　豪志 無前
比 61,337 (24.91) 吉川　赳 自前○
51,965 (21.10) 小野　範和 立新○
5,350 (2.17) 千田　光 諸新

6区 425,131 (53.77)

当 104,178 (46.09) 勝俣　孝明 自前○
比 99,758 (44.14) 渡辺　周 立前○
22,086 (9.77) 山下　洸棋 維新○

7区 328,735 (58.72)

当 130,024 (68.16) 城内　実 自前○
60,726 (31.84) 日吉　雄太 立前○

8区 367,189 (56.47)

当 114,210 (55.82) 源馬謙太郎 立前○
比 90,408 (44.18) 塩谷　立 自前○

愛知県

1区 400,338 (49.49)

当 94,107 (48.81) 熊田　裕通 自前○
比 91,707 (47.57) 吉田　統彦 立前○
6,988 (3.62) 門田　節代 N新

2区 404,436 (53.44)

当 131,397 (62.33) 古川　元久 国前○
比 79,418 (37.67) 中川　貴元 自新○

3区 417,728 (54.22)

当 121,400 (54.96) 近藤　昭一 立前○
比 99,489 (45.04) 池田　佳隆 自前○

4区 372,310 (48.95)

当 78,004 (43.72) 工藤　彰三 自前○
比 72,786 (40.79) 牧　義夫 立前○
27,640 (15.49) 中田　千代 維新○

5区 432,024 (48.63)

当 84,320 (41.16) 神田　憲次 自前○
74,995 (36.61) 西川　厚志 立新○
比 45,540 (22.23) 岬　麻紀 維新○

6区 435,949 (54.83)

当 136,168 (58.35) 丹羽　秀樹 自前○
76,912 (32.96) 松田　功 立前○
20,299 (8.70) 内田　謙 共新

7区 455,656 (59.54)

当 144,725 (54.70) 鈴木　淳司 自前○
88,914 (33.60) 森本　和義 立元○
30,956 (11.70) 須山　初美 共新

8区 437,624 (56.53)

当 121,714 (50.22) 伊藤　忠彦 自前○
比 120,649 (49.78) 伴野　豊 立元○

9区 432,760 (53.98)

当 120,213 (52.74) 長坂　康正 自前○
107,722 (47.26) 岡本　充功 立前○

10区 436,560 (54.49)

当 81,107 (35.01) 江﨑　鉄磨 自前
比 62,601 (27.02) 杉本　和巳 維前○
53,375 (23.04) 藤原　規眞 立新○
20,989 (9.06) 安井美沙子 れ新○
13,605 (5.87) 板倉　正文 共新

11区 383,834 (62.80)

当 158,018 (69.07) 八木　哲也 自前

18,333 (7.57) 石崎　徹 維元○

2区 288,107 (62.66)

当 105,426 (59.91) 細田　健一 自前○
37,157 (21.11) 高倉　栄 国新○
33,399 (18.98) 平　あや子 共新○

3区 298,289 (65.04)

当 102,564 (53.61) 斎藤　洋明 自前○
88,744 (46.39) 黒岩　宇洋 立前○

4区 307,471 (64.17)

当 97,494 (50.06) 菊田真紀子 立前○
比 97,256 (49.94) 国定　勇人 自新○

5区 275,224 (65.20)

当 79,447 (44.96) 米山　隆一 無新
比 60,837 (34.43) 泉田　裕彦 自前○
36,422 (20.61) 森　民夫 無新

6区 272,966 (67.79)

当 90,679 (49.57) 梅谷　守 立新○
比 90,549 (49.50) 髙鳥　修一 自前○
1,711 (0.94) 神鳥　古賛 無新

富山県

1区 267,782 (52.43)

当 71,696 (51.78) 田畑　裕明 自前○
比 45,411 (32.79) 吉田　豊史 維元○
14,563 (10.52) 西尾　政英 立新○
6,800 (4.91) 青山　了介 共新

2区 247,492 (54.22)

当 89,341 (68.41) 上田　英俊 自新○
41,252 (31.59) 越川　康晴 立新○

3区 364,742 (59.06)

当 161,818 (78.54) 橘　慶一郎 自前○
44,214 (21.46) 坂本　洋史 共新

石川県

1区 376,122 (52.20)

当 88,321 (46.14) 小森　卓郎 自新○
48,491 (25.33) 荒井　淳志 立新○
45,663 (23.86) 小林　誠 維新○
8,930 (4.67) 亀田　良典 共新

2区 325,273 (56.13)

当 137,032 (78.43) 佐々木　紀 自前○
27,049 (15.48) 坂本　浩 共新
10,632 (6.09) 山本　保彦 無新

3区 243,618 (66.09)

当 80,692 (50.74) 西田　昭二 自前○
比 76,747 (48.26) 近藤　和也 立前○
1,588 (1.00) 倉知　昭一 無新

福井県

1区 375,210 (56.82)

当 136,171 (65.46) 稲田　朋美 自前○
71,845 (34.54) 野田　富久 立新○

2区 262,612 (59.12)

当 81,705 (53.86) 髙木　毅 自前○
69,984 (46.14) 斉木　武志 立前○

山梨県

1区 424,441 (59.49)

当 125,325 (50.46) 中谷　真一 自前○
比 118,223 (47.60) 中島　克仁 立前○
4,826 (1.94) 辺見　信介 N新

2区 262,259 (62.31)

当 109,036 (67.93) 堀内　詔子 自前○
44,441 (27.69) 市来　伴子 立新○
7,027 (4.38) 大久保令子 共新

長野県

1区 425,440 (59.74)

当 128,423 (51.29) 若林　健太 自新○
比 121,962 (48.71) 篠原　孝 立前○

2区 382,082 (57.04)

当 101,391 (47.52) 下条　みつ 立前○
比 68,958 (32.32) 務台　俊介 自前○
43,026 (20.16) 手塚　大輔 維新○

3区 399,168 (59.32)

当 120,023 (51.53) 井出　庸生 自前○
比 109,179 (46.87) 神津たけし 立新○
3,722 (1.60) 池　高生 N新○

4区 240,401 (59.37)

当 86,962 (62.61) 後藤　茂之 自前○
51,922 (37.39) 長瀬由希子 共新

5区 280,074 (64.55)

当 97,730 (54.86) 宮下　一郎 自前○
80,408 (45.14) 曽我　逸郎 立新○

岐阜県

1区 326,022 (52.31)

当 103,805 (62.54) 野田　聖子 自前○
48,629 (29.30) 川本　慧佑 立新○
9,846 (5.93) 山越　徹 共新

	票数	氏名	党派	
22区	478,721 (60.01)			
当	131,351 (46.87)	伊藤　達也	自前	○
	112,393 (40.10)	山花　郁夫	立前	○
	31,981 (11.41)	櫛渕　万里	れ元	○
	4,535 (1.62)	長谷川洋平	N新	
23区	458,998 (58.37)			
当	133,206 (51.25)	小倉　將信	自前	○
比	126,732 (48.75)	伊藤　俊輔	立前	○
24区	463,096 (56.77)			
当	149,152 (58.55)	萩生田光一	自前	○
	44,546 (17.49)	佐藤　由美	国新	○
	44,474 (17.46)	吉川　穂香	共新	
	16,590 (6.51)	朝倉　玲子	社新	○
25区	413,266 (54.90)			
当	131,430 (59.36)	井上　信治	自前	○
	89,991 (40.64)	島田　幸成	立新	○

神奈川県

	票数	氏名	党派	
1区	427,922 (53.99)			
当	100,118 (45.01)	篠原　豪	立前	○
	76,064 (34.19)	松本　純	無前	
比	46,271 (20.80)	浅川　義治	維新	○
2区	436,066 (56.00)			
当	146,166 (61.15)	菅　義偉	自前	○
	92,880 (38.85)	岡本　英子	立元	○
3区	442,398 (52.64)			
当	119,199 (52.54)	中西　健治	自新	○
	68,457 (30.17)	小林　丈人	立新	○
	23,310 (10.27)	木佐木忠晶	共新	
	15,908 (7.01)	藤村　晃子	無新	
4区	332,708 (61.70)			
当	66,841 (33.03)	早稲田ゆき	立前	○
	63,687 (31.47)	浅尾慶一郎	無元	
比	47,511 (23.48)	山本ともひろ	自前	○
	16,559 (8.18)	高谷　清彦	維新	○
	7,790 (3.85)	大西　恒樹	無新	
5区	467,198 (56.05)			
当	136,288 (53.47)	坂井　学	自前	○
比	118,619 (46.53)	山崎　誠	立前	○
6区	381,141 (55.88)			
当	92,405 (44.32)	古川　直季	自新	○
比	87,880 (42.15)	青柳陽一郎	立前	○
	28,214 (13.53)	串田　誠一	維前	○
7区	449,449 (57.58)			
当	128,870 (50.86)	鈴木　馨祐	自前	○
比	124,524 (49.14)	中谷　一馬	立前	○
8区	427,843 (59.37)			
当	130,925 (52.60)	江田　憲司	立前	○
比	117,963 (47.40)	三谷　英弘	自前	○
9区	338,241 (59.47)			
当	83,847 (42.40)	笠　浩史	立前	○
比	68,918 (34.85)	中山　展宏	自前	○
	24,547 (12.41)	吉田　大成	維新	○
	20,432 (10.33)	斉藤　温	共新	
10区	470,746 (55.04)			
当	104,832 (41.39)	田中　和徳	自前	○
比	69,594 (27.48)	金村　龍那	維新	○
	48,839 (19.28)	畑野　君枝	共前	○
比	30,013 (11.85)	鈴木　敦	国新	○
11区	374,938 (52.21)			
当	147,634 (79.17)	小泉進次郎	自前	
	38,843 (20.83)	林　伸明	共新	
12区	406,623 (56.14)			
当	95,013 (42.43)	阿部　知子	立前	○
比	91,159 (40.71)	星野　剛士	自前	○
	37,753 (16.86)	水戸　将史	維元	○
13区	471,671 (55.77)			
当	130,124 (51.09)	太　栄志	立新	○
比	124,595 (48.91)	甘利　明	自前	○
14区	460,744 (56.02)			
当	135,197 (53.76)	あかま二郎	自前	○
	116,273 (46.24)	長友　克洋	立新	○
15区	473,497 (57.32)			
当	210,515 (79.32)	河野　太郎	自前	○
	46,312 (17.45)	佐々木克己	社新	○
	8,565 (3.23)	渡辺麻里子	N新	
16区	466,042 (55.35)			
当	137,558 (54.60)	後藤　祐一	立前	○
比	114,396 (45.40)	義家　弘介	自前	○
17区	424,659 (56.98)			
当	131,284 (55.32)	牧島かれん	自前	○
	89,837 (37.85)	神山　洋介	立元	○
	16,202 (6.83)	山田　正	共新	
18区	451,301 (57.25)			
当	120,365 (47.70)	山際大志郎	自前	○
	90,390 (35.82)	三村　和也	立元	○
	41,562 (16.47)	横田　光弘	維新	○

新潟県

	票数	氏名	党派	
1区	434,016 (57.25)			
当	127,365 (52.57)	西村智奈美	立前	○
比	96,591 (39.87)	塚田　一郎	自新	○

	得票数	(得票率)	氏名	
比	116,753	(42.87)	石原 宏高	自前○
	30,648	(11.25)	香西 克介	共新
4区		474,029	(54.43)	
当	128,708	(51.51)	平 将明	自前○
	62,286	(24.93)	谷川 智行	共新○
	58,891	(23.57)	林 智興	維新○
5区		464,694	(60.03)	
当	111,246	(40.98)	手塚 仁雄	立前○
比	105,842	(38.99)	若宮 健嗣	自前○
	54,363	(20.03)	田淵 正文	維新○
6区		467,339	(60.36)	
当	110,169	(40.08)	落合 貴之	立前○
比	105,186	(38.27)	越智 隆雄	自前○
	59,490	(21.64)	碓井 梨恵	維新○
7区		459,575	(56.47)	
当	124,541	(49.25)	長妻 昭	立前○
	81,087	(32.06)	松本 文明	自前○
	37,781	(14.94)	辻 健太郎	維新○
	5,665	(2.24)	込山 洋	無新
	3,822	(1.51)	猪野 恵司	N新
8区		476,188	(61.03)	
当	137,341	(48.45)	吉田はるみ	立新○
	105,381	(37.17)	石原 伸晃	自前○
	40,763	(14.38)	笠谷 圭司	維新○
9区		478,743	(57.71)	
当	109,489	(40.90)	山岸 一生	立新○
	95,284	(35.59)	安藤 高夫	自前○
	47,842	(17.87)	南 純	維新○
	15,091	(5.64)	小林 興起	諸元
10区		479,088	(56.50)	
当	115,122	(43.80)	鈴木 隼人	自前○
比	107,920	(41.06)	鈴木 庸介	立新○
	30,574	(11.63)	藤川 隆史	維新○
	4,684	(1.78)	小山 徹	無新
	4,552	(1.73)	沢口 祐司	諸新
11区		462,626	(54.97)	
当	122,465	(49.98)	下村 博文	自前○
	87,635	(35.76)	阿久津幸彦	立前○
	29,304	(11.96)	西之原修斗	共新
	5,639	(2.30)	桑島 康文	無新
12区		462,732	(57.45)	
当	101,020	(39.88)	岡本 三成	公前
比	80,323	(31.71)	阿部 司	維新○
	71,948	(28.41)	池内 沙織	共元○
13区		480,247	(50.88)	
当	115,669	(49.31)	土田 慎	自新○
	78,665	(33.54)	北條 智彦	立新○
	30,204	(12.88)	沢田 真吾	共新
	5,985	(2.55)	渡辺 秀高	無新
	4,039	(1.72)	橋本 孫美	無新
14区		465,702	(55.96)	
当	108,681	(43.28)	松島みどり	自前○
	80,932	(32.23)	木村 剛司	立元○
	49,517	(19.72)	西村 恵美	維新○
	5,845	(2.33)	梁本 和則	無新
	3,364	(1.34)	竹本 秀之	無新
	2,772	(1.10)	大塚紀久雄	無新
15区		424,125	(58.73)	
当	76,261	(32.00)	柿沢 未途	自前
	58,978	(24.75)	井戸 正枝	立元○
	44,882	(18.83)	金澤 結衣	維新○
	26,628	(11.17)	今村 洋史	無元
	17,514	(7.35)	猪野 隆	無新
	9,449	(3.96)	桜井 誠	諸新
	4,608	(1.93)	吉田 浩司	無新
16区		465,115	(51.58)	
当	88,758	(38.67)	大西 英男	自前
	68,397	(29.80)	水野 素子	立新○
	39,290	(17.12)	中津川博郷	維元○
	26,819	(11.68)	太田 彩花	共新
	6,264	(2.73)	田中 健	N新○
17区		475,912	(53.06)	
当	119,384	(50.15)	平沢 勝栄	自前
	52,260	(21.95)	猪口 幸子	維新○
	36,309	(15.25)	新井 杉生	共新
	30,103	(12.65)	円 より子	国新○
18区		444,924	(59.86)	
当	122,091	(47.12)	菅 直人	立前○
比	115,881	(44.72)	長島 昭久	自前○
	21,151	(8.16)	子安 正美	無新
19区		439,147	(60.00)	
当	111,267	(43.03)	末松 義規	立前○
比	109,131	(42.20)	松本 洋平	自前○
	38,182	(14.77)	山崎 英昭	維新○
20区		418,245	(56.77)	
当	121,621	(52.60)	木原 誠二	自前○
比	66,516	(28.77)	宮本 徹	共前○
	43,089	(18.64)	前田順一郎	維新○
21区		438,466	(57.72)	
当	112,433	(45.51)	小田原 潔	自前○
比	99,090	(40.11)	大河原まさこ	立前○
	35,527	(14.38)	竹田 光明	維元○

21,464 (9.79) 神田　三春 共新

10区 328,163 (58.19)

当 96,153 (51.59) 山口　晋 自新○
比 90,214 (48.41) 坂本祐之輔 立元○

11区 351,863 (52.87)

当 111,810 (61.94) 小泉　龍司 自前○
49,094 (27.20) 島田　誠 立新○
19,619 (10.87) 小山　森也 共新

12区 369,482 (55.52)

当 102,627 (51.03) 森田　俊和 立前○
比 98,493 (48.97) 野中　厚 自前○

13区 400,359 (52.43)

当 101,149 (49.41) 土屋　品子 自前○
86,923 (42.46) 三角　創太 立新○
16,622 (8.12) 赤岸　雅治 共新

14区 442,310 (50.08)

当 111,262 (51.56) 三ッ林裕己 自前○
比 71,460 (33.12) 鈴木　義弘 国元○
33,062 (15.32) 田村　勉 共新

15区 422,917 (53.65)

当 102,023 (45.87) 田中　良生 自前○
71,958 (32.35) 高木錬太郎 立前○
比 48,434 (21.78) 沢田　良 維新○

千葉県

1区 430,513 (54.51)

当 128,556 (56.27) 田嶋　要 立前○
比 99,895 (43.73) 門山　宏哲 自前○

2区 460,509 (54.65)

当 153,017 (62.04) 小林　鷹之 自前○
69,583 (28.21) 黒田　雄 立元○
24,052 (9.75) 寺尾　賢 共新○

3区 336,241 (52.36)

当 106,500 (61.87) 松野　博一 自前○
65,627 (38.13) 岡島　一正 立前○

4区 463,083 (52.69)

当 154,412 (64.55) 野田　佳彦 立前○
84,813 (35.45) 木村　哲也 自前○

5区 450,365 (54.07)

当 111,985 (46.97) 薗浦健太郎 自前○
69,887 (29.31) 矢崎堅太郎 立新○
32,241 (13.52) 椎木　保 維元○
24,307 (10.20) 鴇田　敦 国新○

6区 369,609 (52.99)

当 80,764 (42.48) 渡辺　博道 自前○
比 48,829 (25.68) 藤巻　健太 維新○
32,444 (17.07) 浅野　史子 共新
28,083 (14.77) 生方　幸夫 無前

7区 434,040 (54.54)

当 127,548 (54.99) 齋藤　健 自前○
71,048 (30.63) 竹内　千春 立新○
28,594 (12.33) 内山　晃 維元○
4,749 (2.05) 渡辺　晋宏 N新

8区 423,866 (56.16)

当 135,125 (59.65) 本庄　知史 立新○
比 81,556 (36.00) 桜田　義孝 自前○
9,845 (4.35) 宮岡進一郎 無新

9区 407,331 (53.01)

当 107,322 (51.09) 奥野総一郎 立前○
比 102,741 (48.91) 秋本　真利 自前○

10区 341,141 (53.28)

当 83,822 (47.29) 林　幹雄 自前
比 80,971 (45.68) 谷田川　元 立前○
10,272 (5.80) 梓　まり 諸新
2,173 (1.23) 今留　尚人 無新

11区 351,570 (51.38)

当 110,538 (64.44) 森　英介 自前
30,557 (17.81) 椎名　史明 共新
比 30,432 (17.74) たがや　亮 れ新○

12区 380,864 (52.20)

当 123,210 (64.01) 浜田　靖一 自前○
56,747 (29.48) 樋高　剛 立元○
12,530 (6.51) 葛原　茂 共新

13区 416,857 (54.49)

当 100,227 (45.07) 松本　尚 自新○
79,687 (35.83) 宮川　伸 立前○
42,473 (19.10) 清水　聖士 維新○

東京都

1区 462,609 (56.27)

当 99,133 (39.01) 山田　美樹 自前○
比 90,043 (35.43) 海江田万里 立前○
比 60,230 (23.70) 小野　泰輔 維新○
4,715 (1.86) 内藤　久遠 無新

2区 463,165 (60.82)

当 119,281 (43.44) 辻　清人 自前○
90,422 (32.93) 松尾　明弘 立前○
45,754 (16.66) 木内　孝胤 維元○
14,487 (5.28) 北村　造 れ新○
4,659 (1.70) 出口紳一郎 無新

3区 470,083 (59.87)

当 124,961 (45.88) 松原　仁 立前○

	得票数	(得票率)	氏名	党派
	25,162	(18.05)	武藤　優子	維新○
	16,018	(11.49)	大内久美子	共新○

5区 241,755 (53.30)

当	61,373	(48.49)	浅野　哲	国前○
比	53,878	(42.57)	石川　昭政	自前○
	8,061	(6.37)	飯田美弥子	共新
	3,248	(2.57)	田村　弘	無新

6区 454,712 (53.62)

当	125,703	(52.54)	国光あやの	自前○
比	113,570	(47.46)	青山　大人	立前○

7区 303,353 (53.71)

当	74,362	(46.51)	永岡　桂子	自前○
比	70,843	(44.31)	中村喜四郎	立前○
	14,683	(9.18)	水梨　伸晃	維新○

栃木県

1区 434,814 (52.42)

当	102,870	(46.15)	船田　元	自前○
	66,700	(29.92)	渡辺　典喜	立新○
	43,935	(19.71)	柏倉　祐司	維元○
	9,393	(4.21)	青木　弘	共新

2区 262,690 (53.75)

当	73,593	(53.39)	福田　昭夫	立前○
比	64,253	(46.61)	五十嵐　清	自新○

3区 241,014 (52.07)

当	82,398	(67.42)	簗　和生	自前○
	39,826	(32.58)	伊賀　央	立新○

4区 402,456 (55.37)

当	111,863	(51.10)	佐藤　勉	自前○
比	107,043	(48.90)	藤岡　隆雄	立新○

5区 284,314 (50.99)

当	108,380	(77.36)	茂木　敏充	自前○
	31,713	(22.64)	岡村　恵子	共新

群馬県

1区 378,869 (52.97)

当	110,244	(56.32)	中曽根康隆	自前○
	42,529	(21.72)	宮崎　岳志	維元○
	24,072	(12.30)	斉藤　敦子	無新
	18,917	(9.66)	店橋世津子	共新

2区 332,971 (50.66)

当	88,799	(54.03)	井野　俊郎	自前○
	50,325	(30.62)	堀越　啓仁	立前○
	25,216	(15.34)	石関　貴史	無元

3区 303,475 (53.62)

当	86,021	(54.63)	笹川　博義	自前○
	67,689	(42.99)	長谷川嘉一	立前○
	3,737	(2.37)	説田　健二	N新

4区 295,511 (56.39)

当	105,359	(65.02)	福田　達夫	自前○
	56,682	(34.98)	角倉　邦良	立新○

5区 303,298 (56.42)

当	125,702	(76.59)	小渕　優子	自前○
	38,428	(23.41)	伊藤　達也	共新

埼玉県

1区 465,306 (55.48)

当	120,856	(47.58)	村井　英樹	自前○
	96,690	(38.07)	武正　公一	立元○
	23,670	(9.32)	吉村　豪介	維新○
	11,540	(4.54)	佐藤　真実	無新
	1,234	(0.49)	中島　徳二	無新

2区 470,538 (50.35)

当	121,543	(52.78)	新藤　義孝	自前○
比	57,327	(24.89)	髙橋　英明	維新○
	51,420	(22.33)	奥田　智子	共新

3区 462,607 (51.88)

当	125,500	(53.63)	黄川田仁志	自前○
	100,963	(43.15)	山川百合子	立前○
	7,534	(3.22)	河合　悠祐	N新

4区 386,796 (54.49)

当	107,135	(52.26)	穂坂　泰	自前○
	47,863	(23.35)	浅野　克彦	国新○
	34,897	(17.02)	工藤　薫	共新
	11,733	(5.72)	遠藤　宣彦	無元
	3,358	(1.64)	小笠原洋輝	無新

5区 397,522 (56.58)

当	113,615	(51.38)	枝野　幸男	立前○
比	107,532	(48.62)	牧原　秀樹	自前○

6区 443,180 (55.32)

当	134,281	(56.02)	大島　敦	立前○
比	105,433	(43.98)	中根　一幸	自前○

7区 436,985 (52.63)

当	98,958	(44.21)	中野　英幸	自新○
比	93,419	(41.73)	小宮山泰子	立前○
	31,475	(14.06)	伊勢田享子	維新○

8区 365,768 (56.69)

当	104,650	(51.61)	柴山　昌彦	自前○
	98,102	(48.39)	小野塚勝俊	無元

9区 404,689 (55.44)

当	117,002	(53.37)	大塚　拓	自前○
	80,756	(36.84)	杉村　慎治	立新○

岩手県

1区	293,290	(58.81)			
当	87,017	(51.19)	階　　猛	立前	○
	62,666	(36.87)	高橋比奈子	自前	○
	20,300	(11.94)	吉田　恭子	共新	
2区	369,709	(60.28)			
当	149,168	(67.99)	鈴木　俊一	自前	○
	66,689	(30.40)	大林　正英	立新	○
	3,548	(1.62)	荒川　順子	N新	
3区	377,117	(61.71)			
当	118,734	(52.05)	藤原　　崇	自前	○
比	109,362	(47.95)	小沢　一郎	立前	○

宮城県

1区	439,697	(54.60)			
当	101,964	(43.42)	土井　　亨	自前	○
比	96,649	(41.16)	岡本あき子	立前	○
	23,033	(9.81)	春藤沙弥香	維新	○
	13,174	(5.61)	大草　芳江	無新	
2区	455,409	(53.62)			
当	116,320	(48.96)	鎌田さゆり	立元	○
比	115,749	(48.72)	秋葉　賢也	自前	○
	5,521	(2.32)	林マリアゆき	N新	○
3区	286,936	(57.71)			
当	96,210	(59.27)	西村　明宏	自前	○
	60,237	(37.11)	大野　園子	立新	○
	5,890	(3.63)	浅田　晃司	無新	
4区	237,478	(57.15)			
当	74,721	(56.51)	伊藤信太郎	自前	○
	30,047	(22.73)	舩山　由美	共新	○
比	27,451	(20.76)	早坂　　敦	維新	○
5区	252,373	(57.34)			
当	81,033	(56.89)	安住　　淳	立前	○
	61,410	(43.11)	森下　千里	自新	○
6区	253,730	(57.38)			
当	119,555	(83.24)	小野寺五典	自前	○
	24,072	(16.76)	内藤　隆司	共新	

秋田県

1区	261,956	(58.18)			
当	77,960	(51.86)	冨樫　博之	自前	○
比	72,366	(48.14)	寺田　　学	立前	○
2区	258,567	(61.23)			
当	81,845	(52.54)	緑川　貴士	立前	○
比	73,945	(47.46)	金田　勝年	自前	○
3区	320,409	(55.89)			
当	134,734	(77.95)	御法川信英	自前	○
	38,118	(22.05)	杉山　　彰	共新	

山形県

1区	303,982	(61.59)			
当	110,688	(59.97)	遠藤　利明	自前	○
	73,872	(40.03)	原田　和広	立新	○
2区	313,967	(65.71)			
当	125,992	(61.84)	鈴木　憲和	自前	○
	77,742	(38.16)	加藤　健一	国新	○
3区	287,642	(65.74)			
当	108,558	(58.06)	加藤　鮎子	自前	○
	66,320	(35.47)	阿部ひとみ	無新	
	12,100	(6.47)	梅木　　威	共新	

福島県

1区	404,405	(60.61)			
当	123,620	(51.15)	金子　恵美	立前	○
比	118,074	(48.85)	亀岡　偉民	自前	○
2区	347,250	(55.06)			
当	102,638	(54.55)	根本　　匠	自前	○
比	85,501	(45.45)	馬場　雄基	立新	○
3区	264,121	(64.05)			
当	90,457	(54.24)	玄葉光一郎	立前	○
比	76,302	(45.76)	上杉謙太郎	自前	○
4区	237,353	(64.68)			
当	76,683	(50.96)	小熊　慎司	立前	○
比	73,784	(49.04)	菅家　一郎	自前	○
5区	320,273	(48.00)			
当	93,325	(62.66)	吉野　正芳	自前	
	55,619	(37.34)	熊谷　　智	共新	

茨城県

1区	402,090	(51.29)			
当	105,072	(52.05)	福島　伸享	無元	
比	96,791	(47.95)	田所　嘉徳	自前	○
2区	355,390	(49.80)			
当	110,831	(64.46)	額賀福志郎	自前	
	61,103	(35.54)	藤田　幸久	立元	○
3区	389,521	(53.52)			
当	109,448	(53.59)	葉梨　康弘	自前	○
	63,674	(31.18)	梶岡　博樹	立新	○
	31,100	(15.23)	岸野　智康	維新	○
4区	268,147	(52.81)			
当	98,254	(70.47)	梶山　弘志	自前	○

第49回衆議院議員総選挙得票表

令和3年10月31日施行

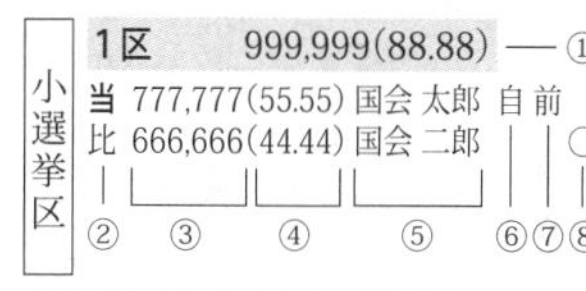

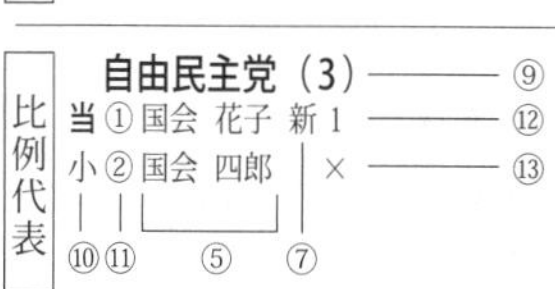

①各区の当日有権者数と投票率(%)
②当は当選、比は比例代表で当選
③得票数 ④得票率(%) ⑤氏名(敬称略)
⑥政党等名の略称

自:自由民主党 立:立憲民主党 維:日本維新の会
公:公明党 国:国民民主党 共:日本共産党
れ:れいわ新選組 社:社会民主党 N:NHK党
無:無所属 諸:前出以外

⑦前職、元職、新人の別
⑧○は小選挙区と比例代表の重複立候補
⑨獲得議席数
⑩当は当選、小は小選挙区で当選、繰は繰上補充による当選
⑪数字は各党の決めた名簿登載順位
⑫比例代表における当選順位
(※⑪が同じ場合は、惜敗率で決まる)
⑬小選挙区において供託物没収点に達しなかった者

小選挙区(289人)

北海道

	得票数	得票率	氏名	党派		
1区	450,946	(59.13)				
当	118,286	(45.33)	道下　大樹	立	前	○
	106,985	(41.00)	船橋　利実	自	前	○
	35,652	(13.66)	小林　悟	維	新	○
2区	460,828	(52.60)				
当	105,807	(44.71)	松木けんこう	立	前	○
	89,745	(37.93)	高橋　祐介	自	新	○
	41,076	(17.36)	山崎　泉	維	新	○
3区	474,944	(56.24)				
当	116,917	(44.66)	高木　宏壽	自	元	○
比	112,535	(42.99)	荒井　優	立	新	○
	32,340	(12.35)	小和田康文	維	新	○
4区	363,778	(61.14)				
当	109,326	(50.16)	中村　裕之	自	前	○
比	108,630	(49.84)	おおつき紅葉	立	新	○
5区	467,864	(60.22)				
当	139,950	(50.60)	和田　義明	自	前	○
	111,366	(40.26)	池田　真紀	立	前	○
	16,758	(6.06)	橋本　美香	共	新	
	8,520	(3.08)	大津伸太郎	無	新	
6区	415,008	(56.86)				
当	128,670	(55.50)	東　国幹	自	新	○
	93,403	(40.29)	西川　将人	立	新	○
	9,776	(4.22)	齊藤　忠行	N	新	○
7区	253,134	(56.19)				
当	80,797	(58.01)	伊東　良孝	自	前	○
	45,563	(32.71)	篠田奈保子	立	新	○
	12,913	(9.27)	石川　明美	共	新	
8区	361,180	(60.08)				
当	112,857	(52.68)	逢坂　誠二	立	前	○
	101,379	(47.32)	前田　一男	自	元	○
9区	381,776	(58.92)				
当	113,512	(51.51)	山岡　達丸	立	前	○
比	106,842	(48.49)	堀井　学	自	前	○
10区	284,648	(64.80)				
当	96,843	(53.93)	稲津　久	公	前	
比	82,718	(46.07)	神谷　裕	立	前	○
11区	283,874	(63.51)				
当	91,538	(51.75)	石川　香織	立	前	○
比	85,336	(48.25)	中川　郁子	自	元	○
12区	286,186	(59.82)				
当	97,634	(58.43)	武部　新	自	前	○
	55,321	(33.11)	川原田英世	立	新	○
	14,140	(8.46)	菅原　誠	共	新	

青森県

	得票数	得票率	氏名	党派		
1区	342,174	(51.84)				
当	91,011	(52.41)	江渡　聡徳	自	前	○
	64,870	(37.35)	升田世喜男	立	元	○
	17,783	(10.24)	斎藤　美緒	共	新	
2区	389,510	(53.56)				
当	126,137	(61.53)	神田　潤一	自	新	○
	65,909	(32.15)	高畑　紀子	立	新	○
	12,966	(6.32)	田端　深雪	共	新	
3区	347,625	(53.29)				
当	118,230	(64.95)	木村　次郎	自	前	○
	63,796	(35.05)	山内　崇	立	新	○

齊藤健一郎　新
久保田　学　新
西村　斉　新
添田　真也　新
高橋　理洋　新
上妻　敬二　新

ごぼうの党(0)
奥野　卓志　新
川村　拓司　新
今吉　由泰　新

今西　孝太　新
崎村　峰徳　新
首藤　昌弘　新
高崎　圭悟　新
斎藤　和干　新
鴨田　幸司　新
立花恵理子　新
佐藤　玲乃　新

幸福実現党(0)
釈　量子　新

日本第一党(0)
桜井　誠　新
中村　和弘　新

新党くにもり(0)
本間　奈々　新
三輪　和雄　新

維新政党・新風(0)
魚谷　哲央　新

政党等別得票数（比例代表）

政党等名	得票総数	得票率
自由民主党	18,256,245.412	34.43
日本維新の会	7,845,995.352	14.80
立憲民主党	6,771,945.011	12.77
公明党	6,181,431.937	11.66
日本共産党	3,618,342.792	6.82
国民民主党	3,159,625.890	5.96
れいわ新選組	2,319,156.016	4.37
参政党	1,768,385.409	3.33
社会民主党	1,258,501.715	2.37
NHK党	1,253,872.467	2.36
ごぼうの党	193,724.387	0.37
幸福実現党	148,020.000	0.28
日本第一党	109,045.614	0.21
新党くにもり	77,861.000	0.15
維新政党・新風	65,107.000	0.12
合計	53,027,260.002	100(%)

注）得票率については、各政党等ごとに端数処理をしているため、合計が100とならない場合がある

参議院新勢力分野

令和4年7月10日現在

	新勢力	非改選	当選	選挙区				比例代表			
				計	現	元	新	計	現	元	新
自由民主党	119	56	63	45	31	1	13	18	10	1	7
立憲民主党	39	22	17	10	8	0	2	7	2	0	5
公明党	27	14	13	7	7	0	0	6	4	0	2
日本維新の会	21	9	12	4	3	1	0	8	2	0	6
日本共産党	11	7	4	1	1	0	0	3	2	1	0
国民民主党	10	5	5	2	2	0	0	3	2	0	1
れいわ新選組	5	2	3	1	0	1	0	2	0	0	2
NHK党	2	1	1	0	0	0	0	1	0	0	1
参政党	1	0	1	0	0	0	0	1	0	0	1
社会民主党	1	0	1	0	0	0	0	1	1	0	0
無所属	12	7	5	5	3	0	2	0	0	0	0
合計	248	123	125	75	55	3	17	50	23	2	25

注）正副議長はそれぞれ出身政党に含めた

比例代表（50人）

自由民主党（18）

特	藤井 一博	新
特	梶原 大介	新
当	赤松 健	新
当	長谷川英晴	新
当	青山 繁晴	現
当	片山さつき	現
当	足立 敏之	現
当	自見はなこ	現
当	藤木 眞也	現
当	山田 宏	現
当	友納 理緒	新
当	山谷えり子	現
当	井上 義行	元
当	進藤金日子	現
当	今井絵理子	現
当	阿達 雅志	現
当	神谷 政幸	新
当	越智 俊之	新
	小川 克巳	現
	木村 義雄	元
	宇都 隆史	現
	園田 修光	現
	水落 敏栄	現
	藤末 健三	元
	岩城 光英	元
	河村 建一	新
	吉岡伸太郎	新
	えりアルフィヤ	新
	尾立 源幸	元
	向山 淳	新
	有里 真穂	新
	高原 朗子	新
	遠藤奈央子	新

日本維新の会（8）

当	石井 章	現
当	石井 苗子	現
当	松野 明美	新
当	中条きよし	新
当	猪瀬 直樹	新
当	金子 道仁	新
当	串田 誠一	新
当	青島 健太	新
	上野 蛍	新
	神谷 ゆり	新
	後藤 斎	新
	森口あゆみ	新
	岸口 実	新
	松浦 大悟	元
	飯田 哲史	新
	井上 一徳	新
	山口 和之	元
	石田 隆史	新
	西川 鎭央	新
	中川 健一	新
	水ノ上成彰	新
	木内 孝胤	新
	小林 悟	新
	西郷隆太郎	新
	八田 盛茂	新
	中村 悠基	新

立憲民主党（7）

当	辻元 清美	新
当	鬼木 誠	新
当	古賀 千景	新
当	柴 愼一	新
当	村田 享子	新
当	青木 愛	現
当	石橋 通宏	現
	白 眞勲	現
	石川 雅俊	新
	有田 芳生	現
	堀越 啓仁	新
	栗下 善行	新
	はたともこ	元
	要 友紀子	新
	森永 美樹	新
	河野 麻美	新
	澤邑 啓子	新
	木村 正弘	新
	田中 勝一	新
	菅原 美香	新

公明党（6）

当	竹内 真二	現
当	横山 信一	現
当	谷合 正明	現
当	窪田 哲也	新
当	熊野 正士	現
当	上田 勇	新
	宮崎 勝	現
	中北 京子	新
	水島 春香	新
	河合 綾	新
	中嶋 健二	新
	塩野 正貴	新
	深澤 淳	新
	伊大知孝一	新
	奈良 直記	新
	淀屋 伸雄	新
	光延 康治	新

日本共産党（3）

当	田村 智子	現
当	仁比 聡平	元
当	岩渕 友	現
	大門実紀史	現
	武田 良介	現
	山本 訓子	新
	小山 早紀	新
	今村あゆみ	新
	片山 和子	新
	佐々木とし子	新
	吉田 恭子	新
	西田佐枝子	新
	丸本由美子	新
	渡辺喜代子	新
	上里 清美	新
	花木 則彰	新
	片岡 朗	新
	高橋真生子	新
	赤田 勝紀	新
	冨田 直樹	新
	西沢 博	新
	細野 真理	新
	堀川 朗子	新
	深田 秀美	新
	来田 時子	新

国民民主党（3）

当	竹詰 仁	新
当	浜口 誠	現
当	川合 孝典	現
	矢田 稚子	現
	山下 容子	新
	上松 正和	新
	樽井 良和	元
	城戸 佳織	新
	河辺 佳朗	新

れいわ新選組（2）

特	天畠 大輔	新
当	水道橋博士	新
	大島九州男	元
	長谷川羽衣子	新
	辻 恵	新
	蓮池 透	新
	依田 花蓮	新
	高井 崇志	新
	キムテヨン	新

参政党（1）

当	神谷 宗幣	新
	武田 邦彦	新
	松田 学	新
	吉野 敏明	新
	赤尾 由美	新

社会民主党（1）

当	福島みずほ	現
	宮城 一郎	新
	岡崎 彩子	新
	山口わか子	新
	大椿 裕子	新
	秋葉 忠利	新
	久保 孝喜	新
	村田 峻一	新

NHK党（1）

当	ガーシー	新
	山本 太郎	新
	黒川 敦彦	新

広島県（2）　2,313,406（46.79）

当	530,375	(50.33)	宮沢　洋一	自	現
当	259,363	(24.61)	三上　えり	無	新
▽	114,442	(10.86)	森川　央	維	新
	58,461	(5.55)	中村　孝江	共	新
	52,969	(5.03)	浅井　千晴	参	新
	11,087	(1.05)	渡辺　敏光	N	新
	7,335	(0.70)	玉田　憲勲	無	新
	7,149	(0.68)	野村　昌央	幸	新
	6,717	(0.64)	産原　稔文	無	新
	5,846	(0.55)	猪飼　規之	N	新

山口県（1）　1,132,957（47.59）

当	327,153	(62.97)	江島　潔	自	現
	61,853	(11.91)	秋山　賢治	立	新
	53,990	(10.39)	大内　一也	国	新
	32,390	(6.23)	吉田　達彦	共	新
	20,441	(3.93)	大石　健一	参	新
	15,410	(2.97)	佐々木信夫	風	新
	8,298	(1.60)	二矢川珠紀	N	新

徳島県・高知県（1）　1,213,323（46.53）

当	287,609	(52.81)	中西　祐介	自	現
▽	103,217	(18.95)	松本　顕治	共	新
	62,001	(11.38)	藤本　健一	維	新
	49,566	(9.10)	前田　強	国	新
	28,195	(5.18)	荒牧　国晴	参	新
	14,006	(2.57)	中島　康治	N	新

香川県（1）　808,630（49.22）

当	199,135	(51.50)	磯﨑　仁彦	自	現
	59,614	(15.42)	三谷　祥子	国	新
	52,897	(13.68)	茂木　邦夫	立	新
	33,399	(8.64)	町川　順子	維	新
	18,070	(4.67)	石田　真優	共	新
	13,528	(3.50)	小林　直美	参	新
	7,116	(1.84)	池田　順一	N	新
	2,890	(0.75)	鹿島日出喜	風	新

愛媛県（1）　1,135,046（48.81）

当	318,846	(59.04)	山本　順三	自	現
▽	173,229	(32.08)	高見　知佳	無	新
	27,912	(5.17)	八木　邦靖	参	新
	12,724	(2.36)	吉原　弘訓	N	新
	7,350	(1.36)	松木　崇	第	新

福岡県（3）　4,221,251（48.76）

当	586,217	(29.21)	大家　敏志	自	現
当	438,876	(21.87)	古賀　之士	立	現
当	348,700	(17.38)	秋野　公造	公	現
▽	158,772	(7.91)	龍野真由美	維	新
▽	133,900	(6.67)	大田　京子	国	新
	98,746	(4.92)	真島　省三	共	新
	82,333	(4.10)	奥田芙美代	れ	新
	72,263	(3.60)	野中しんすけ	参	新
	30,190	(1.50)	福本　貴紀	社	新
	14,513	(0.72)	真島加央理	N	新
	9,309	(0.46)	熊丸　英治	N	新
	8,917	(0.44)	和田　昌子	N	新
	7,962	(0.40)	江夏　正敏	幸	新
	7,186	(0.36)	対馬　一誠	無	新
	4,908	(0.24)	先崎　玲	第	新
	3,868	(0.19)	組坂　善昭	諸	新

佐賀県（1）　672,782（51.12）

当	218,425	(65.19)	福岡　資麿	自	現
▽	78,802	(23.52)	小野　司	立	新
	18,008	(5.37)	稲葉　継男	参	新
	13,442	(4.01)	上村　泰稔	共	新
	6,383	(1.91)	眞喜志雄一	N	新

長崎県（1）　1,107,592（48.72）

当	261,554	(50.07)	山本　啓介	自	新
▽	152,473	(29.19)	白川　鮎美	立	新
	53,715	(10.28)	山田　真美	維	新
	26,281	(5.03)	安江　綾子	共	新
	21,363	(4.09)	尾方　綾子	参	新
	6,969	(1.33)	大熊　和人	N	新

熊本県（1）　1,450,229（49.12）

当	426,623	(62.17)	松村　祥史	自	現
▽	149,780	(21.83)	出口慎太郎	立	新
	78,101	(11.38)	高井　千歳	参	新
	31,734	(4.62)	本間　明子	N	新

大分県（1）　950,511（52.98）

当	228,417	(46.58)	古庄　玄知	自	新
▽	183,258	(37.37)	足立　信也	国	現
	35,705	(7.28)	山下　魁	共	新
	21,723	(4.43)	重松　雄子	参	新
	10,770	(2.20)	二宮　大造	N	新
	10,512	(2.14)	小手川裕市	無	新

宮崎県（1）　898,598（47.52）

当	200,565	(48.00)	松下　新平	自	現
▽	150,911	(36.12)	黒田　奈々	立	新
	30,162	(7.22)	黒木　章光	国	新
	15,670	(3.75)	今村　幸史	参	新
	12,260	(2.93)	白江　好友	共	新
	8,255	(1.98)	森　大地	N	新

鹿児島県（1）　1,337,184（48.63）

当	291,169	(46.01)	野村　哲郎	自	現
▽	185,055	(29.24)	柳　誠子	立	新
	93,372	(14.75)	西郷　歩美	無	新
	47,479	(7.50)	昇　拓真	参	新
	15,770	(2.49)	草尾　敦	N	新

沖縄県（1）　1,177,144（50.56）

当	274,235	(46.89)	伊波　洋一	無	現
▽	271,347	(46.40)	古謝　玄太	自	新
	22,585	(3.86)	河野　禎史	参	新
	11,034	(1.89)	山本　圭	N	新
	5,644	(0.97)	金城　竜郎	幸	新

静岡県（2） 3,037,295(52.97)

	得票数(得票率)	氏名	党派	新旧
当	622,141(39.54)	若林　洋平	自	新
当	446,185(28.36)	平山佐知子	無	現
▽	250,391(15.91)	山崎真之輔	無	現
▽	137,835(8.76)	鈴木　千佳	共	新
	72,662(4.62)	山本　貴史	参	新
	19,023(1.21)	堀川　圭輔	N	新
	14,640(0.93)	舟橋　夢人	N	新
	10,666(0.68)	船川　淳志	無	新

愛知県（4） 6,113,878(52.18)

	得票数(得票率)	氏名	党派	新旧
当	878,403(28.37)	藤川　政人	自	現
当	443,250(14.32)	里見　隆治	公	現
当	403,027(13.02)	斎藤　嘉隆	立	現
当	391,757(12.65)	伊藤　孝恵	国	現
▽	351,840(11.36)	広沢　一郎	維	新
▽	198,962(6.43)	須山　初美	共	新
	108,922(3.52)	我喜屋宗司	れ	新
	107,387(3.47)	伊藤　正哉	参	新
	40,868(1.32)	石川　昭彦	風	新
	39,569(1.28)	塚崎　海緒	社	新
	36,370(1.17)	山下　俊輔	無	新
	27,497(0.89)	末永友香梨	N	新
	21,629(0.70)	山下　健次	N	新
	16,359(0.53)	平岡真奈美	N	新
	12,459(0.40)	曽我　周作	幸	新
	9,841(0.32)	斎藤　幸成	N	新
	8,071(0.26)	伝　三樹雄	第	新

三重県（1） 1,473,183(52.78)

	得票数(得票率)	氏名	党派	新旧
当	403,630(53.44)	山本佐知子	自	新
▽	278,508(36.87)	芳野　正英	無	新
	51,069(6.76)	堀江　珠恵	参	新
	22,128(2.93)	門田　節代	N	新

滋賀県（1） 1,154,141(54.59)

	得票数(得票率)	氏名	党派	新旧
当	315,249(51.64)	こやり隆史	自	現
▽	190,700(31.24)	田島　一成	無	新
	51,742(8.48)	石堂　淳士	共	新
	35,839(5.87)	片岡　真	参	新
	16,980(2.78)	田野上勇人	N	新

京都府（2） 2,094,931(50.91)

	得票数(得票率)	氏名	党派	新旧
当	293,071(28.18)	吉井　章	自	新
当	275,140(26.46)	福山　哲郎	立	現
▽	257,852(24.79)	楠井　祐子	維	新
▽	130,260(12.53)	武山　彩子	共	新
	40,500(3.89)	安達　悠司	参	新
	21,614(2.08)	橋本　久美	風	新
	8,946(0.86)	星野　達也	N	新
	7,181(0.69)	近江　政彦	N	新
	5,414(0.52)	平井　基之	く	新

大阪府（4） 7,299,848(52.45)

	得票数(得票率)	氏名	党派	新旧
当	862,736(23.09)	高木かおり	維	現
当	725,243(19.41)	松川　るい	自	現
当	598,021(16.01)	浅田　均	維	現
当	586,940(15.71)	石川　博崇	公	現
▽	337,467(9.03)	辰巳孝太郎	共	元
▽	197,975(5.30)	石田　敏高	立	新
	110,767(2.96)	八幡　愛	れ	新
	103,052(2.76)	大谷由里子	国	新
	97,426(2.61)	油谷聖一郎	参	新
	37,088(0.99)	西谷　久美	風	新
	21,663(0.58)	吉田　宏之	N	新
	13,234(0.35)	西脇　京子	N	新
	11,220(0.30)	丸吉　孝文	N	新
	9,138(0.24)	本多　香織	第	新
	8,111(0.22)	数森　圭吾	幸	新
	7,254(0.19)	高山純三朗	N	新
	6,217(0.17)	後藤　住弘	く	新
	2,440(0.07)	押越　清悦	諸	新

兵庫県（3） 4,558,268(51.62)

	得票数(得票率)	氏名	党派	新旧
当	652,384(28.34)	片山　大介	維	現
当	562,853(24.45)	末松　信介	自	現
当	454,962(19.76)	伊藤　孝江	公	現
▽	260,496(11.32)	相崎佐和子	立	新
▽	150,040(6.52)	小村　潤	共	新
	88,231(3.83)	西村しのぶ	参	新
	33,870(1.47)	黒田　秀高	風	新
	27,057(1.18)	山崎　藍子	N	新
	25,113(1.09)	木原功仁哉	無	新
	16,324(0.71)	中曽千鶴子	N	新
	14,323(0.62)	速水　肇	N	新
	8,989(0.39)	稲垣　秀哉	く	新
	7,263(0.32)	里村　英一	幸	新

奈良県（1） 1,129,608(55.90)

	得票数(得票率)	氏名	党派	新旧
当	256,139(41.67)	佐藤　啓	自	現
▽	180,124(29.30)	中川　崇	維	新
	98,757(16.07)	猪奥　美里	立	新
	42,609(6.93)	北野伊津子	共	新
	28,919(4.70)	中村　麻美	参	新
	8,161(1.33)	冨田　哲之	N	新

和歌山県（1） 796,272(52.42)

	得票数(得票率)	氏名	党派	新旧
当	283,965(72.06)	鶴保　庸介	自	現
	57,522(14.60)	前　久	共	新
	22,967(5.83)	加藤　充也	参	新
	15,420(3.91)	遠西　愛美	N	新
	14,200(3.60)	谷口　尚大	く	新

鳥取県・島根県（1） 1,019,771(52.99)

	得票数(得票率)	氏名	党派	新旧
当	326,750(62.50)	青木　一彦	自	現
▽	118,063(22.58)	村上泰二朗	立	新
	37,723(7.22)	福住　英行	共	新
	26,718(5.11)	前田　敬孝	参	新
	13,517(2.59)	黒瀬　信明	N	新

岡山県（1） 1,562,505(47.23)

	得票数(得票率)	氏名	党派	新旧
当	392,553(54.74)	小野田紀美	自	現
▽	211,419(29.48)	黒田　晋	無	新
	59,481(8.29)	住寄　聡美	共	新
	37,281(5.20)	高野由里子	参	新
	16,441(2.29)	山本　貴平	N	新

	18,329	(0.72)	梓　　まり	く	新
	17,511	(0.69)	渡辺　晋宏	N	新
	13,016	(0.51)	須田　　良	N	新
	10,922	(0.43)	記内　　恵	第	新

東京都（6） 11,454,822（56.55）

当	922,793	(14.65)	朝日健太郎	自	現
当	742,968	(11.80)	竹谷とし子	公	現
当	685,224	(10.88)	山添　　拓	共	現
当	670,339	(10.64)	蓮　　　舫	立	現
当	619,792	(9.84)	生稲　晃子	自	新
当	565,925	(8.99)	山本　太郎	れ	元
▽	530,361	(8.42)	海老澤由紀	維	新
▽	372,064	(5.91)	松尾　明弘	立	新
▽	322,904	(5.13)	乙武　洋匡	無	新
▽	284,629	(4.52)	荒木　千陽	諸	新
	137,692	(2.19)	河西　泉緒	参	新
	59,365	(0.94)	服部　良一	社	新
	53,032	(0.84)	松田　美樹	N	新
	50,661	(0.80)	斎木　陽平	諸	新
	46,641	(0.74)	沓澤　亮治	諸	新
	27,110	(0.43)	田村　真菜	諸	新
	25,209	(0.40)	及川　幸久	幸	新
	22,306	(0.35)	河野　憲二	風	新
	20,758	(0.33)	安藤　　裕	く	新
	19,287	(0.31)	田中　　健	N	新
	19,100	(0.30)	後藤　輝樹	諸	新
	17,020	(0.27)	菅原　深雪	第	新
	14,845	(0.24)	青山　雅幸	諸	新
	13,431	(0.21)	長谷川洋平	N	新
	10,150	(0.16)	猪野　恵司	N	新
	9,658	(0.15)	セッタケンジ	N	新
	7,417	(0.12)	中村　高志	無	新
	7,203	(0.11)	中川　智晴	無	新
	5,408	(0.09)	込山　　洋	諸	新
	3,559	(0.06)	内藤　久遠	諸	新
	3,370	(0.05)	油井　史正	無	新
	3,283	(0.05)	小畑　治彦	諸	新
	3,043	(0.05)	中村　之菊	諸	新
	1,913	(0.03)	桑島　康文	諸	新

神奈川県（5） 7,696,783（54.51）

当	807,300	(19.74)	三原じゅん子	自	現
当	605,248	(14.80)	松沢　成文	維	元
当	547,028	(13.37)	三浦　信祐	公	現
当	544,597	(13.31)	浅尾慶一郎	自	元
当	394,303	(9.64)	水野　素子	立	新
▽	354,456	(8.67)	浅賀　由香	共	新
▽	253,234	(6.19)	深作ヘスス	国	新
▽	210,016	(5.13)	寺崎　雄介	立	新
	120,471	(2.95)	藤村　晃子	参	新
	49,787	(1.22)	内海　洋一	社	新
	25,784	(0.63)	重黒木優平	N	新
	24,389	(0.60)	秋田　　恵	無	新
	22,043	(0.54)	グリスタンエズズ	く	新
	19,920	(0.49)	橋本　博幸	N	新
	19,867	(0.49)	針谷　大輔	風	新
	19,155	(0.47)	藤沢あゆみ	無	新
	17,609	(0.43)	飯田富和子	N	新
	13,904	(0.34)	首藤　信彦	諸	新
	11,623	(0.28)	小野塚清仁	N	新
	11,073	(0.27)	壹岐　愛子	幸	新
	10,268	(0.25)	久保田　京	諸	新
	8,099	(0.20)	萩山あゆみ	第	新

新潟県（1） 1,866,525（55.32）

当	517,581	(50.95)	小林　一大	自	新
▽	448,651	(44.17)	森　ゆうこ	立	現
	32,500	(3.20)	遠藤　弘樹	参	新
	17,098	(1.68)	越智　寛之	N	新

富山県（1） 875,460（51.37）

当	302,951	(68.77)	野上浩太郎	自	現
	43,177	(9.80)	京谷　公友	維	新
	40,735	(9.25)	山　登志浩	立	新
	26,493	(6.01)	坂本　洋史	共	新
	20,970	(4.76)	海老　克昌	参	新
	6,209	(1.41)	小関　真二	N	新

石川県（1） 941,362（46.41）

当	274,253	(64.53)	岡田　直樹	自	現
▽	83,766	(19.71)	小山田経子	立	新
	23,119	(5.44)	西村　祐士	共	新
	21,567	(5.07)	先沖　仁志	参	新
	12,120	(2.85)	山田　信一	N	新
	10,188	(2.40)	針原　崇志	風	新

福井県（1） 635,127（55.32）

当	135,762	(39.74)	山崎　正昭	自	現
▽	122,389	(35.82)	斉木　武志	無	新
	31,228	(9.14)	笹岡　一彦	無	新
	26,042	(7.62)	砂畑まみ恵	参	新
	17,044	(4.99)	山田　和雄	共	新
	9,203	(2.69)	ダニエル益資	N	新

山梨県（1） 684,292（56.23）

当	183,073	(48.94)	永井　　学	自	新
▽	163,740	(43.77)	宮沢　由佳	立	現
	20,291	(5.42)	渡辺　知彦	参	新
	7,006	(1.87)	黒木　一郎	N	新

長野県（1） 1,721,369（57.70）

当	433,154	(44.62)	杉尾　秀哉	立	現
▽	376,028	(38.74)	松山三四六	自	新
	102,223	(10.53)	手塚　大輔	維	新
	31,644	(3.26)	秋山　良治	参	新
	16,646	(1.71)	日高　千穂	N	新
	10,978	(1.13)	サルサ岩渕	無	新

岐阜県（1） 1,646,587（53.59）

当	452,085	(52.81)	渡辺　猛之	自	現
▽	257,852	(30.12)	丹野みどり	国	新
	74,072	(8.65)	三尾　圭司	共	新
	49,350	(5.77)	広江めぐみ	参	新
	22,648	(2.65)	坂本　雅彦	N	新

第26回参議院議員選挙得票表

令和4年7月10日施行

選挙区（74人）

北海道（3） 4,465,577（53.98）

	得票数	得票率	氏名	党派	
当	595,033	(25.45)	長谷川　岳	自	現
当	455,057	(19.47)	徳永　エリ	立	現
当	447,232	(19.13)	船橋　利実	自	新
▽	422,392	(18.07)	石川　知裕	立	新
▽	163,252	(6.98)	畠山　和也	共	新
	91,127	(3.90)	臼木　秀剛	国	新
	75,299	(3.22)	大村小太郎	参	新
	23,039	(0.99)	齊藤　忠行	N	新
	18,831	(0.81)	石井　良恵	N	新
	18,760	(0.80)	浜田　智	N	新
	16,006	(0.68)	沢田　英一	く	新
	11,625	(0.50)	森山　佳則	幸	新

青森県（1） 1,073,060（49.49）

	得票数	得票率	氏名	党派	
当	277,009	(53.45)	田名部匡代	立	現
▽	216,265	(41.73)	齋藤直飛人	自	新
	13,607	(2.63)	中条栄太郎	参	新
	11,335	(2.19)	佐々木　晃	N	新

岩手県（1） 1,034,059（55.38）

	得票数	得票率	氏名	党派	
当	264,422	(47.17)	広瀬めぐみ	自	新
▽	242,174	(43.20)	木戸口英司	立	現
	26,960	(4.81)	白鳥　顕志	参	新
	13,637	(2.43)	大越　裕子	無	新
	13,352	(2.38)	松田　隆嗣	N	新

宮城県（1） 1,921,486（48.80）

	得票数	得票率	氏名	党派	
当	472,963	(51.94)	櫻井　充	自	現
▽	271,455	(29.81)	小畑　仁子	立	新
	91,924	(10.10)	平井みどり	維	新
	52,938	(5.81)	ローレンス綾子	参	新
	21,286	(2.34)	中江　友哉	N	新

秋田県（1） 833,368（55.56）

	得票数	得票率	氏名	党派	
当	194,949	(42.66)	石井　浩郎	自	現
▽	162,889	(35.65)	村岡　敏英	無	新
	62,415	(13.66)	佐々百合子	無	新
	19,983	(4.37)	藤本　友里	共	新
	10,329	(2.26)	伊東万美子	参	新
	6,368	(1.39)	本田　幸久	N	新

山形県（1） 899,997（61.87）

	得票数	得票率	氏名	党派	
当	269,494	(48.96)	舟山　康江	国	現
▽	242,433	(44.05)	大内　理加	自	新
	19,767	(3.59)	石川　渉	共	新
	11,481	(2.09)	黒木　明	参	新
	7,217	(1.31)	小泉　明	N	新

福島県（1） 1,564,668（53.40）

	得票数	得票率	氏名	党派	
当	419,701	(51.58)	星　北斗	自	新
▽	320,151	(39.35)	小野寺彰子	無	新
	30,913	(3.80)	佐藤　早苗	無	新
	23,027	(2.83)	窪山紗和子	参	新
	19,829	(2.44)	皆川真紀子	N	新

茨城県（2） 2,409,541（47.22）

	得票数	得票率	氏名	党派	
当	544,187	(49.86)	加藤　明良	自	新
当	197,292	(18.08)	堂込麻紀子	無	新
▽	159,017	(14.57)	佐々木里加	維	新
▽	105,735	(9.69)	大内久美子	共	新
	48,582	(4.45)	菊池　政也	参	新
	16,966	(1.55)	村田　大地	N	新
	14,724	(1.35)	丹羽　茂之	N	新
	4,866	(0.45)	仲村渠哲勝	無	新

栃木県（1） 1,620,720（46.98）

	得票数	得票率	氏名	党派	
当	414,456	(56.24)	上野　通子	自	現
▽	127,628	(17.32)	板倉　京	立	新
	100,529	(13.64)	大久保裕美	維	新
	44,310	(6.01)	岡村　恵子	共	新
	30,864	(4.19)	大隈　広郷	参	新
	19,090	(2.59)	高橋真佐子	N	新

群馬県（1） 1,608,605（48.49）

	得票数	得票率	氏名	党派	
当	476,017	(63.83)	中曽根弘文	自	現
▽	138,429	(18.56)	白井　桂子	無	新
	69,490	(9.32)	高橋　保	共	新
	39,523	(5.30)	新倉　哲郎	参	新
	22,276	(2.99)	小島　糾史	N	新

埼玉県（4） 6,146,072（50.25）

	得票数	得票率	氏名	党派	
当	727,232	(24.07)	関口　昌一	自	現
当	501,820	(16.61)	上田　清司	無	現
当	476,642	(15.78)	西田　実仁	公	現
当	444,567	(14.71)	高木　真理	立	新
▽	324,476	(10.74)	加来　武宜	維	新
▽	236,899	(7.84)	梅村早江子	共	新
	121,769	(4.03)	西　美友加	れ	新
	89,693	(2.97)	坂上　仁志	参	新
	22,613	(0.75)	高橋　易資	無	新
	18,194	(0.60)	河合　悠祐	N	新
	15,389	(0.51)	湊　侑子	幸	新
	13,966	(0.46)	小林　宏	N	新
	12,279	(0.41)	宮川　直輝	N	新
	8,588	(0.28)	堀切　笹美	第	新
	7,178	(0.24)	池　高生	N	新

千葉県（3） 5,261,370（50.01）

	得票数	得票率	氏名	党派	
当	656,952	(25.85)	臼井　正一	自	新
当	587,809	(23.13)	猪口　邦子	自	現
当	473,175	(18.62)	小西　洋之	立	現
▽	251,416	(9.89)	佐野　正人	維	新
▽	194,475	(7.65)	斉藤　和子	共	新
▽	161,648	(6.36)	礒部　裕和	国	新
	86,147	(3.39)	椎名　亮太	参	新
	28,295	(1.11)	中村　典子	N	新
	22,834	(0.90)	七海ひろこ	幸	新
	18,791	(0.74)	宇田　桜子	諸	新

政党等別得票数（比例代表）

政党等名	得票総数	得票率
自由民主党	17,712,373.119	35.37
立憲民主党	7,917,720.945	15.18
公明党	6,536,336.451	13.05
日本維新の会	4,907,844.388	9.80
日本共産党	4,483,411.183	8.95
国民民主党	3,481,078.400	6.95
れいわ新選組	2,280,252.750	4.55
社会民主党	1,046,011.520	2.09
NHKから国民を守る党	987,885.326	1.97
安楽死制度を考える会	269,052.000	0.54
幸福実現党	202,278.772	0.40
オリーブの木	167,897.997	0.34
労働の解放をめざす労働者党	80,055.927	0.16
合計	50,072,198.778	100(%)

注）得票率については、各政党等ごとに端数処理をしているため、合計が100とならない場合がある

参議院新勢力分野

令和元年7月21日現在

	新勢力	非改選	当選	選挙区 計	選挙区 現	選挙区 元	選挙区 新	比例代表 計	比例代表 現	比例代表 元	比例代表 新
自由民主党	113	56	57	38	33	0	5	19	15	1	3
立憲民主党	32	15	17	9	3	0	6	8	2	1	5
公明党	28	14	14	7	4	0	3	7	6	0	1
国民民主党	21	15	6	3	3	0	0	3	2	0	1
日本維新の会	16	6	10	5	3	0	2	5	1	2	2
日本共産党	13	6	7	3	2	0	1	4	4	0	0
社会民主党	2	1	1	0	0	0	0	1	0	1	0
れいわ新選組	2	0	2	0	0	0	0	2	0	0	2
NHKから国民を守る党	1	0	1	0	0	0	0	1	0	0	1
無所属	17	8	9	9	1	0	8	0	0	0	0
合計	245	121	124	74	49	0	25	50	30	5	15

注）正副議長はそれぞれ出身政党に含めた

立憲民主党（8）

当 岸 真紀子 新
当 水岡 俊一 元
当 小澤 雅仁 新
当 吉川 沙織 現
当 森屋 隆 新
当 川田 龍平 現
当 石川 大我 新
当 須藤 元気 新
市井紗耶香 新
奥村 政佳 新
若林 智子 新
おしどりマコ 新
藤田 幸久 現
斉藤 里恵 新
佐藤 香 新
中村 起子 新
今泉 真緒 新
小俣 一平 新
白沢 みき 新
眞野 哲 新
塩見 俊次 新
深貝 亨 新

公明党（7）

当 山本 香苗 現
当 山本 博司 現
当 若松 謙維 現
当 河野 義博 現
当 新妻 秀規 現
当 平木 大作 現
当 塩田 博昭 新
高橋 次郎 新
奈良 直記 新
西田 義光 新
藤井 伸城 新
竹島 正人 新
角田健一郎 新
坂本 道応 新
村中 克也 新
塩崎 剛 新
國分 隆作 新

日本維新の会（5）

当 鈴木 宗男 新
当 室井 邦彦 現
当 梅村 聡 元
当 柴田 巧 元
当 柳ヶ瀬裕文 新
藤巻 健史 現
山口 和之 現
串田 久子 新
桑原久美子 新
奥田 真理 新
森口あゆみ 新
空本 誠喜 新
荒木 大樹 新
岩渕美智子 新

日本共産党（4）

当 小池 晃 現
当 山下 芳生 現
当 井上 哲士 現
当 紙 智子 現
仁比 聡平 現
山本 訓子 新
椎葉 寿幸 新
梅村早江子 新
山本千代子 新
船山 由美 新
佐藤ちひろ 新
原 純子 新
藤本 友里 新
伊藤理智子 新
有坂ちひろ 新
田辺 健一 新
青山 了介 新
松崎 真琴 新
大野 聖美 新
島袋 恵祐 新
伊藤 達也 新
小久保剛志 新
下奥 奈歩 新
沼上 徳光 新
住寄 聡美 新
鎌野 祥二 新

国民民主党（3）

当 田村 まみ 新
当 礒﨑 哲史 現
当 浜野 喜史 現
石上 俊雄 現
田中 久弥 新
大島九州男 現
山下 容子 新
円 より子 元
姫井由美子 元
小山田経子 新
鈴木 覚 新
酒井 亮介 新
中沢 健 新
藤川 武人 新

れいわ新選組（2）

特 舩後 靖彦 新
特 木村 英子 新
山本 太郎 現
蓮池 透 新
大西 恒樹 新
安冨 歩 新
渡辺 照子 新
辻村 千尋 新
三井 義文 新

社会民主党（1）

当 吉田 忠智 元
仲村 未央 新
矢野 敦子 新
大椿 裕子 新

NHKから国民を守る党（1）

当 立花 孝志 新
浜田 聡 新
岡本 介伸 新
熊丸 英治 新

安楽死制度を考える会（0）

佐野 秀光 新

幸福実現党（0）

釈 量子 新
及川 幸久 新
松島 弘典 新

オリーブの木（0）

黒川 敦彦 新
若林 亜紀 新
小川 学 新
天木 直人 新

労働の解放をめざす労働者党（0）

伊藤 恵子 新
林 紘義 新
吉村二三男 新
菊池 里志 新

香川県（1） 825,466（45.31）

	得票数	氏名	党派	新旧
当	196,126（54.00）	三宅　伸吾	自	現
▽	151,107（41.60）	尾田美和子	無	新
	15,970（ 4.40）	田中　邦明	N	新

愛媛県（1） 1,161,978（52.39）

	得票数	氏名	党派	新旧
当	335,425（56.00）	ながえ孝子	無	新
▽	248,616（41.51）	冨永　幸伸	自	新
	14,943（ 2.49）	椋本　薫	N	新

福岡県（3） 4,225,217（42.85）

	得票数	氏名	党派	新旧
当	583,351（33.19）	松山　政司	自	現
当	401,495（22.84）	下野　六太	公	新
当	365,634（20.80）	野田　国義	立	現
▽	171,436（ 9.75）	河野　祥子	共	新
▽	143,955（ 8.19）	春田久美子	国	新
	46,362（ 2.64）	川口　尚宏	N	新
	15,380（ 0.88）	江夏　正敏	幸	新
	15,511（ 0.88）	本藤　昭子	安	新
	14,586（ 0.83）	濱武　振一	オ	新

佐賀県（1） 683,956（45.25）

	得票数	氏名	党派	新旧
当	186,209（61.65）	山下　雄平	自	現
▽	115,843（38.35）	犬塚　直史	国	元

長崎県（1） 1,137,066（45.46）

	得票数	氏名	党派	新旧
当	258,109（51.48）	古賀友一郎	自	現
▽	224,002（44.68）	白川　鮎美	国	新
	19,240（ 3.84）	神谷幸太郎	N	新

熊本県（1） 1,471,767（47.23）

	得票数	氏名	党派	新旧
当	379,223（56.40）	馬場　成志	自	現
▽	262,664（39.06）	阿部　広美	無	新
	30,539（ 4.54）	最勝寺辰也	N	新

大分県（1） 969,453（50.54）

	得票数	氏名	党派	新旧
当	236,153（49.55）	安達　澄	無	新
▽	219,498（46.06）	礒崎　陽輔	自	現
	20,909（ 4.39）	牧原慶一郎	N	新

宮崎県（1） 920,474（41.79）

	得票数	氏名	党派	新旧
当	241,492（64.35）	長峯　誠	自	現
▽	110,782（29.52）	園生　裕造	立	新
	23,002（ 6.13）	河野　一郎	幸	新

鹿児島県（1） 1,371,428（45.75）

	得票数	氏名	党派	新旧
当	290,844（47.35）	尾辻　秀久	自	現
▽	211,301（34.40）	合原　千尋	無	新
▽	112,063（18.25）	前田　終止	無	新

沖縄県（1） 1,163,784（49.00）

	得票数	氏名	党派	新旧
当	298,831（53.57）	高良　鉄美	無	新
▽	234,928（42.12）	安里　繁信	自	新
	12,382（ 2.22）	玉利　朝輝	無	新
	11,662（ 2.09）	磯山　秀夫	N	新

比例代表（50人）

自由民主党（19）

特	三木　亨	現
特	三浦　靖	新
当	柘植　芳文	現
当	山田　太郎	元
当	和田　政宗	現
当	佐藤　正久	現
当	佐藤　信秋	現
当	橋本　聖子	現
当	山田　俊男	現
当	有村　治子	現
当	宮本　周司	現
当	石田　昌宏	現
当	北村　経夫	現
当	本田　顕子	新
当	衛藤　晟一	現
当	羽生田　俊	現
当	宮崎　雅夫	新
当	山東　昭子	現
当	赤池　誠章	現
	比嘉奈津美	新
	中田　宏	新
	田中　昌史	新
	尾立　源幸	元
	木村　義雄	現
	井上　義行	元
	小川　眞史	新
	山本　左近	新
	角田　充由	新
	丸山　和也	現
	糸川　正晃	新
	熊田　篤嗣	新
	水口　尚人	新
	森本　勝也	新

愛知県（4） 6,119,143（48.18）

	得票数	得票率	氏名	党派	新旧
当	737,317	(25.73)	酒井　庸行	自	現
当	506,817	(17.69)	大塚　耕平	国	現
当	461,531	(16.11)	田島麻衣子	立	新
当	453,246	(15.82)	安江　伸夫	公	新
▽	269,081	(9.39)	岬　麻紀	維	新
▽	216,674	(7.56)	須山　初美	共	新
	85,262	(2.98)	末永友香梨	N	新
	43,756	(1.53)	平山　良平	社	新
	32,142	(1.12)	石井　均	無	新
	25,219	(0.88)	牛田　宏幸	安	新
	17,905	(0.62)	古川　均	労	新
	16,425	(0.57)	橋本　勉	オ	新

三重県（1） 1,497,659（51.69）

	得票数	得票率	氏名	党派	新旧
当	379,339	(50.27)	吉川ゆうみ	自	現
▽	334,353	(44.31)	芳野　正英	無	新
	40,906	(5.42)	門田　節代	N	新

滋賀県（1） 1,154,380（51.96）

	得票数	得票率	氏名	党派	新旧
当	291,072	(49.37)	嘉田由紀子	無	新
▽	277,165	(47.01)	二之湯武史	自	現
	21,358	(3.62)	服部　修	N	新

京都府（2） 2,126,435（46.42）

	得票数	得票率	氏名	党派	新旧
当	421,731	(44.21)	西田　昌司	自	現
当	246,436	(25.83)	倉林　明子	共	現
▽	232,354	(24.36)	増原　裕子	立	新
	37,353	(3.92)	山田　彰久	N	新
	16,057	(1.68)	三上　隆	オ	新

大阪府（4） 7,311,131（48.63）

	得票数	得票率	氏名	党派	新旧
当	729,818	(20.88)	梅村みずほ	維	新
当	660,128	(18.89)	東　徹	維	現
当	591,664	(16.93)	杉　久武	公	現
当	559,709	(16.01)	太田　房江	自	現
▽	381,854	(10.93)	辰巳孝太郎	共	現
▽	356,177	(10.19)	亀石　倫子	立	新
	129,587	(3.71)	にしゃんた	国	新
	43,667	(1.25)	尾﨑　全紀	N	新
	14,732	(0.42)	濱田　健	安	新
	11,203	(0.32)	数森　圭吾	幸	新
	9,314	(0.27)	足立美生代	オ	新
	7,252	(0.21)	佐々木一郎	労	新

兵庫県（3） 4,603,267（48.60）

	得票数	得票率	氏名	党派	新旧
当	573,427	(26.08)	清水　貴之	維	現
当	503,790	(22.91)	髙橋　光男	公	新
当	466,161	(21.20)	加田　裕之	自	新
▽	434,846	(19.78)	安田　真理	立	新
▽	166,183	(7.56)	金田　峰生	共	新
	54,152	(2.46)	原　博義	N	新

奈良県（1） 1,149,183（49.53）

	得票数	得票率	氏名	党派	新旧
当	301,201	(55.26)	堀井　巌	自	現
▽	219,244	(40.22)	西田　一美	無	新
	24,660	(4.52)	田中　孝子	幸	新

和歌山県（1） 816,550（50.42）

	得票数	得票率	氏名	党派	新旧
当	295,608	(73.77)	世耕　弘成	自	現
▽	105,081	(26.23)	藤井　幹雄	無	新

鳥取県・島根県（1） 1,048,600（52.20）

	得票数	得票率	氏名	党派	新旧
当	328,394	(62.26)	舞立　昇治	自	現
▽	167,329	(31.72)	中林　佳子	無	新
	31,770	(6.02)	黒瀬　信明	N	新

岡山県（1） 1,587,927（45.08）

	得票数	得票率	氏名	党派	新旧
当	415,968	(59.52)	石井　正弘	自	現
▽	248,990	(35.63)	原田　謙介	立	新
	33,872	(4.85)	越智　寛之	N	新

広島県（2） 2,346,879（44.67）

	得票数	得票率	氏名	党派	新旧
当	329,792	(32.31)	森本　真治	無	現
当	295,871	(28.99)	河井あんり	自	新
▽	270,183	(26.47)	溝手　顕正	自	現
	70,886	(6.94)	高見　篤巳	共	新
	26,454	(2.59)	加陽　輝實	N	新
	15,253	(1.49)	玉田　憲勲	無	新
	12,327	(1.21)	泉　安政	労	新

山口県（1） 1,162,683（47.32）

	得票数	得票率	氏名	党派	新旧
当	374,686	(69.97)	林　芳正	自	現
▽	118,491	(22.13)	大内　一也	国	新
	24,131	(4.51)	河井美和子	幸	新
	18,177	(3.39)	竹本　秀之	無	新

徳島県・高知県（1） 1,247,214（42.39）

	得票数	得票率	氏名	党派	新旧
当	253,883	(50.33)	高野光二郎	自	現
▽	201,820	(40.01)	松本　顕治	無	新
	33,764	(6.69)	石川新一郎	N	新
	15,014	(2.98)	野村　秀邦	無	新

	得票数	氏名	党派	新旧
当	359,297 (12.90)	伊藤　岳	共	新
▽	244,399 (8.78)	藤田　千絵	国	新
▽	204,075 (7.33)	沢田　良	維	新
	80,741 (2.90)	佐藤恵理子	N	新
	21,153 (0.76)	鮫島　良司	安	新
	19,515 (0.70)	小島　一郎	幸	新

千葉県 (3)　5,244,929 (45.28)

	得票数	氏名	党派	新旧
当	698,993 (30.54)	石井　準一	自	現
当	661,224 (28.89)	長浜　博行	立	現
当	436,182 (19.06)	豊田　俊郎	自	現
▽	359,854 (15.72)	浅野　史子	共	新
	89,941 (3.93)	平塚　正幸	N	新
	42,643 (1.86)	門田　正則	安	新

東京都 (6)　11,396,789 (51.77)

	得票数	氏名	党派	新旧
当	1,143,458 (19.88)	丸川　珠代	自	現
当	815,445 (14.18)	山口那津男	公	現
当	706,532 (12.28)	吉良よし子	共	現
当	688,234 (11.97)	塩村あやか	立	新
当	526,575 (9.16)	音喜多　駿	維	新
当	525,302 (9.13)	武見　敬三	自	現
▽	496,347 (8.63)	山岸　一生	立	新
▽	214,438 (3.73)	野原　善正	れ	新
▽	186,667 (3.25)	水野　素子	国	新
	129,628 (2.25)	大橋　昌信	N	新
	91,194 (1.59)	野末　陳平	無	元
	86,355 (1.50)	朝倉　玲子	社	新
	34,121 (0.59)	七海　寛子	幸	新
	26,958 (0.47)	佐藤　均	安	新
	23,582 (0.41)	横山　昌弘	安	新
	18,123 (0.32)	溝口　晃一	オ	新
	15,475 (0.27)	森　純	無	新
	9,686 (0.17)	関口　安弘	無	新
	9,562 (0.17)	西野　貞吉	無	新
	3,586 (0.06)	大塚紀久雄	諸	新

神奈川県 (4)　7,651,249 (48.73)

	得票数	氏名	党派	新旧
当	917,058 (25.17)	島村　大	自	現
当	742,658 (20.38)	牧山ひろえ	立	現
当	615,417 (16.89)	佐々木さやか	公	現
当	575,884 (15.81)	松沢　成文	維	現
▽	422,603 (11.60)	浅賀　由香	共	新
	126,672 (3.48)	乃木　涼介	国	新
	79,208 (2.17)	林　大祐	N	新
	61,709 (1.69)	相原　倫子	社	新
	22,057 (0.61)	森下　正勝	無	新
	21,755 (0.60)	壱岐　愛子	幸	新
	21,598 (0.59)	加藤　友行	安	新
	17,170 (0.47)	榎本　大志	オ	新
	11,185 (0.31)	澁谷　貢	無	新
	8,514 (0.23)	圷　孝行	労	新

新潟県 (1)　1,919,522 (55.31)

	得票数	氏名	党派	新旧
当	521,717 (50.49)	打越さく良	無	新
▽	479,050 (46.36)	塚田　一郎	自	現
	32,628 (3.16)	小島　糾史	N	新

富山県 (1)　891,171 (46.88)

	得票数	氏名	党派	新旧
当	270,000 (66.73)	堂故　茂	自	現
▽	134,625 (33.27)	西尾　政英	国	新

石川県 (1)　952,304 (47.00)

	得票数	氏名	党派	新旧
当	288,040 (67.25)	山田　修路	自	現
▽	140,279 (32.75)	田邉　徹	国	新

福井県 (1)　646,976 (47.64)

	得票数	氏名	党派	新旧
当	195,515 (66.14)	滝波　宏文	自	現
▽	77,377 (26.18)	山田　和雄	共	新
	22,719 (7.69)	嶋谷　昌美	N	新

山梨県 (1)　693,775 (51.56)

	得票数	氏名	党派	新旧
当	184,383 (52.98)	森屋　宏	自	現
▽	150,327 (43.19)	いちき伴子	無	新
	13,344 (3.83)	猪野　恵司	N	新

長野県 (1)　1,744,373 (54.29)

	得票数	氏名	党派	新旧
当	512,462 (55.13)	羽田雄一郎	国	現
▽	366,810 (39.46)	小松　裕	自	新
	31,137 (3.35)	古谷　孝	N	新
	19,211 (2.07)	齋藤　好明	労	新

岐阜県 (1)　1,673,778 (51.00)

	得票数	氏名	党派	新旧
当	467,309 (56.39)	大野　泰正	自	現
▽	299,463 (36.13)	梅村　慎一	立	新
	61,975 (7.48)	坂本　雅彦	N	新

静岡県 (2)　3,074,712 (50.46)

	得票数	氏名	党派	新旧
当	585,271 (38.55)	牧野たかお	自	現
当	445,866 (29.36)	榛葉賀津也	国	現
▽	301,895 (19.88)	徳川　家広	立	新
▽	136,623 (9.00)	鈴木　千佳	共	新
	48,739 (3.21)	畑山　浩一	N	新

第25回参議院議員選挙得票表

令和元年7月21日施行

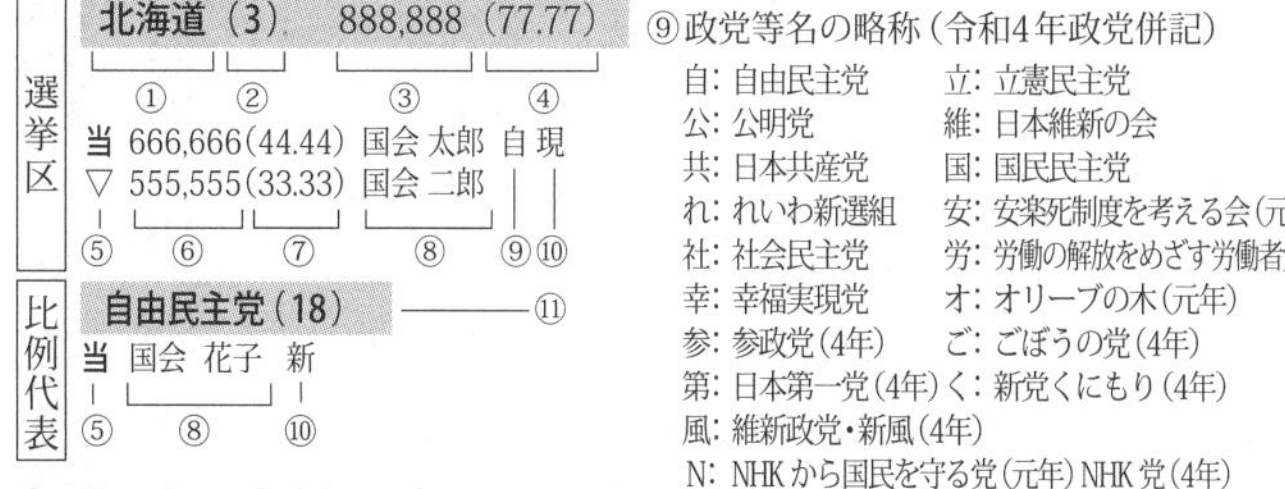

①選挙区名 ②定数 ③当日有権者数 ④投票率（%） ⑤当は当選、▽は法定得票を得た者、特は特定枠 ⑥得票数 ⑦得票率（%） ⑧氏名（敬称略）

⑩現職、元職、新人の別 ⑪政党名と獲得議席数

選挙区（74人）

北海道（3） 4,569,237（53.76）

	得票数	得票率	氏名	党	別
当	828,220	(34.36)	高橋はるみ	自	新
当	523,737	(21.73)	勝部 賢志	立	新
当	454,285	(18.85)	岩本 剛人	自	新
▽	265,862	(11.03)	畠山 和也	共	新
▽	227,174	(9.43)	髙良 那美	国	新
	63,308	(2.63)	山本 貴平	N	新
	23,785	(0.99)	中村 治	安	新
	13,724	(0.57)	森山 佳則	幸	新
	10,108	(0.42)	岩瀬 清治	労	新

青森県（1） 1,109,104（42.94）

	得票数	得票率	氏名	党	別
当	239,757	(51.49)	滝沢 求	自	現
▽	206,582	(44.36)	小田切 達	立	新
	19,310	(4.15)	小山日奈子	N	新

岩手県（1） 1,066,492（56.55）

	得票数	得票率	氏名	党	別
当	288,239	(48.97)	横澤 高徳	無	新
▽	272,733	(46.33)	平野 達男	自	現
	27,658	(4.70)	梶谷 秀一	N	新

宮城県（1） 1,942,518（51.17）

	得票数	得票率	氏名	党	別
当	474,692	(48.63)	石垣のりこ	立	新
▽	465,194	(47.65)	愛知 治郎	自	現
	36,321	(3.72)	三宅 紀昭	N	新

秋田県（1） 864,560（56.29）

	得票数	得票率	氏名	党	別
当	242,286	(50.46)	寺田 静	無	新
▽	221,219	(46.07)	中泉 松司	自	現
	16,683	(3.47)	石岡 隆治	N	新

山形県（1） 925,158（60.74）

	得票数	得票率	氏名	党	別
当	279,709	(50.24)	芳賀 道也	無	新
▽	263,185	(47.28)	大沼みずほ	自	現
	13,800	(2.48)	小野澤健至	N	新

福島県（1） 1,600,928（52.41）

	得票数	得票率	氏名	党	別
当	445,547	(54.08)	森 まさこ	自	現
▽	345,001	(41.88)	水野さち子	無	新
	33,326	(4.05)	田山 雅仁	N	新

茨城県（2） 2,431,531（45.02）

	得票数	得票率	氏名	党	別
当	507,260	(47.92)	上月 良祐	自	現
当	237,614	(22.45)	小沼 巧	立	新
▽	129,151	(12.20)	大内久美子	共	新
▽	125,542	(11.86)	海野 徹	維	新
	58,978	(5.57)	田中 健	N	新

栃木県（1） 1,634,678（44.14）

	得票数	得票率	氏名	党	別
当	373,099	(53.51)	高橋 克法	自	現
▽	285,681	(40.97)	加藤 千穂	立	新
	38,508	(5.52)	町田 紀光	N	新

群馬県（1） 1,630,505（48.18）

	得票数	得票率	氏名	党	別
当	400,369	(53.94)	清水 真人	自	新
▽	286,651	(38.62)	齋藤 敦子	立	新
	55,209	(7.44)	前田みか子	N	新

埼玉県（4） 6,121,021（46.48）

	得票数	得票率	氏名	党	別
当	786,479	(28.25)	古川 俊治	自	現
当	536,338	(19.26)	熊谷 裕人	立	新
当	532,302	(19.12)	矢倉 克夫	公	現

政党別一覧【衆議院】

○内は、当選回数
( )内は、参議院の当選回数

自由民主党（253）

あかま二郎⑤
あべ俊子⑥
逢沢一郎⑫
青山周平④
赤澤亮正⑥
秋葉賢也⑦
東国幹①
畦元将吾②
麻生太郎⑭
甘利明⑬
五十嵐清①
井出庸生④
井野俊郎④
井上信治⑦
井上貴博④
井林辰憲④
井原巧①(1)
伊東良孝⑤
伊藤信太郎⑦
伊藤忠彦⑤

伊藤達也⑨
石井拓①
石川昭政④
石田真敏⑧
石破茂⑫
石橋林太郎①
石原宏高⑤
石原正敬①
泉田裕彦②
稲田朋美⑥
今枝宗一郎④
今村雅弘⑨
岩田和親④
岩屋毅⑨
上杉謙太郎②
上田英俊①
上野賢一郎⑤
江﨑鐵磨⑧
江渡聡徳⑧
江藤拓⑦
英利アルフィヤ①
衛藤征士郎⑬(1)

遠藤利明⑨
小倉將信④
小里泰弘⑥
小田原潔④
小野寺五典⑧
小渕優子⑧
尾﨑正直①
尾身朝子③
越智隆雄⑤
大岡敏孝④
大串正樹④
大塚拓⑤
大西英男④
大野敬太郎④
奥野信亮⑥
鬼木誠④
加藤鮎子③
加藤勝信⑦
加藤竜祥①
梶山弘志⑧
勝俣孝明④
勝目康①

門山宏哲④
金子俊平②
金子恭之⑧
金子容三①
金田勝年⑤(2)
上川陽子⑦
亀岡偉民⑤
川崎ひでと①
神田憲次④
神田潤一①
菅家一郎④
木原誠二⑤
木原稔⑤
木村次郎②
城内実⑥
黄川田仁志④
岸信千世①
岸田文雄⑩
工藤彰三④
国定勇人①
国光あやの②
熊田裕通④
小泉進次郎⑤
小泉龍司⑦
小島敏文④

小寺裕雄②
小林茂樹③
小林鷹之④
小林史明④
小森卓郎①
古賀篤④
後藤茂之⑦
河野太郎⑨
高村正大②
國場幸之助④
佐々木紀④
佐藤勉⑨
齋藤健⑤
斎藤洋明④
坂井学⑤
坂本哲志⑦
櫻田義孝⑧
笹川博義④
塩崎彰久①
柴山昌彦⑦
島尻安伊子①(2)
新谷正義④
新藤義孝⑧
菅義偉⑨

杉田水脈③
鈴木英敬①
鈴木馨祐⑤
鈴木俊一⑩
鈴木淳司⑥
鈴木貴子④
鈴木憲和④
鈴木隼人③
瀬戸隆一③
関芳弘⑤
田所嘉徳④
田中和徳⑨
田中英之④
田中良生⑤
田野瀬太道④
田畑裕明④
田村憲久⑨
平将明⑥
高市早苗⑨
高階恵美子①(2)
高木啓②
高木宏壽③
高鳥修一⑤
高見康裕①

武井 俊輔④
武田 良太⑦
武部 新④
武村 展英④
橘 慶一郎⑤
棚橋 泰文⑨
谷 公一⑦
谷川 とむ③
津島 淳④
塚田 一郎①(2)
辻 清人④
土田 慎①
土屋 品子⑧
寺田 稔⑥
冨樫 博之④
渡海 紀三朗⑩
土井 亨⑤
中川 貴元①
中川 郁子③
中曽根 康隆②
中谷 元⑪
中谷 真一④
中西 健治①(2)

中根 一幸⑤
中野 英幸①
中村 裕之④
中山 展宏④
永岡 桂子⑥
長坂 康正④
長島 昭久⑦
二階 俊博⑬
丹羽 秀樹⑥
仁木 博文②
西田 昭二②
西野 太亮①
西村 明宏⑥
西銘 恒三郎⑥
根本 匠⑨
根本 幸典④
野田 聖子⑩
野中 厚④
葉梨 康弘⑥
萩生田 光一⑥
長谷川 淳二①
橋本 岳⑤

鳩山 二郎③
浜田 靖一⑩
林 幹雄⑩
林 芳正①(5)
平井 卓也⑧
平口 洋⑤
平沢 勝栄⑨
平沼 正二郎①
深澤 陽一②
福田 達夫④
藤井 比早之④
藤丸 敏④
藤原 崇④
船田 元⑬
古川 直季①
古川 康③
古川 禎久⑦
古屋 圭司⑪
穂坂 泰②
星野 剛士④
細田 健一④
細野 豪志⑧
堀内 詔子④

本田 太郎②
牧島 かれん④
牧原 秀樹⑤
松島 みどり⑦
松野 博一⑧
松本 剛明⑧
松本 尚①
松本 洋平⑤
三谷 英弘③
三ッ林 裕巳④
御法川 信英⑥
宮内 秀樹④
宮崎 政久④
宮路 拓馬③
宮下 一郎⑥
武藤 容治⑤
務台 俊介④
宗清 皇一③
村井 英樹④
村上 誠一郎⑫
茂木 敏充⑩
盛山 正仁⑤
森 英介⑪

森 由起子①
森山 裕⑦(1)
八木 哲也④
保岡 宏武①
簗 和生④
柳本 顕①
山際 大志郎⑥
山口 俊一⑪
山口 晋①
山口 壮⑦
山下 貴司④
山田 賢司④
山田 美樹④
山本 左近①
山本 ともひろ⑤
山本 有二⑪
吉田 真次①
吉野 正芳⑧
義家 弘介④(1)
和田 義明③
若林 健太①(1)
若宮 健嗣⑤
鷲尾 英一郎⑥

渡辺 孝一④
渡辺 博道⑧

立憲民主党(97)

安住淳⑨
阿部知子⑧
青柳陽一郎④
青山大人②
荒井優①
井坂信彦③
伊藤俊輔②
石川香織②
泉健太⑧
稲富修二③
梅谷守①
江田憲司⑦
枝野幸男⑩
おおつき紅葉①
小川淳也⑥
小熊慎司④(1)
小沢一郎⑱
大河原まさこ②(1)
大串博志⑥
大島敦⑧
大西健介⑤
逢坂誠二⑤

岡田克也⑪
岡本あき子②
奥野総一郎⑤
落合貴之③
金子恵美③(1)
鎌田さゆり③
神谷裕②
亀井亜紀子②(1)
川内博史⑦
菅直人⑭
城井崇④
菊田真紀子⑦
玄葉光一郎⑩
源馬謙太郎②
小宮山泰子⑦
小山展弘③
後藤祐一⑤
神津たけし①
近藤和也③
近藤昭一⑨
佐藤公治④(1)
酒井なつみ①
坂本祐之輔③
櫻井周②

重徳和彦④
階猛⑥
篠原豪③
篠原孝⑦
下条みつ⑤
白石洋一③
末松義規⑦
鈴木庸介①
田嶋要⑦
堤かなめ①
手塚仁雄⑤
寺田学⑥
中川正春⑨
中島克仁④
中谷一馬②
中村喜四郎⑮
長妻昭⑧
西村智奈美⑥
野田佳彦⑨
野間健③
馬場雄基①
原口一博⑨
伴野豊⑥
福田昭夫⑥

藤岡隆雄①
太栄志①
本庄知史①
馬淵澄夫⑦
牧義夫⑦
松木けんこう⑥
道下大樹②
緑川貴士②
森田俊和②
森山浩行③
谷田川元③
屋良朝博②
山岡達丸③
山岸一生①
山崎誠③
山田勝彦②
山井和則⑧
柚木道義⑥
湯原俊二②
吉川元④
吉田統彦③
吉田はるみ①
米山隆一①
笠浩史⑦

早稲田ゆき②
渡辺周⑨
渡辺創①

日本維新の会(41)

足立康史④
阿部司①
阿部弘樹①
青柳仁士①
赤木正幸①
浅川義治①
井上英孝④
伊東信久③
池下卓①
池畑浩太朗①
一谷勇一郎①
市村浩一郎④
岩谷良平①
浦野靖人④
漆間譲司①
遠藤敬④
遠藤良太①
小野泰輔①
奥下剛光①

金村龍那①
沢田良①
杉本和巳④
住吉寛紀①
空本誠喜②
高橋英明①
中嶋秀樹①
中司宏①
馬場伸幸④
早坂敦①
林佑美①
藤田文武②
藤巻健太①
堀場幸子①
掘井健智①
三木圭恵②
美延映夫②
岬麻紀①
守島正①
山本剛正②
吉田とも代①
和田有一朗①

公明党（32）

- 赤羽一嘉⑨
- 伊佐進一④
- 伊藤渉⑤
- 石井啓一⑩
- 稲津久⑤
- 浮島智子④(1)
- 大口善徳⑨
- 岡本三成④
- 河西宏一①
- 北側一雄⑩
- 金城泰邦①
- 日下正喜①
- 國重徹④
- 輿水恵一③
- 佐藤茂樹⑩
- 佐藤英道④
- 斉藤鉄夫⑩
- 庄子賢一①
- 高木陽介⑨
- 竹内譲⑥
- 角田秀穂②
- 中川宏昌①
- 中川康洋②
- 中野洋昌④
- 濵地雅一④
- 平林晃①
- 福重隆浩①
- 古屋範子⑦
- 山崎正恭①
- 吉田久美子①
- 吉田宣弘③
- 鰐淵洋子②(1)

日本共産党（10）

- 赤嶺政賢⑧
- 笠井亮⑥(1)
- 穀田恵二⑩
- 志位和夫⑩
- 塩川鉄也⑧
- 田村貴昭③
- 高橋千鶴子⑦
- 宮本岳志⑤(1)
- 宮本徹③
- 本村伸子③

国民民主党（7）

- 浅野哲②
- 鈴木義弘③
- 田中健①
- 玉木雄一郎⑤
- 長友慎治①
- 西岡秀子②
- 古川元久⑨

教育無償化を実現する会（4）

- 斎藤アレックス①
- 鈴木敦①
- 徳永久志①(1)
- 前原誠司⑩

れいわ新選組（3）

- 大石あきこ①
- 櫛渕万里②
- たがや亮①

社会民主党（1）

- 新垣邦男①

無所属（17）

- 秋本真利④
- 池田佳隆④
- 緒方林太郎③
- 海江田万里⑧
- 吉良州司⑥
- 北神圭朗④
- 塩谷立⑩
- 下村博文⑨
- 髙木毅⑧
- 西村康稔⑦
- 額賀福志郎⑬
- 福島伸享③
- 堀井学④
- 松原仁⑧
- 三反園訓①
- 吉川赳③
- 吉田豊史②

政党別一覧【参議院】

○内は、当選回数
( )内は、衆議院の当選回数

自由民主党（114）

足立敏之②
阿達雅志③
青木一彦③
青山繁晴②
赤池誠章②(1)
赤松健①
浅尾慶一郎③(3)
朝日健太郎②
有村治子④
井上義行②
生稲晃子①
石井準一③
石井浩郎③
石井正弘②
石田昌宏②
磯﨑仁彦③
猪口邦子③(1)
今井絵理子②
岩本剛人①
上野通子③

臼井正一①
江島潔③
衛藤晟一③(4)
小野田紀美②
越智俊之①
大家敏志③
太田房江②
岡田直樹④
加田裕之①
加藤明良①
梶原大介①
片山さつき③(1)
神谷政幸①
北村経夫③
こやり隆史②
小林一大①
古賀友一郎②
古庄玄知①
上月良祐②
佐藤啓②
佐藤信秋③
佐藤正久③

酒井庸行②
櫻井充⑤
山東昭子⑧
清水真人①
自見はなこ②
白坂亜紀①
進藤金日子②
末松信介④
関口昌一⑤
田中昌史①
高橋克法②
高橋はるみ①
滝沢求②
滝波宏文②
武見敬三⑤
柘植芳文②
鶴保庸介⑤
堂故茂②
友納理緒①
豊田俊郎②
中曽根弘文⑦
中田宏①(4)

中西祐介③
永井学①
長峯誠②
西田昌司③
野上浩太郎④
野村哲郎④
羽生田俊②
長谷川岳③
長谷川英晴①
馬場成志②
橋本聖子⑤
比嘉奈津美①(2)
福岡資麿③(1)
藤井一博①
藤川政人③
藤木眞也②
船橋利実①(2)
古川俊治③
星北斗①
堀井巌②
本田顕子①
舞立昇治②
牧野たかお③
松川るい②

松下新平④
松村祥史④
松山政司④
丸川珠代③
三浦靖①(1)
三原じゅん子③
三宅伸吾②
宮崎雅夫①
宮沢洋一③(3)
宮本周司③
森まさこ③
森屋宏②
山崎正昭⑥
山下雄平②
山田太郎②
山田俊男③
山田宏②(2)
山谷えり子④(1)
山本啓介①
山本佐知子①
山本順三④
吉井章①
吉川ゆうみ②
和田政宗②

若林洋平①
渡辺猛之③

立憲民主党（37）

青木愛③(3)
石垣のりこ①
石川大我①
石橋通宏③
打越さく良①
小澤雅仁①
小沼巧①
奥村政佳①
鬼木誠①
勝部賢志①
川田龍平③
岸真紀子①
熊谷裕人①
小西洋之③
古賀千景①
古賀之士②
斎藤嘉隆③
塩村あやか①
柴慎一①

杉尾秀哉②
田島麻衣子①
田名部匡代②(3)
高木真理①
辻元清美①(7)
徳永エリ③
野田国義②(1)
羽田次郎①
福山哲郎⑤
牧山ひろえ③
水岡俊一③
水野素子①
宮口治子①
村田享子①
森本真治②
森屋隆①
横澤高徳①
吉川沙織③

公明党（27）

秋野公造③
伊藤孝江②
石川博崇③
上田勇①(7)
河野義博②
窪田哲也①
佐々木さやか②
里見隆治②
塩田博昭①
下野六太①
杉久武②
高橋光男①
竹内真二②
竹谷とし子③
谷合正明④
新妻秀規②
西田実仁④
平木大作②
三浦信祐②
宮崎勝②
矢倉克夫②
安江伸夫①
山口那津男④(2)
山本香苗④
山本博司③
横山信一③
若松謙維②(3)

日本維新の会（20）

青島健太①
浅田均②
東徹②
石井章②(1)
石井苗子②
猪瀬直樹①
梅村聡②
梅村みずほ①
音喜多駿①
片山大介②
金子道仁①
串田誠一①(1)
清水貴之②
柴田巧②
高木かおり②
中条きよし①
藤巻健史②
松沢成文③(3)
松野明美①
柳ヶ瀬裕文①

日本共産党（11）

井上哲士④
伊藤岳①
岩渕友②
紙智子④
吉良よし子②
倉林明子②
小池晃④
田村智子③
仁比聡平③
山下芳生④
山添拓②

国民民主党（9）

伊藤孝恵②
礒﨑哲史②
川合孝典③
榛葉賀津也④
田村まみ①
竹詰仁①
浜口誠②
浜野喜史②
舟山康江③

れいわ新選組（5）

大島九州男③
木村英子①
天畠大輔①
舩後靖彦①
山本太郎②(1)

社会民主党（2）

大椿ゆうこ①
福島みずほ⑤

参政党（1）

神谷宗幣①

教育無償化を実現する会（1）

嘉田由紀子①

無所属（18）

伊波洋一②
上田清司②(3)
尾辻秀久⑥
大塚耕平④
大野泰正②
齊藤健一郎①
鈴木宗男①(8)
世耕弘成⑤
髙良鉄美①
寺田静①
堂込麻紀子①
ながえ孝子①(1)
長浜博行③(4)
芳賀道也①
浜田聡①
平山佐知子②
広田一③(1)
三上えり①

当選回数別一覧【衆議院】

( )内は、参議院の当選回数通算されていません

18回(1)
立憲民主党(1)
小沢一郎

15回(1)
立憲民主党(1)
中村喜四郎

14回(2)
自由民主党(1)
麻生太郎
立憲民主党(1)
菅直人

13回(5)
自由民主党(4)
甘利明
衛藤征士郎(1)
二階俊博
船田元
無所属(1)
額賀福志郎

12回(3)
自由民主党(3)
逢沢一郎
石破茂
村上誠一郎

11回(6)
自由民主党(5)
中谷元
古屋圭司
森英介
山口俊一
山本有二
立憲民主党(1)
岡田克也

10回(17)
自由民主党(7)
岸田文雄
鈴木俊一
渡海紀三朗
野田聖子
浜田靖一
林幹雄
茂木敏充
立憲民主党(2)
枝野幸男
玄葉光一郎
公明党(4)
石井啓一
北側一雄
佐藤茂樹
斉藤鉄夫
日本共産党(2)
穀田恵二
志位和夫
教育無償化を実現する会(1)
前原誠司
無所属(1)
塩谷立

9回(24)
自由民主党(13)
伊藤達也
今村雅弘
岩屋毅
遠藤利明
河野太郎
佐藤勉
菅義偉
田中和德
田村憲久
高市早苗
棚橋泰文
根本匠
平沢勝栄
立憲民主党(6)
安住淳
近藤昭一
中川正春
野田佳彦
原口一博
渡辺周
公明党(3)
赤羽一嘉
大口善徳
高木陽介
国民民主党(1)
古川元久
無所属(1)
下村博文

8回(26)
自由民主党(16)
石田真敏
江﨑鐵磨
江渡聡徳
小野寺五典
小渕優子
梶山弘志
金子恭之
櫻田義孝
新藤義孝
土屋品子
平井卓也
細野豪志
松野博一
松本剛明
吉野正芳
渡辺博道
立憲民主党(5)
阿部知子
泉健太
大島敦
長妻昭
山井和則
日本共産党(2)
赤嶺政賢
塩川鉄也
無所属(3)
海江田万里
髙木毅
松原仁

7回(30)
自由民主党(17)
秋葉賢也
井上信治
伊藤信太郎
江藤拓
加藤勝信
上川陽子
小泉龍司

議員資料

後藤　茂之
坂本　哲志
柴山　昌彦
武田　良太
谷　公一
長島　昭久
古川　禎久
松島　みどり
森山　裕(1)
山口　壯

立憲民主党(10)
江田　憲司
川内　博史
菊田　真紀子
小宮山　泰子
篠原　孝
末松　義規
田嶋　要
馬淵　澄夫
牧　義夫
笠　浩史

公明党(1)
古屋　範子

日本共産党(1)
高橋　千鶴子

無所属(1)
西村　康稔

6回(31)

自由民主党(19)
あべ　俊子
赤澤　亮正
稲田　朋美
小里　泰弘
奥野　信亮
城内　実
鈴木　淳司
平　将明
寺田　稔
永岡　桂子
丹羽　秀樹
西村　明宏
西銘　恒三郎
葉梨　康弘
萩生田　光一
御法川　信英
宮下　一郎
山際　大志郎
鷲尾　英一郎

立憲民主党(9)
小川　淳也
大串　博志
階　猛
寺田　学
西村　智奈美
伴野　豊
福田　昭夫
松木　けんこう
柚木　道義

公明党(1)
竹内　譲

日本共産党(1)
笠井　亮(1)

無所属(1)
吉良　州司

5回(39)

自由民主党(29)
あかま　二郎
伊東　良孝
伊藤　忠彦
石原　宏高
上野　賢一郎
越智　隆雄
大塚　拓
金田　勝年(2)
亀岡　偉民
木原　誠二
木原　稔
小泉　進次郎
齋藤　健
坂井　学
鈴木　馨祐
関　芳弘
田中　良生
髙鳥　修一
橘　慶一郎
土井　亨
中根　一幸
橋本　岳
平口　洋
牧原　秀樹
松本　洋平
武藤　容治
盛山　正仁
山本　ともひろ
若宮　健嗣

立憲民主党(6)
大西　健介
逢坂　誠二
奥野　総一郎
後藤　祐一
下条　みつ
手塚　仁雄

公明党(2)
伊藤　渉
稲津　久

日本共産党(1)
宮本　岳志(1)

国民民主党(1)
玉木　雄一郎

4回(94)

自由民主党(69)
青山　周平
井出　庸生
井野　俊郎
井上　貴博
井林　辰憲
石川　昭政
今枝　宗一郎
岩田　和親
小倉　將信
小田原　潔
大岡　敏孝
大串　正樹
大西　英男
大野　敬太郎
鬼木　誠
勝俣　孝明
門山　宏哲
神田　憲次
菅家　一郎
黄川田　仁志
工藤　彰三
熊田　裕通
小島　敏文
小林　鷹之
小林　史明
古賀　篤

國場幸之助
佐々木紀
斎藤洋明
笹川博義
新谷正義
鈴木貴子
鈴木憲和
田所嘉徳
田中英之
田野瀬太道
田畑裕明
武井俊輔
武部新
武村展英
津島淳
辻清人
冨樫博之
中谷真一
中村裕之
中山展宏
長坂康正
根本幸典
野中厚
福田達夫

藤井比早之
藤丸敏
藤原崇
星野剛士
細田健一
堀内詔子
牧島かれん
三ッ林裕巳
宮内秀樹
宮崎政久
務台俊介
村井英樹
八木哲也
簗和生
山下貴司
山田賢司
山田美樹
義家弘介(1)
渡辺孝一

立憲民主党(7)

青柳陽一郎
小熊慎司(1)
城井崇
佐藤公治(1)

重徳和彦
中島克仁
吉川元

日本維新の会(7)

足立康史
井上英孝
市村浩一郎
浦野靖人
遠藤敬
杉本和巳
馬場伸幸

公明党(7)

伊佐進一
浮島智子(1)
岡本三成
國重徹
佐藤英道
中野洋昌
濵地雅一

無所属(4)

秋本真利
池田佳隆
北神圭朗
堀井学

3回(41)

自由民主党(15)

尾身朝子
加藤鮎子
小林茂樹
杉田水脈
鈴木隼人
瀬戸隆一
高木宏壽
谷川とむ
中川郁子
鳩山二郎
古川康
三谷英弘
宮路拓馬
宗清皇一
和田義明

立憲民主党(16)

井坂信彦
稲富修二
落合貴之
金子恵美(1)
鎌田さゆり
小山展弘
近藤和也
坂本祐之輔
篠原豪
白石洋一
野間健
森山浩行
谷田川元
山岡達丸
山崎誠
吉田統彦

日本維新の会(1)

伊東信久

公明党(2)

輿水恵一
吉田宣弘

日本共産党(3)

田村貴昭
宮本徹
本村伸子

国民民主党(1)

鈴木義弘

無所属(3)

緒方林太郎
福島伸享
吉川赳

2回(44)

自由民主党(15)

畦元将吾
泉田裕彦
上杉謙太郎
金子俊平
木村次郎
国光あやの
小寺裕雄
高村正大
高木啓
中曽根康隆
仁木博文
西田昭二
深澤陽一
穂坂泰
本田太郎

立憲民主党(17)

青山大人
伊藤俊輔
石川香織
大河原まさこ(1)
岡本あき子

議員資料

神谷 裕
亀井 亜紀子 (1)
源馬 謙太郎
櫻井 周
中谷 一馬
道下 大樹
緑川 貴士
森田 俊和
屋良 朝博
山田 勝彦
湯原 俊二
早稲田 ゆき

日本維新の会(5)

空本 誠喜
藤田 文武
三木 圭恵
美延 映夫
山本 剛正

公明党(3)

角田 秀穂
中川 康洋
鰐淵 洋子 (1)

国民民主党(2)

浅野 哲
西岡 秀子

れいわ新選組(1)

櫛渕 万里

無所属(1)

吉田 豊史

1回(101)

自由民主党(40)

東 国幹
五十嵐 清
井原 巧 (1)
石井 拓
石橋 林太郎
石原 正敬
上田 英俊
英利 アルフィヤ
尾崎 正直
加藤 竜祥
勝目 康
金子 容三
川崎 ひでと
神田 潤一
岸 信千世
国定 勇人
小森 卓郎
塩崎 彰久
島尻 安伊子 (2)
鈴木 英敬
髙階 恵美子 (2)
高見 康裕
塚田 一郎 (2)
土田 慎
中川 貴元
中西 健治 (2)
中野 英幸
西野 太亮
長谷川 淳二
林 芳正 (5)
平沼 正二郎
古川 直季
松本 尚
森 由起子
保岡 宏武
柳本 顕
山口 晋
山本 左近
吉田 真次
若林 健太 (1)

立憲民主党(15)

荒井 優
梅谷 守
おおつき 紅葉
神津 たけし
酒井 なつみ
鈴木 庸介
堤 かなめ
馬場 雄基
藤岡 隆雄
太 栄志
本庄 知史
山岸 一生
吉田 はるみ
米山 隆一
渡辺 創

日本維新の会(28)

阿部 司
阿部 弘樹
青柳 仁士
赤木 正幸
浅川 義治
池下 卓
池畑 浩太朗
一谷 勇一郎
岩谷 良平
漆間 譲司
遠藤 良太
小野 泰輔
奥下 剛光
金村 龍那
沢田 良
住吉 寛紀
高橋 英明
中嶋 秀樹
中司 宏
早坂 敦
林 佑美
藤巻 健太
堀場 幸子
掘井 健智
岬 麻紀
守島 正
吉田 とも代
和田 有一朗

公明党(9)

河西 宏一
金城 泰邦
日下 正喜
庄子 賢一
中川 宏昌
平林 晃
福重 隆浩
山崎 正恭
吉田 久美子

国民民主党(2)

田中 健
長友 慎治

教育無償化を実現する会(3)

斎藤 アレックス
鈴木 敦
徳永 久志 (1)

れいわ新選組(2)

大石 あきこ
たがや 亮

社会民主党(1)

新垣 邦男

無所属(1)

三反園 訓

議員資料

当選回数別一覧【参議院】

〔令和元年選挙〕

（ ）内は、衆議院の当選回数 通算されていません

8回（1）

自由民主党（1）
山東昭子

6回（1）

無所属（1）
尾辻秀久

5回（3）

自由民主党（2）
武見敬三
橋本聖子

無所属（1）
世耕弘成

4回（10）

自由民主党（2）
有村治子
松山政司

公明党（2）
山口那津男（2）
山本香苗

日本共産党（4）
井上哲士
紙智子
小池晃
山下芳生

国民民主党（1）
榛葉賀津也

無所属（1）
大塚耕平

3回（19）

自由民主党（12）
石井準一
衛藤晟一（4）
北村経夫
佐藤信秋
佐藤正久
西田昌司
古川俊治
牧野たかお
丸川珠代
宮本周司
森まさこ
山田俊男

立憲民主党（4）
川田龍平
牧山ひろえ
水岡俊一
吉川沙織

公明党（1）
山本博司

無所属（2）
長浜博行（4）
広田一（1）

2回（43）

自由民主党（24）
赤池誠章（1）
石井正弘
石田昌宏
太田房江
古賀友一郎
上月良祐
酒井庸行
高橋克法
滝沢求
滝波宏文
柘植芳文
堂故茂
豊田俊郎
長峯誠
羽生田俊
馬場成志
堀井巌
舞立昇治
三宅伸吾
森屋宏
山下雄平
山田太郎
吉川ゆうみ
和田政宗

立憲民主党（2）
野田国義（1）
森本真治

公明党（7）
河野義博
佐々木さやか
杉久武
新妻秀規
平木大作
矢倉克夫
若松謙維（3）

日本維新の会（5）
東徹
梅村聡
清水貴之
柴田巧
藤巻健史

日本共産党（2）
吉良よし子
倉林明子

国民民主党（2）
礒﨑哲史
浜野喜史

無所属（1）
大野泰正

1回（46）

自由民主党（11）
岩本剛人
加田裕之
清水真人
白坂亜紀
田中昌史
高橋はるみ
中田宏（4）
比嘉奈津美（2）
本田顕子
三浦靖（1）
宮崎雅夫

立憲民主党（16）
石垣のりこ
石川大我
打越さく良
小沢雅仁
小沼巧
奥村政佳
勝部賢志
岸真紀子
熊谷裕人
塩村あやか
田島麻衣子
羽田次郎
水野素子
宮口治子
森屋隆
横澤高徳

公明党（4）
塩田博昭
下野六太
高橋光男
安江伸夫

日本維新の会（3）
梅村みずほ
音喜多駿
柳ヶ瀬裕文

日本共産党（1）
伊藤岳

国民民主党（1）
田村まみ

れいわ新選組（2）
木村英子
舩後靖彦

社会民主党（1）
大椿ゆうこ

教育無償化を実現する会（1）
嘉田由紀子

無所属（6）
鈴木宗男（8）
髙良鉄美
寺田静
ながえ孝子（1）
芳賀道也
浜田聡

〔令和4年選挙〕

7回（1）

自由民主党（1）
中曽根　弘　文

6回（1）

自由民主党（1）
山　崎　正　昭

5回（5）

自由民主党（3）
櫻　井　　　充
関　口　昌　一
鶴　保　庸　介

立憲民主党（1）
福　山　哲　郎

社会民主党（1）
福　島　みずほ

4回（10）

自由民主党（8）
岡　田　直　樹
末　松　信　介
野　上　浩太郎
野　村　哲　郎
松　下　新　平
松　村　祥　史
山　谷　えり子 (1)
山　本　順　三

公明党（2）
谷　合　正　明
西　田　実　仁

3回（32）

自由民主党（17）
阿　達　雅　志
青　木　一　彦
浅　尾　慶一郎 (3)
石　井　浩　郎
磯　崎　仁　彦
猪　口　邦　子 (1)
上　野　通　子
江　島　　　潔
大　家　敏　志
片　山　さつき (1)
中　西　祐　介
長谷川　　　岳
福　岡　資　麿 (1)
藤　川　政　人
三　原　じゅん子
宮　沢　洋　一 (3)
渡　辺　猛　之

立憲民主党（5）
青　木　　　愛 (3)
石　橋　通　宏
小　西　洋　之
斎　藤　嘉　隆
徳　永　エ　リ

公明党（4）
秋　野　公　造
石　川　博　崇
竹　谷　とし子
横　山　信　一

日本維新の会（1）
松　沢　成　文 (3)

日本共産党（2）
田　村　智　子
仁　比　聡　平

国民民主党（2）
川　合　孝　典
舟　山　康　江

れいわ新選組（1）
大　島　九州男

2回（34）

自由民主党（13）
足　立　敏　之
青　山　繁　晴
朝　日　健太郎
井　上　義　行
今　井　絵理子
小野田　紀　美
こやり　隆　史
佐　藤　　　啓
自　見　はなこ
進　藤　金日子
藤　木　眞　也
松　川　る　い
山　田　　　宏 (2)

立憲民主党（3）
古　賀　之　士
杉　尾　秀　哉
田名部　匡　代 (3)

公明党（5）
伊　藤　孝　江
里　見　隆　治
竹　内　真　二
三　浦　信　祐
宮　崎　　　勝

日本維新の会（5）
浅　田　　　均
石　井　　　章 (1)
石　井　苗　子
片　山　大　介
高　木　かおり

日本共産党（2）
岩　渕　　　友
山　添　　　拓

国民民主党（2）
伊　藤　孝　恵
浜　口　　　誠

れいわ新選組（1）
山　本　太　郎 (1)

無所属（3）
伊　波　洋　一
上　田　清　司 (3)
平　山　佐知子

1回（39）

自由民主党（19）
赤　松　　　健
生　稲　晃　子
臼　井　正　一
越　智　俊　之
加　藤　明　良
梶　原　大　介
神　谷　政　幸
小　林　一　大
古　庄　玄　知
友　納　理　緒
永　井　　　学
長谷川　英　晴
藤　井　一　博
船　橋　利　実 (2)
星　　　北　斗
山　本　啓　介
山　本　佐知子
吉　井　　　章
若　林　洋　平

立憲民主党（6）
鬼　木　　　誠
古　賀　千　景
柴　　　愼　一
高　木　真　理
辻　元　清　美 (7)
村　田　享　子

公明党（2）
上　田　　　勇 (7)
窪　田　哲　也

日本維新の会（6）
青　島　健　太
猪　瀬　直　樹
金　子　道　仁
串　田　誠　一 (1)
中　条　きよし
松　野　明　美

国民民主党（1）
竹　詰　　　仁

れいわ新選組（1）
天　畠　大　輔

参政党（1）
神　谷　宗　幣

無所属（3）
齊　藤　健一郎
堂　込　麻紀子
三　上　え　り

勤続年数別一覧【衆議院】

( )内は、参議院の勤続年数 端数切上げ

55年（1）
小沢一郎

47年（1）
衛藤征士郎(7)

46年（1）
中村喜四郎

45年（1）
菅直人

43年（1）
麻生太郎

41年（3）
甘利明　二階俊博　額賀福志郎

39年（4）
逢沢一郎　石破茂　船田元　村上誠一郎

35年（6）
岡田克也　中谷元　古屋圭司　森英介　山口俊一　山本有二

32年（15）
石井啓一　枝野幸男　岸田文雄　北側一雄　玄葉光一郎
穀田恵二　斉藤鉄夫　志位和夫　鈴木俊一　渡海紀三朗　野田聖子　浜田靖一　林幹雄　前原誠司　茂木敏充

30年（2）
高市早苗　林芳正(27)

29年（17）
安住淳　今村雅弘　河野太郎　近藤昭一　佐藤茂樹
佐藤勉　塩谷立　下村博文　菅義偉　田中和徳　田村憲久　棚橋泰文　中川正春　原口一博　平沢勝栄　古川元久　渡辺周

28年（9）
赤羽一嘉　伊藤達也　岩屋毅　遠藤利明　大口善徳　金田勝年(13)　高木陽介
根本匠　野田佳彦

27年（2）
新藤義孝　森山裕(6)

26年（1）
笠井亮(7)

25年（22）
阿部知子　赤嶺政賢　江﨑鐵磨　江渡聡徳　小渕優子　大島敦　海江田万里　梶山弘志　金子恭之　櫻田義孝　塩川鉄也　高木毅
土屋品子　長妻昭　平井卓也　細野豪志　松野博一　松原仁　松本剛明　山井和則　吉野正芳　渡辺博道

24年（2）
小野寺五典　末松義規

23年（3）
石田真敏　牧義夫　山口壯

21年（23）
井上信治　泉健太

議員資料

江田憲司
江藤拓
加藤勝信
上川陽子
川内博史
菊田真紀子
小泉龍司
小宮山泰子
後藤茂之
篠原孝
柴山昌彦
田嶋要
高橋千鶴子
武田良太
谷公一
長島昭久
西村康稔
古川禎久
古屋範子
松島みどり
笠浩史

20年(15)

あべ俊子
赤澤亮正
秋葉賢也
伊藤信太郎
稲田朋美
小川淳也
小里泰弘
大串博志
坂本哲志
平将明
永岡桂子
福田昭夫
馬淵澄夫
柚木道義
鷲尾英一郎

19年(7)

吉良州司
佐藤公治(7)
竹内譲
寺田学
西村智奈美
伴野豊
宮本岳志(7)

18年(15)

浮島智子(7)
逢坂誠二
奥野信亮
階猛
鈴木淳司
寺田稔
丹羽秀樹
西村明宏
西銘恒三郎
葉梨康弘
萩生田光一
御法川信英
宮下一郎
山際大志郎
義家弘介(6)

17年(2)

城内実
下条みつ

16年(38)

あかま二郎
伊東良孝
伊藤忠彦
伊藤渉
石原宏高
稲津久
上野賢一郎
越智隆雄
大塚拓
大西健介
奥野総一郎
金子恵美(7)
亀岡偉民
木原誠二
木原稔
小泉進次郎
後藤祐一
齋藤健
坂井学
鈴木馨祐
関芳弘
田中良生
髙鳥修一
橘慶一郎
玉木雄一郎
塚田一郎(13)
手塚仁雄
土井亨
中根一幸
橋本岳
平口洋
牧原秀樹
松木けんこう
松本洋平
武藤容治
盛山正仁
山本ともひろ
若宮健嗣

15年(3)

小熊慎司(3)
高階恵美子(12)
中西健治(12)

14年(2)

大河原まさこ(7)
鰐淵洋子(7)

13年(3)

城井崇
島尻安伊子(10)
杉本和巳

12年(86)

足立康史
青柳陽一郎
秋本真利
井出庸生
井野俊郎
井上貴博
井上英孝
井林辰憲
伊佐進一
池田佳隆
石川昭政
市村浩一郎
今枝宗一郎
岩田和親
浦野靖人
遠藤敬
小倉將信

小田原潔　大岡敏孝　大串正樹　大西英男　大野敬太郎　岡本三成　鬼木誠　勝俣孝明　門山宏哲　神田憲次　菅家一郎　黄川田仁志　北神圭朗　工藤彰三　國重徹　熊田裕通　小島敏文　小林鷹之　小林史明　古賀篤　國場幸之助　佐々木紀　佐藤英道

斎藤洋明　笹川博義　重徳和彦　新谷正義　鈴木貴子　鈴木憲和　田所嘉徳　田中英之　田野瀬太道　田畑裕明　武井俊輔　武部新　武村展英　津島淳　辻清人　冨樫博之　中島克仁　中谷真一　中野洋昌　中村裕之　中山展宏　長坂康正　根本幸典

野中厚　馬場伸幸　濵地雅一　福田達夫　藤井比早之　藤丸敏　藤原崇　星野剛士　細田健一　堀井学　堀内詔子　牧島かれん　三ッ林裕巳　宮内秀樹　務台俊介　村井英樹　八木哲也　簗和生　山下貴司　山田賢司　山田美樹　吉川元　渡辺孝一

11年（10）

青山周平　稲富修二　亀井亜紀子(7)　近藤和也　白石洋一　宮崎政久　森山浩行　山岡達丸　山崎誠　吉田統彦

10年（15）

尾身朝子　緒方林太郎　落合貴之　加藤鮎子　小山展弘　篠原豪　鈴木隼人　田村貴昭　谷川とむ

福島伸享　古川康　宮路拓馬　宮本徹　宗清皇一　本村伸子

9年（8）

井原巧(7)　小林茂樹　杉田水脈　徳永久志(7)　三谷英弘　谷田川元　和田義明　若林健太(7)

8年（11）

井坂信彦　伊東信久　鎌田さゆり　輿水恵一　坂本祐之輔

鈴木義弘　高木宏壽　中川郁子　野間健　鳩山二郎　吉川赳

7年（32）

青山大人　浅野哲　伊藤俊輔　石川香織　泉田裕彦　上杉謙太郎　岡本あき子　金子俊平　神谷裕　木村次郎　国光あやの　源馬謙太郎　小寺裕雄　高村正大　櫻井周

瀬戸　隆一
空本　誠喜
高木　啓
中曽根康隆
中谷　一馬
仁木　博文
西岡　秀子
西田　昭二
穂坂　泰
本田　太郎
道下　大樹
緑川　貴士
森田　俊和
山本　剛正
湯原　俊二
吉田　宣弘
早稲田ゆき

6年（6）

畦元　将吾
櫛渕　万里
角田　秀穂
中川　康洋
藤田　文武
吉田　豊史

5年（3）

深澤　陽一
三木　圭恵
美延　映夫

4年（1）

屋良　朝博

3年（86）

阿部　司
阿部　弘樹
青柳　仁士
赤木　正幸
浅川　義治
東　国幹
荒井　優
新垣　邦男
五十嵐　清
池下　卓
池畑浩太朗
石井　拓
石橋林太郎
石原　正敬
一谷勇一郎
岩谷　良平
上田　英俊
梅谷　守
漆間　譲司
遠藤　良太
おおつき紅葉
小野　泰輔
尾崎　正直
大石あきこ
奥下　剛光
加藤　竜祥
河西　宏一
勝目　康
金村　龍那
川崎ひでと
神田　潤一
金城　泰邦
日下　正喜
国定　勇人
小森　卓郎
神津たけし
斎藤アレックス
沢田　良
塩崎　彰久
庄子　賢一
鈴木　敦
鈴木　英敬
鈴木　庸介
住吉　寛紀
たがや　亮
田中　健
髙橋　英明
高見　康裕
土田　慎
堤　かなめ
中川　貴元
中川　宏昌
中司　宏
中野　英幸
長友　慎治
西野　太亮
馬場　雄基
長谷川淳二
早坂　敦
平沼正二郎
平林　晃
福重　隆浩
藤岡　隆雄
藤巻　健太
太　栄志
古川　直季
堀場　幸子
掘井　健智
本庄　知史
松本　尚
三反園　訓
岬　麻紀
守島　正
保岡　宏武
柳本　顕
山岸　一生
山口　晋
山崎　正恭
山田　勝彦
山本　左近
吉田久美子
吉田とも代
吉田はるみ
米山　隆一
和田有一朗
渡辺　創

2年（4）

英利アルフィヤ
岸　信千世
林　佑美
吉田　真次

1年（4）

金子　容三
酒井なつみ
中嶋　秀樹
森　由起子

勤続年数別一覧【参議院】

〔令和元年選挙〕

（ ）内は、衆議院の勤続年数端数切上げ

43年（1）
山東昭子

36年（1）
尾辻秀久

31年（2）
鈴木宗男(26)
山口那津男(7)

30年（2）
衛藤晟一(13)
橋本聖子

28年（1）
長浜博行(11)

27年（1）
世耕弘成

25年（1）
武見敬三

24年（9）
有村治子
井上哲士
大塚耕平
紙智子
小池晃
榛葉賀津也
松山政司
山下芳生
山本香苗

22年（1）
若松謙維(11)

18年（15）
石井準一
川田龍平
佐藤信秋
佐藤正久
西田昌司
広田一(5)
古川俊治
牧野たかお
牧山ひろえ
丸川珠代
水岡俊一
森まさこ
山田俊男
山本博司
吉川沙織

16年（1）
赤池誠章(4)

15年（1）
野田国義(4)

14年（1）
中田宏(11)

12年（40）
東徹
石井正弘
石田昌宏
礒崎哲史
梅村聡
大野泰正
太田房江
河野義博
吉良よし子
北村経夫
倉林明子
古賀友一郎
上月良祐
佐々木さやか
酒井庸行
清水貴之
柴田巧
杉久武
高橋克法
滝沢求
滝波宏文
柘植芳文
堂故茂
豊田俊郎
長峯誠
新妻秀規
羽生田俊
馬場成志
浜野喜史
平木大作
堀井巌
舞立昇治
三宅伸吾
宮本周司
森本真治
森屋宏
矢倉克夫
山下雄平
吉川ゆうみ
和田政宗

9年（2）
ながえ孝子(4)
山田太郎

8年（1）
比嘉奈津美(5)

7年（2）
藤巻健史
三浦靖(2)

6年（33）
伊藤岳
石垣のりこ
石川大我
岩本剛人
打越さく良
梅村みずほ
小沼巧
小澤雅仁
音喜多駿
加田裕之
嘉田由紀子
勝部賢志
木村英子
岸真紀子
熊谷裕人
清水真人
塩田博昭
塩村あやか
下野六太
田島麻衣子
田村まみ
高橋はるみ
高橋光男
高良鉄美
寺田静
芳賀道也
舩後靖彦
本田顕子
宮崎雅夫
森屋隆
安江伸夫
柳ヶ瀬裕文
横澤高徳

5年（1）
浜田聡

4年（2）
羽田次郎
宮口治子

3年（1）
水野素子

2年（3）
大椿ゆうこ
白坂亜紀
田中昌史

1年（1）
奥村政佳

議員資料

〔令和4年選挙〕

39年(1)
中曽根弘文

33年(1)
山崎正昭

27年(4)
櫻井充
鶴保庸介
福島みずほ
福山哲郎

24年(4)
上田勇(21)
辻元清美(22)
宮沢洋一(10)
山谷えり子(4)

22年(2)
浅尾慶一郎(9)
関口昌一

21年(10)
岡田直樹
末松信介
谷合正明
西田実仁
野上浩太郎
野村哲郎
松沢成文(10)
松下新平
松村祥史
山本順三

19年(3)
猪口邦子(4)
片山さつき(4)
福岡資麿(4)

18年(1)
青木愛(8)

16年(2)
上田清司(11)
田名部匡代(8)

15年(22)
青木一彦
秋野公造
石井浩郎
石川博崇
石橋通宏
磯崎仁彦
上野通子
大家敏志
川合孝典
小西洋之
斎藤嘉隆
田村智子
竹谷とし子
徳永エリ
中西祐介
仁比聡平
長谷川岳
藤川政人
舟山康江
三原じゅん子
横山信一
渡辺猛之

14年(2)
大島九州男
山田宏(6)

12年(2)
石井章(4)
江島潔

10年(1)
阿達雅志

9年(29)
足立敏之
青山繁晴
浅田均
朝日健太郎
井上義行
伊藤孝江
伊藤孝恵
伊波洋一
石井苗子
今井絵理子
岩渕友
小野田紀美
片山大介
こやり隆史
古賀之士
佐藤啓
里見隆治
自見はなこ
進藤金日子
杉尾秀哉
高木かおり
浜口誠
平山佐知子
藤木眞也
船橋利実(7)
松川るい
三浦信祐
山添拓
山本太郎(1)

8年(1)
宮崎勝

7年(2)
串田誠一(5)
竹内真二

3年(34)
青島健太
赤松健
生稲晃子
猪瀬直樹
臼井正一
越智俊之
鬼木誠
加藤明良
梶原大介
金子道仁
神谷宗幣
神谷政幸
窪田哲也
小林一大
古賀千景
古庄玄知
柴愼一
高木真理
竹詰仁
天畠大輔
堂込麻紀子
友納理緒
中条きよし
永井学
長谷川英晴
藤井一博
星北斗
松野明美
三上えり
村田享子
山本啓介
山本佐知子
吉井章
若林洋平

2年(1)
齊藤健一郎

生れ年別一覧【衆議院】

（　）内は、西暦の下二桁

昭和14年（39年）
二階俊博

昭和15年（40年）
麻生太郎

昭和16年（41年）
衛藤征士郎

昭和17年（42年）
小沢一郎

昭和18年（43年）
江﨑鐵磨

昭和19年（44年）
奥野信亮
額賀福志郎

昭和20年（45年）
平沢勝栄
森山裕

昭和21年（46年）
大西英男
菅直人

昭和22年（47年）
赤嶺政賢
今村雅弘
穀田恵二
林幹雄
八木哲也

昭和23年（48年）
阿部知子
伊東良孝
篠原孝
菅義偉
渡海紀三朗
平口洋
福田昭夫
森英介
吉野正芳

昭和24年（49年）
甘利明
海江田万里
金田勝年
櫻田義孝
田中和徳
中村喜四郎

昭和25年（50年）
遠藤利明
小島敏文
坂本哲志
塩谷立
中川正春
山口俊一
渡辺博道

昭和26年（51年）
根本匠

昭和27年（52年）
石田真敏
笠井亮
小泉龍司
佐藤勉
斉藤鉄夫
谷公一
土屋品子
古屋圭司
村上誠一郎
山本有二

昭和28年（53年）
伊藤信太郎
大河原まさこ
岡田克也
上川陽子
北側一雄
鈴木俊一
永岡桂子
船田元
盛山正仁

昭和29年（54年）
逢沢一郎
志位和夫
下村博文
田所嘉徳
西銘恒三郎
山口壯

昭和30年（55年）
江渡聡徳
大口善徳
加藤勝信
梶山弘志
亀岡偉民
菅家一郎
後藤茂之
坂本祐之輔
下条みつ
冨樫博之
浜田靖一
三ッ林裕巳
武藤容治
茂木敏充

昭和31年（56年）
新垣邦男
江田憲司
大島敦
末松義規
髙木毅
中司宏
古屋範子
松島みどり
松原仁
務台俊介

昭和32年（57年）
石破茂
岩屋毅
岸田文雄
中谷元
長坂康正
野田佳彦
渡辺孝一

昭和33年（58年）
赤羽一嘉
畦元将吾
石井啓一
稲津久
小里泰弘
吉良州司
近藤昭一
新藤義孝
鈴木淳司
竹内譲
寺田稔
土井亨
中川郁子
野間健
平井卓也
古川康
牧義夫
三反園訓
宮下一郎
早稲田ゆき

昭和34年（59年）

あべ俊子
稲田朋美
逢坂誠二
佐藤公治
佐藤茂樹
齋藤健
高木陽介
高橋千鶴子
葉梨康弘
原口一博
松木けんこう
松本剛明
宮本岳志

昭和35年（60年）

赤澤亮正
江藤拓
小野寺五典
小寺裕雄
佐藤英道
杉本和巳
高木宏壽
高鳥修一
堤かなめ
長妻昭
西村明宏
野田聖子
藤丸敏
馬淵澄夫

昭和36年（61年）

阿部弘樹
伊藤達也
尾身朝子
金子恭之
川内博史
塩川鉄也
田嶋要
田村貴昭
高市早苗
橘慶一郎
角田秀穂
中野英幸
中村裕之
林芳正
伴野豊
美延映夫
若宮健嗣
渡辺周

昭和37年（62年）

安住淳
秋葉賢也
井上貴博
泉田裕彦
輿水恵一
鈴木義弘
長島昭久
西村康稔
福重隆浩
前原誠司
松野博一
松本尚
宮内秀樹
屋良朝博
山崎誠
山井和則
湯原俊二

昭和38年（63年）

井原巧
浮島智子
神田憲次
河野太郎
庄子賢一
白石洋一
田中良生
高階恵美子
高橋英明
棚橋泰文
塚田一郎
徳永久志
萩生田光一
星野剛士
谷田川元
吉田久美子

昭和39年（64年）

伊東信久
伊藤忠彦
石原宏高
市村浩一郎
枝野幸男
小田原潔
越智隆雄
岡本あき子
奥野総一郎
門山宏哲
工藤彰三
熊田裕通
玄葉光一郎
小林茂樹
空本誠喜
田村憲久
中西健治
西岡秀子
細田健一
御法川信英
和田有一朗
若林健太

昭和40年（65年）

足立康史
石井拓
上田英俊
上野賢一郎
大串博志
岡本三成
金子恵美
鎌田さゆり
亀井亜紀子
城内実
日下正喜
小宮山泰子
坂井学
柴山昌彦
島尻安伊子
瀬戸隆一
関芳弘
高木啓
根本幸典
馬場伸幸
古川元久
古川禎久
堀内詔子
宮﨑政久
山下貴司
笠浩史

昭和41年（66年）

池田佳隆
大串正樹
笹川博義
階猛
津島淳
手塚仁雄
仁木博文
三木圭恵
山田賢司
吉川元

昭和42年（67年）

尾﨑正直
木村次郎
北神圭朗
櫛渕万里
杉田水脈
平将明
中川貴元
中島克仁
西村智奈美
福田達夫

掘井健智
吉田宣弘
米山隆一

昭和43年（68年）

あかま二郎
浅川義治
東国幹
遠藤敬
小熊慎司
大野敬太郎
神谷裕
たがや亮
武田良太
中川康洋
中山展宏
長谷川淳二
古川直季
岬麻紀
山際大志郎

昭和44年（69年）

青柳陽一郎
五十嵐清
井上信治
伊藤渉
木原稔
菊田真紀子
金城泰邦
後藤祐一
玉木雄一郎
中根一幸
西田昭二

昭和45年（70年）

稲富修二
神田潤一
木原誠二
黄川田仁志
小森卓郎
高村正大
櫻井周
重徳和彦
田中英之
武部新
中川宏昌
濵地雅一
福島伸享
宗清皇一
吉田豊史

昭和46年（71年）

井上英孝
石原正敬
小川淳也
大西健介
中嶋秀樹
早坂敦
平林晃
藤井比早之
細野豪志
牧原秀樹
森由起子
森山浩行
山崎正恭
義家弘介
和田義明

昭和47年（72年）

石川昭政
大岡敏孝
鬼木誠
国定勇人
源馬謙太郎
古賀篤
武村展英
丹羽秀樹
堀井学
宮本徹
本村伸子
山本剛正
柚木道義
吉田はるみ
鰐淵洋子

昭和48年（73年）

岩田和親
梅谷守
浦野靖人
小渕優子
緒方林太郎
大塚拓
城井崇
國場幸之助
近藤和也
田畑裕明
本田太郎
松本洋平
保岡宏武

昭和49年（74年）

井坂信彦
伊佐進一
池畑浩太朗
泉健太
漆間譲司
小野泰輔
勝目康
國重徹
小林鷹之
佐々木紀
鈴木英敬
田野瀬太道
橋本岳
穂坂泰
本庄知史
森田俊和
柳本顕
山田美樹
吉田統彦

昭和50年（75年）

赤木正幸
秋本真利
荒井優
池下卓
一谷勇一郎
上杉謙太郎
奥下剛光
小山展弘
篠原豪
新谷正義
鈴木庸介
武井俊輔
道下大樹
山本ともひろ
吉田とも代

昭和51年（76年）

井林辰憲
勝俣孝明
斎藤洋明
塩崎彰久
谷川とむ
寺田学
中谷真一
野中厚
深澤陽一
牧島かれん
三谷英弘

昭和52年（77年）

青山周平
井出庸生
大石あきこ
神津たけし
鈴木馨祐
鈴木隼人
田中健
長友慎治
藤岡隆雄
太栄志
鷲尾英一郎
渡辺創

昭和53年（78年）

青柳仁士
石橋林太郎

金子俊平
中野洋昌
西野太亮

昭和54年（79年）

青山大人
伊藤俊輔
落合貴之
加藤鮎子
河西宏一
金村龍那
国光あやの
沢田良
辻清人
鳩山二郎
平沼正二郎
堀場幸子
宮路拓馬
簗和生
山岡達丸
山田勝彦

昭和55年（80年）

井野俊郎
岩谷良平
加藤竜祥
高見康裕
藤田文武
村井英樹

昭和56年（81年）

小倉將信
川崎ひでと
小泉進次郎
林佑美
守島正
山岸一生

昭和57年（82年）

阿部司
浅野哲
鈴木憲和
中曽根康隆
山本左近
吉川赳

昭和58年（83年）

おおつき紅葉
金子容三
小林史明
中谷一馬
藤巻健太
藤原崇
山口晋

昭和59年（84年）

石川香織
今枝宗一郎
遠藤良太
吉田真次

昭和60年（85年）

斎藤アレックス
住吉寛紀
緑川貴士

昭和61年（86年）

酒井なつみ
鈴木貴子

昭和63年（88年）

英利アルフィヤ
鈴木敦

平成2年（90年）

土田慎

平成3年（91年）

岸信千世

平成4年（92年）

馬場雄基

生れ年別一覧【参議院】

（　）内は、西暦の下二桁

昭和15年（40年）
尾辻秀久
昭和17年（42年）
山東昭子
山崎正昭
昭和18年（43年）
野村哲郎
昭和20年（45年）
石井正弘
柘植芳文
中曽根弘文
昭和21年（46年）
猪瀬直樹
中条きよし
山田俊男
昭和22年（47年）
衛藤晟一
佐藤信秋
昭和23年（48年）
上田清司

鈴木宗男
羽生田俊
昭和25年（50年）
浅田均
嘉田由紀子
藤巻健史
宮沢洋一
山谷えり子
昭和26年（51年）
太田房江
武見敬三
昭和27年（52年）
青山繁晴
伊波洋一
猪口邦子
酒井庸行
堂故茂
豊田俊郎
山口那津男

昭和28年（53年）
関口昌一
昭和29年（54年）
足立敏之
石井苗子
高橋はるみ
髙良鉄美
山本順三
山本博司
昭和30年（55年）
紙智子
北村経夫
末松信介
福島みずほ
若松謙維
昭和31年（56年）
櫻井充
水岡俊一
昭和32年（57年）
石井章

石井準一
磯﨑仁彦
江島潔
古庄玄知
杉尾秀哉
高橋克法
舩後靖彦
森屋宏
昭和33年（58年）
青島健太
井上哲士
上田勇
上野通子
串田誠一
滝沢求
長浜博行
西田昌司
野田国義
芳賀道也
比嘉奈津美

松沢成文
宮崎勝
山田宏
昭和34年（59年）
阿達雅志
大塚耕平
大野泰正
片山さつき
勝部賢志
古賀之士
長谷川英晴
牧野たかお
松山政司
横山信一
昭和35年（60年）
伊藤岳
倉林明子
小池晃
佐藤正久
柴田巧
辻元清美
ながえ孝子

浜野喜史
藤川政人
船橋利実
山下芳生
昭和36年（61年）
青木一彦
赤池誠章
大島九州男
三宅伸吾
昭和37年（62年）
岡田直樹
熊谷裕人
上月良祐
塩田博昭
世耕弘成
徳永エリ
西田実仁
福山哲郎
昭和38年（63年）
井上義行
鬼木誠
斎藤嘉隆

進藤金日子
仁比聡平
古川俊治
宮崎雅夫
昭和39年（64年）
浅尾慶一郎
石井浩郎
岩本剛人
川合孝典
柴愼一
下野六太
竹内真二
中田宏
馬場成志
橋本聖子
星北斗
牧山ひろえ
松村祥史
三原じゅん子
森まさこ
昭和40年（65年）
青木愛

石橋通宏
小澤雅仁
木村英子
窪田哲也
田中昌史
田村智子
浜口誠
堀井巌

昭和41年(66年)

東徹
片山大介
こやり隆史
古賀千景
白坂亜紀
舟山康江
松下新平

昭和42年(67年)

秋野公造
石田昌宏
大家敏志
古賀友一郎
里見隆治
榛葉賀津也
高木真理
鶴保庸介
野上浩太郎
藤木眞也
森屋隆
山田太郎
山本佐知子
吉井章

昭和43年(68年)

赤松健
伊藤孝江
生稲晃子
打越さく良
加藤明良
広田一
松野明美
渡辺猛之

昭和44年(69年)

礒﨑哲史
田名部匡代
竹詰仁
竹谷とし子
長峯誠
羽田次郎

昭和45年(70年)

有村治子
加田裕之
金子道仁
新妻秀規
三上えり
水野素子

昭和46年(71年)

滝波宏文
長谷川岳
平山佐知子
本田顕子
松川るい
丸川珠代
宮本周司
山本香苗
若林洋平

昭和47年(72年)

小西洋之
高木かおり
横澤高徳

昭和48年(73年)

石川博崇
大椿ゆうこ
梶原大介
谷合正明
福岡資麿
三浦靖
森本真治
吉川ゆうみ

昭和49年(74年)

石垣のりこ
石川大我
小林一大
清水貴之
永井学
平木大作
柳ヶ瀬裕文
山本太郎
和田政宗

昭和50年(75年)

朝日健太郎
伊藤孝恵
臼井正一
梅村聡
清水真人
寺田静
堂込麻紀子
舞立昇治
三浦信祐
矢倉克夫
山本啓介

昭和51年(76年)

岩渕友
川田龍平
岸真紀子
自見はなこ
杉久武
田島麻衣子
田村まみ
宮口治子
吉川沙織

昭和52年(77年)

神谷宗幣
河野義博
高橋光男
浜田聡
藤井一博

昭和53年(78年)

梅村みずほ
越智俊之
奥村政佳
塩村あやか

昭和54年(79年)

神谷政幸
佐藤啓
中西祐介
山下雄平

昭和55年(80年)

齊藤健一郎
友納理緒

昭和56年(81年)

佐々木さやか
天畠大輔

昭和57年(82年)

小野田紀美
吉良よし子

昭和58年(83年)

今井絵理子
音喜多駿
村田享子

昭和59年(84年)

山添拓

昭和60年(85年)

小沼巧

昭和62年(87年)

安江伸夫

自民党派閥別一覧

○内は、当選回数
( )内は、現衆議院は参議院の当選回数、現参議院は衆議院の当選回数

志公会（麻生派）（54）

衆議院（40）

麻生太郎⑭
甘利明⑬
森英介⑪
山口俊一⑪
鈴木俊一⑩
河野太郎⑨
田中和德⑨
棚橋泰文⑨
江渡聡徳⑧
松本剛明⑧
井上信治⑦
伊藤信太郎⑦
永岡桂子⑥
山際大志郎⑥
あかま二郎⑤
鈴木馨祐⑤
武藤容治⑤
井出庸生④
井上貴博④
井林辰憲④
今枝宗一郎④
工藤彰三④
斎藤洋明④
中村裕之④
中山展宏④
長坂康正④
牧島かれん④
務台俊介④
山田賢司④
瀬戸隆一③
中川郁子③
高村正大②
仁木博文②
英利アルフィヤ①
塚田一郎①(2)
土田慎①
中川貴元①
中西健治①(2)
柳本顕①
山本左近①

参議院（14）

〈令和元年〉
山東昭子⑧
武見敬三⑤
有村治子④
高橋克法②
滝沢求②
豊田俊郎②

〈令和4年〉
浅尾慶一郎③(3)
猪口邦子③(1)
大家敏志③
中西祐介③
藤川政人③
今井絵理子②
神谷政幸①
船橋利実①(2)

無派閥（313）

衆議院（213）

衛藤征士郎⑬(1)
二階俊博⑬
船田元⑬
逢沢一郎⑫
石破茂⑫
村上誠一郎⑫
中谷元⑪
古屋圭司⑪
山本有二⑪
岸田文雄⑩
渡海紀三朗⑩
野田聖子⑩
浜田靖一⑩
林幹雄⑩
茂木敏充⑩
伊藤達也⑨
今村雅弘⑨
岩屋毅⑨
遠藤利明⑨
佐藤勉⑨
菅義偉⑨
田村憲久⑨
高市早苗⑨
根本匠⑨
平沢勝栄⑨
石田真敏⑧
江﨑鐵磨⑧
小野寺五典⑧
小渕優子⑧
梶山弘志⑧
金子恭之⑧
櫻田義孝⑧
新藤義孝⑧
土屋品子⑧
平井卓也⑧
細野豪志⑧

松野博一⑧　吉野正芳⑧　渡辺博道⑧　秋葉賢也⑦　江藤拓⑦　加藤勝信⑦　上川陽子⑦　小泉龍司⑦　後藤茂之⑦　坂本哲志⑦　柴山昌彦⑦　武田良太⑦　谷公一⑦　長島昭久⑦　古川禎久⑦　松島みどり⑦　森山裕⑦(1)　山口壯⑦　あべ俊子⑥　赤澤亮正⑥　稲田朋美⑥

小里泰弘⑥　奥野信亮⑥　城内実⑥　鈴木淳司⑥　平将明⑥　寺田稔⑥　丹羽秀樹⑥　西村明宏⑥　西銘恒三郎⑥　葉梨康弘⑥　萩生田光一⑥　御法川信英⑥　宮下一郎⑥　鷲尾英一郎⑥　伊東良孝⑤　伊藤忠彦⑤　石原宏高⑤　上野賢一郎⑤　越智隆雄⑤　大塚拓⑤　金田勝年⑤(2)

亀岡偉民⑤　木原誠二⑤　木原稔⑤　小泉進次郎⑤　齋藤健⑤　坂井学⑤　関芳弘⑤　田中良生⑤　髙鳥修一⑤　橘慶一郎⑤　土井亨⑤　中根一幸⑤　橋本岳⑤　平口洋⑤　牧原秀樹⑤　松本洋平⑤　盛山正仁⑤　山本ともひろ⑤　若宮健嗣⑤　青山周平④　井野俊郎④

石川昭政④　岩田和親④　小倉將信④　小田原潔④　大岡敏孝④　大串正樹④　大西英男④　大野敬太郎④　鬼木誠④　勝俣孝明④　門山宏哲④　神田憲次④　菅家一郎④　黄川田仁志④　熊田裕通④　小島敏文④　小林鷹之④　小林史明④　古賀篤④　國場幸之助④　佐々木紀④

笹川博義④　新谷正義④　鈴木貴子④　鈴木憲和④　田所嘉德④　田中英之④　田野瀬太道④　田畑裕明④　武井俊輔④　武部新④　武村展英④　津島淳④　辻清人④　冨樫博之④　中谷真一④　根本幸典④　野中厚④　福田達夫④　藤井比早之④　藤丸敏④　藤原崇④

星野剛士④　細田健一④　堀内詔子④　三ッ林裕巳④　宮内秀樹④　宮﨑政久④　村井英樹④　八木哲也④　簗和生④　山下貴司④　山田美樹④　義家弘介④(1)　渡辺孝一④　尾身朝子③　加藤鮎子③　小林茂樹③　杉田水脈③　鈴木隼人③　高木宏壽③　谷川とむ③　鳩山二郎③

古川　康③
三谷英弘③
宮路拓馬③
宗清皇一③
和田義明③
畦元将吾②
泉田裕彦②
上杉謙太郎②
金子俊平②
木村次郎②
国光あやの②
小寺裕雄②
高木　啓②
中曽根康隆②
西田昭二②
深澤陽一②
穂坂　泰②
本田太郎②
東　国幹①
五十嵐清①
井原　巧①(1)

石井　拓①
石橋林太郎①
石原正敬①
上田英俊①
尾崎正直①
加藤竜祥①
勝目　康①
金子容三①
川崎ひでと①
神田潤一①
岸　信千世①
国定勇人①
小森卓郎①
塩崎彰久①
島尻安伊子①(2)
鈴木英敬①
髙階恵美子①(2)
高見康裕①
中野英幸①
西野太亮①
長谷川淳二①

林　芳正①(5)
平沼正二郎①
古川直季①
松本　尚①
森　由起子①
保岡宏武①
山口　晋①
吉田真次①
若林健太①(1)

参議院100

〈令和元年〉

橋本聖子⑤
松山政司④
石井準一③
衛藤晟一③(4)
北村経夫③
佐藤信秋③
佐藤正久③
西田昌司③
古川俊治③
牧野たかお③
丸川珠代③
宮本周司③
森　まさこ③
山田俊男③
赤池誠章②(1)
石井正弘②
石田昌宏②
太田房江②

古賀友一郎②
上月良祐②
酒井庸行②
滝波宏文②
柘植芳文②
堂故　茂②
長峯　誠②
羽生田俊②
馬場成志②
堀井　巌②
舞立昇治②
三宅伸吾②
森屋　宏②
山下雄平②
山田太郎②
吉川ゆうみ②
和田政宗②
岩本剛人①
加田裕之①
清水真人①
白坂亜紀①

田中昌史①
高橋はるみ①
中田　宏①(4)
比嘉奈津美①(2)
本田顕子①
三浦　靖①(1)
宮崎雅夫①

〈令和4年〉

中曽根弘文⑦
山崎正昭⑥
櫻井　充⑤
関口昌一⑤
鶴保庸介⑤
岡田直樹④
末松信介④
野上浩太郎④
野村哲郎④
松下新平④
松村祥史④
山谷えり子④(1)

議員資料

山本順三④
阿達雅志③
青木一彦③
石井浩郎③
礒崎仁彦③
上野通子③
江島潔③
片山さつき③(1)
長谷川岳③
福岡資麿③(1)
三原じゅん子③
宮沢洋一③(3)
渡辺猛之③
足立敏之②
青山繁晴②
朝日健太郎②
井上義行②
小野田紀美②
こやり隆史②
佐藤啓②
自見はなこ②

進藤金日子②
藤木眞也②
松川るい②
山田宏②(2)
赤松健①
生稲晃子①
臼井正一①
越智俊之①
加藤明良①
梶原大介①
小林一大①
古庄玄知①
友納理緒①
永井学①
長谷川英晴①
藤井一博①
星北斗①
山本啓介①
山本佐知子①
吉井章①
若林洋平①

関係所在地電話番号一覧
特 殊 法 人

〔事　業　団〕

日本私立学校振興・共済事業団	千代田区富士見1-10-12	3230-1321

〔公　　庫〕

沖縄振興開発金融公庫	港区西新橋2-1-1 興和西新橋ビル10F	3581-3241

〔特 殊 会 社〕

日本電信電話㈱	千代田区大手町1-5-1 大手町ファーストスクエアイーストタワー	6838-5111
東日本電信電話㈱	新宿区西新宿3-19-2	5359-5111
西日本電信電話㈱	大阪市都島区東野田町4-15-82	06-4793-9111
日本郵政㈱	千代田区大手町2-3-1 大手町プレイス ウエストタワー	3477-0111
日本郵便㈱	千代田区大手町2-3-1 大手町プレイス ウエストタワー	3477-0111
日本たばこ産業㈱	港区虎ノ門4-1-1	6636-2914
㈱日本政策金融公庫	千代田区大手町1-9-4 (総務直通)	3270-0636
㈱日本政策投資銀行	千代田区大手町1-9-6 大手町フィナンシャルシティサウスタワー	3270-3211
輸出入・港湾関連情報処理センター㈱	港区浜松町1-3-1 浜離宮 ザ タワー事務所5・6F	6732-6119
㈱国際協力銀行	千代田区大手町1-4-1	5218-3100
日本アルコール産業㈱	中央区日本橋小舟町6-6 小倉ビル6F	5641-5255
㈱商工組合中央金庫	中央区八重洲2-10-17	3272-6111
㈱日本貿易保険	千代田区西神田3-8-1 千代田ファーストビル東館5F	3512-7650
新関西国際空港㈱	泉南郡田尻町泉州空港中1番地 航空会社南ビル4F	072-455-4030
北海道旅客鉄道㈱	札幌市中央区北11条西15-1-1	011-222-7111
同東京事務所	千代田区丸の内3-4-1 新国際ビル9F	3211-5120
四国旅客鉄道㈱	高松市浜ノ町8-33	087-825-1622
同東京統括部	千代田区永田町2-12-4 赤坂山王センタービル9F	6205-4590
日本貨物鉄道㈱	渋谷区千駄ヶ谷5-33-8 サウスゲート新宿	5367-7370
東京地下鉄㈱	台東区東上野3-19-6	0570-200-222
成田国際空港㈱	成田市古込字古込1-1	0476-34-5400
東日本高速道路㈱	千代田区霞が関3-3-2 新霞が関ビルディング	3506-0111
中日本高速道路㈱	名古屋市中区錦2-18-19 三井住友銀行名古屋ビル	052-222-1620
西日本高速道路㈱	大阪市北区堂島1-6-20 堂島アバンザビル18F	06-6344-4000
首都高速道路㈱	千代田区霞が関1-4-1 日土地ビル	3502-7311
阪神高速道路㈱	大阪市北区中之島3-2-4 中之島フェスティバルタワー・ウエスト8・9F	06-6203-8888
本州四国連絡高速道路㈱	神戸市中央区小野柄通4-1-22 アーバンエース三宮ビル内	078-291-1000
中間貯蔵・環境安全事業㈱	港区芝1-7-17 住友不動産芝ビル3号館4F	5765-1911

〔そ の 他〕

沖縄科学技術大学院大学学園	国頭郡恩納村字谷茶1919-1	098-966-8711
日本放送協会	渋谷区神南2-2-1	3465-1111
放送大学学園	千葉市美浜区若葉2-11	043-276-5111
日本年金機構	杉並区高井戸西3-5-24	5344-1100
日本中央競馬会	港区西新橋1-1-1	3591-5251

各都市東京事務所

岩見沢市	千代田区平河町2-4-1　日本都市センター会館11F	5216-3588
小樽市	千代田区永田町2-17-17 永田町ほっかいどうスクエア614	6205-7760
帯広市	港区西新橋1-16-4　ノアックスビル6F	3581-2415
釧路市	千代田区平河町2-4-1　日本都市センター会館9F	3263-1992
札幌市	千代田区有楽町2-10-1　東京交通会館3F	3216-5090
苫小牧市	千代田区平河町2-4-2　全国都市会館5F	3265-8078
根室市	さいたま市見沼区深作3-12-24	048-681-0028
青森市東京ビジネスセンター	港区赤坂3-13-7 サクセス赤坂ビル1F	5545-5652
八戸市	千代田区平河町2-4-2　全国都市会館5F	3261-8973
盛岡市	千代田区日比谷公園1-3　市政会館5F	3595-7101
仙台市	千代田区平河町2-4-1　日本都市センター会館9F	3262-5765
秋田市	千代田区平河町2-4-1　日本都市センター会館11F	3234-6871
鶴岡市	江戸川区西葛西7-28-7	5696-6821
いわき市	港区新橋2-16-1　ニュー新橋ビル7F703	5251-5181
さいたま市	千代田区平河町2-4-1　日本都市センター会館11F	5215-7561
千葉市	千代田区平河町2-4-1　日本都市センター会館9F	3261-6411
川崎市	川崎市川崎区宮本町1番地	044-200-0053
相模原市	千代田区平河町2-4-1　日本都市センター会館12F	3222-1653
横浜市東京プロモーション本部	千代田区永田町2-13-10　プルデンシャルタワー3F	5501-4800
新潟市	千代田区平河町2-4-1　日本都市センター会館9F	5216-5133
金沢市	千代田区平河町2-4-2　全国都市会館5F	3262-0444
長野市	千代田区平河町2-6-3 都道府県会館12F(長野県東京事務所内)	6256-8223
静岡市	千代田区平河町2-4-1　日本都市センター会館9F	3556-0865
浜松市	千代田区平河町2-4-1　日本都市センター会館12F	3556-2691
豊田市	千代田区平河町2-4-1　日本都市センター会館11F	3556-3861
豊橋市首都圏活動センター	千代田区平河町2-4-1　日本都市センター会館9F	5210-1484
名古屋市	千代田区霞が関3-3-2　新霞が関ビルディング1F	3504-1738
津市	千代田区平河町2-4-1　日本都市センター会館11F	6672-6868
四日市市	千代田区平河町2-4-1　日本都市センター会館11F	3263-3038
京都市	千代田区丸の内1-6-5　丸の内北口ビル14F	6551-2671
大阪市	千代田区平河町2-6-3 都道府県会館7F(大阪府東京事務所内)	3230-1631
堺市	千代田区平河町2-6-3 都道府県会館7F(大阪府東京事務所内)	5276-2183
神戸市	千代田区平河町2-6-3 都道府県会館13F(兵庫県東京事務所内)	3263-3071
姫路市	千代田区平河町2-4-1　日本都市センター会館12F	6272-5690
岡山市	千代田区丸の内2-5-2　三菱ビル9F973区	3201-3807
倉敷市	千代田区平河町2-4-2　全国都市会館5F	3263-2686
呉市	千代田区平河町2-4-1　日本都市センター会館11F	6261-3746

広島市	千代田区日比谷公園1-3　市政会館4F	3591-1292
福山市	千代田区平河町2-4-1　日本都市センター会館11F	3263-0966
下関市	千代田区平河町2-4-1　日本都市センター会館12F	3261-4098
松山市	千代田区平河町2-4-1　日本都市センター会館11F	3262-0974
北九州市	千代田区有楽町2-10-1　東京交通会館6F	6213-0093
久留米市	千代田区平河町2-4-1　日本都市センター会館11F	3556-6900
福岡市	千代田区平河町2-4-1　日本都市センター会館12F	3261-9712
諫早市	文京区目白台1-4-15	3947-3296
大村市	千代田区麹町1-3-7　日月館麹町ビル6F	3288-1764
佐世保市	千代田区平河町2-4-1　日本都市センター会館11F	5213-9060
長崎市	千代田区日比谷公園1-3　市政会館7F	3591-7600
熊本市	千代田区平河町2-4-1　日本都市センター会館9F	3262-3840
大分市	千代田区平河町2-4-1　日本都市センター会館12F	3221-5951
宮崎市	千代田区平河町2-4-1　日本都市センター会館12F	3234-9777
奄美市	千代田区平河町2-4-2　全国都市会館5F	3262-3480
鹿児島市	千代田区平河町2-4-1　日本都市センター会館12F	3262-6684
北海道市長会	千代田区永田町2-17-17　永田町ほっかいどうスクエア1F	3500-3917
熊本県市長会	千代田区平河町2-4-1　日本都市センター会館11F	3288-5235

主要団体

〔自治〕

尾崎行雄記念財団	千代田区永田町1-1-1　憲政記念館内	3581-1778
指定都市市長会事務局	千代田区日比谷公園1-3　市政会館6F	3591-4772
全国過疎地域連盟	千代田区内神田1-5-4　加藤ビル3F	5244-5827
全国市議会議長会	千代田区平河町2-4-2　全国都市会館6F	3262-5234
全国市長会	千代田区平河町2-4-2　全国都市会館4F	3262-2313
全国知事会	千代田区平河町2-6-3　都道府県会館6F	5212-9127
全国町村会	千代田区永田町1-11-35　全国町村会館3F	3581-0482
全国町村議会議長会	千代田区一番町25　全国町村議員会館4F	3264-8181
全国都道府県議会議長会	千代田区平河町2-6-3　都道府県会館5F	5212-9155
地方財務協会	千代田区平河町2-4-9　地共済センタービル6F	3261-8547
地方自治研究機構	中央区銀座7-14-16　太陽銀座ビル2F	5148-0661
後藤・安田記念東京都市研究所	千代田区日比谷公園1-3　市政会館	3591-1201
日本行政書士会連合会	港区虎ノ門4-1-28　虎ノ門タワーズオフィス10F	6435-7330

〔金融・証券〕

信託協会	千代田区丸の内2-2-1　岸本ビル1F	6206-3981
生命保険協会	千代田区丸の内3-4-1　新国際ビル3F	3286-2624
全国銀行協会	千代田区丸の内1-3-1	3216-3761
全国信用協同組合連合会	中央区京橋1-9-5	3562-5111
全国信用金庫協会	中央区八重洲1-3-7	3517-5711
全国信用組合中央協会	中央区京橋1-9-5	3567-2451
全国地方銀行協会	千代田区内神田3-1-2	3252-5171
全国労働金庫協会	千代田区内神田1-13-4	3295-6721
損害保険料率算出機構	新宿区西新宿3-7-1　新宿パークタワー28・29F	6758-1300
第二地方銀行協会	千代田区三番町5	3262-2181

投資信託協会	中央区日本橋兜町2-1　東京証券取引所ビル6F	5614-8400
東京商品取引所	中央区日本橋兜町2-1	3666-1361
東京証券取引所	中央区日本橋兜町2-1	3666-0141
日本貸金業協会	港区高輪3-19-15　二葉高輪ビル2・3F	5739-3011
日本公認会計士協会	千代田区九段南4-4-1　公認会計士会館	3515-1120
日本証券業協会	中央区日本橋2-11-2　太陽生命日本橋ビル8～11F	6665-6800
日本税理士会連合会	品川区大崎1-11-8　日本税理士会館8F	5435-0931
日本損害保険協会	千代田区神田淡路町2-9　損保会館内	3255-1844
預金保険機構	千代田区大手町1-9-2 大手町フィナンシャルシティグランキューブ13F	6262-7370

〔銀　　行〕

あおぞら銀行	千代田区麹町6-1-1	6752-1111
埼玉りそな銀行	さいたま市浦和区常盤7-4-1	048-824-2411
新生銀行	中央区日本橋室町2-4-3　日本橋室町野村ビル	6880-7000
日本銀行	中央区日本橋本石町2-1-1	3279-1111
農林中央金庫	千代田区大手町1-2-1	3279-0111
みずほ銀行	千代田区大手町1-5-5　大手町タワー	3214-1111
三井住友銀行	千代田区丸の内1-1-2	3282-1111
三菱UFJ銀行	千代田区丸の内2-7-1	3240-1111
りそな銀行	大阪市中央区備後町2-2-1	06-6268-7400

〔産業・経済〕

板硝子協会	港区高輪1-3-13　NBF高輪ビル4F	6450-3926
海洋水産システム協会	中央区日本橋3-15-8　アミノ酸会館ビル2F	6411-0021
機械振興協会	港区芝公園3-5-8　機械振興会館	3434-8224
経済同友会	千代田区丸の内1-4-6　日本工業倶楽部別館5F	3211-1271
高圧ガス保安協会	港区虎ノ門4-3-13　ヒューリック神谷町ビル11F	3436-6100
自転車協会	港区赤坂1-8-1　赤坂インターシティ AIR9F	6230-9896
ジャパンシルクセンター	千代田区有楽町1-9-4　蚕糸会館1F	3215-1212
石炭フロンティア機構	港区西新橋3-2-1　Daiwa西新橋ビル3F	6402-6100
石油化学工業協会	中央区新川1-4-1　住友不動産六甲ビル8F	3297-2011
石油鉱業連盟	千代田区大手町1-3-2　経団連会館17F	3214-1701
石油連盟	千代田区大手町1-3-2　経団連会館17F	5218-2300
石灰石鉱業協会	千代田区岩本町1-7-1　瀬木ビル4F	5687-7650
全国競輪施行者協議会	台東区駒形1-12-14　日本生命浅草ビル6F	6802-7020
全国商工会連合会	千代田区有楽町1-7-1　有楽町電気ビル北館19F	6268-0088
全国商工団体連合会	豊島区目白2-36-13	3987-4391
全国石油商業組合連合会	千代田区永田町2-17-14　石油会館	3593-5811
全国中小企業団体総連合	中央区日本橋茅場町2-8-4　全国会館	3668-2481
全国中小企業団体中央会	中央区新川1-26-19　全中・全味ビル	3523-4901
全国鍍金工業組合連合会	港区芝公園3-5-8　機械振興会館206	3433-3855
電気事業連合会	千代田区大手町1-3-2　経団連会館18F	5221-1430
電子情報技術産業協会	千代田区大手町1-1-3　大手センタービル	5218-1050
伝統的工芸品産業振興協会	港区赤坂8-1-22	5785-1001
日本アルミニウム協会	中央区銀座4-2-15　塚本素山ビル7F	3538-0221
日本ガス協会	港区虎ノ門1-15-12　日本ガス協会ビル9F	3502-0111
日本化学工業協会	中央区新川1-4-1　住友六甲ビル7F	3297-2550
日本観光振興協会	港区虎ノ門3-1-1　虎の門三丁目ビルディング6F	6435-8331
日本機械工業連合会	港区芝公園3-5-8　機械振興会館5F	3434-5381

日本経済団体連合会	千代田区大手町1-3-2　経団連会館	6741-0111
日本原子力産業協会	千代田区二番町11-19　興和二番町ビル5F	6256-9311
日本鉱業協会	千代田区神田錦町3-17-11　榮葉ビル8F	5280-2322
日本航空宇宙工業会	港区赤坂2-5-8　ヒューリックJP赤坂ビル10F	3585-0511
日本自動車会議所	港区芝大門1-1-30　日本自動車会館15F	3578-3880
日本自動車工業会	港区芝大門1-1-30　日本自動車会館16・17F	5405-6118
日本自動車販売協会連合会	港区芝大門1-1-30　日本自動車会館15F	5733-3100
日本商工会議所	千代田区丸の内3-2-2　丸の内二重橋ビル	3283-7823
日本消防検定協会	調布市深大寺東町4-35-16	0422-44-7471
日本水道協会	千代田区九段南4-8-9	3264-2281
日本生産性本部	千代田区平河町2-13-12	3511-4001
日本青年会議所	千代田区平河町2-14-3	3234-5601
日本製薬団体連合会	中央区日本橋本町3-7-2　MFPR日本橋本町ビル3F	3527-3154
日本造船工業会	港区虎ノ門1-15-12　日本ガス協会ビル	3580-1561
日本中小企業団体連盟	中央区日本橋茅場町2-8-4　全国会館4F	3668-2481
日本鉄鋼連盟	中央区日本橋茅場町3-2-10　鉄鋼会館内	3669-4811
日本電気協会	千代田区有楽町1-7-1　有楽町電気ビル北館4F	3216-0551
日本電機工業会	千代田区一番町17-4	3556-5881
日本電気計器検定所	港区芝浦4-15-7	3451-1181
日本動力協会	港区西新橋1-5-8　川手ビル7F	3502-1261
日本プラスチック工業連盟	中央区日本橋茅場町3-5-2　アロマビル5F	6661-6811
日本防衛装備工業会	新宿区下宮比町3-2　飯田橋スクエアビル2F	6280-7718
日本貿易会	千代田区霞が関3-2-1　霞が関コモンゲート西館20F	5860-9350
日本紡績協会	中央区日本橋本町3-1-11　繊維会館7F	6265-1501

〔運輸・建設〕

船舶整備共有船主協会	千代田区平河町2-6-4　海運ビル7F	3262-8336
全国建設業協会	中央区八丁堀2-5-1　東京建設会館5F	3551-9396
全国宅地建物取引業協会連合会	千代田区岩本町2-6-3　全宅連会館3F	5821-8111
全日本航空事業連合会	港区芝3-1-15　芝ボートビル8F	5445-1353
全日本トラック協会	新宿区四谷3-2-5	3354-1009
鉄道貨物協会	千代田区神田司町2-8-4　吹田屋ビル4F	5256-0577
日本海運集会所	文京区小石川2-22-2　和順ビル3F	5802-8361
日本海事協会	千代田区紀尾井町4-7	3230-1201
日本下水道事業団	文京区湯島2-31-27　湯島台ビル3・7・8F	6361-7800
日本交通協会	千代田区丸の内3-4-1　新国際ビル9F916号	3216-2200
日本港運協会	港区新橋6-11-10　港運会館	3432-1050
日本港湾協会	港区赤坂3-3-5　住友生命山王ビル8F	5549-9575
日本財団	港区赤坂1-2-2　日本財団ビル	6229-5111
日本船主協会	千代田区平河町2-6-4　海運ビル	3264-7171
日本倉庫協会	江東区永代1-13-3	3643-1221
日本ダム協会	中央区銀座2-14-2　銀座GTビル7F	3545-8361
日本道路協会	千代田区霞が関3-3-1　尚友会館7F	3581-2211
日本土地家屋調査士会連合会	千代田区神田三崎町1-2-10　土地家屋調査士会館	3292-0050
日本民営鉄道協会	千代田区紀尾井町3-6　紀尾井町パークビル6F	6371-1401
日本旅客船協会	千代田区平河町2-6-4　海運ビル9F	3265-9681

〔農林・水産〕

名称	所在地	電話番号
ＪＦ全漁連	中央区新川1-28-44　新川K・Tビル	6222-1301
製粉協会	中央区日本橋兜町15-6　製粉会館5F	3667-1011
全国共済農業協同組合連合会	千代田区平河町2-7-9　JA共済ビル	5215-9100
全国厚生農業協同組合連合会	千代田区大手町1-3-1　JAビル27F	3212-8000
全国漁港漁場協会	千代田区神田鍛冶町3-6-7　ウンピン神田ビル2F	6206-0066
全国清涼飲料連合会	千代田区神田須田町2-9-2　PMO神田岩本町2F	6260-9260
全国たばこ耕作組合中央会	港区芝大門1-10-1	3432-4401
全国たばこ販売協同組合連合会	港区芝1-6-10　芝SIAビル7F	5476-7551
全国農業会議所	千代田区二番町9-8　中央労働基準協会ビル2F	6910-1121
全国農業共済協会	千代田区一番町19番地　全国農業共済会館5・6F	3263-6411
全国農業協同組合中央会	千代田区大手町1-3-1　JAビル	6665-6000
全国農業者農政運動組織連盟	千代田区大手町1-3-1　JAビル	3286-3921
全国米穀販売事業共済協同組合	中央区日本橋小伝馬町15-15　食糧会館	4334-2100
全農	千代田区大手町1-3-1　JAビル	6271-8111
全麦連	江東区佐賀1-9-13　精麦会館	3641-1101
大日本蚕糸会	千代田区有楽町1-9-4　蚕糸会館6F	3214-3411
大日本水産会	千代田区内幸町1-2-1　日土地内幸町ビル3F	3528-8511
地方競馬全国協会	港区六本木1-9-10 アークヒルズ仙石山森タワー	3583-6841
中央畜産会	千代田区外神田2-16-2 第2ディーアイシービル9F	6206-0840
日本かつお・まぐろ漁業協同組合	江東区永代2-31-1 いちご永代ビル	5646-2381
日本酒造組合中央会	港区西新橋1-6-15　日本酒造虎ノ門ビル	3501-0101
日本醤油協会	中央区日本橋小網町3-11	3666-3286
日本蒸留酒酒造組合	中央区日本橋茅場町2-3-6　宗和ビル5F	3527-3707
日本醸造協会	北区滝野川2-6-30	3910-3853
日本茶業中央会	港区東新橋2-8-5　東京茶業会館5F	3434-2001
農林漁業団体職員共済組合	台東区秋葉原2-3	6260-7800
ビール酒造組合	中央区銀座1-16-7　銀座大栄ビル10F	3561-8386

〔社会・厚生〕

名称	所在地	電話番号
沖縄協会	中央区日本橋小伝馬町17-6 Siesta日本橋201	6231-1433
ガールスカウト日本連盟	渋谷区西原1-40-3	3460-0701
がん研究会	江東区有明3-8-31	3520-0111
企業年金連合会	港区芝公園2-4-1　芝パークビルB館10・11F	5401-8711
健保連	港区赤坂8-5-26　住友不動産青山ビル西館内	3403-0915
原水爆禁止日本協議会	文京区湯島2-4-4　平和と労働センター6F	5842-6031
こどもの国協会	横浜市青葉区奈良町700	045-961-2111
公立学校共済組合本部	千代田区神田駿河台2-9-5	5259-0011
国民健康保険中央会	千代田区永田町1-11-35　全国町村会館	3581-6821
国民年金基金連合会	港区六本木6-1-21　三井住友銀行六本木ビル5F	5411-0211
国家公務員共済組合連合会	千代田区九段南1-1-10　九段合同庁舎	3222-1841
済生会本部	港区三田1-4-28　三田国際ビル21F	3454-3311
産業環境管理協会	千代田区内幸町1-3-1 幸ビルディング3F	3528-8150
社会保険診療報酬支払基金	港区新橋2-1-3	3591-7441
主婦連合会	千代田区六番町15　主婦会館プラザエフ3F	3265-8121
消防団員等公務災害補償等共済基金	港区西新橋3-7-1　ランディック第2新橋ビル4F	5422-1710

情報処理推進機構	文京区本駒込2-28-8 文京グリーンコート センターオフィス13F	5978-7501
全国私立保育園連盟	台東区蔵前4-11-10 全国保育会館3F	3865-3880
全国自治体病院協議会	千代田区平河町2-7-5 砂防会館本館7F	3261-8555
全国社会福祉協議会	千代田区霞が関3-3-2 新霞が関ビル4F	3581-7820
全国社会保険協会連合会	品川区西五反田8-2-8 五反田佑気ビル4F	5434-8577
全国社会保険労務士会連合会	中央区日本橋本石町3-2-12 社会保険労務士会館	6225-4864
全国消費者団体連絡会	千代田区六番町15 プラザエフ6F	5216-6024
全国母子寡婦福祉団体協議会	品川区東大井5-23-13	6718-4088
全国理容生活衛生同業組合連合会	渋谷区代々木1-36-4 全理連ビル8F	3379-4111
全国旅館ホテル生活衛生同業組合連合会	千代田区平河町2-5-5 全国旅館会館4F	3263-4428
全国地域婦人団体連絡協議会	渋谷区渋谷1-17-14 全国婦人会館3F	3407-4303
全日本医薬品登録販売者政治連盟	文京区小石川5-20-17	3813-5353
全日本美容業生活衛生同業組合連合会	渋谷区代々木1-56-4 美容会館7F	3379-2064
地方公務員災害補償基金	千代田区平河町2-16-1 平河町森タワー8F	5210-1341
地方職員共済組合	千代田区平河町2-4-9 地共済センタービル	3261-9821
中央共同募金会	千代田区霞が関3-3-2 新霞が関ビル5F	3581-3846
中央労働災害防止協会	港区芝5-35-2 安全衛生総合会館	3452-6841
東京文化財研究所	台東区上野公園13-43	3823-2241
日本医師会	文京区本駒込2-28-16	3946-2121
日本遺族会	千代田区九段南1-6-5 九段会館テラス4F	3261-5521
日本栄養士会	港区新橋5-13-5 新橋MCVビル6F	5425-6555
日本看護協会	渋谷区神宮前5-8-2 日本看護協会ビル	5778-8831
日本環境保全協会	千代田区九段北1-10-9 九段VIGASビル	3264-7935
日本救急救命士協会	千代田区二番町5-2 麹町駅プラザ901	6403-3892
日本更生保護協会	渋谷区千駄ヶ谷5-10-9 更生保護会館内	3356-5721
日本郷友連盟	新宿区片町3-3-402	3353-2342
日本歯科医師会	千代田区九段北4-1-20	3262-9321
日本歯科衛生士会	新宿区大久保2-11-19	3209-8020
日本歯科技工士会	新宿区市谷佐内町21-5 歯科技工士会館	3267-8681
日本肢体不自由児協会	板橋区小茂根1-1-7	5995-4511
日本獣医師会	港区南青山1-1-1 新青山ビル西館23F	3475-1601
日本柔道整復師会	台東区上野公園16-9	3821-3511
日本助産師会	台東区鳥越2-12-2	3866-3054
日本生協連	渋谷区渋谷3-29-8 コーププラザ	5778-8111
日本赤十字社	港区芝大門1-1-3	3438-1311
日本対がん協会	中央区築地5-3-3 築地浜離宮ビル7F	3541-4771
日本母親大会連絡会	千代田区二番町12-1 全国教育文化会館B1	3230-1836
日本病院会	千代田区三番町9-15 ホスピタルプラザビル	3265-0077
日本婦人団体連合会	渋谷区千駄ヶ谷4-11-9-303	3401-6147
日本保育協会	千代田区麹町1-6-2 麹町一丁目ビル6F	3222-2111
日本薬剤師会	新宿区四谷3-3-1 四谷安田ビル7F	3353-1170
日本ユースホステル協会	渋谷区代々木神園町3-1 国立オリンピック記念青少年総合センター内	5738-0546

日本レクリエーション協会	台東区台東1-1-14　ANTEX24ビル7F	3834-1091
白十字会	台東区台東4-20-6　T&Kビル301	3831-8075
ボーイスカウト日本連盟	杉並区下井草4-4-3	6913-6262
放射線影響研究所(広島研究所)	広島市南区比治山公園5-2	082-261-3131
放射線影響研究所(長崎研究所)	長崎市中川1-8-6	095-823-1121

〔教　育〕

教科書協会	江東区千石1-9-28	5606-9781
公立大学協会	千代田区霞が関3-8-1　虎の門ダイビルイーストB106	3501-3336
国立大学協会	千代田区一ツ橋2-1-2　学術総合センター4F	4212-3506
全国公民館連合会	港区虎ノ門1-16-8　飯島ビル3F	3501-9666
全国公立学校事務長会	豊島区東池袋1-36-3　池袋陽光ハイツ203号	5960-5666
全国公立短期大学協会	千代田区内神田3-5-5　大同ビル3F	6206-0535
全国高等学校長協会	港区西新橋2-5-10　NBC西新橋ビル4F	3580-0570
全国専修学校各種学校総連合会	千代田区九段北4-2-25　私学会館別館11F	3230-4814
全国都道府県教育委員会連合会	千代田区霞が関3-3-1　尚友会館	3501-0575
全国都道府県教育長協議会	千代田区霞が関3-3-1　尚友会館	3501-0575
全国都道府県教育委員協議会	千代田区霞が関3-3-1　尚友会館	3501-0575
全国連合小学校長会	港区西新橋1-22-14	3501-9288
全日本私立幼稚園連合会	千代田区九段北4-2-25　私学会館別館4F	3237-1080
全日本中学校長会	港区西新橋1-22-13　全日本中学校長会館	3580-0604
日本私立小学校中学校高等学校保護者会連合会	千代田区九段北4-2-25　私学会館別館5F	3262-2828
日本私立小学校連合会	千代田区九段北4-2-25　私学会館別館6F	3261-2934
日本私立大学協会	千代田区九段北4-2-25　私学会館別館9F	3261-7048
日本私立大学連盟	千代田区九段北4-2-25　私学会館別館7F	3262-2420
日本私立短期大学協会	千代田区九段北4-2-25　私学会館別館6F	3261-9055
日本私立中学高等学校連合会	千代田区九段北4-2-25　私学会館別館5F	3262-2828
日本PTA全国協議会	港区赤坂7-5-38	5545-7151

〔労働組合〕

運輸労連	千代田区霞が関3-3-3　全日通霞が関ビル5F	3503-2171
NTT労組	千代田区神田駿河台3-6　全電通労働会館内	3219-2111
紙パ連合	台東区池之端2-7-17　井門池之端ビル2F	5809-0482
基幹労連	中央区新川1-23-4　I・Sリバーサイドビル4F	3555-0401
建交労	新宿区百人町4-7-2　全日自労会館4F	3360-8021
航空連合	大田区羽田空港1-6-5　第5綜合ビル5F	5708-7161
交通労連	港区芝2-20-12　友愛会館15F	3451-7243
国税東京	中央区築地5-3-1　東京国税局内509	3524-0309
国税労働組合総連合	千代田区霞が関3-1-1　財務省ビル西155	3581-2573
国鉄労働組合	港区新橋5-15-5　交通ビル7F	5403-1640
国土交通労働組合	千代田区霞が関2-1-3　中央合同庁舎第3号館11F	3580-4244
JEC連合	台東区池之端2-7-17　井門池之端ビル2F	5832-9612
JAM	港区芝2-20-12　友愛会館10・11F	3451-2141
JP労組	台東区東上野5-2-2	5830-2655

私鉄総連	港区高輪4-3-5	3473-0166
自治労	千代田区六番町1　自治労会館内	3263-0262
自動車総連	港区高輪4-18-21　ビューウェル スクエア	5447-5811
全国金融労働組合連合会	千代田区平河町1-9-9　レフラスック平河町ビル402	3230-8415
全経済	千代田区霞が関1-3-1　経済産業省内	3580-5707
全建総連	新宿区高田馬場2-7-15　全建総連会館3F	3200-6221
全港湾	大田区蒲田5-10-2　日港福会館4F	3733-8821
全国一般評議会	千代田区六番町1　自治労会館内5F	3263-0441
全国ガス	大田区大森西5-11-1	5493-8381
全国林野関連労働組合	千代田区霞が関1-2-1	3519-5981
全司法労働組合	千代田区隼町4-2　最高裁判所内	6272-9810
全自交労連	渋谷区千駄ヶ谷3-7-9	3408-0875
全水道	文京区本郷1-4-1　全水道会館2F	3816-4132
全たばこ	港区芝5-26-30　専売ビル2F	3453-2191
全駐留軍労働組合	港区芝3-41-8　駐健保会館3F	3455-5971
全電線	品川区旗の台1-11-6	3785-2991
全日教連	千代田区麴町3-7　半蔵門村山ビル東館	3264-3861
全日本海員組合	港区六本木7-15-26	5410-8329
全日本農民組合連合会(全日農)	新宿区西早稲田1-9-19-207	6233-9335
全農協労連	渋谷区代々木2-5-5　新宿農協会館3F	3370-8327
全農林	千代田区霞が関1-2-1　農林水産省内	3508-1395
全労働	千代田区霞が関1-2-2　中央合同庁舎第5号館18F	3502-6787
電機連合	港区三田1-10-3　電機連合会館	3455-6911
電力総連	港区三田2-7-13　TDS三田3F	3454-0231
都労連	新宿区西新宿2-8-1　都庁第2本庁舎10F	3343-1301
日建協	新宿区高田馬場1-31-16　ワイム高田馬場ビル3F	5285-3870
日放労	渋谷区神南2-2-1　NHK放送センター内	3465-1647
日本医労連	台東区入谷1-9-5　日本医療労働会館3F	3875-5871
日本教職員組合	千代田区一ツ橋2-6-2　日本教育会館6F	3265-2171
日本ゴム産業労働組合連合	豊島区目白2-3-3　ゴム産業会館2F	3984-5656
日本新聞労働組合連合	文京区本郷2-17-17　井門本郷ビル6F	5842-2201
フード連合	港区芝5-26-30　専売ビル4F	6435-2882
三菱重工グループ労連	港区芝5-34-6　新田町ビル	080-9979-9018
民放労連	新宿区四谷三栄町6-5　木原ビル	3355-0461
UAゼンセン	千代田区九段南4-8-16	3288-3737
連合	千代田区神田駿河台3-2-11　連合会館	5295-0550

報道関係

朝日新聞社	中央区築地5-3-2	3545-0131
共同通信社	港区東新橋1-7-1　汐留メディアタワー	6252-8000
産業経済新聞社	千代田区大手町1-7-2	3231-7111
ジャパンタイムズ	千代田区一番町2-2　一番町第二TGビル	050-3646-0123
時事通信社	中央区銀座5-15-8	6800-1111
日刊工業新聞社	中央区日本橋小網町14-1	5644-7000
日本経済新聞社	千代田区大手町1-3-7	3270-0251
日本工業新聞社	千代田区大手町1-7-2	3231-7111
毎日新聞社	千代田区一ツ橋1-1-1	3212-0321
読売新聞社	千代田区大手町1-7-1	3242-1111
ラヂオプレス通信社	新宿区若松町33-8　アール・ビル新宿5F	5273-2171
〔北海道・東北〕		
秋田魁新報社	千代田区内幸町2-2-1 日本プレスセンタービル6F	5511-8261
岩手日報社	中央区銀座7-12-14　大栄会館5F	3541-4346
河北新報社	港区新橋5-13-1 新橋菊栄ビル7F	6435-9059
デーリー東北新聞社	中央区銀座7-13-21　銀座新六洲ビル7F	3543-0248
東奥日報社	中央区銀座8-11-5　正金ビル5F	3573-0701
福島民報社	中央区銀座5-15-8　時事通信ビル9F	6226-1001
福島民友新聞社	中央区銀座2-8-4　泰明ビル6F	3563-5390
北海道新聞社	港区虎ノ門1-7-12　虎ノ門ファーストガーデン12F	6811-1830
陸奥新報社	中央区銀座5-15-8　時事通信ビル13F	6228-4751
山形新聞社	中央区銀座6-13-16　ヒューリック銀座ウォールビル	3543-0821
〔関東〕		
茨城新聞社	中央区八丁堀3-25-10　JR八丁堀ビル2F	3552-0505
神奈川新聞社	中央区銀座7-15-11　日宝銀座Kビル8F	3544-2507
埼玉新聞社	中央区築地2-10-4　エミタ銀座イーストビル5F	3543-3371
下野新聞社	千代田区内幸町2-2-1 日本プレスセンタービル8F	5501-0520
上毛新聞社	中央区京橋2-12-9　ACN京橋ビル5F	6228-7654
千葉日報社	中央区銀座4-10-12　銀座サマリヤビル4F	3545-1261
〔甲信・北陸〕		
北日本新聞社	中央区銀座7-16-14　銀座イーストビル8F	6264-7381
信濃毎日新聞社	千代田区内幸町2-2-1 日本プレスセンタービル6F	5521-3100
新潟日報社	千代田区内幸町2-2-1 日本プレスセンタービル2F	5510-5511
福井新聞社	港区新橋2-19-4　SNTビル5F	3571-2918
北國新聞社	中央区築地6-4-8　北國新聞東京会館	3541-7221
富山新聞社	中央区築地6-4-8　北國新聞東京会館	3541-7221
山梨日日新聞社	中央区銀座8-3-7　静新ビル	3572-6031
〔中部・近畿〕		
伊勢新聞社	中央区築地2-11-11　諸井ビル3F	5550-7911
岐阜新聞社	中央区銀座8-16-6　銀座ストラパックビル2F	6278-8130
京都新聞社	中央区銀座8-2-8　京都新聞銀座ビル	3572-5411

神戸新聞社	千代田区内幸町2-2-1 日本プレスセンタービル3F	6457-9650
静岡新聞社	中央区銀座8-3-7	3571-5891
中日新聞東京本社	千代田区内幸町2-1-4	6910-2211
中部経済新聞社東京支社	中央区銀座5-9-13 銀座菊正ビル8F	3572-3601
奈良新聞社	港区西新橋1-17-4 猪爪ビル3F	6811-2860

〔中国・四国〕

愛媛新聞社	千代田区内幸町2-1-4 日比谷中日ビル3F	6435-7432
高知新聞社	千代田区内幸町2-2-1 日本プレスセンタービル3F	3506-7281
山陰中央新報社	中央区築地4-1-1 東劇ビル17F	3248-1980
山陽新聞社	千代田区内幸町2-2-1 日本プレスセンタービル4F	5521-6861
四国新聞社	中央区銀座7-14-13 日土地銀座ビル5F	6738-1377
新日本海新聞社	港区元赤坂1-1-7 モートサイドビル3F	5410-1871
中国新聞社	千代田区内幸町2-2-1 日本プレスセンタービル2F	3597-1611
徳島新聞社	中央区銀座7-11-6 徳島新聞ビル4F	3573-2616
山口新聞社	中央区築地2-10-6 Daiwa築地駅前ビル8F	6226-3720

〔九州・沖縄〕

大分合同新聞社	千代田区内幸町2-2-1 日本プレスセンタービル4F	6205-7881
沖縄タイムス社	中央区銀座8-18-1 銀座木挽町ビル6F	6264-7878
熊本日日新聞社	千代田区丸の内3-4-1 新国際ビル805	3212-2941
佐賀新聞社	中央区銀座8-18-11 銀座エスシービル9F	3545-1831
長崎新聞社	中央区銀座8-9-16 長崎センタービル7F	3571-4727
南海日日新聞社	中央区銀座5-15-8 時事通信ビル1305室	5565-3631
西日本新聞社	千代田区内幸町2-1-4 日比谷中日ビル4F	6457-9422
南日本新聞社	中央区銀座4-10-3 セントラルビル7F	6260-6131
宮崎日日新聞社	中央区銀座3-11-11 銀座参番館Ⅱビル6F	3543-3825
琉球新報社	中央区京橋1-17-2 昭美京橋第一ビル3F	6264-0981

〔放送〕

テレビ朝日	港区六本木6-9-1	6406-1111
テレビ東京	港区六本木3-2-1 六本木グランドタワー	6632-7777
TBSテレビ	港区赤坂5-3-6	3746-1111
ニッポン放送	千代田区有楽町1-9-3	3287-1111
日経ラジオ社	港区虎ノ門1-2-8 虎ノ門琴平タワー	6205-7810
日本テレビ放送網	港区東新橋1-6-1	6215-1111
日本放送協会	渋谷区神南2-2-1	3465-1111
フジテレビジョン	港区台場2-4-8	5500-8888
文化放送	港区浜松町1-31	5403-1111
毎日放送	港区赤坂5-3-1 赤坂Bizタワー28F	5561-1200
ラジオ日本	港区麻布台2-2-1 麻布台ビル	3582-2351

〔その他〕

霞が関政府刊行物センター	千代田区霞が関1-4-1 日土地ビル1F	3504-3885
日本雑誌協会	千代田区神田神保町1-32 出版クラブビル5F	3291-0775
日本新聞協会	千代田区内幸町2-2-1 日本プレスセンタービル7F	3591-4401
日本専門新聞協会	港区虎ノ門1-2-12 第二興業ビル	3597-8881

ハ イ ヤ ー

大和自動車交通	江東区猿江2-16-31	6757-7162
日本交通	千代田区紀尾井町3-12　紀尾井町ビル	6265-6210
帝都自動車交通	中央区日本橋1-21-5　木村實業ビル	6262-3311
国際自動車	港区赤坂2-8-6　km赤坂ビル	3586-3611
国際興業	中央区八重洲2-10-3	3273-1118
はとバス本社	大田区平和島5-4-1	3761-8111
日の丸リムジン	文京区後楽1-1-8	5689-0423

航 空 会 社

日本航空	0570-025-071(国内線)	0570-025-031(国際線)
全日本空輸	0570-029-222(国内線)	0570-029-333(国際線)

アシアナ航空	0570-082-555	タイ国際航空	0570-064-015
アメリカン航空	03-4333-7675	チャイナエアライン	03-6378-8855
エア・カナダ	0570-014-787	中国国際航空	0570-095-583
エールフランス	03-6634-4983	デルタ航空	0570-077-733
エバー航空	03-4212-3806	ハワイアン航空	0570-018-011
エミレーツ航空	03-6743-4567	フィリピン航空	0570-783-483
カンタス航空	03-6833-0700	フィンランド航空	050-5050-8437
ガルーダ・インドネシア航空	03-5521-1111	ベトナム航空	03-3508-1481
キャセイパシフィック航空	03-6746-1000	マレーシア航空	03-4477-4938
シンガポール航空	03-4578-4088	ユナイテッド航空	03-6732-5011
大韓航空	06-6648-8201	ルフトハンザ・ドイツ航空	0570-089-000

鉄 道 会 社

JR東日本お問い合わせセンター	050-2016-1600	東京メトロお客様センター	0120-104106
JR東海テレフォンセンター	050-3772-3910	都営交通お客様センター	03-3816-5700
小田急電鉄お客様お問合せセンター	044-299-8200	東急お客さまセンター	03-3477-0109
京王お客さまセンター	042-357-6161	東武鉄道お客さまセンター	03-5962-0102
京急ご案内センター	03-5789-8686	東京モノレールお客さまセンター	050-2016-1640
京成お客様ダイヤル	0570-081-160	ゆりかもめお客さまセンター	03-3529-7221
西武鉄道お客さまセンター	04-2996-2888		

ホ テ ル

ザ・キャピトルホテル東急	千代田区永田町 2-10-3	3503-0109
ダイヤモンドホテル	千代田区麹町 1-10-3	3263-2211
帝国ホテル	千代田区内幸町 1-1-1	3504-1111
都市センターホテル	千代田区平河町 2-4-1	3265-8211
パレスホテル東京	千代田区丸の内 1-1-1	3211-5211
ホテルニューオータニ	千代田区紀尾井町 4-1	3265-1111
ホテルルポール麹町	千代田区平河町 2-4-3	3265-5361
丸ノ内ホテル	千代田区丸の内 1-6-3	3217-1111
ANAインターコンチネンタルホテル東京	港区赤坂 1-12-33	3505-1111
グランドプリンスホテル高輪	港区高輪 3-13-1	3447-1111
京急EXホテル高輪	港区高輪 4-10-8	5423-3910
ザ・プリンスパークタワー東京	港区芝公園 4-8-1	5400-1111

シェラトン都ホテル東京	港区白金台1-1-50	3447-3111
芝パークホテル	港区芝公園1-5-10	3433-4141
ホテル ザ セレスティン東京芝	港区芝3-23-1	5441-4111
第一ホテル東京	港区新橋1-2-6	3501-4411
東京グランドホテル	港区芝2-5-2	3456-2222
東京プリンスホテル	港区芝公園3-3-1	3432-1111
オークラ東京	港区虎ノ門2-10-4	3582-0111
グランドニッコー東京 台場	港区台場2-6-1	5500-6711
ヒルトン東京お台場	港区台場1-9-1	5500-5500
ザロイヤルパークホテルアイコニック東京汐留	港区東新橋1-6-3	6253-1111
京王プラザホテル	新宿区西新宿2-2-1	3344-0111
新宿プリンスホテル	新宿区歌舞伎町1-30-1	3205-1111
ハイアットリージェンシー東京	新宿区西新宿2-7-2	3348-1234
パークハイアット東京	新宿区西新宿3-7-1-2	5322-1234
ヒルトン東京	新宿区西新宿6-6-2	3344-5111
東京ドームホテル	文京区後楽1-3-61	5805-2111
渋谷エクセルホテル東急	渋谷区道玄坂1-12-2	5457-0109
羽田エクセルホテル東急	大田区羽田空港3-4-2	5756-6000
ホテルメトロポリタン	豊島区西池袋1-6-1	3980-1111

駐日外国大使館

〔アジア〕

インド大使館	千代田区九段南2-2-11	3262-2391
インドネシア共和国大使館	品川区東五反田5-2-9	3441-4201
カンボジア王国大使館	港区赤坂8-6-9	5412-8521
シンガポール共和国大使館	港区六本木5-12-3	3586-9111
スリランカ民主社会主義共和国大使館	港区高輪2-1-54	3440-6911
タイ王国大使館	品川区上大崎3-14-6	5789-2433
大韓民国大使館	港区南麻布1-2-5	3452-7611
中華人民共和国大使館	港区元麻布3-4-33	3403-3388
ネパール連邦民主共和国大使館	目黒区下目黒6-20-28 福川ハウスB	3713-6241
パキスタン・イスラム共和国大使館	港区南麻布4-6-17	5421-7741
バングラデシュ人民共和国大使館	千代田区紀尾井町3-29	3234-5801
東ティモール民主共和国大使館	千代田区富士見1-8-9	3238-0210
フィリピン共和国大使館	港区六本木5-15-5	5562-1600
ブルネイ・ダルサラーム国大使館	品川区北品川6-5-2	3447-7997
ベトナム社会主義共和国大使館	渋谷区元代々木町50-11	3466-3311
マレーシア大使館	渋谷区南平台町20-16	3476-3840
ミャンマー連邦共和国大使館	品川区北品川4-8-26	3441-9291
モルディブ共和国大使館	千代田区隼町3-7	6272-6700
モンゴル国大使館	渋谷区神山町21-4	3469-2088
ラオス人民民主共和国大使館	港区西麻布3-3-22	5411-2291

〔大洋州〕

オーストラリア大使館	港区三田2-1-14	5232-4111
サモア独立国大使館	港区麻布台3-5-7 麻布アメレックスビル5F	6228-3692
トンガ王国大使館	港区麻布台1-9-10 飯倉ITビル2F	6441-2481

ニュージーランド大使館	渋谷区神山町20-40	3467-2271
パプアニューギニア大使館	目黒区下目黒5-32-20	3710-7001
パラオ共和国大使館	港区東麻布2-21-11	5797-7480
フィジー共和国大使館	港区麻布台2-3-5 ノア・ビルディング14F	3587-2038
マーシャル諸島共和国大使館	世田谷区等々力8-2-22	6432-0557
ミクロネシア連邦大使館	目黒区目黒4-10-6	6452-2540

〔北　米〕

アメリカ合衆国大使館	港区赤坂1-10-5	3224-5000
カナダ大使館	港区赤坂7-3-38	5412-6200

〔中南米〕

アルゼンチン共和国大使館	港区元麻布2-14-14	5420-7101
ウルグアイ東方共和国大使館	港区芝大門1-2-1 大門KSビル7F	6452-9150
エクアドル共和国大使館	港区麻布台3-5-7 麻布アメレックスビル8F	6441-0122
エルサルバドル共和国大使館	港区西麻布3-20-5 西麻布清美堂ビル	6804-2177
キューバ共和国大使館	港区東麻布1-28-4	5570-3182
グアテマラ共和国大使館	港区東麻布1-10-11 東麻布アベビル4F	5797-7502
コスタリカ共和国大使館	港区六本木6-6-2 R-WEST	6434-0426
コロンビア共和国大使館	品川区上大崎3-10-53	3440-6451
ジャマイカ大使館	港区元麻布2-13-1	3435-1861
チリ共和国大使館	港区芝3-1-14 芝公園阪神ビル8F	3452-7561
ドミニカ共和国大使館	千代田区五番町10 五番町KUビル2F a室	6268-9085
ニカラグア共和国大使館	新宿区山吹町337 都住創山吹町ビル501号室	6265-0411
ハイチ共和国大使館	港区東麻布1-10-11 東麻布アベビル7F	6277-8413
パナマ共和国大使館	港区六本木3-15-5 六本木アシャラヒルズ・ビル2F	3505-3661
パラグアイ共和国大使館	千代田区一番町2-2 一番町第二TGビル7F	3265-5271
ブラジル連邦共和国大使館	港区北青山2-11-12	3404-5211
ベネズエラ・ボリバル共和国大使館	中央区入船2-7-4 政光ビル3F	6275-2361
ペルー共和国大使館	渋谷区広尾2-3-1	3406-4243
ボリビア多民族国大使館	港区芝公園3-4-30 32芝公園ビル802、804号	6803-4362
ホンジュラス共和国大使館	港区東麻布1-10-11 東麻布アベビル5F	4361-8142
メキシコ合衆国大使館	千代田区永田町2-15-1	3581-1131

〔欧　州〕

アイスランド共和国大使館	港区高輪4-18-26	3447-1944
アイルランド大使館	千代田区麹町2-10-7 アイルランドハウス	3263-0695
アゼルバイジャン共和国大使館	目黒区東が丘1-19-15	5486-4744
アルバニア共和国大使館	中央区築地6-4-8 北國新聞ビル4F	3543-6861
アルメニア共和国大使館	港区赤坂1-11-36 レジデンス・バイカウンテス230号	6277-7453
イタリア大使館	港区三田2-5-4	3453-5291
ウクライナ大使館	港区西麻布3-5-31	5474-9770
ウズベキスタン共和国大使館	港区高輪2-1-52	6277-2166
英国大使館	千代田区一番町1	5211-1100
エストニア共和国大使館	渋谷区神宮前2-6-15	5412-7281
オーストリア共和国大使館	港区元麻布1-1-20	3451-8281
オランダ王国大使館	港区芝公園3-6-3	5776-5400

カザフスタン共和国大使館	港区麻布台1-8-14	3589-1821
キプロス共和国大使館	港区南麻布4-6-28　ヨーロッパハウス4F	6432-5040
北マケドニア共和国大使館	品川区東五反田5-16-17　パティオ池田山イースト	6868-7110
ギリシャ大使館	港区西麻布3-16-30	3403-0871
キルギス共和国大使館	港区三田1-5-7	6453-8277
クロアチア共和国大使館	渋谷区広尾3-3-10	5469-3014
コソボ共和国大使館	港区西新橋3-13-7　ボルト虎ノ門サウス10F	6809-2577
サンマリノ共和国大使館	港区元麻布3-5-1	5414-7745
ジョージア大使館	港区赤坂1-11-36　レジデンス・バイカウンテス220号	5575-6091
スイス大使館	港区南麻布5-9-12	5449-8400
スウェーデン大使館	港区赤坂1-12-32　アーク森ビル16F	5562-5050
スペイン大使館	港区六本木1-3-29	3583-8531
スロバキア共和国大使館	港区元麻布2-11-33	3451-2200
スロベニア共和国大使館	港区南青山7-14-12	5468-6275
セルビア共和国大使館	港区高輪4-16-12	3447-3571
タジキスタン共和国大使館	品川区上大崎1-5-42　上大崎コンパウンド2F・3F	6721-7455
チェコ共和国大使館	渋谷区広尾2-16-14	3400-8122
デンマーク王国大使館	渋谷区猿楽町29-6	3496-3001
ドイツ連邦共和国大使館	港区南麻布4-5-10	5791-7700
トルクメニスタン大使館	渋谷区東2-6-14	5766-1150
ノルウェー王国大使館	港区芝公園3-4-30　32芝公園ビル9F	5422-1200
ローマ法王庁大使館	千代田区三番町9-2	3263-6851
ハンガリー大使館	港区三田2-17-14	5730-7120
フィンランド大使館	港区南麻布3-5-39	5447-6000
フランス大使館	港区南麻布4-11-44	5798-6000
ブルガリア共和国大使館	渋谷区代々木5-36-3	3465-1021
ベラルーシ共和国大使館	品川区東五反田5-6-32	3448-1623
ベルギー王国大使館	千代田区二番町5-4	3262-0191
ポーランド共和国大使館	目黒区三田2-13-5	5794-7020
ボスニア・ヘルツェゴビナ大使館	港区南麻布5-3-29　ガーデニアビルディング2F・3F	5422-8231
ポルトガル大使館	港区西麻布3-6-6	6447-7870
マルタ共和国大使館	港区虎ノ門4-3-20　神谷町MTビル14F	5404-3450
モルドバ共和国大使館	新宿区榎町72番地　神楽坂榎ビル3F	5225-1622
ラトビア共和国大使館	渋谷区神山町37-11　プリマヴェーラ神山A棟	3467-6888
リトアニア共和国大使館	港区元麻布3-7-18	3408-5091
ルーマニア大使館	港区西麻布3-16-19	3479-0311
ルクセンブルク大公国大使館	千代田区四番町8-9　ルクセンブルクハウス1F	3265-9621
ロシア連邦大使館	港区麻布台2-1-1	3583-4224

〔中　東〕

アフガニスタン・イスラム共和国大使館	港区麻布台2-2-1	5574-7611
アラブ首長国連邦大使館	渋谷区南平台町9-10	5489-0804
イエメン共和国大使館	千代田区三番町6-3　三番町KB-6ビル4F	6261-9026
イスラエル国大使館	千代田区二番町3	3264-0911
イラク共和国大使館	渋谷区神山町14-6　ラビアンパレス松涛	5790-5311
イラン・イスラム共和国大使館	港区南麻布3-13-9	3446-8011
オマーン国大使館	渋谷区広尾4-2-17	5468-1088
カタール国大使館	港区元麻布2-3-28	5475-0611

クウェート国大使館	港区三田4-13-12	3455-0361
サウジアラビア王国大使館	港区六本木1-8-4	3589-5241
シリア・アラブ共和国大使館	港区赤坂6-19-45　ホーマット・ジェイド	3586-8977
トルコ共和国大使館	渋谷区神宮前2-33-6	6439-5700
バーレーン王国大使館	港区赤坂1-11-36　レジデンス・バイカウンテス710号	3584-8001
ヨルダン・ハシェミット王国大使館	渋谷区神山町39-8	5478-7177
レバノン共和国大使館	目黒区東山2-6-9　パステルシティ東山101	6451-2981

〔アフリカ〕

アルジェリア民主人民共和国大使館	目黒区三田2-10-67	3711-2661
アンゴラ共和国大使館	世田谷区代沢2-10-24	5430-7879
ウガンダ共和国大使館	港区赤坂9-6-44　乃木坂フォレスト3F	6384-5516
エジプト・アラブ共和国大使館	目黒区青葉台1-5-4	3770-8022
エチオピア連邦民主共和国大使館	港区高輪3-4-1　高輪偕成ビル2F	5420-6860
エリトリア国大使館	港区白金台4-7-4　白金台STビル第401号室	5791-1815
ガーナ共和国大使館	港区西麻布1-5-21	5410-8631
ガボン共和国大使館	目黒区東が丘1-34-11	5430-9171
カメルーン共和国大使館	世田谷区野沢3-27-16　南ツインハウスA&B	5430-4985
ギニア共和国大使館	渋谷区鉢山町12-9	3770-4640
ケニア共和国大使館	目黒区八雲3-24-3	3723-4006
コートジボワール共和国大使館	渋谷区上原2-19-12	5454-1401
コンゴ共和国大使館	大田区田園調布3-16-4	6427-7858
コンゴ民主共和国大使館	港区南青山2-9-21	6456-4394
ザンビア共和国大使館	品川区荏原1-10-2	3491-0121
ジブチ共和国大使館	品川区北品川5-13-1	3440-3115
ジンバブエ共和国大使館	港区三田5-4-3　三田プラザビル6F	6416-8434
スーダン共和国大使館	目黒区八雲4-7-1	5729-6170
セネガル共和国大使館	目黒区青葉台1-3-4	3464-8451
タンザニア連合共和国大使館	世田谷区上用賀4-21-9	3425-4531
チュニジア共和国大使館	千代田区九段南3-6-6	3511-6622
トーゴ共和国大使館	目黒区八雲2-2-4	6421-1064
ナイジェリア連邦共和国大使館	港区虎ノ門3-6-1	5425-8011
ナミビア共和国大使館	港区麻布台3-5-7　AMEREXビル4F	6426-5460
ブルキナファソ大使館	渋谷区大山町45-24　太田ハウス	3485-1930
ベナン共和国大使館	文京区春日1-11-14　SG春日ビル8F	6268-9360
ボツワナ共和国大使館	港区芝4-5-10　ACN田町ビル6F	5440-5676
マダガスカル共和国大使館	港区元麻布2-3-23	3446-7252
マラウイ共和国大使館	港区高輪3-4-1　高輪偕成ビル7F	3449-3010
マリ共和国大使館	品川区上大崎3-12-9	5447-6881
南アフリカ共和国大使館	千代田区麴町1-4　半蔵門ファーストビル4F	3265-3366
モザンビーク共和国大使館	世田谷区桜新町1-33-14	5760-6271
モーリタニア・イスラム共和国大使館	目黒区五本木1-16-17	6712-2147
モロッコ王国大使館	港区南青山5-4-30	5485-7171
リビア大使館	渋谷区代官山町10-14	3477-0701
リベリア共和国大使館	新宿区市谷砂土原町1-2-61　オフィス横丁市谷	5228-6751
ルワンダ共和国大使館	世田谷区深沢1-17-17　アネックス深沢A棟	5752-4255
レソト王国大使館	港区赤坂7-5-47　U&M赤坂ビル1F	3584-7455

国会関係

名称	郵便番号	住所	電話番号
総理大臣官邸	100-0014	千代田区永田町2-3-1	3581-0101
衆議院	100-8960	千代田区永田町1-7-1	3581-5111
議長公邸	100-0014	千代田区永田町2-18-1	3581-1461
副議長公邸	107-0052	港区赤坂8-11-40	3423-0311
赤坂議員宿舎	107-0052	港区赤坂2-17-10	5549-4671
参議院	100-8961	千代田区永田町1-7-1	3581-3111
議長公邸	100-0014	千代田区永田町2-18-2	3581-1481
副議長公邸	106-0043	港区麻布永坂町25	3586-6741
麹町議員宿舎	102-0083	千代田区麹町4-7	3237-0341
清水谷議員宿舎	102-0094	千代田区紀尾井町1-15	3264-1351
国会図書館	100-8924	千代田区永田町1-10-1	3581-2331
憲政記念館	100-0014	千代田区永田町1-8-1	3581-1651
議員会館			
衆議院			
第一議員会館	100-8981	千代田区永田町2-2-1	3581-5111
第二議員会館	100-8982	千代田区永田町2-1-2	3581-5111
参議院			
議員会館	100-8962	千代田区永田町2-1-1	3581-3111

中央省庁

名称	郵便番号	住所	電話番号
内閣	100-0014	千代田区永田町2-3-1	3581-0101
内閣官房	100-8968	千代田区永田町1-6-1	5253-2111
内閣法制局	100-0013	千代田区霞が関3-1-1	3581-7271
国家安全保障会議	100-0014	千代田区永田町2-4-12	5253-2111
人事院	100-8913	千代田区霞が関1-2-3	3581-5311
内閣府	100-8914	千代田区永田町1-6-1	5253-2111
宮内庁	100-8111	千代田区千代田1-1	3213-1111
警察庁	100-8974	千代田区霞が関2-1-2	3581-0141
金融庁	100-8967	千代田区霞が関3-2-1	3506-6000
消費者庁	100-8958	千代田区霞が関3-1-1	3507-8800
こども家庭庁	100-6090	千代田区霞が関3-2-5	6771-8030
デジタル庁	102-0094	千代田区紀尾井町1-3	4477-6775
復興庁	100-0013	千代田区霞が関3-1-1	6328-1111
総務省	100-8926	千代田区霞が関2-1-2	5253-5111
消防庁	100-8927	同	5253-5111
法務省	100-8977	千代田区霞が関1-1-1	3580-4111
出入国在留管理庁	100-8973	同	3580-4111
公安調査庁	100-0013	同	3592-5711
最高検察庁	100-0013	同	3592-5611
外務省	100-8919	千代田区霞が関2-2-1	3580-3311
財務省	100-8940	千代田区霞が関3-1-1	3581-4111
国税庁	100-8978	同	3581-4161
文部科学省	100-8959	千代田区霞が関3-2-2	5253-4111
スポーツ庁	100-8959	同	5253-4111
文化庁	100-8959	同	5253-4111
厚生労働省	100-8916	千代田区霞が関1-2-2	5253-1111
農林水産省	100-8950	千代田区霞が関1-2-1	3502-8111
林野庁	100-8952	同	3502-8111
水産庁	100-8907	同	3502-8111
経済産業省	100-8901	千代田区霞が関1-3-1	3501-1511
資源エネルギー庁	100-8931	同	3501-1511
特許庁	100-8915	千代田区霞が関3-4-3	3581-1101
中小企業庁	100-8912	千代田区霞が関1-3-1	3501-1511
国土交通省	100-8918	千代田区霞が関2-1-3	5253-8111
観光庁	100-8918	千代田区霞が関2-1-2	5253-8111
気象庁	105-8431	港区虎ノ門3-6-9	6758-3900
海上保安庁	100-8976	千代田区霞が関2-1-3	3591-6361
環境省	100-8975	千代田区霞が関1-2-2	3581-3351
原子力規制庁	106-8450	港区六本木1-9-9	3581-3352
防衛省	162-8801	新宿区市谷本村町5-1	3268-3111
防衛装備庁	162-8870	同	3268-3111
会計検査院	100-8941	千代田区霞が関3-2-2	3581-3251
最高裁判所	102-8651	千代田区隼町4-2	3264-8111

中央省庁　ホームページアドレス一覧

衆　議　院	https://www.shugiin.go.jp
参　議　院	https://www.sangiin.go.jp
国立国会図書館	https://www.ndl.go.jp
首相官邸	https://www.kantei.go.jp
内閣官房	https://www.cas.go.jp
内　閣　府	https://www.cao.go.jp
宮　内　庁	https://www.kunaicho.go.jp
警　察　庁	https://www.npa.go.jp
金　融　庁	https://www.fsa.go.jp
消費者庁	https://www.caa.go.jp
こども家庭庁	https://www.cfa.go.jp
デジタル庁	https://www.digital.go.jp
復　興　庁	https://www.reconstruction.go.jp
総　務　省	https://www.soumu.go.jp
消　防　庁	https://www.fdma.go.jp
法　務　省	https://www.moj.go.jp
出入国在留管理庁	https://www.moj.go.jp/isa
公安調査庁	https://www.moj.go.jp/psia
最高検察庁	https://www.kensatsu.go.jp/kakuchou/supreme/supreme.htm
外　務　省	https://www.mofa.go.jp/mofaj
財　務　省	https://www.mof.go.jp
国　税　庁	https://www.nta.go.jp
文部科学省	https://www.mext.go.jp
スポーツ庁	https://www.mext.go.jp/sports
文　化　庁	https://www.bunka.go.jp
厚生労働省	https://www.mhlw.go.jp
農林水産省	https://www.maff.go.jp
林　野　庁	https://www.rinya.maff.go.jp
水　産　庁	https://www.jfa.maff.go.jp
経済産業省	https://www.meti.go.jp
資源エネルギー庁	https://www.enecho.meti.go.jp
特　許　庁	https://www.jpo.go.jp
中小企業庁	https://www.chusho.meti.go.jp
国土交通省	https://www.mlit.go.jp
観　光　庁	https://www.mlit.go.jp/kankocho
気　象　庁	https://www.jma.go.jp
海上保安庁	https://www.kaiho.mlit.go.jp
環　境　省	https://www.env.go.jp
原子力規制委員会	https://www.nsr.go.jp
防　衛　省	https://www.mod.go.jp
防衛装備庁	https://www.mod.go.jp/atla
会計検査院	https://www.jbaudit.go.jp
最高裁判所	https://www.courts.go.jp

政 党 関 係

自由民主党	100-8910 千代田区永田町1-11-23 https://www.jimin.jp	3581-6211
公明党	160-0012 新宿区南元町17 https://www.komei.or.jp	3353-0111
日本共産党	151-8586 渋谷区千駄ケ谷4-26-7 https://www.jcp.or.jp	3403-6111
社会民主党	104-0043 中央区湊3-18-17 マルキ榎本ビル5F https://sdp.or.jp	3553-3731
日本維新の会	542-0082 大阪市中央区島之内1-17-16 三栄長堀ビル https://o-ishin.jp	06-4963-8800
立憲民主党	100-0014 千代田区永田町1-11-1 https://cdp-japan.jp	3595-9988
国民民主党	100-0014 千代田区永田町2-17-17 JBS永田町 https://www.new-kokumin.jp	3593-6229
れいわ新選組	102-0083 千代田区麹町2-5-20 押田ビル4F https://reiwa-shinsengumi.com	6384-1974
参政党	107-0052 港区赤坂3-4-3 赤坂マカベビル5F https://www.sanseito.jp	6807-4228
教育無償化を実現する会	100-0014 千代田区永田町2-17-17 272 https://fefa-japan.jp	6811-2100

志公会（麻生派）	102-0093 千代田区平河町2-5-5 全国旅館会館3F	3237-1121

衆議院第一議員会館

3階

略歴頁	議員名（会派）	号室	（西）	号室	議員名（会派）	略歴頁
127	藤田文武（維教）	312	喫煙室	313	鎌田さゆり（立憲）	105
138	宮路拓馬（自民）	311	トイレ	314	小泉進次郎（自民）	117
153	宗清皇一（自民）	310		315	林　佑美（維教）	130
139	中川郁子（自民）	309	階段	316	山本有二（自民）	158
136	大串博志（立憲）	308	エレベーター	317	井上信治（自民）	116
136	原口一博（立憲）	307		318	――	
104	山岡達丸（立憲）	306		319	――	
152	牧　義夫（立憲）	305	エレベーター	320	柳本　顕（自民）	153
151	山本左近（自民）	304	階段	321	中嶋秀樹（維教）	156
116	中西健治（自民）	303		322	牧島かれん（自民）	118
149	塚田一郎（自民）	302	トイレ	323	井上貴博（自民）	134
135	麻生太郎（自民）	301		324	松木けんこう（立憲）	103

国会議事堂側（東）

4階

略歴頁	議員名（会派）	号室	（西）	号室	議員名（会派）	略歴頁
132	斉藤鉄夫（公明）	412	喫煙室	413	――	
143	石井啓一（公明）	411	トイレ	414	杉本和巳（維教）	152
103	和田義明（自民）	410		415	遠藤　敬（維教）	128
117	太　栄志（立憲）	409	階段	416	鈴木憲和（自民）	106
117	笠　浩史（立憲）	408	エレベーター	417	小林鷹之（自民）	111
118	斎藤洋明（自民）	407		418	――	
107	浅野　哲（国民）	406		419	野中　厚（自民）	142
128	浦野靖人（維教）	405	エレベーター	420	大島　敦（立憲）	110
126	井上英孝（維教）	404	階段	421	あかま二郎（自民）	117
149	務台俊介（自民）	403		422	今枝宗一郎（自民）	124
111	土屋品子（自民）	402	トイレ	423	鈴木馨祐（自民）	116
146	山崎　誠（立憲）	401		424	阿部知子（立憲）	117

国会議事堂側（東）

衆議院第一議員会館

5階

略歴頁	議員名（会派）	号室	（西）	号室	議員名（会派）	略歴頁
115	菅　直人（立憲）	512	喫煙室	513	小野泰輔（維教）	149
128	馬場伸幸（維教）	511	トイレ	514	あべ俊子（自民）	157
147	長島昭久（自民）	510		515	森山　裕（自民）	138
145	中谷一馬（立憲）	509	階段	516	遠藤良太（維教）	155
128	北側一雄（公明）	508	エレベーター	517	大河原まさこ（立憲）	148
157	平林　晃（公明）	507		518	――――	
124	岡田克也（立憲）	506		519	中川正春（立憲）	151
131	逢沢一郎（自民）	505	エレベーター	520	渡辺孝一（自民）	139
121	野田聖子（自民）	504	階段	521	――――	
140	菅家一郎（自民）	503		522	辻　清人（自民）	113
111	松野博一（自民）	502	トイレ	523	西田昭二（自民）	119
157	畦元将吾（自民）	501		524	――――	

国会議事堂側（東）

6階

略歴頁	議員名（会派）	号室	（西）	号室	議員名（会派）	略歴頁
112	林　幹雄（自民）	612	喫煙室	613	山際大志郎（自民）	118
129	西村康稔（自民）	611	トイレ	614	鈴木英敬（自民）	124
136	武田良太（自民）	610	階段	615	藤井比早之（自民）	129
148	海江田万里（無）	609		616	大串正樹（自民）	153
142	藤岡隆雄（立憲）	608	エレベーター	617	山田賢司（自民）	129
143	小宮山泰子（立憲）	607		618	――――	
160	川内博史（立憲）	606		619	大岡敏孝（自民）	125
141	小沢一郎（立憲）	605	エレベーター	620	細野豪志（自民）	122
135	宮内秀樹（自民）	604	階段	621	上野賢一郎（自民）	125
128	関　芳弘（自民）	603		622	橘　慶一郎（自民）	119
125	武村展英（自民）	602	トイレ	623	伊東良孝（自民）	103
125	小寺裕雄（自民）	601		624	源馬謙太郎（立憲）	122

国会議事堂側（東）

衆議院第一議員会館

7階

略歴頁	議員名	(会派)	号室	(西)	号室	議員名	(会派)	略歴頁
153	田中　健	(国民)	712	喫煙室	713	鈴木義弘	(国民)	144
141	岡本あき子	(立憲)	711	トイレ	714	永岡桂子	(自民)	108
110	大塚　拓	(自民)	710	階段	715	鬼木　誠	(自民)	134
114	松島みどり	(自民)	709		716	田所嘉德	(自民)	142
108	福田昭夫	(立憲)	708	エレベーター	717	簗　和生	(自民)	108
129	松本剛明	(自民)	707		718	――――		
133	玉木雄一郎	(国民)	706		719	篠原　孝	(立憲)	150
106	加藤鮎子	(自民)	705	エレベーター	720	守島　正	(維教)	126
120	後藤茂之	(自民)	704	階段	721	奥下剛光	(維教)	127
106	遠藤利明	(自民)	703		722	中野洋昌	(公明)	129
124	川崎ひでと	(自民)	702	トイレ	723	青柳仁士	(維教)	127
132	高村正大	(自民)	701		724	――――		

国会議事堂側(東)

8階

略歴頁	議員名	(会派)	号室	(西)	号室	議員名	(会派)	略歴頁
119	小森卓郎	(自民)	812	喫煙室	813	石原宏高	(自民)	147
159	小里泰弘	(自民)	811	トイレ	814	小倉將信	(自民)	115
109	新藤義孝	(自民)	810	階段	815	保岡宏武	(自民)	159
125	前原誠司	(維教)	809		816	黄川田仁志	(自民)	109
107	小熊慎司	(立憲)	808	エレベーター	817	泉　健太	(立憲)	125
135	城井　崇	(立憲)	807		818	――――		
120	下条みつ	(立憲)	806		819	玄葉光一郎	(立憲)	107
126	山井和則	(立憲)	805	エレベーター	820	おおつき紅葉	(立憲)	139
110	枝野幸男	(立憲)	804	階段	821	野田佳彦	(立憲)	111
160	濵地雅一	(公明)	803		822	齋藤　健	(自民)	112
113	手塚仁雄	(立憲)	802	トイレ	823	秋葉賢也	(自民)	140
160	金城泰邦	(公明)	801		824	屋良朝博	(立憲)	159

国会議事堂側(東)

衆議院第一議員会館

9階

略歴頁	議員名（会派）	号室	（西）	号室	議員名（会派）	略歴頁
127	漆間譲司（維教）	912	喫煙室	913	西野太亮（自民）	137
109	村井英樹（自民）	911	トイレ	914	平　将明（自民）	113
151	石原正敬（自民）	910		915	木原誠二（自民）	115
143	福重隆浩（公明）	909	階段	916	伊東信久（維教）	128
126	佐藤茂樹（公明）	908	エレベーター	917	——	
127	池下　卓（維教）	907		918	——	
127	岩谷良平（維教）	906		919	井林辰憲（自民）	121
127	中司　宏（維教）	905	エレベーター	920	勝俣孝明（自民）	122
154	盛山正仁（自民）	904	階段	921	伊藤　渉（公明）	152
130	高市早苗（自民）	903		922	中川宏昌（公明）	150
124	田村憲久（自民）	902	トイレ	923	大西健介（立憲）	124
106	御法川信英（自民）	901		924	鰐淵洋子（公明）	154

国会議事堂側（東）

10階

略歴頁	議員名（会派）	号室	（西）	号室	議員名（会派）	略歴頁
112	渡辺博道（自民）	1012	喫煙室	1013	山岸一生（立憲）	114
147	松本洋平（自民）	1011	トイレ	1014	寺田　学（立憲）	141
117	田中和徳（自民）	1010		1015	渡辺　創（立憲）	137
112	松本　尚（自民）	1009	階段	1016	足立康史（維教）	127
120	髙木　毅（自民）	1008	エレベーター	1017	志位和夫（共産）	146
123	長坂康正（自民）	1007		1018	——	
140	亀岡偉民（自民）	1006		1019	美延映夫（維教）	126
114	岡本三成（公明）	1005	エレベーター	1020	土田　慎（自民）	114
126	伊佐進一（公明）	1004	階段	1021	——	
105	安住　淳（立憲）	1003		1022	佐藤公治（立憲）	132
120	若林健太（自民）	1002	トイレ	1023	湯原俊二（立憲）	157
105	鈴木俊一（自民）	1001		1024	平井卓也（自民）	158

国会議事堂側（東）

衆議院第一議員会館

11階

略歴頁	議員名	(会派)	号室	(西)	号室	議員名	(会派)	略歴頁
158	瀬戸隆一	(自民)	1112	喫煙室	1113	小山展弘	(立憲)	121
138	島尻安伊子	(自民)	1111	トイレ	1114	吉田宣弘	(公明)	160
123	鈴木淳司	(自民)	1110		1115	平沢勝栄	(自民)	115
129	渡海紀三朗	(自民)	1109	階段	1116	牧原秀樹	(自民)	142
155	宮本岳志	(共産)	1108	エレベーター	1117	葉梨康弘	(自民)	107
138	赤嶺政賢	(共産)	1107		1118	――		
152	本村伸子	(共産)	1106		1119	奥野総一郎	(立憲)	112
147	越智隆雄	(自民)	1105	エレベーター	1120	土井　亨	(自民)	105
154	谷川とむ	(自民)	1104	階段	1121	酒井なつみ	(立憲)	114
109	福田達夫	(自民)	1103		1122	英利アルフィヤ	(自民)	111
134	塩崎彰久	(自民)	1102	トイレ	1123	――		
137	衛藤征士郎	(自民)	1101		1124	神田憲次	(自民)	123

国会議事堂側(東)

12階

略歴頁	議員名	(会派)	号室	(西)	号室	議員名	(会派)	略歴頁
133	吉田真次	(自民)	1212	喫煙室	1213	寺田　稔	(自民)	132
133	大野敬太郎	(自民)	1211	トイレ	1214	髙鳥修一	(自民)	149
112	森　英介	(自民)	1210		1215	田嶋　要	(立憲)	111
144	秋本真利	(無)	1209	階段	1216	鈴木庸介	(立憲)	148
145	谷田川　元	(立憲)	1208	エレベーター	1217	馬淵澄夫	(立憲)	130
120	宮下一郎	(自民)	1207		1218	――		
156	小島敏文	(自民)	1206		1219	宮本　徹	(共産)	148
132	小林史明	(自民)	1205	エレベーター	1220	国定勇人	(自民)	149
144	義家弘介	(自民)	1204	階段	1221	石橋林太郎	(自民)	156
133	岸　信千世	(自民)	1203		1222	岸田文雄	(自民)	132
139	鈴木貴子	(自民)	1202	トイレ	1223	深澤陽一	(自民)	122
133	林　芳正	(自民)	1201		1224	村上誠一郎	(自民)	134

国会議事堂側(東)

衆議院第二議員会館

2階

（西）

略歴頁	議員名（会派）	号室	号室	議員名（会派）	略歴頁
	特別室	212			
135	藤丸　敏（自民）	211	213	仁木博文（自民）	133
126	本田太郎（自民）	210	214	田畑裕明（自民）	119
150	石井　拓（自民）	209	215	中谷真一（自民）	120
149	鷲尾英一郎（自民）	208	216	古賀　篤（自民）	135
134	井原　巧（自民）	207	217	高木宏壽（自民）	103
159	岩田和親（自民）	206	218	工藤彰三（自民）	123
105	伊藤信太郎（自民）	205	219	―	
150	神津たけし（立憲）	204	220	中野英幸（自民）	110
104	階　猛（立憲）	203	221	鳩山二郎（自民）	135
106	緑川貴士（立憲）	202	222	伊藤忠彦（自民）	123
143	青山大人（立憲）	201	223	二階俊博（自民）	130

（中央通路：喫煙室、トイレ、階段、エレベーター、エレベーター、階段、トイレ）

国会議事堂側（東）

3階

（西）

略歴頁	議員名（会派）	号室	号室	議員名（会派）	略歴頁
135	堤　かなめ（立憲）	312	313	石田眞敏（自民）	130
145	中山展宏（自民）	311	314	田野瀬太道（自民）	130
147	髙木　啓（自民）	310	315	浜田靖一（自民）	112
146	角田秀穂（公明）	309	316	笹川博義（自民）	109
152	大口善徳（公明）	308	317	西銘恒三郎（自民）	139
143	輿水恵一（公明）	307	318	―	
131	橋本　岳（自民）	306	319	八木哲也（自民）	123
121	上川陽子（自民）	305	320	藤巻健太（維教）	146
108	国光あやの（自民）	304	321	阿部　司（維教）	148
155	住吉寛紀（維教）	303	322	吉田統彦（立憲）	152
161	山本剛正（維教）	302	323	沢田　良（維教）	144
119	佐々木　紀（自民）	301	324	西村明宏（自民）	105

（中央通路：喫煙室、トイレ、階段、エレベーター、エレベーター、階段、トイレ）

国会議事堂側（東）

衆議院第二議員会館

4階

略歴頁	議員名	(会派)	号室	(西)	号室	議員名	(会派)	略歴頁
133	山口俊一	(自民)	412	喫煙室	413	稲津 久	(公明)	104
143	中村喜四郎	(立憲)	411	トイレ	414	赤羽一嘉	(公明)	128
137	金子恭之	(自民)	410		415	たがや 亮	(れ新)	147
154	櫻井 周	(立憲)	409	階段	416	櫛渕万里	(れ新)	149
139	堀井 学	(無)	408	エレベーター	417	大石晃子	(れ新)	156
120	堀内詔子	(自民)	407		418	――		
103	中村裕之	(自民)	406		419	福島伸享	(有志)	107
156	斎藤アレックス	(維教)	405	エレベーター	420	――		
118	西村智奈美	(立憲)	404	階段	421	金村龍那	(維教)	146
119	梅谷 守	(立憲)	403		422	堀場幸子	(維教)	155
122	近藤昭一	(立憲)	402	トイレ	423	古屋圭司	(自民)	121
136	山田勝彦	(立憲)	401		424	吉田とも代	(維教)	158

国会議事堂側(東)

5階

略歴頁	議員名	(会派)	号室	(西)	号室	議員名	(会派)	略歴頁
104	石川香織	(立憲)	512	喫煙室	513	森 由起子	(自民)	151
150	池田佳隆	(無)	511	トイレ	514	甘利 明	(自民)	144
114	大西英男	(自民)	510		515	石破 茂	(自民)	130
156	池畑浩太朗	(維教)	509	階段	516	道下大樹	(立憲)	103
122	熊田裕通	(自民)	508	エレベーター	517	逢坂誠二	(立憲)	103
156	一谷勇一郎	(維教)	507		518	――		
156	赤木正幸	(維教)	506		519	北神圭朗	(有志)	125
160	吉川 元	(立憲)	505	エレベーター	520	高見康裕	(自民)	131
160	吉田久美子	(公明)	504	階段	521	田中良生	(自民)	111
148	河西宏一	(公明)	503		522	三ッ林裕巳	(自民)	111
146	古屋範子	(公明)	502	トイレ	523	若宮健嗣	(自民)	147
153	小林茂樹	(自民)	501		524	伊藤達也	(自民)	115

国会議事堂側(東)

衆議院第二議員会館

6階

略歴頁	議員名	(会派)	号室	(西)	号室	議員名	(会派)	略歴頁
138	古川禎久	(自民)	612	喫煙室	613	森山浩行	(立憲)	154
	―		611	トイレ	614	平沼正二郎	(自民)	131
117	江田憲司	(立憲)	610		615	勝目　康	(自民)	125
154	徳永久志	(維教)	609	階段	616	青山周平	(自民)	150
116	篠原　豪	(立憲)	608	エレベーター	617	緒方林太郎	(有志)	135
113	吉田はるみ	(立憲)	607		618	―		
113	落合貴之	(立憲)	606		619	―		
108	船田　元	(自民)	605	エレベーター	620	穀田恵二	(共産)	155
153	田中英之	(自民)	604	階段	621	笠井　亮	(共産)	148
130	山口　壯	(自民)	603		622	下村博文	(自民)	114
140	荒井　優	(立憲)	602	トイレ	623	城内　実	(自民)	122
138	野間　健	(立憲)	601		624	吉野正芳	(自民)	107

国会議事堂側(東)

7階

略歴頁	議員名	(会派)	号室	(西)	号室	議員名	(会派)	略歴頁
160	田村貴昭	(共産)	712	喫煙室	713	棚橋泰文	(自民)	121
138	新垣邦男	(立憲)	711	トイレ	714	金子容三	(自民)	136
106	金子恵美	(立憲)	710		715	小野寺五典	(自民)	105
113	松原　仁	(立憲)	709	階段	716	國重　徹	(公明)	126
144	星野剛士	(自民)	708	エレベーター	717	佐藤英道	(公明)	140
137	吉良州司	(有志)	707		718	―		
113	長妻　昭	(立憲)	706		719	山下貴司	(自民)	131
153	岬　麻紀	(維教)	705	エレベーター	720	白石洋一	(立憲)	158
141	早坂　敦	(維教)	704	階段	721	井出庸生	(自民)	120
134	長谷川淳二	(自民)	703		722	宮﨑政久	(自民)	159
137	坂本哲志	(自民)	702	トイレ	723	中島克仁	(立憲)	145
151	中川貴元	(自民)	701		724	米山隆一	(立憲)	118

国会議事堂側(東)

衆議院第二議員会館

8階

略歴頁	議員名（会派）	号室	（西）	号室	議員名（会派）	略歴頁
104	神田潤一（自民）	812	喫煙室	813	古川　康（自民）	159
119	上田英俊（自民）	811	トイレ	814	後藤祐一（立憲）	118
129	谷　公一（自民）	810		815	――	
104	木村次郎（自民）	809	階段	816	吉川　赳（無）	151
144	髙橋英明（維教）	808	エレベーター	817	――	
155	和田有一朗（維教）	807		818	――	
155	掘井健智（維教）	806		819	近藤和也（立憲）	150
132	新谷正義（自民）	805	エレベーター	820	浮島智子（公明）	154
132	平口　洋（自民）	804	階段	821	馬場雄基（立憲）	141
146	浅川義治（維教）	803		822	柴山昌彦（自民）	110
118	菊田真紀子（立憲）	802	トイレ	823	小渕優子（自民）	109
140	神谷　裕（立憲）	801		824	額賀福志郎（無）	107

国会議事堂側（東）

9階

略歴頁	議員名（会派）	号室	（西）	号室	議員名（会派）	略歴頁
161	長友慎治（国民）	912	喫煙室	913	金子俊平（自民）	121
131	亀井亜紀子（立憲）	911	トイレ	914	泉田裕彦（自民）	149
151	伴野　豊（立憲）	910		915	五十嵐　清（自民）	142
124	重徳和彦（立憲）	909	階段	916	丹羽秀樹（自民）	123
109	穂坂　泰（自民）	908	エレベーター	917	山田美樹（自民）	113
157	杉田水脈（自民）	907		918	――	
124	根本幸典（自民）	906		919	中川康洋（公明）	152
143	塩川鉄也（共産）	905	エレベーター	920	日下正喜（公明）	157
141	高橋千鶴子（共産）	904	階段	921	井野俊郎（自民）	109
107	梶山弘志（自民）	903		922	――	
108	佐藤　勉（自民）	902	トイレ	923	中曽根康隆（自民）	108
134	尾﨑正直（自民）	901		924	三反園　訓（自民）	138

国会議事堂側（東）

衆議院第二議員会館

10階

略歴頁	議員名	(会派)	号室	(西)	号室	議員名	(会派)	略歴頁
116	早稲田ゆき	(立憲)	1012	喫煙室	1013	青柳陽一郎	(立憲)	145
108	茂木敏充	(自民)	1011	トイレ	1014	石川昭政	(自民)	142
104	武部　新	(自民)	1010		1015	藤原　崇	(自民)	105
140	金田勝年	(自民)	1009	階段	1016	國場幸之助	(自民)	159
115	末松義規	(立憲)	1008	エレベーター	1017	武井俊輔	(自民)	159
115	小田原　潔	(自民)	1007		1018	――		
122	古川元久	(国民)	1006		1019	冨樫博之	(自民)	106
133	小川淳也	(立憲)	1005	エレベーター	1020	東　国幹	(自民)	103
160	稲富修二	(立憲)	1004	階段	1021	江渡聡徳	(自民)	104
110	森田俊和	(立憲)	1003		1022	赤澤亮正	(自民)	131
123	江﨑鐵磨	(自民)	1002	トイレ	1023	高木陽介	(公明)	148
153	奥野信亮	(自民)	1001		1024	山崎正恭	(公明)	158

国会議事堂側(東)

11階

略歴頁	議員名	(会派)	号室	(西)	号室	議員名	(会派)	略歴頁
150	吉田豊史	(無)	1112	喫煙室	1113	菅　義偉	(自民)	116
141	上杉謙太郎	(自民)	1111	トイレ	1114	古川直季	(自民)	116
145	山本ともひろ	(自民)	1110		1115	稲田朋美	(自民)	119
152	渡辺　周	(立憲)	1109	階段	1116	木原　稔	(自民)	136
110	山口　晋	(自民)	1108	エレベーター	1117	櫻田義孝	(自民)	145
110	小泉龍司	(自民)	1107		1118	――		
136	加藤竜祥	(自民)	1106		1119	坂井　学	(自民)	116
155	三木圭恵	(維教)	1105	エレベーター	1120	三谷英弘	(自民)	144
131	加藤勝信	(自民)	1104	階段	1121	門山宏哲	(自民)	145
117	河野太郎	(自民)	1103		1122	伊藤俊輔	(立憲)	147
161	阿部弘樹	(維教)	1102	トイレ	1123	鈴木　敦	(維教)	146
	――		1101		1124	西岡秀子	(国民)	136

国会議事堂側(東)

衆議院第二議員会館

12階

略歴頁	議員名（会派）	号室	（西）	号室	議員名（会派）	略歴頁
121	武藤容治（自民）	1212	喫煙室	1213	根本　匠（自民）	106
151	塩谷　立（無）	1211	トイレ	1214	――	
158	今村雅弘（自民）	1210		1215	鈴木隼人（自民）	114
137	岩屋　毅（自民）	1209	階段	1216	井坂信彦（立憲）	128
157	髙階恵美子（自民）	1208	エレベーター	1217	柚木道義（立憲）	157
137	江藤　拓（自民）	1207		1218	――	
142	中根一幸（自民）	1206		1219	本庄知史（立憲）	112
115	萩生田光一（自民）	1205	エレベーター	1220	細田健一（自民）	118
140	津島　淳（自民）	1204	階段	1221	坂本祐之輔（立憲）	143
129	市村浩一郎（維教）	1203		1222	中谷　元（自民）	134
158	空本誠喜（維教）	1202	トイレ	1223	竹内　譲（公明）	154
142	尾身朝子（自民）	1201		1224	庄子賢一（公明）	141

国会議事堂側（東）

参議院議員会館

2階

略歴頁	議員名（会派）	号室	（西）
			喫煙室
			トイレ
			トイレ
			階段
			エレベーター
177	宮口治子（立憲）	206	
163	岩本剛人（自民）	205	エレベーター
164	寺田　静（無）	204	階段
173	山本佐知子（自民）	203	
192	窪田哲也（公明）	202	トイレ
188	梶原大介（自民）	201	

国会議事堂側（東）

参議院議員会館

3階

梅村　聡（維教） 略歴頁：186	渡辺猛之（自民） 略歴頁：172
326	325

（西）

略歴頁	議員名	（会派）	号室		号室	議員名	（会派）	略歴頁
173	安江伸夫	（公明）	312	喫煙室	313	鶴保庸介	（自民）	176
177	森本真治	（立憲）	311	トイレ	314	木村英子	（れ新）	187
183	山東昭子	（自民）	310	トイレ	315	今井絵理子	（自民）	189
190	阿達雅志	（自民）	309	階段	316	天畠大輔	（れ新）	193
175	太田房江	（自民）	308	エレベーター	317	高木真理	（立憲）	167
171	滝波宏文	（自民）	307		318	小野田紀美	（自民）	177
175	高木かおり	（維教）	306		319	羽生田　俊	（自民）	183
184	水岡俊一	（立憲）	305	エレベーター	320	三上えり	（立憲）	177
194	齊藤健一郎	（N党）	304	階段	321	井上哲士	（共産）	186
163	高橋はるみ	（自民）	303		322	星　北斗	（自民）	165
187	舩後靖彦	（れ新）	302	トイレ	323	野田国義	（立憲）	179
173	里見隆治	（公明）	301		324	高橋克法	（自民）	165

国会議事堂側（東）

4階

（西）

略歴頁	議員名	（会派）	号室		号室	議員名	（会派）	略歴頁
173	吉川ゆうみ	（自民）	412	喫煙室	413	武見敬三	（自民）	168
――			411	トイレ	414	加藤明良	（自民）	165
173	田島麻衣子	（立憲）	410	トイレ	415	――		
191	古賀千景	（立憲）	409	階段	416	小林一大	（自民）	170
193	仁比聡平	（共産）	408	エレベーター	417	堀井　巌	（自民）	176
175	松川るい	（自民）	407		418	――		
193	竹詰　仁	（民主）	406		419	白坂亜紀	（自民）	180
191	青島健太	（維教）	405	エレベーター	420	片山さつき	（自民）	188
175	清水貴之	（維教）	404	階段	421	広田　一	（無）	178
187	浜田　聡	（N党）	403		422	平木大作	（公明）	185
192	横山信一	（公明）	402	トイレ	423	赤松　健	（自民）	188
166	矢倉克夫	（公明）	401		424	船橋利実	（自民）	163

国会議事堂側（東）

参議院議員会館

5階

略歴頁	議員名	(会派)	号室	(西)	号室	議員名	(会派)	略歴頁
164	櫻井　充	(自民)	512	喫煙室	513	猪瀬直樹	(維教)	190
191	鬼木　誠	(立憲)	511	トイレ	514	佐々木さやか	(公明)	169
174	東　徹	(維教)	510	トイレ	515	尾辻秀久	(無)	181
168	吉良よし子	(共産)	509	階段	516	永井　学	(自民)	171
184	川田龍平	(立憲)	508	エレベーター	517	竹谷とし子	(公明)	168
192	青木　愛	(立憲)	507		518	大家敏志	(自民)	179
167	石井準一	(自民)	506		519	伊波洋一	(沖縄)	181
184	田中昌史	(自民)	505	エレベーター	520	神谷宗幣	(無)	194
189	自見はなこ	(自民)	504	階段	521	浜野喜史	(民主)	187
172	大野泰正	(無)	503		522	滝沢　求	(自民)	163
171	森屋　宏	(自民)	502	トイレ	523	石橋通宏	(立憲)	192
188	足立敏之	(自民)	501		524	赤池誠章	(自民)	183

国会議事堂側(東)

6階

略歴頁	議員名	(会派)	号室	(西)	号室	議員名	(会派)	略歴頁
168	音喜多駿	(維教)	612	喫煙室	613	辻元清美	(立憲)	191
184	岸真紀子	(立憲)	611	トイレ	614	高橋光男	(公明)	175
183	宮崎雅夫	(自民)	610	トイレ	615	杉　久武	(公明)	175
166	伊藤　岳	(共産)	609	階段	616	石川博崇	(公明)	175
163	勝部賢志	(立憲)	608	エレベーター	617	吉川沙織	(立憲)	184
165	堂込麻紀子	(無)	607		618	上田清司	(無)	166
167	長浜博行	(無)	606		619	長谷川　岳	(自民)	163
188	藤井一博	(自民)	605	エレベーター	620	朝日健太郎	(自民)	168
178	三宅伸吾	(自民)	604	階段	621	浅田　均	(維教)	175
177	舞立昇治	(自民)	603		622	中西祐介	(自民)	178
169	山本太郎	(れ新)	602	トイレ	623	山田太郎	(自民)	182
170	浅尾慶一郎	(自民)	601		624	磯﨑仁彦	(自民)	178

国会議事堂側(東)

参議院議員会館

7階

略歴頁	議員名	(会派)	号室	(西)	号室	議員名	(会派)	略歴頁
181	高良鉄美	(沖縄)	712	喫煙室	713	石井浩郎	(自民)	164
179	秋野公造	(公明)	711	トイレ	714	大島九州男	(れ新)	193
187	紙 智子	(共産)	710	トイレ	715	若林洋平	(自民)	172
178	ながえ孝子	(無)	709	階段	716	こやり隆史	(自民)	174
176	佐藤 啓	(自民)	708	エレベーター	717	藤川政人	(自民)	173
173	斎藤嘉隆	(立憲)	707		718	古川俊治	(自民)	166
168	塩村あやか	(立憲)	706		719	進藤金日子	(自民)	189
182	佐藤正久	(自民)	705	エレベーター	720	河野義博	(公明)	185
165	上月良祐	(自民)	704	階段	721	片山大介	(維教)	176
186	柳ヶ瀬 裕文	(維教)	703		722	佐藤信秋	(自民)	182
164	横澤高徳	(立憲)	702	トイレ	723	酒井庸行	(自民)	172
163	徳永エリ	(立憲)	701		724	杉尾秀哉	(立憲)	171

国会議事堂側(東)

8階

略歴頁	議員名	(会派)	号室	(西)	号室	議員名	(会派)	略歴頁
172	牧野たかお	(自民)	812	喫煙室	813	石垣のりこ	(立憲)	164
181	三浦 靖	(自民)	811	トイレ	814	青木一彦	(自民)	177
164	舟山康江	(民主)	810	トイレ	815	嘉田由紀子	(維教)	174
182	山田俊男	(自民)	809	階段	816	柴田 巧	(維教)	186
174	福山哲郎	(立憲)	808	エレベーター	817	山添 拓	(共産)	169
171	岡田直樹	(自民)	807		818	羽田次郎	(立憲)	171
168	山口那津男	(公明)	806		819	加田裕之	(自民)	176
190	中条きよし	(維教)	805	エレベーター	820	宮沢洋一	(自民)	177
170	三浦信祐	(公明)	804	階段	821	越智俊之	(自民)	190
182	橋本聖子	(自民)	803		822	平山佐知子	(無)	172
180	長峯 誠	(自民)	802	トイレ	823	三原じゅん子	(自民)	170
192	竹内真二	(公明)	801		824	松下新平	(自民)	180

国会議事堂側(東)

参議院議員会館

9階

略歴頁	議員名	(会派)	号室	(西)	号室	議員名	(会派)	略歴頁
190	松野明美	(維教)	912	喫煙室	913	下野六太	(公明)	179
185	山本博司	(公明)	911	トイレ	914	奥村政佳	(立憲)	185
187	田村まみ	(民主)	910	トイレ	915	小西洋之	(立憲)	167
167	臼井正一	(自民)	909	階段	916	山下雄平	(自民)	179
193	田村智子	(共産)	908	エレベーター	917	芳賀道也	(民主)	164
180	古庄玄知	(自民)	907		918	上野通子	(自民)	165
187	大椿ゆうこ	(立憲)	906		919	福岡資麿	(自民)	179
176	末松信介	(自民)	905	エレベーター	920	井上義行	(自民)	189
169	生稲晃子	(自民)	904	階段	921	吉井　章	(自民)	174
170	松沢成文	(維教)	903		922	谷合正明	(公明)	192
168	丸川珠代	(自民)	902	トイレ	923	清水真人	(自民)	166
170	打越さく良	(立憲)	901		924	森　まさこ	(自民)	165

国会議事堂側(東)

10階

略歴頁	議員名	(会派)	号室	(西)	号室	議員名	(会派)	略歴頁
165	小沼　巧	(立憲)	1012	喫煙室	1013	金子道仁	(維教)	191
172	榛葉賀津也	(民主)	1011	トイレ	1014	伊藤孝江	(公明)	176
170	野上浩太郎	(自民)	1010	トイレ	1015	有村治子	(自民)	182
191	柴　愼一	(立憲)	1009	階段	1016	馬場成志	(自民)	180
173	伊藤孝恵	(民主)	1008	エレベーター	1017	世耕弘成	(無)	176
169	牧山ひろえ	(立憲)	1007		1018	宮本周司	(自民)	171
189	藤木眞也	(自民)	1006		1019	山本順三	(自民)	178
167	西田実仁	(公明)	1005	エレベーター	1020	長谷川英晴	(自民)	188
174	梅村みずほ	(維教)	1004	階段	1021	倉林明子	(共産)	174
170	堂故　茂	(自民)	1003		1022	浜口　誠	(民主)	193
193	岩渕　友	(共産)	1002	トイレ	1023	松村祥史	(自民)	180
183	本田顕子	(自民)	1001		1024	山本香苗	(公明)	185

国会議事堂側(東)

参議院議員会館

11階

略歴頁	議員名	(会派)	号室	(西)	号室	議員名	(会派)	略歴頁
185	新妻秀規	(公明)	1112	喫煙室	1113	石川大我	(立憲)	184
194	福島みずほ	(立憲)	1111	トイレ	1114	柘植芳文	(自民)	181
174	西田昌司	(自民)	1110	トイレ	1115	石井苗子	(維教)	190
178	北村経夫	(自民)	1109	階段	1116	友納理緒	(自民)	189
179	古賀之士	(立憲)	1108	エレベーター	1117	塩田博昭	(公明)	185
189	山谷えり子	(自民)	1107		1118	宮崎　勝	(公明)	192
163	田名部匡代	(立憲)	1106		1119	小澤雅仁	(立憲)	184
167	猪口邦子	(自民)	1105	エレベーター	1120	野村哲郎	(自民)	181
166	関口昌一	(自民)	1104	階段	1121	大塚耕平	(民主)	172
178	江島　潔	(自民)	1103		1122	藤巻健史	(維教)	186
183	中田　宏	(自民)	1102	トイレ	1123	山下芳生	(共産)	186
182	石田昌宏	(自民)	1101		1124	松山政司	(自民)	179
				国会議事堂側(東)				

12階

略歴頁	議員名	(会派)	号室	(西)	号室	議員名	(会派)	略歴頁
192	上田　勇	(公明)	1212	喫煙室	1213	豊田俊郎	(自民)	167
184	森屋　隆	(立憲)	1211	トイレ	1214	石井正弘	(自民)	177
187	礒﨑哲史	(民主)	1210	トイレ	1215	青山繁晴	(自民)	188
169	水野素子	(立憲)	1209	階段	1216	衛藤晟一	(自民)	183
186	小池　晃	(共産)	1208	エレベーター	1217	熊谷裕人	(立憲)	166
185	若松謙維	(公明)	1207		1218	神谷政幸	(自民)	190
180	古賀友一郎	(自民)	1206		1219	鈴木宗男	(無)	186
189	山田　宏	(自民)	1205	エレベーター	1220	和田政宗	(自民)	182
190	石井　章	(維教)	1204	階段	1221	比嘉奈津美	(自民)	183
191	串田誠一	(維教)	1203		1222	村田享子	(立憲)	191
180	山本啓介	(自民)	1202	トイレ	1223	川合孝典	(民主)	193
171	山崎正昭	(自民)	1201		1224	中曽根弘文	(自民)	166
				国会議事堂側(東)				

国会周辺地図

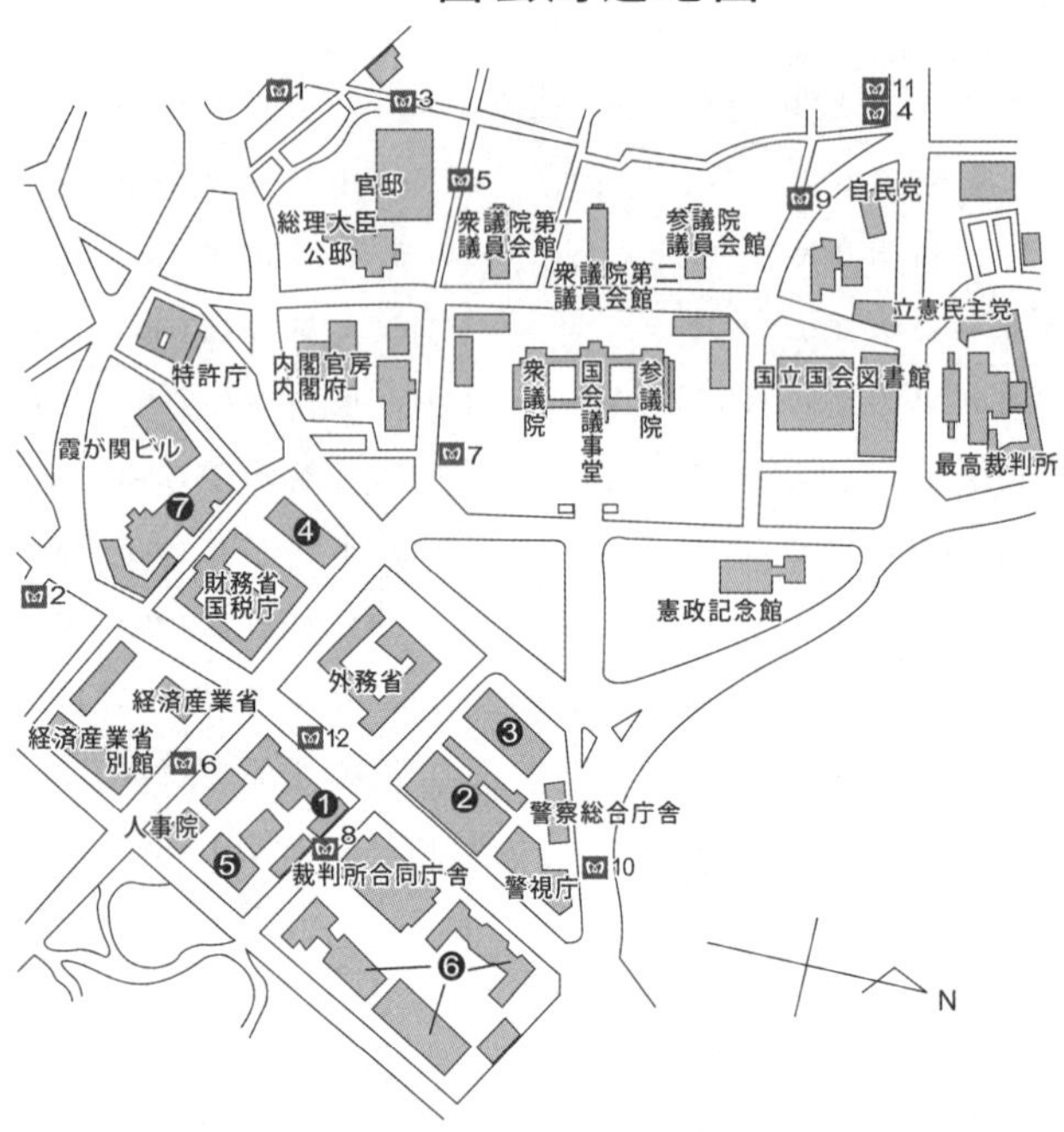

❶ 中央合同庁舎第１号館
農林水産省・林野庁・水産庁
❷ 中央合同庁舎第２号館
警察庁・総務省・消防庁・観光庁
❸ 中央合同庁舎第３号館
国土交通省・海上保安庁
❹ 中央合同庁舎第４号館
内閣法制局・消費者庁・復興庁
❺ 中央合同庁舎第５号館
厚生労働省・環境省
❻ 中央合同庁舎第６号館
法務省・公安調査庁・最高検察庁・公正取引委員会・出入国在留管理庁
❼ 中央合同庁舎第７号館
金融庁・文部科学省・スポーツ庁・文化庁・会計検査院

東京メトロ
1 銀座線溜池山王駅
2 〃 虎ノ門駅
3 南北線溜池山王駅
4 〃 永田町駅
5 千代田線国会議事堂前駅
6 〃 霞ヶ関駅
7 丸ノ内線国会議事堂前駅
8 〃 霞ヶ関駅
9 有楽町線永田町駅
10 〃 桜田門駅
11 半蔵門線永田町駅
12 日比谷線霞ヶ関駅

年齢早見表

誕生日以降の満年齢

生まれ年		年齢	干支	生まれ年		年齢	干支
邦暦	西暦			邦暦	西暦		
昭和4	1929	95	己巳	53	1978	46	戊午
5	1930	94	庚午	54	1979	45	己未
6	1931	93	辛未	55	1980	44	庚申
7	1932	92	壬申	56	1981	43	辛酉
8	1933	91	癸酉	57	1982	42	壬戌
9	1934	90	甲戌	58	1983	41	癸亥
10	1935	89	乙亥	59	1984	40	甲子
11	1936	88	丙子	60	1985	39	乙丑
12	1937	87	丁丑	61	1986	38	丙寅
13	1938	86	戊寅	62	1987	37	丁卯
14	1939	85	己卯	63	1988	36	戊辰
15	1940	84	庚辰	64	1989	35	己巳
16	1941	83	辛巳	平成元	1989	35	己巳
17	1942	82	壬午	2	1990	34	庚午
18	1943	81	癸未	3	1991	33	辛未
19	1944	80	甲申	4	1992	32	壬申
20	1945	79	乙酉	5	1993	31	癸酉
21	1946	78	丙戌	6	1994	30	甲戌
22	1947	77	丁亥	7	1995	29	乙亥
23	1948	76	戊子	8	1996	28	丙子
24	1949	75	己丑	9	1997	27	丁丑
25	1950	74	庚寅	10	1998	26	戊寅
26	1951	73	辛卯	11	1999	25	己卯
27	1952	72	壬辰	12	2000	24	庚辰
28	1953	71	癸巳	13	2001	23	辛巳
29	1954	70	甲午	14	2002	22	壬午
30	1955	69	乙未	15	2003	21	癸未
31	1956	68	丙申	16	2004	20	甲申
32	1957	67	丁酉	17	2005	19	乙酉
33	1958	66	戊戌	18	2006	18	丙戌
34	1959	65	己亥	19	2007	17	丁亥
35	1960	64	庚子	20	2008	16	戊子
36	1961	63	辛丑	21	2009	15	己丑
37	1962	62	壬寅	22	2010	14	庚寅
38	1963	61	癸卯	23	2011	13	辛卯
39	1964	60	甲辰	24	2012	12	壬辰
40	1965	59	乙巳	25	2013	11	癸巳
41	1966	58	丙午	26	2014	10	甲午
42	1967	57	丁未	27	2015	9	乙未
43	1968	56	戊申	28	2016	8	丙申
44	1969	55	己酉	29	2017	7	丁酉
45	1970	54	庚戌	30	2018	6	戊戌
46	1971	53	辛亥	31	2019	5	己亥
47	1972	52	壬子	令和元	2019	5	己亥
48	1973	51	癸丑	2	2020	4	庚子
49	1974	50	甲寅	3	2021	3	辛丑
50	1975	49	乙卯	4	2022	2	壬寅
51	1976	48	丙辰	5	2023	1	癸卯
52	1977	47	丁巳	6	2024	0	甲辰

国会便覧 158 版

商標登録番号　1549237

令和6年9月1日　発行

発行者　　森本 友則

発行所　　シュハリ・イニシアティブ株式会社
〒160-0023
東京都新宿区西新宿6-21-1アイタウン・レピア508号
電話　03-5990-5220
FAX　03-5990-5221

振替口座番号　00290-5-105722

kokkaibinran.jp

ISBN 978-4-908325-31-1　C0231